Vindens skygge

Carlos Ruiz Zafón

Vindens skygge

Oversatt fra spansk av
Kari og Kjell Risvik

GYLDENDAL

Utgitt første gang på norsk 2004
2.–5. opplag 2004
I Månedens bok 2005
I Gyldendal Pocket 2005
2.–3. opplag 2005

Originaltittel: *La sombra del viento*

Copyright © Carlos Ruiz Zafón, 2001
Norsk utgave © Gyldendal Norsk Forlag AS 2004

Første gang utgitt av Editorial Planeta, S.A., Barcelona 2002

Published by arrangement with UnderCover Literary Agents

Printed in Norway
Trykk/innbinding: AIT Trondheim AS, 2005
Sats: AIT Trondheim AS, 2003
Papir: 55 g Snowbulk (2,3)
Omslagsfoto: Francesc Català-Roca
Omslagsdesign: Agnete Strand
Seriedesign: Trond Fasting Egeland

ISBN 82-05-33557-5

Til Joan Ramon Planas, som hadde fortjent noe bedre

De glemte bøkers kirkegård

Jeg kan ennå huske den morgenen da far for første gang tok meg med til De glemte bøkers kirkegård. Det var en av de første i den lange rekken av sommerdager 1945, og vi vandret gjennom gatene i et Barcelona som var fanget under en askegrå himmel og en dampende sol som strømmet over Rambla de Santa Mónica i en girlander av flytende kobber.

– Daniel, det du skal få se i dag, kan du ikke fortelle til noen, advarte far. – Ikke engang til din venn Tomás. Ikke til noen.

– Ikke til mamma heller? spurte jeg med tynn stemme.

Far sukket og søkte tilflukt bak det triste smilet som forfulgte ham som en skygge gjennom livet.

– Jo, det er klart, svarte han mismodig. – Henne har vi ingen hemmeligheter for. Til henne kan du fortelle alt.

Like etter borgerkrigen var mor blitt revet bort i et koleraut-brudd. Vi gravla henne på Montjuïc den dagen jeg fylte fire år. Jeg husker bare at det regnet hele dagen og hele natten, og da jeg spurte far om himmelen gråt, sviktet stemmen hans, så han ikke kunne svare. Seks år senere sto mors fravær fremdeles for meg som en luftspeiling, en høylytt taushet som jeg ennå ikke hadde lært å stilne med ord. Far og jeg bodde i en liten leilighet i Calle Santa Ana, like ved kirkeplassen. Leiligheten lå rett over bokhandelen som hadde spesialisert seg på samlerutgaver og antikvariske bøker. Den var arvet etter bestefar, en forheks-set basar som far satset på at jeg en dag skulle overta. Jeg var oppvokst blant bøker, hadde fått meg usynlige venner på sider som smuldret til støv, med en lukt som ennå henger igjen på hendene mine. Som liten gutt lærte jeg meg å falle i søvn mens jeg lå i halvmørket på rommet mitt og fortalte mor om det jeg hadde vært med på om dagen, hva som hadde hendt på skolen, hva jeg hadde lært den dagen ... Jeg kunne ikke høre stemmen hennes eller føle berøringen hennes, men lyset og varmen brant i hver en krok av huset, og jeg hadde ennå i behold troen til dem som fremdeles kan telle årene sine på én hånd, jeg trodde at hvis jeg lukket øynene og snakket til henne, så kunne hun høre meg, hvor hun enn var. Noen ganger lyttet far fra spisestuen og gråt i smug.

Jeg husker at den junimorgenen våknet jeg grytidlig med et skrik. Hjertet hamret i brystet som om sjelen ville bane seg vei og legge på sprang ned trappen. Far ilte forskrekket til og holdt meg i armene og prøvde å få roet meg.

– Jeg kan ikke huske ansiktet hennes. Jeg kan ikke huske ansiktet til mamma, mumlet jeg stakkåndet.

Far klemte meg hardt.

– Det skal du ikke være lei deg for, Daniel. Jeg vil huske det for oss begge.

Vi så på hverandre i halvmørket og lette etter ord som ikke fantes. Det var første gang jeg oppdaget at far ble eldre og eldre, og at øynene hans, øyne av savn og tåke, alltid skuet bakover. Han rettet seg opp og trakk til side gardinene for å slippe inn det lune demringslyset.

– Kom, Daniel, kle på deg. Det er noe jeg vil vise deg, sa han.

– Nå? Klokken fem om morgenen?

– Det er visse ting man bare kan se i mørket, antydet far og hentet frem et gåtefullt smil som han antagelig hadde lånt fra en av bøkene til Alexandre Dumas.

Gatene henlå fremdeles i dugg og tåkedis da vi kom ut av porten. Gatelyktene på Ramblas tegnet det dampende omrisset av en aveny som glippet med øynene samtidig som byen strakte dovent på seg og skrelte av seg sin akvarellforkledning. Da vi kom til Calle Arco del Teatro, våget vi oss videre i retning av Raval under den søylerekken som bar bud om et hvelv av blå tåkedis. Jeg fulgte etter far på den smale veien, mer som et arr enn en gate, til gjenskjæret fra Rambla svant bort bak oss. Morgengryet sivet ned fra balkongene og gesimsene i pust av skrått lys som ennå ikke streifet bakken. Til slutt stanset far utenfor en utskåret treport som var svertet av tid og fukt. Foran oss ruvet noe som i mine øyne virket som det forlatte kadaveret av et slott, eller et museum av ekko og skygger.

– Daniel, det du skal få se i dag, kan du ikke fortelle til noen. Ikke engang til din venn Tomás. Ikke til noen.

En småvokst mann med ansiktstrekk som en rovfugl og sølvgrå hårmanke lukket opp for oss. Ørneblikket hans falt på meg, uutgrunnelig.

– God dag, Isaac. Dette er min sønn Daniel, meddelte far.

– Han fyller snart elleve år, og en dag skal han overta butikken. Han er gammel nok til å få kjennskap til dette stedet.

Denne Isaac nikket lett som tegn på at vi fikk komme inn. Et blålig halvlys dekket hele ham, men tegnet bare et vagt riss av en marmortrapp og et galleri av fresker befolket av engler og eventyrskikkelser. Vi fulgte etter oppsynsmannen gjennom slottskorridoren og kom til en stor, rund sal der en skinnbarlig basilika av mørke henlå under en kuppel gjennomhullet av lysbunter som hang ned fra det høye. En labyrint av hyller stappfulle av bøker tårnet seg opp fra gulvet og helt til topps og tegnet en bikube med et nett av tunneler, trapper, avsatser og broer som skapte en fornemmelse av et gigantisk bibliotek med en umulig geometri. Jeg så måpende på far. Han smilte og blunket til meg.

– Daniel, velkommen til De glemte bøkers kirkegård.

Spredt omkring i gangene og plattformene i dette biblioteket avtegnet det seg et dusin skikkelser. Noen av dem snudde seg og hilste på avstand, og jeg dro kjensel på ansiktene til en hel del av fars kolleger i antikvarlauget. I mine tiårige øyne fremsto disse individene som et hemmelig brorskap av alkymister som hadde sammensverget seg bak verdens rygg. Far satte seg på kne ved siden av meg, så meg inn i øynene og snakket med den lette stemmen som hører løfter og betroelser til.

– Dette stedet er et mysterium, Daniel, en helligdom. Hver bok, hvert bind du ser, har en sjel. Sjelen til den som skrev den, og sjelen til dem som leste den og levde og drømte med den. Hver gang en bok skifter eier, hver gang noen lar blikket gli over sidene, vokser dens ånd og styrkes. For mange, mange år siden, da min far tok meg med hit for første gang, var dette stedet allerede gammelt. Kanskje like gammelt som selve byen. Ingen vet sikkert hvor lenge det har eksistert, eller hvem som opprettet det. Jeg skal si deg det samme som min far sa til meg. Når et bibliotek forsvinner, når en bokhandel stenger dørene, når en bok forsvinner i glemselen, sørger vi som vet om dette stedet, oppsynsmennene, for at den havner her. Her står de bøkene som ingen lenger husker, de bøkene som har gått seg vill i tiden, og lever for alltid, i påvente av at de en dag skal komme en ny leser, en ny ånd, i hende. I butikken selger og kjøper vi dem, men i

7

virkeligheten har bøker ingen eier. Hver bok du ser her, har vært bestevennen til noen. Nå har de bare oss, Daniel. Tror du at du kan holde på den hemmeligheten?

Blikket mitt forvillet seg i stedets uendelighet, i dets forheksede lys. Jeg nikket, og far smilte.

– Og vet du hva som er det fineste av alt? spurte han.

Jeg ristet stumt på hodet.

– Det er skikk og bruk at den første gang noen besøker dette stedet, får de velge en bok, den de selv vil ha, og adoptere den, forsikre seg om at den aldri forsvinner, at den alltid holder seg levende. Det er et uhyre viktig løfte. For livet, forklarte far. – I dag er det din tur.

I nærmere en halvtime flakket jeg omkring i krinkelkrokene i den labyrinten som luktet av gammelt papir, støv og magi. Jeg lot hånden gli langs bokryggenes blottstilte avenyer, prøvde ut mitt endelige valg. Mellom titlene som var tæret av tiden, skjelnet jeg ord på språk jeg kjente igjen, og mange titalls andre som jeg var ute av stand til å klassifisere. Jeg gikk gjennom ganger og gallerier i spiral, fullsatt av hundrevis, tusenvis av bind som syntes å vite mer om meg enn jeg om dem. Om litt slo det meg at det bak permene på hver eneste av disse bøkene åpnet seg et uendelig univers som kunne utforskes, og utenfor disse veggene lot verden livet gå sin gang med fotballkamper og radioføljetonger, og nøyde seg med å se så langt som til sin egen navle og ikke stort lenger. Kanskje var det den tanken, kanskje var det slumpen eller dens gallakledde slektning skjebnen, men i samme sekund visste jeg at jeg allerede hadde valgt den boken jeg skulle adoptere. Eller kanskje burde jeg si boken som skulle adoptere meg. Den stakk seg fryktsomt frem i enden av en reol, innbundet i vinrødt skinn, og hvisket tittelen i forgylte bokstaver som brant i lyset som sivet fra kuppelen høyt der oppe. Jeg gikk bort til den, kjærtegnet bokstavene med fingertuppene og leste stumt.

Vindens skygge
JULIÁN CARAX

Jeg hadde aldri hørt snakk om den tittelen eller forfatteren, men det gjorde ingenting. Beslutningen var fattet. Fra begges side. Jeg grep boken og bladde med den største forsiktighet, lot sidene blafre forbi. Nå som boken var befridd fra sin celle i reolen, ga den fra seg en sky av gyllent støv. Godt fornøyd med valget gikk jeg tilbake gjennom labyrinten samme vei som jeg var kommet, bar boken under armen med et stivnet smil om munnen. Kanskje var det dette stedets trolldomsfulle atmosfære som hadde betvunget meg, men jeg var forvisset om at denne boken hadde stått der og ventet på meg i år etter år, sannsynligvis fra før jeg ble født.

Den ettermiddagen, da vi var vel tilbake i leiligheten i Calle Santa Ana, trakk jeg meg tilbake til rommet mitt og bestemte meg for å lese de første linjene i min nye venn. Før jeg visste ordet av det, hadde jeg falt redningsløst inn i den. Romanen fortalte historien om en mann som lette etter sin egentlige far, som han aldri hadde kjent, og når han overhodet visste om hans eksistens, skyldtes det morens siste ord på dødsleiet. Historien om denne letingen forvandlet seg til en fantastisk odyssé der hovedpersonen strevde med å gjenvinne en tapt barndom og ungdom, og der vi litt etter litt oppdaget skyggen av en forbannet kjærlighet som skulle prege seg inn i hans hukommelse og forfølge ham til hans dagers ende. Etter som beretningen gikk sin gang, begynte oppbygningen å minne meg om en av de russiske konene som inneholder utallige miniatyrer av seg selv. Skritt for skritt løste fortellingen seg opp i tusen historier, som om beretningen hadde trengt inn i et speilgalleri, og dens identitet hadde spaltet seg i flere titalls forskjellige reflekser samtidig som den var én og den samme. Minuttene og timene fløt bort som en luftspeiling. Flere timer senere satt jeg fremdeles oppslukt av beretningen og enset knapt klokkene som slo midnatt i den fjerne katedralen. Nedgravd i det kobberrøde lyset fra leselampen sank jeg bare dypere i en verden av bilder og inntrykk jeg aldri hadde kjent maken til. Personer som forekom meg like virkelige som luften jeg pustet i, trakk meg med inn i en tunnel av eventyr og mysterier som jeg ikke ønsket å komme ut av. Side etter side lot jeg meg omslutte av historiens trolldom og dens verden, helt til morgengryets pust strøk over vinduet og mitt trette blikk gled over bokens siste side. Jeg la meg i det blålige demringshalvmørket med boken på brystet og lyttet til den sovende byens brus som kom dryppende over de purpurskimrende hustakene. Søvnen og tretthheten banket på, men jeg strittet imot. Jeg ville ikke gi slipp på historiens forhekselse, ikke si farvel til dens personer.

*

9

En gang hørte jeg en av de faste kundene i fars bokhandel si at det er få ting som preger en leser mer enn den første boken som virkelig baner seg vei inn til hjertet. Disse første bildene, gjenklangen av disse ordene som vi tror vi har lagt bak oss, følger oss hele livet og hugger ut et slott i vår erindring som vi før eller senere – uansett hvor mange bøker vi leser, hvor mange bøker vi oppdager, hvor mye vi lærer eller glemmer – vil vende tilbake til. For meg vil disse forheksede sidene alltid være dem jeg fant i en av gangene i De glemte bøkers kirkegård.

ASKEDAGER

1945–1949

1

En hemmelighet er verdt så mye som dem vi skal vokte den mot. Da jeg våknet, var min første innskytelse å la min beste venn få dele kunnskapen om at det fantes noe som het De glemte bøkers kirkegård. Tomás Aguilar var en skolekamerat som brukte sine ledige stunder og sin begavelse på å oppfinne de mest sinnrike innretninger, men med liten praktisk anvendelse, som det aerosta- tiske spydet eller en snurrebass med dynamo. Ingen kunne være nærmere enn Tomás til å dele denne hemmeligheten. Jeg drømte i våken tilstand om hvordan min venn Tomás og jeg skulle ruste oss med lommelykter og kompass, klare til å avdekke den bib- liografiske katakombens hemmeligheter. Så kom jeg til å tenke på løftet jeg hadde gitt, og avgjorde at omstendighetene tilsa det som i kriminalromanene gikk under betegnelsen en annen modus operandi. Ved tolvtiden den dagen henvendte jeg meg til far for å spørre ham ut om denne boken og om Julián Carax, som jeg i min begeistring hadde forestilt meg som verdensberømte. Jeg hadde planer om å skaffe meg alle verkene hans og lese dem fra ende til annen på under en uke. Hvor overrasket ble jeg ikke da jeg oppdaget at far, en vaskeekte bokhandler og vel bevandret i forlagskatalogene, aldri hadde hørt om *Vindens skygge* eller Julián Carax. Nysgjerrig ga far seg til å granske siden med alle opplysninger om utgivelsen.

– Her fremgår det at dette eksemplaret er en del av et opplag på to tusen fem hundre eksemplarer som ble trykt i Barcelona, av Cabestany Editores, i desember 1935.

– Kjenner du til det forlaget?

– Det ble nedlagt for flere år siden. Men dette er ikke origi- nalutgaven, det er en annen fra november samme år, men trykt i Paris ... Forlaget er Galliano & Neuval. Jeg tror ikke jeg har hørt om det.

– Boken er en oversettelse, da? spurte jeg forvirret.

– Det står det ikke noe om. Så vidt jeg kan se, er det originalteksten.

– En bok på spansk, først trykt i Frankrike?

– Det er nok ikke første gang, i disse dager, fremholdt far.

– Men det kan jo hende at Barceló kan hjelpe oss …

Gustavo Barceló var en gammel kollega av far, innehaver av en hulelignende bokhandel i Calle Fernando, og den fremste blant eliten i antikvarlauget. Han var evig og alltid knyttet til en slukket pipe som ga fra seg dunster av persisk marked, og han omtalte seg selv som den siste romantiker. Barceló påsto at familien hans var fjernt i slekt med lord Byron, til tross for at han var barnefødt på det lille stedet Caldas de Montbuy. Det var kanskje et ønske om å skilte med denne tilknytningen som fikk Barceló til bestandig å kle seg som en attenhundretalls dandy, flotte seg med foulard, hvite lakksko og monokkel uten brilleglass, som han ifølge onde tunger beholdt på selv når han stengte seg inne på avtredet. I virkeligheten var den viktigste slektningen hans egen kjødelige far, en industriherre som var blitt en rikmann ved mer eller mindre lyssky metoder i slutten av det nittende århundre. Etter hva far fortalte, var Gustavo Barceló teknisk sett en holden mann, og det der med bokhandelen var mer en lidenskap enn forretning. Han elsket bøkene uforbeholdent, og selv om han blånektet for det, hvis noen kom inn i bokhandelen til ham og falt for et eksemplar som han ikke hadde råd til, slo han av så mye som det måtte til, eller kunne til og med finne på å gi det bort hvis han kom til at kjøperen var en sann leser og ikke en vimsete dilettant. Ut over disse særegenhetene var Barceló i besittelse av en elefanthukommelse og en pompøsitet som ikke sto noe tilbake i omfang eller klangfylde, men om det var noen som hadde greie på selsomme bøker, så var det han. Da far hadde stengt butikken denne ettermiddagen, foreslo han at vi skulle stikke innom kafé Els Quatre Gats i Calle Montsió, der Barceló og kameratene hans hadde en bibliofil diskusjonsgruppe som pleide å ta opp fordømte poeter, døde språk og mesterverker som var prisgitt bokormens herjinger.

Els Quatre Gats lå et steinkast hjemmefra og var et av stedene jeg trivdes best i hele Barcelona. Det var der foreldrene mine hadde møtt hverandre i 32, og jeg mente selv at en stor del av enveisbilletten min til livet skyldtes den gamle kafeens sjarm. Steindrager voktet fasaden som var inneklemt i skyggenes skjæringspunkt, og gasslyktene hadde frosset fast tiden og minnene. Inne smeltet menneskene sammen med ekko fra andre epoker. Bokholdere, drømmere og genilærlinger delte bord med luftspeilingen av Pablo Picasso, Isaac Albéniz, Federico García Lorca eller Salvador Dalí. Der kunne en hvilken som helst stymper en stakket stund føle seg som en historisk skikkelse mot å spandere på seg en kaffe med en skvett melk i.

– Nei, er det ikke Sempere, utbrøt Barceló da han så far komme inn, – den fortapte sønn. Hva skylder man den ære?

– Æren skylder du min sønn Daniel, don Gustavo, for han har nettopp gjort en oppdagelse.

– Kom og sett dere hos oss, for denne efemeride må feires, utbasunerte Barceló.

– Efemeride? hvisket jeg til far.

– Barceló ytrer seg fortrinnsvis i ord med trykk på tredje siste stavelse, svarte far halvt hviskende. – Ikke verdt at du sier noe, for da blåser han seg bare opp.

De andre diskusjonsdeltagerne ga plass i kretsen, og Barceló, som gjerne ville ha ry for sin rundhåndethet, ville absolutt spandere på oss.

– Hvor gammel er så den unge herren? spurte Barceló og skottet på meg.

– Nesten elleve år, opplyste jeg.

Barceló smilte lurt.

– Med andre ord ti. Ikke tillegg deg selv for mange år, lille krabat, livet sørger nok for å lesse dem på deg.

Flere av diskusjonsdeltagerne mumlet sitt samtykke. Barceló vinket på en servitør som så ut som om han var i ferd med å bli utropt til historisk minnesmerke, for at han skulle komme og ta imot bestillingen.

– En konjakk til min venn Sempere, av den gode, og en merengada til den lille poden, for han må vokse og bli stor. Og det er sant, ta med deg noen terninger med skinke, men ikke dem du kom med sist, for skal det være gummi, så har vi jo Pirelli, brølte bokhandleren.

Servitøren nikket og gikk, slepende med føttene og sjelen.

– Jeg bare sier det, bemerket bokhandleren. – Hvordan skal det bli arbeid å få? Her til lands pensjonerer jo ikke folk seg når de dør engang. Se bare på El Cid. Men det er vel ingenting å gjøre ved.

Barceló pattet velbehagelig på den sluknede pipen, og ørneblikket hans så ivrig granskende på boken jeg hadde i hånden. Tross sitt brautende ytre og alt sitt ordgyteri kunne Barceló være et godt bytte akkurat som en ulv værer blod.

– Få høre, sa Barceló med tilgjort likegyldighet. – Hva er det dere kommer med?

Jeg kastet et blikk på far. Han samtykket. Uten noe utenomsnakk rakte jeg boken til Barceló. Bokhandleren grep den med dreven hånd. Pianistfingrene hans utforsket raskt dens tekstur, konsistens og forfatning. Barceló viste sitt florentinske smil, lokaliserte siden der det sto nærmere om opplaget og inspiserte den med en politiinspektørs nidkjærhet i et helt minutt. De andre betraktet ham i taushet, som om de ventet på et mirakel eller tillatelse til å puste igjen.

– Carax. Interessant, mumlet han i et uutgrunnelig tonefall.

Jeg rakte frem hånden igjen for å ta tilbake boken. Barceló hevet brynene, men leverte den tilbake med et iskaldt smil.

– Hvor har du funnet denne, pjokken min?

– Det er en hemmelighet, svarte jeg og visste at far måtte smile inni seg.

Barceló rynket brynene og flyttet blikket over til far.

– Min gode venn Sempere, siden det er deg, og siden jeg setter sånn pris på deg, og til ære for det lange og dype vennskap som forener oss som brødre, sier vi to hundre pesetas, og så snakker vi ikke mer om det.

– Det må du nesten diskutere med min sønn, påpekte far. – Boken er hans.

Barceló sendte meg et ulveglis.

– Hva sier du, gutten min? To hundre pesetas er ikke så dårlig for ditt første salg ... Sempere, sønnen din kommer til å gjøre det stort i denne bransjen.

De andre diskusjonsdeltagerne lo av den vitsen. Barceló så godmodig på meg og tok opp skinnpungen sin. Han telte opp de to hundre pesetaene, som på den tiden var litt av en formue, og rakte meg dem. Jeg nøyde meg med å avslå uten et ord. Barceló rynket brynene.

– Husk på at grådighet er en dødssynd, hva? påpekte han.

– La oss si to hundre og førti, da, så kan du opprette en bankbok, for i din alder må man tenke på fremtiden.

Jeg avslo igjen. Barceló kastet et ergerlig blikk på far gjennom monokkelen sin.

– Ikke se på meg, sa far. – Jeg er bare med hit som følge.

Barceló sukket og stirret inngående på meg.

– Si meg en ting, gutt, hva er det egentlig du vil?

– Det jeg vil, det er å få vite hvem Julián Carax er og hvor jeg kan finne andre bøker han har skrevet.

Barceló lo lavt og puttet pungen i lommen igjen mens han foretok en ny vurdering av motstanderen sin.

– Det må jeg si. En akademiker. Sempere, hva gir du egentlig denne gutten å spise? sa han spøkefullt.

Bokhandleren bøyde seg mot meg med et fortrolig tonefall, og et øyeblikk syntes jeg at jeg kunne skimte en viss respekt som ikke hadde vært i blikket hans for litt siden.

– La oss inngå en avtale, sa han. – I morgen ettermiddag, søndag, stikker du innom biblioteket på Ateneo og spør etter meg. Du har med deg boken, for at jeg skal få sett ordentlig på den, så skal jeg si deg det jeg vet om Julián Carax. Quid pro quo.

– Quid pro hva?

– Latin, din knekt. Det finnes ingen døde språk, bare dvaske hjerner. Sagt på en annen måte, det betyr ikke at det går tretten pesetas på dusinet, men at du er en gutt etter min smak og jeg vil gjøre deg en tjeneste.

Den mannen slo om seg med talemåter som kunne kverke fluer i flukten, men det ante meg at hvis jeg ville finne ut noe om Julián Carax, var det best om jeg sto på god fot med ham. Jeg smilte salig til ham og tilkjennega min henrykkelse over hans latinske floskler og lettvinte svada.

– Husk, i morgen på Ateneo, bestemte bokhandleren. – Men ta med deg boken, ellers blir det ikke noe av.

– Greit.

Samtalen løste seg sakte opp i mumlingen til de andre diskusjonsdeltagerne og gled over i en drøftelse av noen dokumenter som var blitt funnet i kjellerhvelvene på El Escorial, som antydet muligheten av at Miguel de Cervantes ikke hadde vært annet enn det litterære pseudonymet til en hårete toledansk matrone. Barceló virket fraværende og deltok ikke i den bysantinske debatten, nøyde seg med å betrakte meg fra monokkelen sin med et tilslørt smil. Eller kanskje han bare så på boken jeg holdt mellom hendene.

2

Den søndagen hadde skyene glidd bort fra himmelen, og gatene lå nedsenket under en lagune av glødende tåkedis som fikk termometrene til å svette på veggene. Utpå ettermiddagen, da det alt nærmet seg tredve grader, bega jeg meg i retning av Calle Canuda til det avtalte møtet med Barceló på Ateneo, med boken under armen og en svetteduk i pannen. Ateneo var – og er fremdeles – en av de mange avkrokene av Barcelona der 1800-tallet ennå ikke har fått meldingen om at det er gått av med pensjon. Steintrappen førte oppover fra en slottslignende plass til et gjenferdsaktig nettverk av gallerier og lesesaler der oppfinnelser som telefonen, hastverket eller armbåndsuret virket som futuristiske anakronismer. Dørvakten, eller kanskje det bare var en statue i uniform, blunket knapt da jeg kom. Jeg snek meg inn i det første rommet og velsignet vingene på en vifte som summet mellom døsne lesere som smeltet som isbiter over bøker og aviser.

Silhuetten til Gustavo Barceló avtegnet seg mot glassdørene i et galleri som vendte mot bygningens innvendige hage. Tross den nesten tropiske atmosfæren hadde bokhandleren på seg den vanlige lapsestasen, og monokkelen lyste i halvmørket som en mynt på bunnen av en brønn. Ved siden av ham skjelnet jeg en skikkelse som var svøpt i hvit alpakkakjole, og som i mine øyne var en utskåret engel i tåkedis. Da Barceló hørte ekkoet av skrittene mine, lukket han øynene halvt igjen og gjorde tegn til meg at jeg skulle komme nærmere.

– Daniel, ikke sant? spurte bokhandleren. – Har du med deg boken?

Jeg nikket dobbelt opp og takket ja til stolen som Barceló bød meg ved siden av seg selv og den gåtefulle ledsageren. I flere minutter nøyde bokhandleren seg med å smile blidt uten å ense mitt nærvær. Snart ga jeg opp ethvert håp om at han skulle presentere meg for hvem hun nå var, den hvitkledde damen. Barceló oppførte seg som om hun ikke var der og ingen av oss to kunne se henne. Jeg betraktet henne fra øyekroken, engstelig for å møte blikket hennes, som stirret ut i tomme luften. I ansiktet og på armene hadde hun blek, nesten gjennomskinnelig hud. Hun hadde skarpe trekk, tegnet med faste riss under en svart hårmanke som skinte som en fuktig stein. Jeg anslo henne til å være toppen tyve år, men det var noe i holdningen og hvordan sjelen så ut til å falle ned til føttene på henne, som grenene på en sørgepil, som fikk meg til å tenke at hun ikke hadde noen alder. Det var som om hun var fanget i den tilstanden av evig ungdom som er forbeholdt dukkene i råflotte utstillingsvinduer. Jeg forsøkte å avlese pulsen på svanehalsen hennes da jeg ble oppmerksom på at Barceló stirret stivt på meg.

– Nå, har du tenkt å si meg hvor du fant denne boken? spurte han.

– Det skulle jeg gjerne ha gjort, men jeg har lovt far å holde på hemmeligheten.

– Jeg skjønner. Sempere og mysteriene hans, sa Barceló. – Men jeg kan jo tenke meg hvor. Jammen har du hatt griseflaks. Det kaller jeg å finne en nål på et jorde med hvite liljer. Kan jeg få se litt?

Jeg rakte ham boken, og han tok den uendelig varsomt mellom hendene.

– Du har vel lest den?

– Ja, det har jeg.

– Jeg misunner deg. Jeg har alltid tenkt at det rette øyeblikket for å lese Carax er når man har et ungt hjerte og et rent sinn. Visste du at dette var den siste romanen han skrev?

Jeg ristet stumt på hodet.

– Vet du hvor mange eksemplarer som dette det finnes på markedet, Daniel?

– Tusenvis, antar jeg.

– Ingen, innskjerpet Barceló. – Bortsett fra ditt. Resten ble brent.

– Brent?

Barceló nøyde seg med det hermetiske smilet sitt mens han bladde i boken og kjælte med papiret som om det var en silke det ikke fantes maken til i universet. Damen i hvitt snudde seg langsomt. Leppene antydet et fryktsomt og skjelvende smil. Øynene famlet i mørket, pupiller så hvite som marmor. Jeg svelget tungt. Hun var blind.

19

– Du kjenner vel ikke min niese Clara? spurte Barceló.

Jeg nøyde meg med å riste på hodet, ute av stand til å vende blikket bort fra denne skapningen med hud som en porselensdukke og hvite øyne, de tristeste øyne jeg noensinne har sett.

– Egentlig er det Clara som er ekspert på Julián Carax, det er derfor jeg har tatt henne med meg, sa Barceló. – Hva mer er, ved nærmere ettertanke, med deres tillatelse tror jeg at jeg vil trekke meg tilbake til et annet rom for å se nærmere på dette bindet mens dere snakker om deres ting. Hva sier dere til det?

Jeg så himmelfallen på ham. Bokhandleren, en durkdreven pirat som ikke enset mine betenkeligheter, nøyde seg med å gi meg en klaps på skulderen og gå sin vei med boken min under armen.

– Du har visst gjort sterkt inntrykk på ham, sa stemmen bak meg.

Jeg snudde meg og oppdaget det lette smilet til bokhandlerens niese som lette seg frem i det tomme rom. Hun hadde en stemme som krystall, gjennomsiktig og så skjør at det føltes som om ordene hennes ville gå i knas om jeg avbrøt henne midt i en setning.

– Min onkel har fortalt at han tilbød deg en god slump penger for boken til Carax, men at du avslo, la Clara til. – Du har vunnet hans respekt.

– Det ville vel alle si, sukket jeg.

Jeg la merke til at Clara skakket på hodet når hun smilte, og at fingrene hennes lekte med en ring som så ut som en krans av safirer.

– Hvor gammel er du? spurte hun.

– Nesten elleve år, svarte jeg. – Enn De?

Clara lo av min skamløse uskyld.

– Nesten det dobbelte, men likevel ikke så mye at du behøver å si De til meg.

– De virker yngre, påpekte jeg, for noe sa meg at det var en god måte å slippe unna min indiskré bemerkning på.

– Jeg får stole på deg, da, for jeg vet ikke hvordan jeg ser ut, svarte hun, uten å legge bort det smilet som hun holdt for halve seil. – Men hvis du synes jeg ser yngre ut, desto større grunn til å si du til meg.

– Som De vil, señorita Clara.

Jeg så granskende på hendene hennes, som lå utslått som vinger i fanget, den smekre midjen som smøg seg inntil alpakka-foldene, omrisset av skuldrene, den ekstremt bleke halsen og de lukkede leppene, som jeg så gjerne skulle ha kjærtegnet med fingertuppene. Aldri før hadde jeg hatt anledning til å betrakte en kvinne på så nært hold og så grundig uten å være redd for å møte blikket hennes.

– Hva er det du ser på? spurte Clara, ikke uten en viss underfundighet.

– Deres onkel sier at De er ekspert på Julián Carax, sa jeg på stående fot, tørr i munnen.

– Onkel er troende til å si hva som helst for å få være en stund alene med en bok som fascinerer ham, hevdet Clara. – Men du får spørre deg selv hvordan en som er blind, kan være ekspert på bøker, om vedkommende ikke kan lese dem.

– Den tanken hadde faktisk ikke streifet meg.

– Til å være nesten elleve år lyver du ikke så dårlig. Pass deg, ellers ender du som min onkel.

Jeg var redd for å trampe i klaveret for ørtende gang, så jeg nøyde meg med å bli sittende taus og glo henført på henne.

– Kom nærmere, sa hun.

– Unnskyld?

– Kom bare nærmere. Jeg skal ikke spise deg.

Jeg kom meg opp av stolen og gikk bort dit hvor Clara satt. Bokhandlerens niese løftet den høyre hånden og lette famlende etter meg. Jeg visste ikke riktig hvordan jeg skulle gripe dette an, men jeg gjorde likedan og rakte henne hånden. Hun tok den med sin venstre, og Clara bød meg uten et ord sin høyre. Jeg forsto instinktivt hva hun ville, og veiledet henne til ansiktet mitt. Berøringen hennes var fast og følsom på én og samme tid. Fingrene gikk over kinnene mine. Jeg holdt meg urørlig, våget nesten ikke å puste, mens Clara leste ansiktstrekkene mine med hendene. Mens hun gjorde det, smilte hun for seg selv, og jeg merket at leppene hennes var halvåpne, som om hun mumlet et eller annet lydløst. Jeg kjente at hendene strøk over pannen, håret og øyelokkene. Hun stanset opp ved leppene, tegnet dem stumt med pekefingeren og ringfingeren. Det luktet kanel av fingrene hennes. Jeg svelget tungt og merket at pulsen min hamret vilt, og takket det guddommelige forsyn for at det ikke fantes noen øyenvitner til rødmen min, som ville ha vært sterk nok til å tenne en havanneser på en håndsbredds avstand.

3

Denne tåketunge og regnvåte ettermiddagen tok Clara Barceló fra meg hjertet, pusten og nattesøvnen. I ly av det forheksede lyset på Ateneo skrev hendene hennes en forbannelse på huden min, og den skulle forfølge meg opp igjennom årene. Mens jeg stirret henrykt på henne, gjorde bokhandlerens niese rede for sin historie og hvordan hun, også hun ved en tilfeldighet, hadde snublet over sidene til Julián Carax. Slumpetreffet hadde funnet sted i en landsby i Provence. Hennes far, en vel ansett advokat med tilknytning til regjeringen til president Companys, hadde vært såpass klarsynt at han sendte sin datter og kone over grensen til sin søster da borgerkrigen brøt ut. Det var nok av dem som mente at dette var en overdrivelse, at det ikke ville hende noe i Barcelona, og at i Spania, som var den kristne sivilisasjonens vugge og høydepunkt, var barbari noe man kunne overlate til anarkistene, og de kjørte rundt på sykkel og hadde hull på sokkene og kunne ikke drive det særlig langt. Folkene ser seg aldri i speilet, pleide Claras far å si, og slett ikke når en krig forestår. Advokaten hadde lest historie med stort utbytte og visste at fremtiden kan man avlese i gatene, fabrikkene og kasernene, og det langt klarere enn i morgenavisene. I mange måneder skrev han til dem hver uke. I førstningen gjorde han det fra advokatkontoret i Calle Diputación, deretter uten avsender, og til slutt i smug fra festningen på Montjuïc, der han som så mange andre gikk inn uten at noen så ham, og aldri mer kom ut.

Claras mor leste brevene høyt, prøvde forgjeves å dekke over gråten, og hoppet over avsnittene som datteren intuitivt oppfattet uten at det var nødvendig å lese dem. Senere, ved midnatt, overtalte Clara sin kusine Claudette til å lese farens brev om igjen i sin helhet. Det var på den måten Clara pleide å lese, med lånte øyne. Ingen så henne noensinne felle en tåre, ikke da det ble slutt på brevene fra advokaten, ei heller da nyhetene fra krigen fikk dem til å frykte det verste.

– Far visste fra første stund hva som skulle skje, forklarte Clara. – Han ble hos vennene sine fordi han betraktet det som sin plikt. Det som ble hans død, var lojaliteten til folk som i sin tur forrådte ham. Stol aldri på noen, Daniel, især ikke på dem du beundrer. Det er de som vil gi deg de verste dolkestøt.

Clara sa de ordene med en klang som måtte være herdet gjennom mange års hemmelighold og mørke. Jeg fortapte meg i hennes porselensblikk, øyne uten tårer eller svik, og hørte henne snakke om ting jeg den gang ikke forsto. Clara skildret personer, scener og gjenstander som hun aldri hadde sett med sine egne øyne, like detaljert og nøyaktig som en mester av den flamske skole. Hennes språk var teksturer og gjenklanger, stemmenes klangfarge, skrittenes rytme. Hun forklarte hvordan hun og kusinen Claudette, i de årenes eksil i Frankrike, hadde delt en verge og privatlærer, en forsoffen femtiåring som gjerne ville gi seg ut for å være litterat og brystet seg med at han kunne deklamere Vergils *Aeneiden* på latin uten aksent, og som hadde fått tilnavnet monsieur Roquefort på grunn av den særegne aromaen som hans person skilte ut tross romerbadene med kølnervann og parfyme som han bløtte sitt pantagruelske legeme opp i. Monsieur Roquefort var, tross sine påfallende særegenheter (den mest bemerkelsesverdige var en fast og militant overbevisning om at de pølsene, og da især blodpølsene, som Clara og hennes mor mottok fra slektningene i Spania, gjorde underverker for blodomløpet og podagraen), en mann med forfinet smak. Helt fra ungdomsdagene hadde han reist til Paris en gang i måneden for å berike sin kulturarv med de siste litterære nyheter, besøke museer, og ifølge ryktene, tilbringe en ledig natt i armene til en yndig nymfe som han hadde døpt madame Bovary til tross for at hun het Hortense og var disponert for hårvekst i ansiktet. På disse kulturelle utfluktene pleide monsieur Roquefort å oppsøke en bokbod rett overfor Notre-Dame, og det var der han en ettermiddag i 1929 tilfeldigvis snublet over en roman av en ukjent forfatter, en viss Julián Carax. Monsieur Roquefort, som alltid var åpen for alt som var nytt, kjøpte boken, kanskje mest fordi tittelen var så suggererende og han alltid pleide å lese noe lett på togreisen hjem. Romanen hadde tittelen *Det røde hus*, og foran tittelbladet var det satt inn et uklart bilde av forfatteren, et fotografi eller en kulltegning. Ifølge de biografiske

23

opplysningene var Julián Carax en ung mann på syvogtyve, født samtidig med århundret i byen Barcelona, og bodde nå i Paris, skrev på fransk, og var av yrke nattpianist på et bordell med jenter som også drakk med gjestene. Teksten på smussomslaget var pompøs og møllspist etter tidens smak, og kunngjorde i prøyssisk stil at dette var det første verket av en strålende person av høyeste karat, en mangfoldig og prektig begavelse, et lysende løfte for den europeiske litteratur uten sin likemann i de levendes verden. Den påfølgende synopsis tydet på at historien inneholdt visse uhellsvangre elementer med dramatiske, føljetongaktige innslag, hvilket i monsieur Roqueforts øyne alltid var et fortrinn, for det han likte best, nest etter klassikerne, var en handling som utspilte seg i forbryterkretser og soveværelser.

Det røde hus omhandlet det martrede livet til et gåtefull individ som stormet leketøysbutikker og museer for å stjele dukker og sprellemenn, som han siden sprettet ut øynene på og tok med hjem til sin bopel, et spøkelsesaktig, nedlagt drivhus ved bredden av Seine. Da han en natt trengte inn i en praktfull herskapsvilla i Avenue Foix for å tynne ut i en privat dukkesamling tilhørende en magnat som hadde tjent seg rik på grumsete fiksfakserier under den industrielle revolusjon, forelsket magnatens datter, en frøken fra den parisiske sosieteten, seg i tyven. Etter som den snirklete romansen utviklet seg, ispedd slibrige opptrinn og lumre episoder, utredet heltinnen det mysteriet som fikk den gåtefulle hovedpersonen, som aldri røpet sitt navn, til å blinde dukkene, avdekket en grufull hemmelighet om sin egen far og hans samling av porselensfigurer, og møtte uvegerlig sitt endelikt i en bunnløs gotisk tragedie.

Monsieur Roquefort, som var blant de seige og utholdende i det litterære kappløpet, og som var den stolte eier av en rikholdig samling brev undertegnet av alle forleggere i Paris som refuserte hans bøker i dikt og prosa som han sendte dem i ett kjør, gjenkjente forlaget som hadde utgitt romanen, et lurvete firma som i beste fall var kjent for sine utgivelser av bøker om matlaging, håndarbeid og andre huslige gjøremål. Innehaveren av boden opplyste at romanen så vidt var kommet ut, og at den hadde fått et par anmeldelser i to provinsaviser, ved siden av nekrologene. På få linjer hadde kritikerne fått sagt det de hadde på hjertet og anbefalt debutanten Carax å holde på jobben som pianist, for i litteraturen var det åpenbart at han aldri ville finne tonen. Monsieur Roquefort, som hadde lett for å åpne hjertet og pengepungen for tapte saker, bestemte seg for å investere en halv franc og tok med seg romanen av denne Carax sammen med en utsøkt utgave av den store mester, som han mente at han selv løftet arven etter, foreløpig uten anerkjennelse, Gustave Flaubert.

Toget til Lyon var fylt til trengsel, og monsieur Roquefort ble pent nødt til å dele sin annenklasses kupé med et par nonner som, straks de hadde rullet ut fra Austerlitz-stasjonen, ikke gjorde annet enn å kaste misbilligende blikk på ham og mumle lavmælt til hverandre. Da mesteren ble gjenstand for en slik gransking, valgte han å hente denne romanen opp av vesken og forskanse seg bak dens sider. Hvor overrasket ble han ikke da han hundrevis av kilometer senere oppdaget at han hadde glemt nonnene, det slingrende toget og landskapet som gled forbi utenfor vinduet som en av brødrene Lumières onde drømmer. Han leste hele natten, uten å ense nonnenes snorking og de flyktige stasjonene i tåken. Da monsieur Roquefort ved daggry vendte det siste bladet, oppdaget han at han hadde tårer i øynene og hjertet forgiftet av misunnelse og forbløffelse.

Den samme mandagen ringte monsieur Roquefort til forlaget i Paris for å be om ytterligere opplysninger om denne Julián Carax. Etter mye mas var det en sentralborddame med astmatisk stemme og giftig vesen som svarte at herr Carax ikke hadde noen kjent adresse, at han uansett ikke lenger hadde noen befatning med vedkommende forlag, og at romanen *Det røde hus* hadde solgt nøyaktig syvogsytti eksemplarer siden utgivelsesdagen, flesteparten formodentlig kjøpt av lettferdige frøkner og andre stamgjester i det lokalet der forfatteren lirte av seg nokturner og poloneser for noen usle slanter. Resten av eksemplarene var blitt returnert og gjort om til papirmasse for å trykke messebøker, bøter og loddsedler. Den begredelige skjebnen til den gåtefulle forfatteren vakte monsieur Roqueforts medfølelse. Hver gang han dro til Paris de neste ti årene, oppsøkte han antikvariatene på jakt etter flere verker av Julián Carax. Han fant aldri noen. Nesten ingen hadde hørt om forfatteren, og de som syntes det var noe kjent ved navnet, visste ikke stort. Det var noen som hevdet at han hadde utgitt noen bøker til, alltid på ubetydelige forlag og i latterlige opplag. Disse bøkene, om de faktisk eksisterte, var ikke å opp-drive. En bokhandler påsto at han en gang hadde hatt et eksem-plar av en roman av Julián Carax som het *Katedraltyven*, men det var en god stund siden, og han var ikke helt sikker. I slutten av 1935 fikk monsieur Roquefort kjennskap til at en ny roman av Julián Carax, *Vindens skygge*, var blitt utgitt av et lite forlag i Paris. Han skrev til forlaget for å sikre seg flere eksemplarer. Det kom aldri noe svar. Året etter, våren 36, spurte hans gamle venn i bokboden ved bredden av Seine om han fremdeles var interessert i Carax. Monsieur Roquefort fastholdt at han aldri ga seg. Det var nå et spørsmål om hvor sta man var: Selv om ver-den absolutt skulle begrave Carax i glemselen, kunne ikke han tenke seg å kutte ham ut. Vennen opplyste at det for noen uker siden hadde gått et rykte om Carax. Det var ting som tydet på at lykken omsider hadde snudd. Han skulle til å inngå ekteskap med en velsituert dame og hadde utgitt en ny roman etter flere års taushet, og den hadde for første gang fått velvillig kritikk i *Le Monde*. Men akkurat da det virket som om vinden skulle snu, forklarte bokhandleren, var Carax blitt innblandet i en duell på kirkegården Père Lachaise. Omstendighetene omkring denne hendelsen var uklare. Det man visste, var at duellen hadde funnet sted ved daggry den dagen Carax skulle inngå ekteskapet, og at brudgommen ikke møtte i kirken.

Det fantes meninger for enhver smak: Noen mente at han døde i denne duellen, og at liket ble slengt i en anonym grav; andre var mer optimistiske og foretrakk å tro at Carax hadde viklet seg inn i noen lyssky affærer og hadde vært nødt til å svikte forloveden ved alteret og rømme fra Paris, for å vende tilbake til Barcelona. Den navnløse graven ble aldri funnet, og kort tid etter hadde en annen versjon vært i omløp: Julián Carax var forfulgt av uhell og hadde dødd i fødebyen i den aller dypeste fattigdom. Jentene på bordellet der han spilte piano, hadde skillinget sammen til en anstendig begravelse for ham. Da giroen kom frem, var liket alle-rede blitt begravd i en fellesgrav, sammen med likene til tiggere og navnløse mennesker som ble funnet flytende i havnen eller hadde frosset i hjel i trappen til metroen.

Om så bare for å være på tvers glemte monsieur Roquefort ikke Carax. Elleve år etter at han kom over *Det røde hus*, bestemte han seg for å låne romanen til de to elevene sine i håp om at den underlige boken kanskje ville bidra til at de ble ivrige lesere. Clara og Claudette var den gang to femtenåringer med hormoner som brant i blodårene, og verden blunket lurt til dem i vinduene i rommet der de skulle lese lekser. Tross lærerens anstrengelser hadde de foreløpig vist seg immune overfor klassikerne, Æsops fabler og de udødelige versene til Dante Alighieri. Monsieur Roquefort, som var redd for at kontrakten hans skulle bli oppsagt om Claras mor oppdaget at hans undervisning resulterte i to analfabeter med hodet fullt av tull og tøv, valgte da å gi dem romanen til Carax, under påskudd av at det skulle være en kjærlighetsroman som fikk dem til å gråte sine modige tårer, hvilket var en sannhet med modifikasjoner.

4

– Aldri hadde jeg følt meg så fjetret, forført, innhyllet i en historie som den som ble fortalt i den boken, forklarte Clara. – For mitt vedkommende hadde lesing til da vært en plikt, en slags mulkt jeg måtte betale til verger og lærere uten riktig å vite hvorfor. Jeg kjente ikke gleden ved å lese, utforske de dørene som åpner seg i sjelen din, gi seg hen til fantasien, skjønnheten og mysteriene i fiksjonen og språket. For meg var alt det der noe som oppsto med den romanen. Har du noen gang kysset en pike, Daniel?

Jeg fikk lillehjernen i vrangstrupen, og spyttet ble til sagmugg.

– Ja, ja, du er jo så ung ennå. Men det er den samme følelsen, den gnisten fra den første gangen, som man aldri kan glemme. Dette er en skyggeverden, Daniel, og fortryllelse er mangelvare. Den boken lærte meg at det å lese kan få meg til å leve mer og mer intenst, at det kan gi meg tilbake det synet jeg hadde mistet. Bare av den grunn kunne den boken som ingen andre brydde seg om, forandre livet mitt.

Da hun var kommet så langt, satt jeg der bare og måpte, helt i denne skapningens vold. Jeg hadde ingen mulighet, og heller ingen lyst, til å stå imot hennes ord og sjarm. Jeg skulle ønske at hun aldri holdt opp med å snakke, at stemmen hennes skulle omslutte meg for bestandig, og at onkelen hennes aldri skulle komme tilbake og rykke meg opp av dette øyeblikket som bare tilhørte meg.

– I mange år lette jeg etter andre bøker av Julián Carax, fortsatte Clara. – Jeg spurte på biblioteker, i bokhandler, på skoler … alltid forgjeves. Ingen hadde hørt om ham eller bøkene hans. Jeg kunne ikke fatte det. Senere fikk monsieur Roquefort høre en underlig historie om et individ som stadig oppsøkte bokhandler og biblioteker på jakt etter verker av Julián Carax, og hvis han fant noen, kjøpte han dem, stjal dem eller skaffet seg dem med hvilke midler som helst, for så straks å sette fyr på dem. Ingen visste hvem han var eller hvorfor han gjorde det. Nok et mysterium i tillegg til selve gåten Carax. Med tid og stunder fant mor ut at hun ville tilbake til Spania. Hun var syk, og hennes hjem og hennes verden hadde alltid vært Barcelona. Innerst inne næret jeg et håp om at jeg her kunne finne ut noe om Carax, ettersom det til syvende og sist var Barcelona som hadde vært byen der han var født og der han var forsvunnet for alltid i begynnelsen av krigen. Det eneste jeg fant, var sidespor, og det til tross for at jeg fikk hjelp av onkel. Mor opplevde det samme i forhold til det hun selv lette etter. Det Barcelona hun fant ved hjemkomsten, var ikke det hun hadde reist fra. Hun møtte en mørkets by, der far ikke lenger levde, men som fremdeles var forhekset av minner og erindringer om ham i alle avkroker. Som om denne trøstesløsheten ikke var nok, skulle hun på liv og død engasjere en person som skulle finne ut nøyaktig hva som var skjedd med far. Etter måneders etterforskning hadde ikke detektiven annet å vise for seg enn et knust armbåndsur og navnet på mannen som hadde drept far i vollgravene på Montjuïc. Han het Fumero, Javier Fumero. Det ble oss fortalt at denne fyren, og han var ikke den eneste, hadde begynt som leiemorder for Federación Anarquista Ibérica og flørtet med anarkister, kommunister og fascister, ført dem alle bak lyset og solgt sine tjenester til høystbydende, og etter Barcelonas fall var han gått over til seierherrene og blitt opptatt i politistyrken. I dag er han en berømt og dekorert politiinspektør. Far er det ingen som husker lenger. Som du vel kan tenke deg, sluknet mor etter bare noen måneder. Legene sa det var hjertet, og jeg tror at de for en gangs skyld gjettet riktig. Etter mors død flyttet jeg hjem til onkel Gustavo, som var den eneste slektningen mor hadde igjen i Barcelona. Jeg forgudet ham, for han hadde alltid hatt med seg bøker som presang når han kom på besøk til oss. Han har vært min eneste slektning, og min beste venn i alle disse årene. Selv om du ser ham slik, ganske arrogant, er han i virkeligheten et hjertens godt menneske. Hver eneste kveld leser han en stund for meg, om han så holder på å segne om av tretthet.

– Hvis De vil, kan jeg godt lese for Dem, sa jeg ivrig, og angret straks på den freidigheten, for jeg var overbevist om at for Clara kunne mitt selskap ikke være annet enn et ork, for ikke å si en vits.

– Takk, Daniel, svarte hun. – Det ville glede meg meget.

– Det er bare å si ifra.

Hun nikket langsomt og søkte meg med smilet sitt.

– Det er sørgelig, men jeg har ikke det eksemplaret av *Det røde hus* lenger, sa hun. – Monsieur Roquefort nektet å skille seg av med det. Jeg kunne prøve å gjengi handlingen for deg, men det ville være som å beskrive en katedral ved å si at det er en haug med steiner som ender i en spiss.

– Jeg er sikker på at De ville fortelle det mye bedre enn som så, mumlet jeg.

Kvinner har en usvikelig teft som sier dem når en mann har forelsket seg over alle grenser, især hvis vedkommende mannsperson er erkedum og mindreårig. Jeg oppfylte alle nødvendige forutsetninger for at Clara Barceló skulle be meg ryke og reise, men jeg foretrakk å tro at hennes blindhet ga meg en viss sikkerhetsmargin, og at min forseelse, min totale og patetiske hengivenhet til en kvinne som var dobbelt så gammel, dobbelt så klok og dobbelt så høy som meg, ville tre i skyggen. Jeg lurte på hva hun kunne se i meg, siden hun tilbød meg sitt vennskap. Det kunne saktens være en blek refleks av henne selv, et ekko av ensomhet og savn. I mine grønnskollingsdrømmer skulle vi for alltid være to rømlinger som red på en bokrygg, klare til å ta flukten gjennom fiktive verdener og annenhånds drømmer.

Da Barceló kom tilbake med et katteaktig smil, hadde det gått to timer som for meg hadde vært som to minutter. Bokhandleren rakte meg boken og blunket lurt.

– Se nøye på den, lille pode, så du ikke kommer etterpå og påstår at jeg har forbyttet den.

– Jeg stoler på Dem, sa jeg.

– At det går an å være så dum! Den siste personasjen som tok den overfor meg (en amerikansk turist som var overbevist om at fabada var noe Hemingway hadde funnet opp til San Fermin-festen), solgte jeg et eksemplar av *Fuenteovejuna* signert av Lope de Vega med kulepenn, bare så du vet det, så det er best du passer deg, i bokbransjen kan du ikke stole på noen ting, ikke engang på innholdsfortegnelsen.

Det mørknet da vi kom ut i Calle Canuda igjen. En frisk bris kjemmet byen, og Barceló tok av seg frakken og la den over skuldrene til Clara. Da jeg ikke kunne øyne noen mer egnet anledning under oppseiling, plumpet det ut av meg sånn uten videre at hvis det var i orden for dem, kunne jeg godt komme innom dagen etter og lese noen kapitler fra *Vindens skygge* for Clara. Barceló kastet et skrått blikk på meg og lo en hes latter på min bekostning.

– Du lar visst begeistringen løpe av med deg, brummet han, selv om tonefallet røpet at han ga sin velsignelse.

– Altså, hvis det ikke passer, så kanskje en annen dag eller …

– Clara får det siste ord, sa bokhandleren. – Vi har syv katter og to kakaduer i huset fra før. Et lite kryp fra eller til spiller vel ingen rolle.

– Da venter jeg deg i morgen ved syvtiden, bestemte Clara. – Har du adressen?

5

Det var en tid, som smågutt, kanskje fordi jeg var vokst opp omgitt av bøker og bokhandlere, at jeg bestemte at jeg ville bli forfatter og leve et melodramatisk liv. Opphavet til mine litterære svermerier var ikke bare den vidunderlige enkelheten man opplever alt med når man er fem år, men også et fantastisk stykke håndverk og presisjonsarbeid som sto utstilt i en fyllepennbutikk i Calle de Anselmo Clavé, rett bak Militærkommandoen. Gjenstanden for min hengivenhet, en praktfull svart penn kantet med gud vet hvor mange snirkler og kruseduller, tronet fremst i vinduet som om det dreide seg om en av kronjuvelene. Splitten, et vidunder i seg selv, var en barokk villelse av sølv, gull og et utall av folder som skinte som fyrtårnet i Alexandria. Når jeg var ute og spaserte med far, ga jeg meg ikke før han tok meg med så jeg fikk se pennen. Far mente at det der måtte være pennen til en keiser, minst. I mitt stille sinn var jeg overbevist om at jeg med et slikt underverk kunne skrive hva som helst, fra romaner til encyklopedier, også brev med en kraft som måtte gå langt ut over alle postvesenets innskrenkninger. I min troskyldighet trodde jeg at det jeg kunne skrive med den pennen, ville nå ut alle steder, også til det ubegripelige stedet som far hevdet at mor hadde dradd av sted til og som hun aldri kom tilbake fra.

En dag fant vi på å gå inn i butikken og forhøre oss litt om den velsignede saken. Det viste seg da at den var selve fyllepennenes dronning, en Montblanc Meisterstück i en nummerert serie, som hadde tilhørt, det bedyret iallfall ekspeditøren høytidelig, ingen ringere enn Victor Hugo. Fra den gullsplitten, ble det oss fortalt, hadde manuskriptet til *Les misérables* strømmet ut.

– Akkurat som Vichy Catalán strømmer fra kilden i Caldas, fastslo ekspeditøren.

Etter hva han selv sa, hadde han personlig kjøpt den av en

samler som var kommet fra Paris og hadde garantert pennens ekthet.

– Hva er så prisen på dette oppkomme av underverker, om jeg tør spørre? ville far vite.

Bare det å høre tallet var nok til at all fargen vek fra ansiktet hans, men jeg var allerede helt på styr. Ekspeditøren tok oss kanskje for å være fysikklektorer, for han ga seg til å overdynge oss med en ubegripelig galimatias om edle metallers legeringer, smaragder fra Det fjerne østen og en revolusjonerende teori om stempler og innbyrdes sammenhengende kar, alt sammen en del av den ukjente teutonske vitenskapen som videreførte den vidunderlige linjen fra dette som måtte regnes som spydspissen innen grafisk teknologi. Til hans fordel må jeg si at han, til tross for at vi åpenbart var noen fattige stakkarer, lot oss kjenne på pennen så mye vi orket, fylte den med blekk for oss og ga meg et pergament slik at jeg fikk skrive navnet mitt og dermed ta fatt på min litterære løpebane i kjølvannet på Victor Hugo. Så fant han frem en klut for å få frem glansen i den på ny og satte den tilbake på hederstronen.

– Kanskje en annen dag, fikk far mumlet frem.

Da vi kom ut på gaten igjen, sa han med spak stemme at vi ikke hadde råd til slikt. Bokhandelen kastet akkurat av seg såpass at vi kunne livberge oss og han kunne sende meg på en god skole. Montblanc-pennen til den ærverdige Victor Hugo fikk vente. Jeg sa ingenting, men far må ha lest skuffelsen i ansiktet mitt.

– Vet du hva vi gjør, foreslo han. – Når du er gammel nok til å begynne å skrive, går vi tilbake og kjøper den.

– Tenk om noen andre tar den i mellomtiden?

– Den der er det ingen som tar, tro du meg. Og i så fall får vi be don Federico om å lage en til oss, for den mannen har hender av gull.

Don Federico var kvartalets urmaker, en sporadisk kunde i bokhandelen, og trolig den mest dannede og høflige mannen på hele den vestlige halvkulen. Det gikk gjetord om hans fingernemhet fra Ribera-kvartalet til Ninot-torget. Han var også viden kjent for noe annet, som ikke var av så sømmelig art og hadde å gjøre med hans erotiske forkjærlighet for muskuløse ynglinger fra det mandigste filleproletariatet, og en viss hang til å kle seg som Estrellita Castro.

– Tenk om don Federico ikke får til det der med pennen? spurte jeg med gudbenådet uskyld.

Far hevet et øyebryn, for han fryktet kanskje at de ondsinnede ryktene hadde fordervet min uskyld.

– Don Federico forstår seg på alt som er tysk og kunne sikkert lage en Volkswagen om det skulle være. Dessuten spørs det vel om det fantes fyllepenner på Victor Hugos tid. Det er mange lurendreiere ute og går.

Fars historistiske skepsis prellet av på meg. Jeg trodde på legenden til punkt og prikke, selv om det ikke ville vært meg imot om don Federico laget et surrogat til meg. Med tid og stunder ville jeg nok likevel kunne nå opp på høyde med Victor Hugo. Til min trøst, og som far hadde forutsagt, ble Montblanc-pennen i år etter år stående i det vinduet som vi hver lørdags formiddag oppsøkte som et religiøst ritual.

– Den er der fremdeles, sa jeg forundret.

– Den venter på deg, sa far. – Den vet at en dag skal den bli din, og du skal skrive et mesterverk med den.

– Det jeg vil skrive, er et brev. Til mamma. For at hun ikke skal føle seg alene.

Far så på meg uten å blunke.

– Din mor er ikke alene, Daniel. Hun er hos Gud. Og hos oss, selv om vi ikke kan se henne.

Den samme teorien hadde fader Vicente redegjort for på skolen. Han var en jesuitt som hadde vært lenge i tralten og var en kløpper til å forklare alle universets mysterier – fra grammofonen til tannpinen – ved å sitere Matteusevangeliet, men i fars munn lød det som om det der var noe ikke en kjeft trodde på.

– Hva er det Gud vil med henne, da?

– Det vet jeg ikke. Hvis vi ser ham en dag, får vi spørre.

Med tiden slo jeg fra meg tanken på det brevet og antok at når man først var i gang, ville det kanskje være mest praktisk å ta fatt på mesterverket med det samme. Så lenge jeg ikke hadde noen penn, lånte far meg en Staedtler-blyant nummer to, og med den rablet jeg i en skrivebok. Historien min handlet tilfeldigvis om en vidunderlig fyllepenn som var forbløffende lik den i butikken, og som dessuten var forhekset. Nærmere bestemt: Pennen var besatt av den plagede sjelen til en forfatter som var død av sult og frost, og som hadde vært dens eiermann. Da pennen falt

34

i lærlingens hender, ville pennen absolutt nedtegne det siste verket som forfatteren ikke hadde maktet å fullføre mens han levde. Jeg husker ikke hva jeg skrev den av etter eller hvor den kom fra, men én ting er sikker: Jeg kom aldri siden på maken til idé. Mine forsøk på å feste den til papiret var imidlertid helt håpløse. Syntaksen var befengt med en blodfattig oppfinnsomhet, og når jeg skulle svinge meg opp til metaforiske høyder, minnet det om en reklame for brusebad for føttene som jeg pleide å lese på trikkeholdeplassene. Jeg skyldte på blyanten og lengtet etter pennen som skulle gjøre meg til en mester. Far fulgte mine ujevne fremskritt med en blanding av stolthet og bekymring.

– Hvordan går det med historien, Daniel?

– Vet ikke. Hadde jeg hatt den pennen, ville nok alt ha vært annerledes.

Etter fars mening var det en tankegang som bare kunne ha streifet en litterat in spe.

– Du får bare stå på, for før du blir ferdig med debutarbeidet ditt, skal jeg kjøpe den til deg.

– Lover du det?

Han svarte alltid med et smil. Til fars hell skrumpet mine litterære ambisjoner snart inn og ble henvist til de flotte talemåters enemerker. Noe som bidro til dette, var oppdagelsen av mekaniske leker og alle mulige slags messingdingser som var å få på Los Encantes til priser som var mer i samsvar med familieøkonomien. Et barns hengivenhet er svikefull og lunefull, og snart hadde jeg ikke øye for annet enn meccano og opptrekkbare båter. Jeg spurte ikke lenger far om han ville ta meg med så jeg fikk se pennen til Victor Hugo, og han snakket heller ikke om den mer. Det var som om den verdenen var blitt visket ut, men det bildet jeg hadde av far, og som jeg har beholdt til denne dag, var lenge bare den magre mannen i en loslitt dress som var altfor stor for ham, og en hatt han hadde kjøpt brukt i Calle Condal for syv pesetas, en mann som ikke hadde råd til å gi sønnen sin en hersens penn som ikke kunne brukes til noen ting, men som tilsynelatende betydde alt. Da jeg den kvelden kom hjem fra Ateneo, ventet han på meg i spisestuen og satte opp den minen som vitnet om lengsel og nederlag.

– Jeg begynte å lure på om du hadde gått deg bort, sa han.
– Tomás Aguilar har ringt. Han sier at dere hadde en avtale. Hadde du glemt det?

– Barceló, som aldri blir ferdig, sa jeg og nikket. – Jeg skjønte
ikke hvordan jeg skulle bli kvitt ham.

– Han er en bra kar, men litt vel påtrengende. Du må være
sulten. Merceditas kom ned med litt suppe som hun hadde laget
til moren sin. Den jenta er kjempeflink.

Vi satte oss til bords for å nyte almissen fra Merdeditas, dat-
teren til nabokonen i fjerde, som etter alles mening var på god
vei til å bli både nonne og helgen, men som jeg et par ganger
hadde sett nikysse en sjømann som hadde frekke hender og noen
ganger fulgte henne helt til porten.

– Jeg synes du ser så tankefull ut i kveld, sa far for å innlede
en samtale.

– Det må skyldes fuktigheten, den utvider hjernen. Det sier
Barceló.

– Det må være noe mer. Er du bekymret for et eller annet,
Daniel?

– Nei. Jeg bare satt og tenkte.

– På hva?

– På krigen.

Far nikket mørkt og slurpet taus i seg suppen. Han var en
reservert mann, og selv om han levde i fortiden, snakket han
aldri om den. Jeg hadde vokst opp med overbevisningen om at
den langsomt fremadskridende etterkrigstiden, en verden preget
av ro, fattigdom og murrende nag, var like naturlig som vannet i
kranen, og at den stumme tristheten som piplet fra veggene i den
sårede byen, var hans sjels virkelige ansikt. En av barndommens
feller er at man ikke behøver å forstå noe for å føle det. Når
forstanden omsider er i stand til å begripe det som har skjedd, er
sårene i hjertet allerede altfor dype. Den tidlige sommerkvelden
da jeg vandret gjennom Barcelonas mørke og lumske skumring,
klarte jeg ikke å skyve fra meg tanken på det Clara hadde for-
talt om hvordan faren hennes var forsvunnet. I min verden var
døden en anonym og uforståelig hånd, en dørselger som stakk
av gårde med mødre, tiggere eller nittiårige naboer som om det
var et slags helvetes lotteri. At døden kunne vandre ved min side,
med menneskeansikt og et hjerte som var forgiftet av hat, iført
uniform eller gabardinfrakk, at den kunne stå i kinokø, le på
barene eller ta unger med på spasertur i Ciudadela-parken om
formiddagen og om ettermiddagen la noen forsvinne i fangehul-
lene på Montjuïc, eller i en massegrav uten navn eller seremonier,

var noe jeg ikke kunne få inn i hodet. Jeg tenkte frem og tilbake på det, og det slo meg da at den pappmasjéverdenen som jeg tok for god fisk, ikke var annet enn en kulisse. I de stjålne årene var det med slutten på barndommen som det var med de spanske statsbanene, den kom når den kom.

Vi spiste denne kjøttsuppen som var blitt til overs, med brød, omgitt av den klebrige mumlingen av radioføljetongene som snek seg inn gjennom vinduene som sto åpne mot kirkeplassen.

– Så hva var det for noe med don Gustavo i dag, da?

– Jeg ble kjent med niesen hans, Clara.

– Den blinde? De sier at hun er en skjønnhet.

– Det vet jeg ikke. Jeg legger ikke merke til sånt.

– Det er best for deg, det.

– Jeg sa at jeg kanskje stakk innom i morgen, etter skoletid, og leste noe for henne. Hun er jo så ensom, stakkar. Hvis jeg får lov av deg altså.

Far skottet på meg, som om han lurte på om han begynte å bli gammel før tiden, eller om det var jeg som vokste for fort. Jeg fant ut at jeg fikk snakke om noe annet, og det eneste temaet jeg kunne komme på, var det som holdt på å drive meg til vanvidd.

– Er det sant at de under krigen tok med seg folk opp til borgen på Montjuïc, og siden så man ikke noe mer til dem?

Far puttet skjeen med suppe i munnen uten å fortrekke en mine og så granskende på meg, mens det korte smilet gled bort fra leppene hans.

– Hvem har sagt det? Barceló?

– Nei. Tomás Aguilar, han forteller slikt på skolen noen ganger.

Far nikket langsomt.

– Når det er krig, skjer det ting som det er veldig vanskelig å forklare, Daniel. Mange ganger vet heller ikke jeg hva de egentlig betyr. Av og til er det best å la ting være som de er.

Han sukket og slurpet i seg suppen uten appetitt. Jeg betraktet ham taust.

– Før din mor døde, fikk hun meg til å love at jeg aldri skulle snakke om krigen, at jeg ikke skulle la deg minnes noe av det som skjedde.

Jeg visste ikke hva jeg skulle svare. Far lukket øynene halvt igjen, som om han speidet etter noe i luften. Blikk eller pauser eller kanskje mor, for at hun skulle stadfeste det han hadde sagt.

– Noen ganger lurer jeg på om det har vært riktig av meg å gjøre som hun sa. Jeg vet ikke.

– Det er det samme, pappa …

– Nei, det er det ikke, Daniel. Ingenting er det samme etter en krig. Og jo visst, det var mange som gikk inn i den borgen og aldri kom ut igjen.

Blikkene våre møttes en kort stund. Om litt reiste far seg og søkte tilflukt på rommet sitt, såret til taushet. Jeg ryddet av bordet og satte tallerkenene i den lille marmorvasken på kjøkkenet for å ta oppvasken. Da jeg kom tilbake til stuen, slukket jeg lyset og satte meg i fars gamle lenestol. En luftning fra gaten flagret med gardinene. Jeg var ikke trett, ville ikke prøve å sove heller. Jeg gikk bort til balkongen og kikket ut på det disige gjenskjæret fra gatelyktene i Puerta del Ángel. Skikkelsen avtegnet en skygge som lå urørlig på brosteinene. Den svake, ravgule blinkingen i en sigarettglo glimtet i øynene hans. Han var mørkkledd, den ene hånden dypt nede i jakkelommen, den andre fulgte sigaretten som vevde et spindelvev av blå røyk rundt profilen hans. Han iakttok meg i taushet, ansiktet sløret i motlyset fra gatebelysningen. Han ble stående der i nærmere et minutt og røyke likeglad, med blikket boret inn i mitt. Så, da klokkene i katedralen slo midnatt, nikket skikkelsen lett, en hilsen der jeg kunne fornemme et smil som jeg ikke så. Jeg ville gjengjelde hilsenen, men jeg sto lamslått. Skikkelsen snudde seg, og jeg så den fjerne seg, lett haltende. En hvilken som helst annen natt ville jeg knapt ha festet meg ved at det sto en fremmed der, men så snart jeg tapte ham av syne i tåkedisen, merket jeg kaldsvetten i pannen og hev etter pusten. Jeg hadde lest en skildring som var helt maken til denne scenen i *Vindens skygge*. I den fortellingen pleide hovedpersonen hver kveld å gå ut på balkongen ved midnatt, og oppdaget da at en fremmed sto og iakttok ham fra skyggene mens han røykte likeglad. Ansiktet var alltid sløret av mørke, og bare øynene snek seg inn i natten, brennende som glør. Den fremmede sto der en stund, med den høyre hånden dypt nede i lommen på en svart jakke, for så å gå haltende sin vei. I den scenen som jeg nettopp hadde vært vitne til, kunne den fremmede ha vært en hvilken som helst natterangler, en skikkelse uten ansikt eller identitet. I Carax' roman var den fremmede djevelen.

6

En tung søvnighet og utsikten til at jeg den ettermiddagen skulle
få se Clara igjen, overbeviste meg om at det jeg hadde sett, ikke
var annet enn en ren tilfeldighet. Dette uventede utbruddet av
febrilsk fantasi var kanskje bare et forvarsel om den fasen da
jeg plutselig skulle skyte i været, det som ifølge alle konene i
oppgangen skulle gjøre meg til mann, om ikke gagns menneske,
i det minste en kjekk kar. På slaget syv, kledd i min fineste stas
og osende av kølnervann av merket Varón Dandy som jeg hadde
lånt av far, troppet jeg opp i leiligheten til Gustavo Barceló klar
til å prøve meg som høytleser og snikegjest. Bokhandleren og
niesen delte en herskapelig leilighet ved Plaza Real. En hushjelp
med uniform, hette og et uttrykk som vagt ledet tanken hen på
en legionær, åpnet døren med en teatralsk neiing.

– De må være unge Daniel, sa hun. – Jeg er Bernarda, til
tjeneste.

Bernarda anla et seremonielt tonefall ispedd dialekt som tydet
på at hun var fra Cáceres-kanten. Med fullt seremoniell fulgte
hun meg gjennom boligen. Den lå i annen etasje, omfattet hele
gården og utgjorde en ring av gallerier, stuer og ganger som i mine
øyne, som var vant til den beskjedne familieleiligheten i Calle
Santa Ana, lignet en miniatyr av El Escorial. Det var åpenbart
at don Gustavo ikke bare samlet på bøker, inkunabler og alle
mulige bibliografiske arkana, men også på statuer, malerier og
altertavler, for ikke å si et vell av fauna og flora. Jeg fulgte etter
Bernarda gjennom et galleri som bugnet av løvverk og tropiske
arter lik det rene drivhus. Glassveggene i galleriet lot det sive inn
et gyllent lys i støv og damp. Et åndedrag fra et piano svevde
i luften, kraftløst, slepte tonene motfallent med seg. Bernarda
banet seg vei i tykningen med veivende bryggesjauerarmer, som
med en machete. Jeg holdt meg tett bak henne, så granskende på
omgivelsene og merket meg fem–seks kattedyr og et par kaka-

duer med skrikende farger og encyklopedisk omfang, som Barceló ifølge hushjelpen hadde døpt henholdsvis *Ortega* og *Gasset*. Clara ventet på meg i en stue på den andre siden av denne skogen, med utsikt til plassen. Innhyllet i en lett og luftig turkisblå bomullskjole satt mine dunkle lengslers gjenstand og spilte piano i ly av en pust av lys som ble brutt gjennom vindusrosetten. Clara spilte dårlig, i utakt og bommet på halvparten av notene, men i mine ører lød serenaden herlig, og synet av henne der hun satt foran klaviaturet, med et lite smil og hodet på skakke, innga meg himmelske vyer. Jeg skulle til å kremte for å tilkjennegi mitt nærvær, men dunstene av Varón Dandy røpet meg. Clara avbrøt konserten tvert, og et beskjemmet smil spredte seg i ansiktet.

– Et øyeblikk trodde jeg det var onkel, sa hun. – Han har forbudt meg å spille Mompou, for han sier at det jeg gjør med ham, er helligbrøde.

Den eneste Mompou jeg kjente, var en skinnmager prest som var disponert for tarmgasser og underviste oss i fysikk og kjemi, og de assosiasjonene forekom meg groteske, for ikke å si usannsynlige.

– Jeg synes du spiller fantastisk, sa jeg.

– Sludder! Onkel, som er en sann meloman, har til og med skaffet en musikklærer til å rette på meg. Han er en ung komponist, og meget lovende. Han heter Adrián Neri og har studert i Paris og Wien. Jeg må presentere ham for deg. Han holder på å komponere en symfoni som Ciudad de Barcelona-orkesteret skal oppføre for første gang, fordi onkelen hans er i styret. Han er et geni.

– Onkelen eller nevøen?

– Ikke vær ondskapsfull, Daniel. Jeg tror sikkert Adrián vil falle helt i din smak.

Falle som et flygel fra syvende etasje, tenkte jeg.

– Har du lyst på noe å spise? foreslo Clara. – Bernarda lager noen kanelboller som er til å dåne av.

Vi spiste kongelig, stappet i oss alt det hushjelpen satte frem for oss. Jeg ante ingenting om etiketten ved slike anledninger og visste ikke helt hvordan jeg skulle gripe det an. Clara, som alltid lot til å kunne lese tankene mine, foreslo at jeg skulle lese *Vindens skygge* når jeg måtte ønske det, og at det da var like greit at jeg begynte fra begynnelsen. På den måten dukket jeg ned i romanen enda en gang, idet jeg la meg tett opp til de stemmene i Radio

Nacional som fremførte vignetter av patriotisk tilsnitt like etter angelusbønnen med eksemplarisk oppstyltet tonefall. Stemmen min, som i førstningen var litt stiv, slappet av etter hvert, og snart glemte jeg at jeg leste høyt, og ble igjen oppslukt av fortellingen, oppdaget rytmer og vendinger i prosaen som fløt av sted som musikalske motiver, velvalgte skiftninger i klang og pauser som jeg ikke hadde lagt merke til ved første gjennomlesing. Nye detaljer, trevler av bilder og luftspeilinger tittet frem mellom linjene som strukturen på en bygning når den sees fra forskjellige vinkler. Jeg leste en times tid og kom meg igjennom fem kapitler, da jeg merket at stemmen ble hes og et halvt dusin veggur klang i hele leiligheten og minte meg på at det begynte å bli sent. Jeg lukket boken og tittet på Clara, som smilte fredsommelig til meg.

– Den minner meg litt om *Det røde hus*, sa hun. – Men det forekommer meg at denne historien ikke er fullt så mørk.

– Vær ikke så sikker, sa jeg. – Det er bare i begynnelsen. Snart blir det forviklinger.

– Du må vel hjem nå? spurte Clara.

– Ja, dessverre. Det er ikke fordi jeg vil, men ...

– Hvis du ikke har noe annet fore, kan du komme igjen i morgen, foreslo Clara. – Men jeg vil nødig misbruke ...

– Klokken seks? foreslo jeg. – Jeg bare mener da ville vi få bedre tid.

Det møtet i musikkrommet i leiligheten ved Plaza Real ble det første av mange flere den sommeren 1945 og i årene som fulgte. Snart ble besøkene hos Barceló nesten daglige, unntatt tirsdag og torsdag, da Clara hadde musikktimer med denne Adrián Neri. Jeg tilbrakte mange timer der, og med tiden lærte jeg hvert rom, hver gang og hver plante i don Gustavos skog utenat. *Vindens skygge* tok oss et par uker, men det var ingen sak å finne oppfølgere til å fylle lesetimene. Barceló hadde et fabelaktig bibliotek, og i mangel av flere titler av Julián Carax ga vi oss i kast med mange titalls mindre klassikere og større lettvektere. Noen kvelder leste vi omtrent ingenting, satt bare og pratet eller tok en tur ut på plassen eller spaserte til katedralen. Clara frydet seg når hun kunne sette seg og høre et brus av stemmer i klostergangen og fornemme ekkoet av skritt i de steinsatte smugene. Hun ba meg beskrive fasadene, menneskene, bilene, butikkene, lyktene og utstillingsvinduene vi kom forbi. Ofte grep hun meg i armen, og jeg viste henne rundt i vårt private Barcelona, et som bare hun og jeg kunne se. Alltid havnet vi til slutt på en melkebar i Calle Petritxol, der vi delte en porsjon krem eller en honningkake. Noen ganger kastet folk stjålne blikk på oss, og det var mer enn én frekkas av en kelner som omtalte henne som «storesøsteren din», men jeg lot som om jeg ikke hørte slike spydigheter og insinuasjoner. Andre ganger kunne Clara, enten det nå var av ondskapsfulle eller sykelige grunner, komme med de vidløftigste betroelser som jeg ikke riktig visste hvordan jeg skulle forholde meg til. Et av yndlingstemaene hennes gjaldt en fremmed mann, en kar som noen ganger kom bort til henne når hun var alene på gaten, og snakket til henne med brusten stemme. Den mystiske personen, som aldri sa hva han het, ville vite ting om don Gustavo, til og med om meg. En gang hadde han klappet henne på halsen. Disse historiene pinte meg nådeløst. En annen gang påsto Clara at hun hadde bedt den angivelig fremmede om lov til å lese ansiktet hans med hendene. Han hadde ikke sagt et ord, og det hadde hun tolket som et ja. Da hun løftet hendene mot ansiktet hans, hadde han stanset henne bryskt, men Clara hadde likevel først rørt ved noe hun trodde måtte være lær.

– Som om han gikk med en maske av skinn, sa hun.

– Det der er bare noe du finner på, Clara.

Clara sverget dyrt og hellig at det var sant, og jeg ga meg, martret ved tanken på den ukjente av uviss eksistens som hadde moro av å kjærtegne denne svanehalsen, og hvem vet hva mer, mens jeg bare fikk lov til å lengte meg syk etter det. Hvis jeg hadde gitt meg tid til å tenke over det, ville jeg ha skjønt at min hengivenhet for Clara ikke var annet enn en kilde til smerte. Kanskje forgudet jeg henne desto høyere av den grunn, av den evige tåpeligheten som får oss til å trakte etter dem som gjør oss vondt. Gjennom hele den sommeren gruet jeg meg bare til den dagen skolen skulle begynne igjen og jeg ikke kunne være sammen med Clara hele dagen.

Bernarda, som var en ordentlig hønemor under sitt strenge ytre, ble til slutt glad i meg, så mye som hun så til meg, og på sin egen måte bestemte hun seg for å ta meg til seg.

– Det vises at guttungen ikke har noen mor, jeg bare sier det, pleide hun å si til Barceló. – Jeg synes rent synd på stakkaren, jeg.

Bernarda var kommet til Barcelona rett etter krigen, hadde

flyktet fra fattigdommen og en far som i beste fall ga henne juling og kalte henne dum og stygg og purkete, og i verste fall sperret henne inne i grisehuset, i fylla, for å klå på henne til hun gråt av redsel og han lot henne gå, sa hun var snerpete og dum, akkurat som moren sin. Barceló hadde tilfeldigvis støtt på henne da hun arbeidet i en grønnsakbod på Borne-markedet, hadde fulgt en innskytelse og tilbudt henne arbeid hjemme hos seg.

– Oss imellom skal det bli som i *Pygmalion*, kunngjorde han.
– Du skal være min Eliza, og jeg din professor Higgins.

Bernarda, som pleide å stille sin litterære appetitt med *Hoja Dominical*, skulte mistroisk på ham.

– Hør nå her, fattig og uvitende er jeg saktens, men et anstendig menneske likevel.

Barceló var ikke akkurat noen George Bernard Shaw, men selv om han ikke hadde klart å gi sin myndling en uttale og sjarm som Manuel Azaña, hadde hans bestrebelser med tiden forfinet Bernarda og lært henne manerer og talemåter som en landsens frøken. Hun var åtteogtyve år, men det forekom meg alltid at hun bar på ti år til, om det så bare var i blikket. Hun var en flittig kirkegjenger og tilba Jomfruen av Lourdes til det avsindige. Hver dag bega hun seg til Santa María del Mar for å høre gudstjenesten klokken åtte, og hun skriftet tre ganger i uken, minst. Don Gustavo, som erklærte seg som agnostiker (noe Bernarda innbilte seg var en sykdom i luftveiene, som astma, men for fine herrer), hevdet at det var en matematisk umulighet at hushjelpen kunne synde tilstrekkelig til å opprettholde et slikt tempo i skriftemålene.

– Du som er et så eiegodt menneske, Bernarda, sa han fortørnet. – De menneskene som ser synd alle steder, er syke på sjelen og, kan du også få meg til å si, i innvollene. Den grunnleggende tilstanden som er forutsetningen for den iberiske fromheten, er kronisk forstoppelse.

Når Bernarda hørte noe så grovt bespottelig, korset hun seg femdobbelt. Senere, om kvelden, ba hun en ekstra bønn for den besmittede sjelen til señor Barceló, som hadde et godt hjerte, men hadde lest så mye at det hadde gått over styr med forstanden, akkurat som med Sancho Panza. En ytterst sjelden gang fikk Bernarda seg kjærester som slo henne, som tok ut de usle slantene hun hadde på bankbok, og som før eller siden ga henne på båten. Hver gang det kom til en slik krise, sperret Bernarda seg inne på rommet hun hadde bakerst i leiligheten og gråt flere dager i trekk og sverget på at hun skulle ta livet av seg med rottegift eller drikke en flaske lut. Når Barceló hadde forsøkt med alle sine overtalelseskunster, ble han skremt for alvor og tilkalte låsesmeden for å få opp døren til rommet, og huslegen sin for at han skulle gi Bernarda en hestedose beroligende middel. Da det arme mennesket våknet to dager senere, kjøpte bokhandleren roser, konfekt, en ny kjole og tok henne med på kino for å se Cary Grant, som etter hennes mening var den kjekkeste mannen i verden, nest etter José Antonio.

– Si meg en ting, jeg har hørt snakk om at Cary Grant er soper, mumlet hun mens hun stappet i seg sjokolade. – Kan det være mulig?

– Visvas, fastslo Barceló. – Grinebitere og dumskaller lever i en tilstand av evig misunnelse.

– Skal si De har godt munnlær. Det er lett å skjønne at De har gått på det sorbet-universitetet.

– Sorbonne, rettet Barceló uten å bli sur.

Det var nesten ikke til å unngå at man ble glad i Bernarda. Ingen hadde bedt henne om det, og likevel laget hun mat og sydde for meg. Hun stelte klærne og skoene mine, hun gredde meg, hun klipte håret mitt, hun kjøpte vitaminer og tannkrem til meg, det gikk faktisk så vidt at hun ga meg en medaljong med en krystallflaske som inneholdt vigslet vann som en søster av henne i San Adrián del Besós hadde hatt med seg i bussen fra Lourdes. Noen ganger, mens hun absolutt skulle lete i håret mitt etter lus og annet utøy, snakket hun lavt til meg.

– Señorita Clara er den gjeveste i hele verden, og Gud gi at jeg faller død om hvis jeg en dag skulle finne på å kritisere henne, men det er ikke bra at den lille herren er så besatt av henne, hvis du skjønner hva jeg mener.

– Ingen fare, Bernarda, vi er jo bare gode venner.

– Det er akkurat det jeg mener.

For å belyse hva hun mente ga Bernarda seg så til å fortelle en historie hun hadde hørt i radioen angående en gutt som hadde forelsket seg utilbørlig i lærerinnen sin, og på grunn av en slags rettferdig straffedom hadde han mistet håret og tennene samtidig som ansiktet og hendene ble dekket av anklagende sopp, en form for liderlig spedalskhet.

– Utukt er fæle greier, fastslo Bernarda. – Det bare sier jeg.

Tross alle vitsene han slo på min bekostning, så don Gustavo med blide øyne på min hengivenhet for Clara og min begeistring for å holde henne med selskap. Jeg trodde hans overbærenhet skyldtes at han sannsynligvis betraktet meg som harmløs. En sjelden gang kom han fremdeles med saftige tilbud på romanen til Carax. Han fortalte at han hadde diskutert saken med noen kolleger i antikvarlauget, og alle var skjønt enige om at en Carax kunne være verdt en formue nå, især i Frankrike. Jeg sa alltid nei, og han nøyde seg med å smile lurt. Han hadde gitt meg en kopi av nøklene til leiligheten slik at jeg kunne komme og gå uten å være avhengig av at han eller Bernarda var hjemme og kunne lukke opp for meg. Med far var det en annen sak. Etter som årene gikk, hadde han overvunnet sine medfødte betenkeligheter med å ta opp ethvert tema som virkelig bekymret ham. En av de første følgene av denne utviklingen var at han begynte å tilkjennegi sin klare misbilligelse av mitt forhold til Clara.

– Du skulle være sammen med venner på din egen alder, som Tomás Aguilar, som du har glemt og som er en fabelaktig gutt, og ikke en dame som alt er gammel nok til å gifte seg.

– Hva kan det spille for en rolle hvor gammel den ene eller den andre er så lenge vi er gode venner?

Det verste var nok hentydningen til Tomás, for det var jo så sant. Det var mange måneder siden sist jeg var sammen med ham, og før hadde vi hengt sammen bestandig. Far så bebreidende på meg.

– Daniel, du vet ingenting om kvinner, og hun der leker med deg som katten med en kanarifugl.

– Det er du som ikke vet noe om kvinner, svarte jeg krenket. – Og langt mindre om Clara.

Samtalene våre om dette temaet gikk sjelden ut over en utveksling av bebreidelser og blikk. Når jeg ikke var på skolen eller sammen med Clara, brukte jeg all min tid til å hjelpe far i bokhandelen. Jeg ryddet på lageret i bakværelset, leverte bøker, gikk ærend eller ekspederte de faste kundene. Far klaget over at jeg verken la hodet eller sjelen i arbeidet. Jeg for min del svarte at jeg tilbrakte hele livet der, og at jeg ikke skjønte hva han hadde å klage over. Mange netter, når jeg lå og ikke fikk sove, husket jeg den fortrolige stemningen, den lille verdenen vi to hadde delt i årene etter mors død, årene med Victor Hugos penn og messinglokomotiver. Jeg husket dem som noen fredfylte, triste år, en verden som var i ferd med å bli borte, som mer og mer hadde svunnet hen siden den morgenen da far tok meg med til De glemte bøkers kirkegård. En dag oppdaget far at jeg hadde gitt bort Carax' bok til Clara, og ble rasende.

– Du har skuffet meg, Daniel, sa han. – Da jeg tok deg med til det hemmelige stedet, sa jeg at den boken du valgte, var noe spesielt, at du skulle ta den til deg og være ansvarlig for den.

– Jeg var ti år den gangen, pappa, og det var en barnelek.

Far så på meg som om jeg hadde dolket ham.

– Og nå er du fjorten, og det er ikke bare det at du fremdeles er et barn, du er et barn som innbiller seg at det er en mann. Du kommer til å få nok av bekymringer i livet, Daniel. Og det snart.

Den gangen ville jeg gjerne tro at det som plaget far, var at jeg tilbrakte så mye tid hos Barceló. Bokhandleren og niesen hans levde i en verden preget av en overflod som far knapt fikk kjenne lukten av. Jeg trodde han gremmet seg over at hushjelpen til don Gustavo oppførte seg som om hun var moren min, og at han var krenket over at jeg gikk med på å la noen spille den rollen. Noen ganger, mens jeg holdt på i bakværelset og pakket inn bøker eller gjorde i stand en forsendelse, hørte jeg en kunde spøke med far.

– Sempere, det du skulle gjøre, var å finne deg et bra kvinnfolk, for nå er det jo masser av flotte enker i sin beste alder, du skjønner sikkert hva jeg mener. En fin dame får skikk på livet ditt, gamle venn, og gjør deg tyve år yngre. Utrolig hva et par pupper kan utrette …

Far svarte aldri på disse hentydningene, men selv syntes jeg de virket mer og mer fornuftige. En gang, ved et av de kveldsmåltidene som var blitt til stum kamp og stjålne blikk, brakte jeg temaet på bane. Jeg tenkte at hvis det var jeg som foreslo det, ville det gjøre tingene lettere. Far var en kjekk kar, pen og ordentlig, og jeg hadde merket meg at mer enn én kvinne i kvartalet hadde et godt øye til ham.

– For deg har det vært svært så lett å finne en erstatning for moren din, svarte han bittert. – Men for meg finnes det ingen, og jeg har ingen interesse av å lete etter noen.

Etter hvert begynte insinuasjonene til far og Bernarda, til og med Barceló, å gjøre et visst inntrykk på meg. Noe innerst inne sa meg at jeg holdt på å rote meg inn i en blindgate, at jeg ikke kunne gjøre meg noe håp om at Clara skulle se noe mer i meg enn en gutt som var ti år yngre enn henne. Jeg følte at det ble vanskeligere og vanskeligere å være sammen med henne for hver dag som gikk, tåle berøringen av hendene hennes eller holde henne i armen når vi var ute og spaserte. Det kom til et punkt da det blotte nærværet hennes nesten ble til en fysisk smerte. Ingen kunne unngå å legge merke til det, aller minst Clara selv.

– Daniel, jeg tror vi må snakke sammen, sa hun. – Jeg har nok ikke oppført meg som jeg skulle mot deg ...

Jeg lot henne aldri fullføre disse setningene. Jeg forlot værelset med et hvilket som helst påskudd og rømte derfra. Det var enkelte dager det kjentes som om jeg var havnet i et kappløp med kalenderen. Jeg var stygt redd for at den verden av luftspeilinger jeg hadde bygd opp rundt Clara, led mot slutten. Lite ante jeg at problemene mine knapt hadde begynt.

Fattigdom og selskap
1950–1952

7

Den dagen jeg fylte seksten år, pønsket jeg ut det verste av alle de skjebnesvangre innfallene jeg hadde nedkommet med i løpet av mitt korte liv. For egen regning og risiko hadde jeg bestemt meg for å holde en fødselsdagsmiddag og invitere Barceló, Bernarda og Clara. Far mente at det var et feilgrep.

– Det er min fødselsdag, svarte jeg brutalt. – Jeg jobber for deg alle de andre dagene i året. Denne ene gangen kunne du vel unne meg den gleden.

– Gjør som du vil.

De forutgående månedene hadde vært de mest forvirrende i mitt underlige vennskap med Clara. Jeg leste så å si ingenting for henne mer. Clara unnvek systematisk enhver anledning som kunne medføre at hun ble alene med meg. Hver gang jeg kom på besøk, var onkelen hennes til stede og lot som om han leste avisen, eller Bernarda dukket opp og ga seg til å fly frem og tilbake i kulissene og sendte meg skrå øyekast. Andre ganger kom selskapet i form av en eller flere av Claras venninner. Jeg kalte dem Søstrene Anis, alltid tekkelig pyntet og med en jomfruelig fremtoning der de hang i nærheten av Clara med en messebok i hånden og et politiaktig blikk som uten omsvøp viste at jeg bare var i veien, at mitt nærvær gjorde både Clara og alle andre flaue. Den verste av dem alle var imidlertid musikklærer Neri, som aldri kunne bli ferdig med den elendige symfonien sin. Han var alltid velkledd, en jålebukk som liksom skulle forestille Mozart, men oste sånn av hårkrem at han mest minnet om Carlos Gardel. Hva lynne angikk, kunne ikke jeg se ham som annet enn en snik. Han slesket for don Gustavo uten verdighet eller sømmelighet, han flørtet med Bernarda på kjøkkenet og fikk henne til å le med de tåpelige posene med sukkermandler han ga henne, og ved å klype henne i baken. For å si det rett ut, jeg hatet ham som pesten. Antipatien var gjensidig. Neri dukket alltid opp med partiturene sine og den arrogante minen, og så på meg som om jeg var en uønsket liten dekksgutt, og kom med alle mulige innvendinger mot at jeg skulle være til stede.

– Kjære *barn*, skulle ikke du gå hjem snart og gjøre lekser?

– Og du, *lærer*, hadde ikke du en symfoni du skulle ha gjort ferdig?

Det endte med at de sammen ble for mye for meg, så jeg lusket slukkøret derfra og ønsket bare at jeg hadde hatt don Gustavos veltalenhet, slik at jeg kunne ha satt den innbilske narren på plass.

På fødselsdagen min gikk far bort til bakeriet på hjørnet og kjøpte den beste kaken han kunne finne. Han dekket taust på bordet, med sølvtøy og det fine serviset. Han tente levende lys og laget et måltid med de rettene han trodde jeg likte best. Vi vekslet ikke et ord hele ettermiddagen. I kveldingen trakk far seg tilbake til rommet sitt, tok på seg i sin fineste dress og kom tilbake med en pakke i cellofan som han la på salongbordet. Presangen min. Han satte seg ved bordet, skjenket seg et glass hvitvin og ventet. Invitasjonen sa at middagen ble servert klokken halv ni. Klokken halv ti satt vi der fremdeles og ventet. Far iakttok meg bedrøvet uten å si noe. Selv ulmet jeg av raseri.

– Du er vel fornøyd nå, sa jeg. – Det var sånn du ville ha det?

– Nei.

Bernarda troppet opp en halvtime senere. Hun hadde et gravalvorlig oppsyn og en hilsen fra señorita Clara. Hun ønsket meg hjertelig til lykke, men beklaget at hun ikke kunne komme i fødselsdagsmiddagen. Señor Barceló hadde måttet reise bort noen dager i forretninger, og Clara hadde vært nødt til å forandre tidspunktene for musikktimene med maestro Neri. Hun var kommet fordi det var frikvelden hennes.

– Clara kan ikke komme fordi hun har musikktime? spurte jeg forbløffet.

Bernarda slo blikket ned. Hun var på gråten da hun rakte meg en liten pakke som inneholdt presangen hennes, og kysset meg på begge kinn.

– Hvis du ikke liker det, går det an å bytte, sa hun.

Jeg ble alene med far og stirret på det fine serviset, sølvtøyet og lysene som brant ned i stillhet.

– Jeg beklager, Daniel, sa far.

Jeg nikket stumt og trakk på skuldrene.

– Skal du ikke åpne pakken din? spurte han.

Mitt eneste svar var smellet i døren idet jeg gikk. Jeg stormet rasende ned trappene, kjente at øynene sto fulle av vredestårer idet jeg kom ut på den ødslige gaten som lå badet i blålys og kulde. Hjertet kjentes forgiftet og blikket flakkende. Jeg begynte å gå uten mål og med, enset ikke den fremmede som betraktet meg urørlig fra Puerta del Ángel. Han hadde på seg den samme mørke dressen, og den høyre hånden hadde han stukket i jakkelommen. Øynene tegnet lysfnugg i skjæret fra en sigarett. Han haltet lett da han begynte å følge etter meg.

Jeg rekte gatelangs i over en time til jeg sto ved foten av Columbus-monumentet. Så skrådde jeg over til bryggene og satte meg på trappetrinnene som førte ned i det mørke vannet ved sightseeingbåtkaien. Noen hadde bestilt en nattlig utflukt, og jeg kunne høre latteren og musikken som kom drivende fra et opptog av lys og reflekser i havnebassenget. Jeg kom til å tenke på de dagene da far og jeg sto i forstavnen på sightseeingbåtene når vi seilte over. Derfra kunne vi se kirkegårdsskråningen på Montjuïc og de dødes by, uendelig vidstrakt. Noen ganger vinket jeg og trodde at mor fremdeles var der og kunne se meg dra forbi. Far gjorde som jeg og hilste. Det var mange år siden sist vi hadde gått om bord i en av sightseeingbåtene, selv om jeg visste at han noen ganger dro alene.

– En fin kveld for angeren, Daniel, sa stemmen fra skyggene.

– En sigarett?

Jeg spratt opp med en plutselig frost i kroppen. Fra mørket stakk det frem en hånd som bød meg på en røyk.

– Hvem er du? Den fremmede trådte frem til mørkets terskel, men ansiktet var fremdeles tilslørt. En dunst av blå røyk kom drivende fra sigaretten. Jeg kjente straks igjen den svarte dressen og den hånden som var gjemt i jakkelommen. Øynene skinte som krystallkuler.

– En venn, sa han. – Det er iallfall det jeg tar sikte på å bli. En sigarett?

– Jeg røyker ikke.

– Lurt av deg. Beklageligvis har jeg ikke noe annet å by på, Daniel.

Stemmen hans var knasende, sår. Han slepte ordene etter seg og lød sluknet og fjern, som de grammofonplatene med åtteogsytti omdreininger i minuttet som Barceló samlet på.

– Hvordan visste du navnet mitt?

– Jeg vet mye om deg. Navnet er det minste.

– Hva mer vet du?

– Jeg kunne gjøre deg flau, men jeg har verken tid eller lyst. La meg bare si at du har noe som interesserer meg. Og at jeg er villig til å betale godt for det.

– Så vidt jeg kan forstå, har du tatt feil av personen.

– Nei, jeg tar aldri feil av noen person. Andre ting, ja vel, men aldri person. Hvor mye skal du ha for den?

– For hva?

– *Vindens skygge*.

– Hva får deg til å tro at jeg har den?

– Det er ikke noe å diskutere, Daniel. Det er bare et spørsmål om pris. Jeg har lenge visst at du har den. Folk snakker. Jeg lytter.

– Da må du nok ha hørt feil. Jeg har ikke den boken. Og hadde jeg hatt den, ville jeg ikke ha solgt den.

– Du har en beundringsverdig integritet, især i en tid som denne, med korgutter og spyttslikkere, men du behøver ikke å spille komedie for meg. Bare si hvor mye. Fem tusen pesetas? Pengene er meg likegyldige. Du bestemmer prisen.

– Jeg har jo sagt det: Ikke er den til salgs, og jeg har den ikke, svarte jeg. – Du har tatt feil, du skjønner vel det.

Den fremmede ble stående taus, urørlig, innhyllet i den blå røyken fra den sigaretten som aldri lot til å ta slutt. Jeg la merke til at den ikke luktet tobakk, men svidd papir. Fint papir, som i bøker.

– Det er kanskje du som tar feil nå, antydet han.

– Truer du meg?

– Sannsynligvis.

Jeg svelget tungt. Til tross for den kjekke tonen var jeg aldeles skrekkslagen.

– Tør jeg spørre hvorfor du er så interessert?

– Det er min egen sak.

– Min også, siden du truer meg for å få meg til å selge en bok jeg ikke har.

– Du er en gutt etter min smak, Daniel. Du er tøff og virker smart. Fem tusen pesetas? Du kan kjøpe en uhorvelig masse bøker for det. Fine bøker, ikke det søppelet du vokter så nidkjært på. Kom igjen nå, fem tusen pesetas, så er vi like gode venner for det.

– Du og jeg er ikke venner.

– Jo, det er vi, du er bare ikke klar over det ennå. Jeg klandrer deg ikke, så mye som du har i hodet. Som din venninne, Clara. For en kvinne som henne ville noen hver miste sin sunne fornuft.

Omtalen av Clara fikk blodet til å fryse til is i årene mine.

– Hva vet du om Clara?

– Jeg våger den påstand at jeg vet mer enn du, og at det ville være best for deg om du glemte henne, men jeg vet jo at du ikke vil det. Jeg har selv vært seksten år en gang …

En uhyggelig visshet slo plutselig ned i meg. Mannen var den fremmede som passet opp Clara på gaten, inkognito. Han var virkelig. Clara hadde ikke løyet. Fyren tok et skritt frem. Jeg trakk meg unna. Jeg hadde aldri vært så redd i hele mitt liv.

– Clara har ikke boken, bare så du vet det. Og du kan bare våge å røre henne én gang til.

– Venninnen din er meg likegyldig, Daniel, og en dag vil du dele min oppfatning. Det jeg vil ha, er boken. Jeg ville helst få den med det gode, slik at ingen lider overlast. Er det oppfattet?

I mangel av bedre ideer ga jeg meg til å lyve som en annen kjeltring.

– Den som har den, er en viss Adrián Neri. Musiker. Navnet lyder kanskje kjent.

– Det lyder overhodet ikke, og det er vel det verste man kan si om en musiker. Sikkert at det ikke er noe du har diktet opp, det der med Adrián Neri?

– Hva skulle det være godt for?

– Nå vel, siden dere liksom er så gode venner, kunne du kanskje overtale ham til å gi den fra seg igjen. Sånn venner imellom pleier slikt å gå greit. Eller vil du heller spørre din venninne Clara?

Jeg ristet på hodet.

– Jeg skal snakke med Neri, men jeg tror ikke han gir den fra seg, eller at han fremdeles har den, sa jeg på stående fot. – Og hva skal du med den boken? Kom ikke og fortell meg at det er for å lese den.

– Nei. Jeg kan den utenat.

– Er du samler?

– Noe i den stil.

– Har du flere bøker av Carax?

– Jeg har hatt dem i sin tid. Julián Carax er min spesialitet, Daniel. Jeg reiser land og strand rundt og leter etter bøkene hans.

– Hva gjør du med dem hvis du ikke leser dem?

Den fremmede kom med en dump, forpint lyd. Det tok noen sekunder før jeg skjønte at han lo.

– Det eneste man burde gjøre med dem, Daniel, svarte han.

Han dro en fyrstikkeske opp av lommen, tok ut en fyrstikk og strøk den av. Flammen lyste for første gang opp ansiktet hans. Jeg ble stiv av skrekk. Mannen hadde ikke nese, ikke lepper, ikke øyelokk. Ansiktet var bare en maske av svart, arret skinn, fortært av ilden. Det var den døde huden som Claras hånd hadde streifet.

– Brenne dem, hvisket han, med et blikk som var forgiftet av hat.

Et vindpust slukket fyrstikken som han holdt mellom fingrene, og ansiktet var igjen skjult av mørket.

– Vi sees igjen, Daniel. Jeg glemmer aldri et ansikt, og det gjør neppe du heller, fra i dag av, sa han langsomt. – Til ditt eget og din venninne Claras beste stoler jeg på at du fatter den rette beslutning og oppklarer saken med denne Neri, som forresten har et navn som en jålebukk. Jeg ville aldri stole det minste grann på ham.

Dermed snudde den fremmede seg og gikk i retning av bryggene, en silhuett som løste seg opp i mørket innhyllet i sin skrallende latter.

8

Et teppe av elektrisk gnistrende skyer kom veltende inn fra havet. Jeg skulle ha lagt på sprang for å finne ly for det regnskyllet som nærmet seg, men den fyrens ord begynte å gjøre inntrykk. Jeg var skjelven både på hendene og i tankene. Jeg løftet blikket og så uværet strømme på som flak med svart blod mellom skyene, skygge for månen og bre et teppe av mørke over hustakene og fasadene i byen. Jeg prøvde å sette opp farten, men uroen fortærte meg innvendig, og jeg skrittet av sted med blytunge ben og føtter forfulgt av regnskyllet. Jeg stilte meg under markisen til en aviskiosk og prøvde å få orden på tankene mine og bestemme hvordan jeg skulle gripe dette an. Det lød et tordenskrall like ved, buldrende som en drage som trengte inn i havneløpet, og jeg kjente jorden skjelve under meg. Den skjøre pulsen i den elektriske belysningen som avtegnet husvegger og vinduer, døde hen noen sekunder senere. På fortauene med de svære vanndammene blunket lyktene og sluknet som vokslys i vinden. Det var ikke en sjel å se på gaten, og det stummende mørket etter strømbruddet spredte seg med en stinkende pust som steg opp fra rennesteinene som tømte seg i kloakken. Natten ble matt og ugjennomtrengelig, regnet et likklede av damp. «For en kvinne som henne ville noen hver miste sin sunne fornuft …» Jeg la på sprang oppover Ramblas med bare én tanke i hodet: Clara.

Bernarda hadde sagt at Barceló var bortreist i forretninger. Dette var fridagen hennes, og hun pleide å tilbringe den natten hos sin tante Reme og kusinene sine i San Adrián del Besós. Det betydde at Clara var alene i den huleaktige leiligheten ved Plaza Real, og denne personen uten ansikt og med truslene sine her ute i uværet med Gud vet hvilke tanker i hodet. Mens jeg skyndte meg videre gjennom regnskyllet mot Plaza Real, klarte jeg ikke å riste av meg tanken på at jeg hadde utsatt Clara for fare ved å gi henne den boken av Carax. Da jeg kom til inngangen til plassen, var jeg gjennomvåt. Jeg løp bort og fant ly for regnet i søylegangen langs Calle Fernando. Jeg innbilte meg at jeg så omriss av en skygge som buktet seg bak meg. Jeg lette i nøkkelknippet mitt etter det settet som Barceló hadde gitt meg. Jeg hadde med meg nøklene til butikken, til leiligheten i Santa Ana og til Barcelós bolig. En av uteliggerne kom bort til meg og spurte mumlende om jeg kunne la ham overnatte i vestibylen. Jeg lukket døren før han fikk fullført setningen.

Trappen var en brønn av skygge. Lynenes pust sivet inn gjennom fugene i porten og sprøytet ut over trappetrinnenes omriss. Jeg famlet meg videre og snublet i det første trinnet. Jeg tok et godt tak i gelenderet og gikk sakte opp trappen. Om litt løste trinnene seg opp i en plan flate, og jeg skjønte at jeg var kommet til avsatsen i annen etasje. Jeg lot hendene gli over veggene av kald, fiendtlig marmor og fant relieffene i eikedøren og aluminiumsdørhammeren. Jeg lette meg frem til låsen og stakk nøkkelen famlende inn. Da døren til leiligheten gikk opp, ble jeg et øyeblikk blindet av en stripe med blått lys, og et varmt vindpust strøk kjærlig over huden. Bernardas værelse lå i den bakre delen av leiligheten, vegg i vegg med kjøkkenet. Jeg bega meg først dit, enda jeg var sikker på at hushjelpen ikke var til stede. Jeg banket på døren hennes, og da jeg ikke fikk noe svar, tillot jeg meg å gløtte inn. Det var et enkelt værelse med en stor seng, et mørkt skap med røykfargede speil og en kommode der Bernarda hadde fått plass til så mange helgener, jomfruer og helgenbilder at hun kunne ha åpnet et helgenkapell. Jeg lukket døren, og idet jeg snudde meg, holdt hjertet på å stoppe i brystet på meg da jeg skimtet et dusin blå og skarlagenrøde øyne som nærmet seg fra enden av gangen. Kattene til Barceló kjente meg nå såpass godt at de lot meg være der. De flokket seg rundt meg, mjauet blidt, og da de merket at de regnvåte klærne mine ikke utstrålte den ønskede varmen, gikk de sin vei uinteressert.

Claras værelse lå i den andre enden av leiligheten, vegg i vegg med biblioteket og musikkværelset. Kattenes usynlige skritt fulgte meg forventningsfullt gjennom korridoren. I uværets vekslende halvmørke virket leiligheten nifs og grotteaktig, så helt annerledes enn det jeg hadde lært å se som mitt annet hjem. Jeg kom til den fremre delen av leiligheten, den som vendte ut mot plassen. Foran meg åpnet Barcelós vinterhage seg, tett og ugjennomtrengelig. Jeg bega meg inn i tykningen av løv og grener. Et øyeblikk slo det meg at hvis den fremmede uten ansikt hadde sneket seg inn i leiligheten, ville dette sannsynligvis være stedet han valgte for å gjemme seg. For å vente på meg. Jeg syntes nesten jeg kjente lukten av svidd papir som hang i luften, men skjønte at det luktesansen min hadde oppfanget, simpelthen var tobakk. Jeg merket et tilløp til panikk. Det var ingen der i huset som røykte, og pipen til Barceló, som alltid var slukket, var ikke annet enn en *atrezzo*.

Jeg kom til musikkværelset, og gjenskjæret fra et lyn tente de røykringene som drev i luften som dampgirlandere. Klaviaturet dannet et endeløst smil borte ved galleriet. Jeg skrådde gjennom musikkværelset og kom til døren til biblioteket. Den var stengt. Jeg åpnet den, og lyset fra den lille paviljongen som omga bokhandlerens private bibliotek, ga meg en varm velkomst. Alle veggene var dekket av bokhyller og dannet en oval der det i midten sto et lesebord og to feltmarskalkstoler. Jeg visste at Clara hadde boken til Carax stående i et glasskap like ved buegangen til paviljongen. Jeg listet meg dit. Planen, eller mangelen på en sådan, hadde vært å finne boken, ta den med og gå, overlate den til den gale fyren og slippe å se ham for mine øyne mer. Ingen ville legge merke til at boken var borte, unntatt jeg.

Boken til Julián Carax sto der og ventet på meg som alltid, viste meg ryggen innerst i en hylle. Jeg tok den og trykket den mot brystet, som om jeg omfavnet en gammel venn som jeg sto i ferd med å forråde. Judas, tenkte jeg. Jeg skulle til å gå min vei uten å la Clara vite at jeg var der. Jeg skulle ta med meg boken og forsvinne ut av livet til Clara Barceló for alltid. Med lette skritt kom jeg meg ut av biblioteket. I enden av gangen kunne jeg skjelne døren til Claras rom. Jeg forestilte meg at hun lå i sengen sin og sov. Jeg forestilte meg at fingrene mine kjærtegnet halsen hennes, utforsket en kropp som jeg hadde lært meg utenat av ren og skjær uvitenhet. Jeg snudde meg, rede til å forlate seks års tankespinn, men noe holdt meg igjen før jeg kom til musikkværelset. En vislende stemme bak meg, innenfor døren. En dyp stemme som mumlet og lo. På rommet til Clara. Jeg gikk langsomt bort til døren. La fingrene på dørklinken. Fingrene skalv. Jeg var kommet for sent. Jeg svelget tungt og åpnet døren.

Den nakne kroppen til Clara lå på noen hvite lakener som skinte som vasket silke. Hendene til maestro Neri gled over leppene, halsen og brystet hennes. De hvite øynene hennes løftet seg mot taket, skakende under støtene til musikklæreren der han trengte seg inn mellom de bleke og skjelvende lårene hennes. De samme hendene som hadde lest ansiktet mitt for seks år siden i mørket på Ateneo, klamret seg nå til maestroens rumpeballer, som var glinsende av svette, boret neglene inn i dem og styrte ham mot sine indre regioner med et dyrisk, desperat begjær. Jeg merket at jeg ikke fikk puste. Jeg må ha stått der lamslått og iakttatt dem i nesten et halvt minutt, helt til Neris blikk, først vantro, deretter blussende av raseri, ble oppmerksom på at jeg var der. Fremdeles stønnende, forbløffet, stanset han opp. Clara klamret seg til ham, skjønte ingenting, gned kroppen sin mot hans, slikket ham på halsen.

– Hva er det? klynket hun. – Hvorfor stanser du?

Adrián Neris øyne glødet av raseri.

– Ingenting, mumlet han. – Jeg er straks tilbake.

Neri kom seg opp og kastet seg frem mot meg som en haubits, med knyttede never. Jeg så ikke at han kom engang. Jeg klarte ikke å ta blikket fra Clara, badet i svette, gispende etter luft, med ribben som avtegnet seg under huden og bryster som skalv av lyst. Musikklæreren tok tak rundt strupen på meg og halte meg ut av rommet. Jeg merket at bena mine subbet langs gulvet, og hvor mye jeg enn strevde, kom jeg meg ikke løs fra Neris klør. Han bar meg med seg som en bylt tvers gjennom vinterhagen.

– Jeg skal banke livskiten ut av deg, elendige krek, snerret han.

Han slepte meg bort til ytterdøren, fikk den opp og lempet meg ut på avsatsen. Boken til Carax hadde glidd ut av hendene mine. Han plukket den opp og kylte den i ansiktet på meg i fullt raseri.

– Ser jeg deg her igjen eller hører at du har henvendt deg til Clara på gaten, sverger jeg at du skal få så mye juling at du ikke kan stå på bena, og da gir jeg blanke faen i hvor gammel du er, sa han iskaldt. – Skjønner du det?

Jeg kom meg møysommelig på bena, oppdaget at Neri i basketaket hadde spjæret både jakken og stoltheten min.

– Hvordan kom du deg inn?

Jeg svarte ikke. Neri sukket og ristet på hodet.

– Hit med nøklene, freste han og tvang raseriet tilbake.

– Hvilke nøkler?

Han ga meg en ørefik så jeg tumlet over ende. Jeg reiste meg med blod i munnen og en susing i det venstre øret som skar seg gjennom hodet mitt som fløyten til en trafikkonstabel. Jeg tok meg til ansiktet og kjente flengen som hadde kløvd leppene mine, og som sved under fingrene mine. En signetring skinte på ringfingeren til musikklæreren, tilsølt av blod.

– Nøklene, har jeg sagt.

– Dra faen i vold, spyttet jeg.

Jeg så ikke knyttneven da den kom. Det kjentes bare som om en damphammer hadde dundret rett inn i mellomgulvet. Jeg knakk i to som en knekt sprellemann, all luften gikk ut av meg og jeg sjanglet rett i veggen. Neri hugg tak i håret på meg og rotet i lommene til han fant nøklene. Jeg sank ned på gulvet, holdt meg for magen og hikstet i dødskrampe, eller raseri.

– Si til Clara at …

Han smelte døren igjen foran nesen på meg, og jeg ble liggende i stummende mørke. Jeg famlet etter boken i bekmørket. Endelig fant jeg den og akte meg ned trappen, støttet til veggene, gispende. Jeg kom meg omsider ut, spyttet blod og pustet surklende gjennom munnen. Kulden og vinden fikk de dyvåte klærne til å stramme rundt meg, bite seg inn. Flengen i ansiktet brant.

– Går det bra? spurte en stemme i skyggen.

Det var tiggeren som jeg hadde nektet hjelp for litt siden. Jeg nikket, unnvek blikket hans, skamfull. Jeg begynte å gå.

– Vent litt, i det minste til regnet gir seg, foreslo tiggeren.

Han tok meg i armen og leide meg bort til et hjørne under buene der han hadde en bylt og en pose med gammelt og skittent tøy.

– Jeg har litt vin. Den er ikke dårlig. Drikk litt. Det er fint for å få varmen i kroppen. Og desinfisere det der …

Jeg tok en slurk av flasken han rakte meg. Det smakte diesel spedd opp med eddik, men varmen virket beroligende på magen og nervene. Noen dråper skvettet i såret, og jeg så stjerner i den svarteste natten i mitt liv.

– God, hva? smilte tiggeren. – Kom an, ta deg en slurk til, det er sånt som får de døde til å gjenoppstå.

– Nei takk. Drikk du, snøvlet jeg.

Tiggeren drakk en lang slurk. Jeg gransket ham inngående. Han minnet om en grå bokholder i et departement, en som ikke hadde skiftet dress på femten år. Han rakte meg hånden, og jeg trykket den.

– Fermín Romero de Torres, arbeidsløs. Gleder meg meget.

– Daniel Sempere, erkefjols. Gleden er helt på min side.

– Ikke selg deg selv så billig. I netter som denne ser alt verre ut enn det er. Tro det eller ei, jeg er den fødte optimist. Jeg er ikke i den ringeste tvil om at regimets dager er talte. Etter alle solemerker vil amerikanerne invadere oss hver dag som helst, og Franco vil få seg en fillejobb i Melilla. Og jeg får tilbake jobben min, og mitt gode omdømme og min tapte ære.

– Hva var det du drev med før?

– Etterretningstjenesten. Spionasje på høyt nivå, sa Fermín Romero de Torres. – Jeg var Maciás mann i Havanna, jeg sier ikke mer.

Jeg nikket. Enda en gærning. Barcelona-natten samlet på sånne i haugevis. Og sånne idioter som meg likeså.

– Du, den flengen der ser stygg ut. Du fikk deg en ordentlig omgang juling, hva?

Jeg tok meg til munnen. Den blødde fremdeles.

– Kvinnehistorier? spurte han. – Du kunne ha spart deg det. Kvinnene her til lands, det kan jeg si deg, for jeg har sett mye av verden, er både snerpete og frigide. Du hørte riktig. Jeg husker en mulattjente jeg forlot på Cuba. Det var andre boller, skal jeg si deg, det var andre boller, det. Du skjønner, de karibiske jentene klenger seg tett innpå deg i den rytmen som hører øya til og hvisker til deg «ay, gutten min, så god du er, så god du er», og et ekte mannfolk, med blod i årene, jeg behøver ikke å si mer ...

Det forekom meg at Fermín Romero de Torres, eller hva han nå het i virkeligheten, lengtet nesten like mye etter å småprate med noen som etter et varmt bad, en tallerken linser med pølser og et rent klesskift. Jeg jattet med ham en stund og ventet på at smerten skulle gi seg. Det kostet meg ikke stort, for mannen forlangte ikke annet enn et punktlig samtykke og en som lot som om han hørte etter. Tiggeren skulle akkurat til å fortelle meg alle detaljer og tekniske finurligheter i en hemmelig plan for å kidnappe doña Carmen Polo de Franco da jeg merket at det ikke regnet så stritt lenger, og at uværet så ut til å trekke langsomt nordover.

– Det begynner å bli sent, mumlet jeg og stablet meg på bena.

Fermín Romero de Torres nikket ganske bedrøvet og hjalp meg opp, og skulle liksom børste støvet av de våte klærne mine.

– Det får bli en annen dag, da, sa han resignert. – Jeg lar munnen løpe av med meg. Begynner bare å prate, og så ... men altså, det der med kidnappingen blir mellom deg og meg, ikke sant?

– Ingen fare. Jeg er taus som graven. Og takk for vinen.

Jeg kom meg ut på Ramblas. Der ble jeg stående ved inngangen til plassen og lot igjen blikket gå til Barcelós leilighet. Det var fremdeles mørkt i vinduene, som grå av regn. Jeg ville så gjerne hate Clara, men fikk det ikke til. Å hate oppriktig er en egen evne som man utvikler med årene.

Jeg sverget at jeg aldri skulle se henne igjen, at jeg aldri skulle si navnet hennes, eller huske den tiden jeg hadde kastet bort sammen med henne. Av en besynderlig grunn følte jeg meg fredfull. Raseriet som hadde herjet med meg, var fordunstet. Jeg var redd for at det skulle komme igjen, med fornyet villskap, dagen etter. Jeg var redd for at sjalusien og skammen skulle fortære meg langsomt så snart bitene av alt jeg hadde opplevd den natten, falt ned av sin egen vekt. Det var ennå flere timer til daggry, og ennå hadde jeg noe igjen å gjøre før jeg kunne gå hjem med god samvittighet.

Calle Arco del Teatro lå der fremdeles, ikke stort mer enn en bresje i halvmørket. En bekk med svart vann hadde dannet seg midt i den smale gaten og trengte som et gravfølge dypere og dypere inn i hjertet av Raval. Jeg kjente igjen den gamle treporten og den barokke fasaden som far hadde fulgt meg til en tidlig morgen for seks år siden. Jeg gikk opp trappetrinnene og søkte ly for regnet under buegangen i porten, der det luktet urin og råttent tre. De glemte bøkers kirkegård luktet mer død enn noensinne. Jeg husket ikke at dørhammeren var et djevleansikt. Jeg tok den i hornene og banket tre ganger på døren. Det gruvedype ekkoet spredte seg der inne. Om litt banket jeg igjen, og da seks ganger, sterkere, så det gjorde vondt i neven. Det gikk like mange minutter, og jeg begynte å lure på om det kanskje ikke var noen der. Jeg krøkte meg sammen inntil døren og tok opp boken til Carax fra innerlommen på jakken. Jeg åpnet den og leste igjen den første setningen som hadde fjetret meg den gangen for så mange år siden.

Den sommeren regnet det hver dag, og selv om mange sa at det var en Guds straffedom for at de hadde åpnet et kasino i landsbyen rett ved siden av kirken, visste jeg at det var min skyld og bare min, for jeg hadde lært å lyve og husket fremdeles det mor sa på dødsleiet: Jeg har aldri elsket den mannen jeg giftet meg med, men en annen som de sa var død i krigen; let etter ham og si at jeg døde mens jeg tenkte på ham, for han er din egentlige far.

Jeg smilte da jeg husket den første nattens febrilske lesing for seks år siden. Jeg lukket boken og skulle til å banke på for tredje og siste gang. Før jeg streifet dørhammeren med fingrene, gikk den store døren opp såpass at profilen til vokteren kunne titte ut, med en oljelampe i hånden.

– God aften, mumlet jeg. – Du er Isaac, ikke sant?

Vokteren betraktet meg uten å blunke. Gjenskjæret fra lampen meislet ut de kantete trekkene hans i rav og skarlagen, og ga ham en umiskjennelig likhet med djevelen på dørhammeren.

– Du er Sempere junior, mumlet han med sliten stemme.

– Du har en glimrende hukommelse.

– Og du en sans for det som er passende som er helt forferdelig. Vet du hva klokken er?

Det stålgrå blikket hadde allerede oppdaget boken jeg hadde under jakken. Isaac gjorde et nyfikent kast med hodet. Jeg halte frem boken og viste ham den.

– Carax, sa han. – Det kan toppen være ti mennesker her i byen som vet hvem han er eller som har lest denne boken.

– En av dem skal på liv og død ha tak i den for å brenne den. Jeg kan ikke komme på noe bedre gjemmested enn dette.

– Dette er en kirkegård, ikke et bankhvelv.

– Akkurat. Det denne boken trenger, er at noen begraver den på et sted der ingen kan finne den.

Isaac kastet et mistroisk blikk ut i den smale gaten. Han åpnet døren litt og gjorde tegn til meg at jeg skulle smette inn. Den mørke og uutgrunnelige vestibylen luktet brent voks og fuktighet. Det hørtes sporadiske drypp i mørket. Isaac rakte meg lyset for at jeg skulle holde det mens han stakk hånden i frakkelommen og tok opp et nøkkelknippe som ville ha gjort enhver fangevokter grønn av misunnelse. Idet han nedkalte en ukjent vitenskap, gjettet han seg til hvilken han skulle ha og stakk den i et nøkkelhull som var skjermet bak et glasstativ stappfullt av releer og tannhjul som ledet tanken hen på en spilledåse i industriell målestokk. Han vred på håndleddet, og mekanismen knakte som innmaten i en automat, og jeg så spaker og vektstenger forskyve seg i en forbløffende, mekanisk ballett, inntil porten føyde seg inn i et flettverk av stålstenger som ga etter i en stjerne av huller i steinmurene.

– Ikke engang Banco de España, fremholdt jeg imponert. – Det er som hentet fra Jules Verne.

– Kafka, nyanserte Isaac, tok tilbake lyset og bega seg innover mot dypene i bygningen. – Den dagen du forstår at handel med bøker er fattigdom og alt som følger med, og bestemmer deg for å lære å rane en bank, eller opprette en selv, hvilket går ut på ett, så stikk innom til meg, og jeg skal forklare deg enkelte ting om låser.

Jeg fulgte ham bortover gangene som jeg kunne huske var dekket av fresker av engler og kimærer. Isaac holdt lyset høyt over hodet og spredte en flakkende boble av rødt og flyktig lys. Han haltet litt, og den loslitte flanellsfrakken minnet om et likklede. Det slo meg at denne personen, noe midt imellom Kharon og bibliotekaren i Alexandria, ville ha funnet seg vel til rette på boksidene til Julián Carax.

– Vet du noe om Carax? spurte jeg.

Isaac stanset i enden av et galleri og så uinteressert på meg.

– Ikke stort. Det jeg er blitt fortalt.

– Av hvem?

– En som kjente ham godt, eller trodde det.

Hjertet gjorde et hopp i brystet på meg.

– Når var det?

– Da jeg ennå hadde bruk for kam. Du må ha vært i bleier, og du ser ikke ut til å ha utviklet deg stort siden den gang, for å si det rett ut. Se på deg: Du skjelver jo, sa han.

– Det er på grunn av de våte klærne, og så kaldt som det er her inne.

– En annen dag får du gi beskjed på forhånd, så skal jeg tenne sentralvarmen for å kunne ta imot deg på strak arm, ditt persilleblad. Kom nå, følg etter meg. Her er kontoret mitt, der er det en varmeovn og noe du kan slenge over deg mens vi tørker klærne. Og noe merkurialsalve og vannstoffperoksid hadde heller ikke vært av veien, for du har et oppsyn som ser ut som det kommer rett fra politistasjonen i Vía Layetana.

– Det er altfor mye bry.

– Det er ikke noe bry. Jeg gjør det for min egen skyld, ikke din. Innenfor denne døren er det jeg som bestemmer reglene, og de eneste som er døde her, er bøkene. Det skulle ta seg ut om du fikk lungebetennelse, og jeg måtte tilkalle folk fra likhuset. Boken kan vi saktens ordne med siden. På åtteogtredve år har jeg ennå ikke sett noen som har løpt sin vei.

– Jeg vet ikke hvordan jeg skal få takket deg …

– Ikke tøys. Når jeg slapp deg inn, er det av respekt for din far, i motsatt fall ville jeg ha latt deg sitte der ute. Vennligst følg etter meg. Og hvis du oppfører deg pent, forteller jeg deg kanskje det jeg vet om din venn Julián Carax.

Skrått, da han trodde jeg ikke kunne se ham, så jeg at han ikke kunne holde på et smil som er typisk for en erkeskurk. Isaac frydet seg åpenbart over rollen som skummel dørvokter. Jeg måtte også smile for meg selv. Det kunne ikke lenger være den minste tvil om hvem ansiktet til djevelen på dørhammeren tilhørte.

10

Isaac slengte et par tynne ulltepper over skuldrene mine og bød meg på en kopp med et dampende brygg som luktet varm sjokolade med kirsebærbrennevin.

– Du fortalte om Carax ...

– Det er ikke stort å fortelle. Den første jeg hørte nevne Carax, var Toni Cabestany, forleggeren. Jeg snakker om noe som ligger tyve år tilbake, da forlaget ennå eksisterte. Hver gang Cabestany kom tilbake fra reisene til London, Paris eller Wien, stakk han innom her, og vi pratet sammen en stund. Vi to var blitt enkemenn, og han beklaget seg over at vi nå var gift med bøkene, jeg med de gamle og han med regnskapsbøkene. Vi var gode venner. Under et av besøkene fortalte han at han nettopp hadde betalt noen usle slanter for de spanske rettighetene til romanene til en viss Julián Carax, en barceloneser som bodde i Paris. Det må ha vært i 28 eller 29. Visstnok jobbet Carax som pianist på et lurvete bordell i Pigalle om natten og skrev om dagen på et stusslig kvistværelse i bydelen Saint Germain. Paris er den eneste byen i verden der det å dø av sult fremdeles betraktes som en kunst. Carax hadde fått utgitt et par romaner i Frankrike, og de hadde vært en dundrende salgsfiasko. Ingen ga to sure sild for ham i Paris, og Cabestany likte alltid å kjøpe billig.

– Si meg, skrev Carax på spansk eller fransk?

– Hvem vet. Trolig begge deler. Moren var fransk, musikklærerinne, tror jeg, og han hadde bodd i Paris siden han var nitten eller tyve år. Cabestany sa at de fikk manuskriptene på spansk fra Carax. Om de var en oversettelse eller originalen, var det samme for ham. Det språket Cabestany likte best, var pesetaens, noe annet gadd han ikke. Cabestany hadde tenkt at kanskje, med litt hell, kunne han få plassert noen tusen eksemplarer av Carax på det spanske markedet.

– Klarte han det, da?

Isaac rynket pannen og skjenket i litt mer av det styrkende brygget til seg selv.

– Det forekommer meg at den som gikk best, *Det røde hus*, solgte omkring nitti.

– Men han fortsatte å utgi Carax, selv om han tapte penger, påpekte jeg.

– Stemmer. Neimen om jeg vet hvorfor. Cabestany var ikke akkurat noen romantiker. Men mannen hadde kanskje sine hemmeligheter ... Mellom 28 og 36 utga han åtte av romanene hans. Det Cabestany virkelig tjente penger på, var katekismer og en serie med rosenrøde føljetonger der hovedpersonen var en heltinne fra distriktene, Violeta LaFleur, som solgte svært bra i kioskene. Romanene til Carax utga han for moro skyld, vil jeg tro, eller for å motsi Darwin.

– Hvordan gikk det med señor Cabestany?

Isaac sukket og løftet blikket.

– Alderen, som sender regningen sin til oss alle. Han ble syk og fikk visse pengeproblemer. I 1936 overtok den eldste sønnen forlaget, men han var en av dem som ikke kan lese størrelsen på en underbukse engang. Firmaet gikk nedenom på under et år. Heldigvis slapp Cabestany å se hva arvingene hans gjorde med fruktene av et langt livs arbeid, og likeledes hva krigen gjorde med landet. Han ble revet bort av en blodpropp natten til allehelgensdag, med en Cohíba i munnen og en femogtyveårig jentunge på fanget. Sønnen var av et annet stoff. Arrogant som bare idioter kan være. Hans første store idé var å prøve å selge hele boklageret i forlagets katalog, farsarven, for å gjøre den om til papirmasse eller noe sånt. En venn, en annen jålebukk med hus i Caldetas og en Bugatti, hadde overbevist ham om at kjærlighetsnoveller med fotografier og *Mein Kampf* kom til å selge som bare det, og at det trengtes masser av cellulose for å dekke etterspørselen.

– Ble det noe av det?

– Han rakk det ikke. Like etter at han hadde overtatt ledelsen av forlaget, dukket det opp en fyr hjemme hos ham og kom med et meget raust tilbud. Han ville kjøpe hele beholdningen av Julián Carax' romaner som fremdeles fantes på lager, og tilbød seg å betale det tredobbelte av markedsverdien.

– Du behøver ikke å si mer. For å brenne dem, mumlet jeg.

Isaac smilte overrasket.

– Ja visst. Og man skulle tro du var dum, som spør og graver og ikke vet noen ting.

– Hvem var denne fyren, da? spurte jeg.

– En viss Aubert eller Coubert, jeg husker ikke riktig.

– Laín Coubert?

– Lyder det kjent?

– Det er navnet på en av personene i *Vindens skygge*, den siste romanen til Carax.

Isaac rynket brynene.

– En oppdiktet person?

– I romanen er Laín Coubert det navnet djevelen benytter.

– En smule teatralsk, må jeg si. Men hvem han enn er, så har han iallfall humoristisk sans, mente Isaac.

Jeg, som ennå hadde møtet med denne personen i frisk erindring, syntes ikke mannen var det grann festlig, men jeg beholdt den meningen for meg selv til en mer passende anledning.

– Denne fyren, Coubert eller hva han nå heter, var ansiktet hans forbrent, vansiret?

Isaac betraktet meg med et smil som var en mellomting mellom spøk og bekymring.

– Jeg har ikke den fjerneste anelse. Den som fortalte meg alt dette, hadde ikke fått sett ham, og han fikk vite det fordi Cabestany junior fortalte det til sekretæren sin dagen etter. Forbrente ansikter sa han ingenting om. Det er altså ikke noe du har fra en føljetong?

Jeg ristet på hodet og prøvde å slå det hele bort.

– Hvordan endte det? Solgte forleggerens sønn bøkene til Coubert? spurte jeg.

– Den fusentasten trodde han skulle være lur. Han forlangte mer penger enn det Coubert hadde tilbudt, og mannen trakk tilbudet tilbake. Noen dager senere brant Cabestany forlag i Pueblo Nuevo ned til grunnen like over midnatt. Og gratis.

Jeg sukket.

– Hva skjedde med Carax' bøker. Gikk de tapt?

– Så å si alle. Til alt hell hadde sekretæren til Cabestany, da hun fikk høre om tilbudet, fått en innskytelse og for egen regning og risiko gått ut på lageret og tatt med seg ett eksemplar av hver Carax-tittel hjem. Det var hun som førte all korrespondansen med Carax, og i årenes løp hadde de sluttet et visst vennskap. Hun het Nuria, og jeg tror nok hun var den eneste i forlaget, og sannsynligvis i hele Barcelona, som leste romanene til Carax. Nuria har en svakhet for tapte saker. Som liten plukket hun opp små dyr på gaten og tok dem med seg hjem. Med tiden gikk hun over til å adoptere fordømte forfattere, kanskje fordi hennes far gjerne ville bli det, men aldri klarte det.

– Det virker som om du kjenner henne svært godt.

Isaac hentet frem det smilet som fikk ham til å se ut som haltefanden.

– Bedre enn hun aner. Det er datteren min.

Stillheten og tvilen herjet med meg. Jo mer jeg fikk høre av denne historien, desto mer villfaren følte jeg meg.

– Så vidt jeg har forstått, vendte Carax tilbake til Barcelona i 1936. Det er også de som hevder at han døde her. Hadde han noen familie i byen? Noen som kunne tenkes å vite noe om ham?

Isaac sukket.

– Ikke godt å si. Foreldrene til Carax hadde gått fra hverandre for lenge siden, tror jeg. Moren hadde reist til Sør-Amerika, der hun giftet seg igjen. Så vidt jeg vet, var han ikke på talefot med faren etter at han dro til Paris.

– Hvorfor ikke?

– Neimen om jeg vet. Folk gjør livet surt for seg selv, som om det ikke var ille nok fra før.

– Vet du om han lever?

– Får da håpe det. Han var yngre enn meg, men man er ikke så mye ute mer, og jeg har ikke lest nekrologene på mange år, for mine bekjente dør som fluer, og man blir så fælen av sånt. Carax var forresten morens navn. Faren het Fortuny. Han hadde en hatteforretning i Ronda de San Antonio, og etter hva jeg har forstått, kom han ikke så godt ut av det med sønnen.

– Kunne det ha vært slik at da Carax kom tilbake til Barcelona, følte han seg fristet til å oppsøke din datter Nuria, hvis det hadde oppstått et visst vennskap mellom dem, selv om han ikke sto på så god fot med faren?

Isaac lo forgremmet.

– Sannsynligvis er jeg den siste som ville fått vite det. Jeg er tross alt hennes far. Jeg vet at Nuria en gang i 32 eller 33 reiste til Paris på oppdrag fra Cabestany, og at hun fikk bo hos Julián Carax et par uker. Det har Cabestany fortalt meg, for selv sa hun at hun hadde tatt inn på et hotell. Min datter var ugift den gangen, og jeg innbilte meg at Carax var litt forlibt i henne. Min

70

Nuria er av dem som knuser hjerter bare hun kommer inn i en butikk.

– Mener du at de var kjærester?

– Du har virkelig sans for føljetonger, hva? Nå skal du høre, jeg har aldri stukket nesen i Nurias privatliv, for mitt eget er heller ikke slik at det passer i glass og ramme. Hvis du en dag skulle få en datter, en velsignelse jeg ikke unner et menneske, siden det er livets lov at hun før eller siden vil knuse ens hjerte, i det hele tatt, hva var det jeg skulle ha sagt, hvis du en dag skulle få en datter, vil du uten selv å tenke over det begynne å inndele menn i to klasser: Dem du mistenker for å ligge med henne, og dem du ikke mistenker. Den som nekter for det, lyver så det renner av ham. Jeg innbilte meg at Carax var blant de første, og for meg var det da likegyldig om han var et geni eller et stakkars krek, jeg betraktet ham alltid som en frekk radd.

– Det kan jo hende du tok feil.

– Ta det ikke ille opp, men du er ennå meget ung og vet like mye om kvinner som jeg om å lage marsipanbrød.

– Det er så sant som det er sagt, innrømmet jeg. – Hvordan gikk det med bøkene som din datter tok med seg fra lageret?

– De er her.

– Her?

– Hvor tror du den kom fra, den boken du fant her den dagen du var her med faren din?

– Det skjønner jeg ikke.

– Det er ganske liketil. En kveld, noen dager etter brannen på lageret til Cabestany, dukket min datter Nuria opp her. Hun var nervøs. Hun hevdet at noen hadde fulgt etter henne, og at hun var redd for at denne Coubert var ute etter bøkene for å ødelegge dem. Nuria sa at hun var kommet for å gjemme Carax' bøker. Hun gikk inn i den store salen og stakk dem vekk i labyrinten av reoler, som når noen graver ned en skatt. Jeg spurte ikke hvor hun hadde gjort av dem, og hun fortalte meg det ikke. Før hun gikk, sa hun at så snart hun klarte å oppspore Carax, ville hun komme og hente dem. Jeg tror nok at hun fremdeles var forelsket i Carax, men hun sa ingenting. Jeg spurte om hun hadde sett ham i det siste, om hun visste noe om ham. Hun sa at det var mange måneder siden hun hadde hørt fra ham, egentlig ikke siden han sendte de siste rettelsene til manuskriptet til den siste boken sin fra Paris. Om hun løy, tør jeg ikke si for sikkert. Derimot vet jeg

71

at etter den dagen hørte Nuria aldri noe fra Carax, og bøkene ble liggende her og samle støv.

– Tror du din datter kunne tenke seg å prate med meg om alt det der?

– Tja, min datter sier aldri nei til en prat, men jeg vet ikke om hun kan si deg noe som ikke min ringe person allerede har fortalt. Husk på at det der begynner å bli lenge siden. Og når sant skal sies, vi kommer ikke så godt ut av det med hverandre som ønskelig. Vi sees en gang i måneden. Vi går og spiser et sted her i nærheten, og så går hun akkurat som hun er kommet. Jeg vet at hun i mange år har vært gift med en kjekk kar, journalist og litt av et brushode, for å si det rett ut, en av dem som alltid roter seg bort i politikken, men har et godt hjerte. Hun giftet seg borgerlig, uten gjester. Jeg fikk vite det en måned senere. Hun har aldri presentert meg for sin mann. Miquel heter han. Eller noe sånt. Jeg antar at hun ikke er særlig stolt av faren sin, og det sier jeg ikke noe på. Hun er en helt annen nå. Tenke seg til, hun har til og med lært seg å strikke, og de sier at hun ikke lenger kler seg som Simone de Beauvoir. En vakker dag får jeg vel høre at jeg er blitt bestefar. Hun har i mange år jobbet hjemme som oversetter fra fransk og italiensk. Ikke skjønner jeg hvor hun har det fra. Iallfall ikke fra faren sin. Jeg skal skrive ned adressen hennes, men jeg vet ikke om det er så lurt å si at det er jeg som har sendt deg.

Isaac rablet noe på et hjørne av en gammel avis, rev det av og rakte meg det.

– Takk skal du ha. Man vet aldri, kanskje husker hun noe ...

Isaac smilte nokså bedrøvet.

– Som barn husket hun alt. Absolutt alt. Så blir ungene eldre, og du vet ikke lenger hva de tenker eller føler. Det er vel sånn det skal være. Ikke si noe til Nuria om det jeg har fortalt, hva? Det som er blitt sagt her, får bli mellom oss.

– Ta det helt med ro. Tror du hun fremdeles tenker på Carax?

Isaac sukket tungt og slo blikket ned.

– Ikke vet jeg. Jeg vet ikke om hun virkelig elsket ham. Det er slikt man bærer i sitt eget hjerte, og nå er hun gift. Da jeg var på din alder, hadde jeg en liten kjæreste. Teresita Boadas het hun, og sydde forklær på tekstilfabrikken Santamaría i Calle Comercio. Hun var seksten år, to yngre enn meg, og var den første jeg forelsket meg i. Ikke sett opp den minen, jeg vet da godt at dere unge tror at vi gamle aldri har vært forelsket. Faren til Teresita

72

hadde en isvogn på Borne-markedet, og var født stum. Du aner ikke hvor redd jeg var den dagen jeg ba om lov til å gifte meg med datteren hans, og han ga seg til å stirre ufravendt på meg i fem minutter, tidde mukk stille med ishakken i hånden. Jeg hadde spart i to år for å kjøpe en forlovelsesring da Teresita ble syk. Noe hun hadde fått i systuen, sa hun. Et halvt år etter døde hun av tuberkulose. Jeg husker ennå hvordan den stumme mannen jamret den dagen vi fulgte henne til jorden på kirkegården Pueblo Nuevo.

Isaac hensank i en dyp taushet. Jeg våget ikke å trekke pusten. Om litt så han opp og smilte til meg.

– Dette er jo noe som hendte for femogfemti år siden, ingenting å snakke om. Men skal jeg være ærlig, så går det ikke en dag uten at jeg tenker på henne, på spaserturene vi tok til ruinene fra verdensutstillingen i 1888, og hvordan hun lo av meg når jeg leste de diktene jeg skrev på bakværelset til pølsevare- og kolonialbutikken til onkel Leopoldo. Jeg husker til og med ansiktet til en sigøynerpike som spådde oss i hånden på Bogatell-stranden og sa at vi skulle leve sammen hele livet. På en måte løy hun ikke. Hva kan jeg si? Jo da, jeg tror at Nuria fremdeles husker denne mannen, selv om hun ikke vil være ved det. Og for å si som sant er, det er det jeg aldri kan tilgi Carax. Du er fremdeles så ung, men jeg vet hvor vondt den slags kan være. Hvis du vil høre min mening, så er Carax en hjertetyv, og min datters hjerte tok han med seg til graven eller til helvete. Jeg ber deg bare om én ting, om du skulle gå og prate med henne: At du forteller meg hvordan det er med henne. At du finner ut om hun er lykkelig. Og om hun har tilgitt sin far.

Like før daggry, med bare en oljelampe i hånden, bega jeg meg igjen inn i De glemte bøkers kirkegård. Jeg så for meg datteren til Isaac da hun vandret gjennom disse mørke og endeløse gangene med samme beslutning som den som styrte mine skritt: å redde boken. Til å begynne med trodde jeg at jeg husket den ruten jeg hadde fulgt under mitt første besøk på stedet, da jeg kom hånd i hånd med far, men jeg skjønte fort at slyngningene i labyrinten vred gangene til spiraler som det var umulig å huske. Tre ganger forsøkte jeg å følge en rute som jeg trodde jeg kunne utenat, og tre ganger sendte labyrinten meg tilbake til utgangspunktet. Isaac ventet meg der med et stort smil.

73

– Har du tenkt å komme tilbake og hente den en dag? spurte han.

– Det er klart.

– I så fall ønsker du kanskje å sette opp en liten felle.

– En felle?

– Unge mann, du er litt treg i oppfattelsen. Husk på Minotauros.

Det tok noen sekunder før jeg skjønte hva han mente. Isaac tok en gammel follekniv opp av lommen og rakte meg den.

– Skjær et lite merke på hvert hjørne som du svinger rundt, et hakk som bare du vet om. Det er gammelt tre, og det har så mange riper at ingen kommer til å merke det om de ikke vet hva det er de skal se etter ...

Jeg fulgte hans råd og bega meg på nytt inn i hjertet av dette byggverket. Hver gang jeg skiftet retning, stanset jeg og merket hyllene med en C og en X på samme side som den gangen jeg svingte inn i. Tyve minutter senere hadde jeg gått meg fullstendig vill i det indre av tårnet, og det stedet der jeg skulle begrave romanen, dukket opp ved en tilfeldighet. Til høyre for meg skjelnet jeg en rad med verker om innløsning av pant fra den glorverdige Jovellanos' penn. Slik jeg så det med mine pubertale øyne, var dette en kamuflasje som ville ha fått selv det mest forskrudde sinn til å holde seg unna. Jeg trakk frem noen av dem og gransket den andre raden som sto gjemt bak disse murene av gråsteinsprosa. Mellom støvskyene sto flere komedier av Moratín, og en praktutgave av *Curial e Güelfa* og *Tractatus Logico Politicus* av Spinoza om hverandre. Som et nådestøt valgte jeg å presse inn Carax mellom en årbok for dommer avsagt ved sivildomstolen i Gerona i 1901 og en samling romaner av Juan Valera. For å få plass bestemte jeg meg for å ta med den boken med gullalderpoesi som skilte dem, og i dens sted listet jeg inn *Vindens skygge*. Jeg tok farvel med romanen med et blunk og satte inn igjen antologien av Jovellanos, så den første raden ble innemurt.

Uten mer om og men gikk jeg derfra og orienterte meg etter de hakkene jeg hadde laget på veien. Mens jeg vandret gjennom tunneler på tunneler med bøker i halvmørket, kunne jeg ikke unngå at en følelse av bedrøvelse og mismot lammet meg. Jeg kunne ikke la være å tenke at når jeg ved en ren tilfeldighet hadde oppdaget et helt univers i en eneste ukjent bok blant de utallige i denne nekropolen, måtte mange titusener andre ligge der uutforsket, glemt for alltid. Jeg følte meg omgitt av millioner av forlatte sider, av herreløse universer og sjeler, som gikk til bunns i et hav av mørke mens den verdenen som pulserte utenfor disse murene, mistet hukommelsen mer og mer for hver dag uten å merke det selv, og følte seg klokere jo mer den glemte.

Det begynte å gry av dag da jeg kom tilbake til leiligheten i Calle Santa Ana. Jeg åpnet døren stille og snek meg over dørstokken uten å tenne lyset. Fra salongen kunne man se spisestuen i enden av gangen, der bordet ennå var duket til fest. Kaken sto der fremdeles urørt, serviset ventet på maten. Fars silhuett avtegnet seg urørlig i lenestolen der han satt og skuet ut over det hele fra vinduet. Han var våken og hadde fremdeles på seg finklærne. Røykspiraler steg dovent opp fra en sigarett han holdt mellom pekefinger og ringfinger, som om den var en penn. Det var mange år siden sist jeg hadde sett far røyke.

– God dag, mumlet han og slukket sigaretten i et askebeger som var nesten stappfullt av halvrøykte stumper.

Jeg stirret på ham og visste ikke hva jeg skulle si. Blikket hans var sløret i motlyset.

– Clara ringte flere ganger i kveld, et par timer etter at du gikk, sa han. – Hun lød meget bekymret. Hun ga beskjed om at du skulle ringe henne, samme hva klokken var.

– Jeg akter ikke å se Clara igjen, eller snakke med henne, sa jeg.

Far nøyde seg med å nikke taust. Jeg dumpet ned i en av stolene i spisestuene. Blikket mitt traff gulvet.

– Skal du ikke si hvor du har vært?

– Ute bare.

– Du skremte nesten vettet av meg.

Det var ikke spor av raseri i stemmen hans, knapt nok bebreidelse, bare tretthet.

– Jeg vet det. Jeg beklager, svarte jeg.

– Hva har du gjort med ansiktet ditt?

– Jeg skled i regnet og falt.

– Det regnet må ha gitt deg en rett høyre. Du får ha noe på det.

– Det er ingenting. Jeg merker det ikke engang, løy jeg. – Det jeg trenger nå, det er å sove. Jeg kan nesten ikke holde meg oppreist.

– Du får i det minste åpne gaven din før du legger deg, sa far.

Han pekte på pakken i cellofan som han hadde plassert på spisebordet kvelden før. Jeg nølte et øyeblikk. Far nikket. Jeg tok pakken og veide den i hånden. Jeg rakte far den uten å åpne.

– Det er like godt du leverer den tilbake. Jeg fortjener ingen gave.

– Gaver er noe man gir hverandre fordi det gleder giveren, ikke fordi mottageren har gjort seg fortjent til det, sa far. – Dessuten kan den ikke leveres tilbake lenger. Åpne den.

Jeg viklet papiret forsiktig av i grålysningen. Pakken inneholdt en utskåret eske av tre, skinnende blank med forgylte stifter rundt det hele. Smilet strålte opp allerede før jeg fikk åpnet den. Lyden i låsen da den gikk opp, var herlig, som i et urverk. Innvendig var etuiet fôret med mørkeblå fløyel. Victor Hugos fantastiske Montblanc Meisterstück lå midt i den og skinte blendende. Jeg tok den opp og betraktet den i lysskjæret fra balkongen. På gullklemmen på hetten var det en inngravering.

Daniel Sempere, 1953

Jeg stirret på far med åpen munn. Jeg tror aldri jeg har sett ham så lykkelig som jeg fikk inntrykk av at han var akkurat da. Uten å si et ord reiste han seg fra lenestolen og klemte meg hardt. Jeg kjente at strupen snørte seg sammen, og da jeg ikke fant ord, bet jeg i meg stemmen.

SINN OG SKINN

1953

11

Det året kom høsten og dekket Barcelona med et teppe av vissent løv som virvlet gjennom gatene som slangeskinn. Minnet om den fjerne fødselsdagsnatten hadde kjølt meg ned, og det var kanskje livet som hadde bestemt seg for å bevilge meg et sabbatsår fra mine farseaktige kvaler slik at jeg endelig kunne begynne å modnes. Jeg overrasket meg selv med omtrent ikke å tenke på Clara Barceló, eller på Julián Carax, eller på den ansiktsløse filledukken som luktet svidd papir og utga seg for å være en person som hadde unnsluppet fra sidene i en bok. I november hadde jeg allerede holdt meg nøktern i en måned, og ikke en eneste gang hadde jeg vært på Plaza Real for å trygle meg til et glimt av Clara i vinduet. Men jeg må innrømme at det ikke helt var min fortjeneste. Omsetningen begynte å ta seg opp i bokhandelen, og far og jeg hadde mer arbeid enn vi kunne overkomme.

– Fortsetter det sånn, må vi få tak i en person til som kan hjelpe oss med å oppspore bestilte bøker, bemerket far. – Det vi kunne trenge, er en meget spesiell person, halvt detektiv, halvt dikter, som tar seg lite betalt og som ikke lar seg avskrekke av umulige oppdrag.

– Jeg tror jeg har en egnet kandidat, sa jeg.

Jeg fant Fermín Romero de Torres på den vanlige plassen under buegangen i Calle Fernando. Tiggeren var opptatt med å sette sammen førstesiden av *Hoja del Lunes* med utgangspunkt i noen biter han hadde plukket opp av en papirkurv. Dagens oppslag dreide seg om offentlige arbeider og utvikling.

– Du store tid! Enda et damanlegg? hørte jeg ham utbryte. – Det ender med at disse fascistene forvandler oss alle til en gjeng med fromme damer og padder.

– God kveld, sa jeg mildt. – Kjenner du meg igjen?

Tiggeren så opp, og ansiktet strålte med ett opp i et stort smil.

– Lovet være de øynene som ser! Hva har så du å berette? Du sier vel ikke nei takk til en slurk rødvin?

– I dag spanderer jeg, sa jeg. – Er du sulten?

– Jeg ville vel ikke si nei til et godt skalldyrbord, men har du et annet forslag, er jeg med på alt.

På veien til bokhandelen fortalte Fermín Romero de Torres meg alle mulige avstikkere han hadde tatt i disse ukene i den hensikt og med det formål å slippe unna statens sikkerhetsstyrker, og da især hans nemesis, en viss inspektør Fumero som han åpenbart hadde hatt langvarige tvister gående med.

– Fumero? spurte jeg og husket at det var navnet på soldaten som hadde myrdet faren til Clara Barceló på Montjuïc i begynnelsen av krigen.

Den lille mannen nikket, blek og skrekkslagen. Han var tydelig utsultet, han var skitten og stinket etter måneders liv på gaten. Stakkaren hadde ingen anelse om hvor jeg skulle med ham, og jeg merket forskrekkelsen i blikket hans og den voksende bekymringen som han strevde med å dekke til med uopphørlig ordskvalder. Da vi kom frem til butikken, kastet tiggeren et engstelig blikk på meg.

– Vær så god, stig på. Dette er bokhandelen til min far, som jeg gjerne vil presentere deg for.

Tiggeren krympet seg til en bunt av skabb og nerver.

– Nei, aldri i verden, jeg er ikke presentabel, og dette er et finere etablissement. Jeg kommer bare til å skjemme deg ut ...

Far stakk hodet ut av døren, foretok et kjapt ettersyn av tiggeren og skottet så på meg.

– Pappa, dette er Fermín Romero de Torres.

– Til tjeneste, sa tiggeren nesten skjelvende.

Far smilte stillferdig og rakte ham hånden. Tiggeren våget ikke å trykke den, sånn skammet han seg over sitt ytre og all skitten som dekket huden.

– Det er vel best jeg går nå og overlater dere til ..., stotret han.

Far grep ham mildt i armen.

– Langt ifra, min sønn har sagt at du skal bli med hit og spise sammen med oss.

– Hvorfor ikke stikke en tur ovenpå og ta deg et godt varmt bad? sa far. – Etterpå kunne vi spasere sammen bort til Can Solé, hvis det passer for deg.

Fermín Romero de Torres stammet frem noe uforståelig. Far beholdt smilet og geleidet ham mot porten, og måtte praktisk talt slepe ham opp trappen til leiligheten mens jeg stengte butikken. Med mange talekunster og underfundige taktikker greide vi å få ham opp i badekaret og plukke av ham fillene. Naken minnet han om et fotografi fra krigen, og han skalv som en ribbet høne. Han hadde dype merker i håndleddene og anklene, og brystet og ryggen var dekket av uhyggelige arr som det var fælt å se. Far og jeg vekslet skrekkslagne blikk, men vi sa ingenting.

Tiggeren lot seg bade som en unge, forskremt og skjelvende. Mens jeg fant frem rent tøy fra kisten for å kle ham opp, hørte jeg fars stemme som snakket til ham uten stopp. Jeg fant en dress som far aldri brukte, en gammel skjorte og noe undertøy. I det skiftet som tiggeren hadde hatt på seg, kunne ikke engang skoene gjøre nytte mer. Jeg valgte et par som far nesten ikke hadde hatt på seg fordi de var for små. Jeg tullet fillene inn i avispapir, innbefattet en underbukse som hadde samme farge og konsistens som serranoskinke, og hev alt i søppeldunken. Da jeg kom inn på badet igjen, var far i gang med å barbere Fermín Romero de Torres i karet. Blek og såpeduftende virket han tyve år yngre. Så vidt jeg kunne se, var de alt blitt gode venner. Fermín Romero de Torres var blitt helt overstadig, kanskje under påvirkning av badesaltene.

– Jeg skal si deg en ting, señor Sempere, hadde det ikke vært for at livet ville det slik at jeg skulle gjøre karriere i de internasjonale intrigenes verden, var det humaniora som lå mitt hjerte nærmest. Som guttunge følte jeg diktningens kall og ville være Sofokles og Vergil, for tragedier og døde språk får hårene til å reise seg på meg, men far, fred være med ham, var en sneversynt grinebiter som alltid ville at en av sønnene hans skulle begynne i sivilgarden, og ingen av de syv søstrene mine ville blitt opptatt i styrken, tross problemet med ansiktshår som alltid har kjennetegnet damene i min familie på morssiden. På sitt dødsleie fikk mitt faderlige opphav meg til å sverge at hvis jeg ikke kom så langt at jeg kunne sette sivilgardistenes tresnutede hatt på hodet, skulle jeg i det minste bli tjenestemann og gi opp enhver ambisjon om å følge kallet fra min lyriske åre. Jeg er av den gamle skolen, og en far skal man adlyde, om han er aldri så erkedum, ja, du skjønner hva jeg mener. Men tro allikevel ikke at jeg har kastet vrak på dyrkingen av mitt intellekt i mitt omskiftelige liv. Jeg har lest atskillig, og jeg kunne deklamere utenat utvalgte avsnitt fra *Livet er en drøm*.

– Kom igjen, min gode mann, ta på deg disse klærne, er du snill, for her er det ingen som trekker din lærdom i tvil, sa jeg for å komme far til unnsetning.

Fermín Romero de Torres' blikk ble blankt av takknemlighet. Han forlot badet skinnende ren. Far tullet ham inn i et håndkle. Tiggeren lo av fryd da han kjente det rene stoffet mot huden. Jeg hjalp ham på med de andre klærne, som var omtrent ti nummer for store for ham. Far tok av seg beltet og rakte meg det for at jeg skulle spenne det på tiggeren.

– Nå er du jo blitt feiende flott, sa far. – Ikke sant, Daniel?

– Man kunne ta deg for en filmskuespiller.

– Tøys. Man er ikke lenger den man var. Jeg mistet mine herkuliske muskler i fengselet, og etter den tid ...

– Spør du meg, så ligner du på Charles Boyer, så elegant er du blitt, innvendte far. – Og det minner meg om at det var noe jeg ville foreslå for deg.

– For deg, señor Sempere, er jeg villig til å drepe om det skulle bli nødvendig. Det er bare å si navnet, så likviderer jeg fyren uten sorg.

– Så mye skal jeg ikke forlange. Det jeg ville tilby deg, er en stilling i bokhandelen. Det dreier seg om å oppspore sjeldne bøker for kundene våre. Det er en jobb der det nesten er snakk om litterær arkeologi, der man både må ha kjennskap til klassikerne og de grunnleggende teknikkene i svartebørshandelen. Jeg kan ikke betale deg stort for tiden, men du skal få spise ved vårt bord, og inntil vi finner et bra pensjonat til deg, kan du få bo her, hvis du ikke har noe imot det.

Tiggeren stirret stumt på oss begge.

– Hva sier du til det? spurte far. – Blir du med på laget?

Jeg hadde inntrykk av at han skulle til å si noe, men i det samme brast Fermín Romero de Torres i gråt.

For den første lønnen sin kjøpte Fermín Romero de Torres seg en filmstjernehatt, et par kalosjer og ville spandere en tallerken oksehalesuppe på far og meg. Det var en rett de laget hver mandag på en restaurant et par gater fra Plaza Monumental. Far hadde skaffet ham et rom på et pensjonat i Calle Joaquín Costa, der han takket være vår nabofrue Merceditas' vennskap med vertinnen, kunne slippe unna formaliteter som å fylle ut det påbudte skjemaet om gjesten og levere det til politiet, og dermed holde Fermín Romero de Torres langt borte så ikke inspektør Fumero og hans folk fikk snusen i ham. Noen ganger kom jeg til å huske de uhyggelige arrene som dekket kroppen hans. Jeg følte meg fristet til å spørre ham om dem, for jeg var redd inspektør Fumero skulle ha noe med den historien å gjøre, men det var noe i blikket til den stakkars mannen som tydet på at det ikke var verdt å bringe det temaet på bane. Han ville nok selv fortelle det en dag, når han syntes det passet. Hver morgen på slaget syv ventet Fermín på oss ved døren til bokhandelen, uklanderlig antrukket og alltid med et smil om munnen, klar til å utføre et dagsverk på tolv timer eller mer uten pause. Han var blitt oppmerksom på sin lidenskap for sjokolade og rulade som ikke sto noe tilbake for hans begeistring for de store navnene i gresk tragedie, og det hadde ført til at han hadde lagt en del på seg. Han var nøye med barberingen, som en fin herremann, kjemmet håret bakover med brylkrem og beholdt en blyantsmal bart for å følge moten. Tredve dager etter at han sto opp fra det badekaret, var den forhenværende tiggeren ikke til å kjenne igjen. Men tross den iøynefallende forvandlingen var det ikke det, men hans innsats i felten som virkelig hadde fått oss til å måpe. Hans teft som etterforsker, som jeg hadde tilskrevet feberfantasier, var preget av kirurgisk presisjon. De merkeligste bestillinger flasket seg etter bare noen dager, om ikke timer, når de ble overlatt til ham. Det fantes ikke den tittel han ikke kjente, eller de durkdrevne knep han ikke kom på for å skaffe dem til veie for en billig penge. Han kom seg inn i de private boksamlingene til hertuginner i Avenida Pearson og dilettanter i rideklubben takket være sin store veltalenhet, alltid antok han oppdiktede identiteter og fikk folk til å gi bort bøkene eller selge dem til spottpris.

Tiggerens forvandling til eksemplarisk medborger virket mirakuløs, en av de historiene som sogneprester liker å servere som en illustrasjon på Herrens uendelige barmhjertighet, men som alltid lød for fullkomne til å være sanne, som den reklamen for hårvekstmidler som prydet veggene på trikken. Tre og en halv måned etter at Fermín hadde begynt å arbeide i bokhandelen, ble vi vekket av telefonen i leiligheten i Calle Santa Ana klokken to en natt til søndag. Det var vertinnen på pensjonatet der Fermín Romero de Torres hadde tatt inn. Med gråtkvalt stemme forklarte hun at señor Romero de Torres hadde stengt seg inne på rommet sitt, og at han skrek som en gal og dundret i veggene og sverget at hvis noen kom inn, ville han ta livet av seg der og da ved å skjære strupen over på seg med en knust flaske.

– Ikke tilkall politiet, er du snill. Jeg kommer straks.

Vi bega oss i fullt firsprang i retning av Calle Joaquín Costa. Det var en kald natt med bitende vind og en himmel som tjære. Vi kom farende forbi Casa de la Misericordia og Casa de la Piedad, og brydde oss ikke om blikk og vislende bemerkninger fra mørke portrom der det luktet møkk og kull. Vi kom til hjørnet av Calle Ferlandina. Joaquín Costa falt som en bresje av svarte bikuber som gled i ett med mørket på Raval. Den eldste sønnen til pensjonatvertinnen ventet på oss ute på gaten.

– Har dere tilkalt politiet? spurte far.

– Ikke ennå, svarte sønnen.

Vi la på sprang opp trappene. Pensjonatet lå i tredje etasje, og trappen var en spiral av skitt så tykk at man bare så vidt skjelnet det okergule skjæret fra de nakne, trette lyspærene som hang i ledningen. Doña Encarna, enke etter en korporal i sivilgarden og innehaver av pensjonatet, tok imot oss i døren, kledd i himmelblå morgenkåpe og med fullt av ruller i håret.

– Hør nå her, señor Sempere, dette er et fint og anstendig hus. Det er ingen mangel på tilbud, og disse opptrinnene gidder jeg ikke å finne meg i, sa hun mens hun fulgte oss gjennom en mørk gang der det luktet fukt og ammoniakk.

– Jeg forstår det, mumlet far.

Skrikene til Fermín Romero de Torres kunne høres tvers gjennom veggene innerst i gangen. Flere dører sto på gløtt, og noen innsunkne, forskremte ansikter tittet frem, pensjonatansiktene til folk som levde på utvannet suppe.

– Nå får dere andre gå og legge dere, dette er for svarte ikke noen Molino-revy, utbrøt doña Encarna rasende.

Vi stanset utenfor døren til Fermíns rom. Far banket forsiktig på.

– Fermín? Er du der? Det er Sempere.

Det vrælet som trengte gjennom veggen, fikk blodet til å fryse til is. Selv doña Encarna mistet pensjonatvertinnens sinnsro og tok seg til hjertet, som var skjult under de yppige foldene på det frodige brystet.

Far ropte igjen.

– Fermín? Lukk opp, da.

Fermín vrælte igjen, kastet seg mot veggene og brølte slibrigheter til stemmen sprakk. Far sukket.

– Har De nøkkel til dette værelset?

– Det er klart.

– La meg få den.

Doña Encarna nølte. De andre losjerende hadde stukket hodet ut i gangen igjen, bleke av skrekk. Skrikene måtte høres helt til La Capitanía.

– Og du, Daniel, skynd deg og hent doktor Baró, som holder til rett borte i nummer tolv i Riera Alta.

– Si meg, ville det ikke være bedre å hente en prest? For jeg synes den mannen høres ut som han er besatt av djevelen, foreslo doña Encarna.

– Nei. Det er doktor som er tingen. Skynd deg nå, Daniel. Og De lar meg få nøkkelen, takk.

Doktor Baró var en søvnløs ungkar som fordrev nettene med å lese Zola og kikke på stereogrammer av unge damer i bare undertøyet for å motvirke kjedsomheten. Han var fast kunde i fars butikk, og han betegnet seg selv som annenrangs kvakksalver, men han hadde bedre teft når det gjaldt å stille rett diagnose enn halvparten av de rådyre doktorene med eget legekontor i Calle Muntaner. En stor del av pasientene hans var gamle luddere i det strøket og stakkarer som ikke kunne betale for seg, men som han behandlet allikevel. Mer enn én gang hadde jeg hørt ham si at verden var et pissoar, og at han bare ventet på at Barcelona endelig skulle se til å vinne ligaen, slik at han kunne dø i fred. Han lukket opp i bare slåbroken, osende av vin og med en sluknet sneip i munnen.

– Daniel?

– Det er far som har sendt meg. Det er et nødstilfelle.

Da vi kom tilbake til pensjonatet, strigråt doña Encarna av bare skrekk, mens resten av de losjerende hadde samme farge som brukt alterlysvoks, og far satt i et hjørne av rommet og holdt Fermín Romero de Torres i armene. Fermín var naken, og han gråt og skalv av redsel. Værelset var smadret, veggene tilgriset med noe som kunne være blod eller ekskrementer, ikke godt å si. Doktor Baró så seg fort om for å skaffe seg et overblikk over situasjonen, og med et nikk lot han far forstå at de måtte få lagt

85

Fermín i sengen. Han fikk hjelp av sønnen til doña Encarna, som drømte om å bli bokser. Fermín jamret og vred seg i krampe, som om et villdyr var i ferd med å fortære ham innvendig.

– Hva i Herrens navn er det som feiler den stakkars mannen? Hva er det med ham? jamret doña Encarna fra døren og ristet på hodet.

Doktoren tok pulsen på ham og kikket på pupillene hans med en lommelykt, og uten å si et ord gjorde han i stand en sprøyte fra en flaske han hadde i vesken.

– Hold ham. Dette får ham til å sove. Daniel, hjelp oss.

Sammen greide vi fire å holde Fermín fast, og det gikk noen voldsomme rykninger gjennom ham da han kjente nålestikket i låret. Musklene spente seg som stålkabler, men etter noen sekunder ble øynene hans slørete, og kroppen sank slapt sammen.

– Det er best du passer på, for det står skralt til med mannen, og det skal ikke stort til for å kverke ham, sa doña Encarna.

– Ingen fare. Han bare sover, sa doktoren og undersøkte arrene som dekket den utsultede kroppen til Fermín.

Jeg så at han ristet stumt på hodet.

– *Fills de puta*, mumlet han.

– Hva skyldes de arrene der? spurte jeg. – Har han skåret seg?

Doktor Baró ristet på hodet uten å se opp. Han klarte å finne et ullteppe i alt rotet og la det over pasienten.

– Brannsår. De har torturert mannen, forklarte han. – Det der er sporene etter en loddelampe.

Fermín sov i to dager. Da han våknet, husket han ingenting, bare at han trodde han hadde våknet i en mørk celle, og deretter ingenting. Han var så flau over at han hadde oppført seg sånn at han falt på kne og tryglet doña Encarna om tilgivelse. Han sverget på at han skulle male pensjonatet for henne, og siden han visste at hun var en meget from dame, skulle han sørge for at det ble holdt ti messer for henne i Belén-kirken.

– Det De skal gjøre, det er å bli bra igjen og ikke skremme meg sånn mer, jeg begynner å bli for gammel til slikt.

Far betalte for skadene og ba doña Encarna om å gi Fermín en sjanse til. Det gjorde hun gjerne. De fleste av hennes losjerende var samfunnets stebarn og alene i verden som henne. Da hun var kommet over forskrekkelsen, ble hun bare enda mer glad i Fermín og fikk ham til å love at han skulle ta noen piller som doktor Baró hadde forskrevet.

– For Deres skyld, doña Encarna, ville jeg om nødvendig ha svelget en murstein.

Med tiden lot vi alle som om vi hadde glemt det som var skjedd, men jeg tok aldri mer historiene om inspektør Fumero for spøk. Etter det opptrinnet ville vi ikke la Fermín Romero de Torres være alene, så nesten hver søndag ettermiddag tok vi ham med oss på Café Novedades. Etter en matbit spaserte vi opp til Fémina kino på hjørnet av Diputación og Paseo de Gracia. En av plassanviserne var en venn av far og lot oss slippe inn gjennom nødutgangen i parterre midt under Filmavisen, alltid i samme øyeblikk som generalissimoen klippet over snoren for å innvie et damanlegg, noe som ble en sterk påkjenning for Fermín Romero de Torres.

– For en skam, sa han fortørnet.

– Liker du ikke film, Fermín?

– Sånn oss imellom så synes jeg det der med den syvende kunstart er noe møl. Jeg heller til den oppfatning at den bare tjener til å fordumme den avstumpede hopen, verre enn fotball og tyrefektning. Kinematografen oppsto som en oppfinnelse for å underholde de analfabetiske massene, og femti år senere har den ikke forandret seg stort.

Alle disse forbeholdene forandret seg drastisk den dagen Fermín Romero de Torres oppdaget Carole Lombard.

– For en byste, du milde skaper, for en byste! utbrøt han midt under fremvisningen, som besatt. – Det der er ikke pupper, det er to karaveller!

– Hold munn, din gris, ellers går jeg og henter bestyreren på flekken, mumlet en skriftestolstemme et par benkerader bak oss.

– At det går an å være så skamløs. For et svinsk land.

– Det er kanskje best du demper stemmen, Fermín, sa jeg.

Fermín Romero de Torres hørte ikke på meg. Han hadde fortapt seg helt i den mykt bølgende barmen i den mirakuløse utringningen, med det stjålne smilet og det forgiftede blikket i technicolor. Senere, da vi spaserte tilbake på Paseo de Gracia, merket jeg at vår bibliografiske detektiv fremdeles var i transe.

– Jeg tror nesten vi må finne et kvinnfolk til deg, sa jeg. – Et kvinnfolk kommer til å live deg opp, skal du se.

Fermín Romero de Torres sukket, og i tanken spolte han ennå tilbake disse tyngdelovens herligheter.

– Snakker du av erfaring, Daniel? spurte han uskyldig.

Jeg nøyde meg med å smile, vel vitende om at far kastet skrå blikk på meg.

Etter den dagen ble Fermín Romero de Torres en ivrig kinogjenger hver søndag. Far foretrakk å sitte hjemme og lese, men Fermín Romero de Torres lot ikke én forestilling gå fra seg. Han kjøpte en haug med sjokoladeplater og satte seg på rad sytten for å stappe dem i seg mens han ventet på at dagens stjerne skulle gjøre sin entré. Hva filmen handlet om, var ham knekkende likegyldig, og han pratet bare i vei helt til en dame med omfangsrike attributter fylte lerretet.

– Jeg har tenkt på det du sa her om dagen, om at jeg skulle finne meg et kvinnfolk, sa Fermín Romero de Torres. – Det har kanskje noe for seg. På pensjonatet er det kommet en ny losjerende, en begredelig gammel teologistudent fra Sevilla, som en gang iblant har med seg noen lekre damer. Skal si det har gått fremover med dette folkeferdet. Jeg skjønner ikke hvordan han gjør det, for gutten er ikke rare greiene, men han lamslår dem kanskje med fadervår. Han har rommet ved siden av mitt, så jeg hører alt sammen, og så vidt jeg kan bedømme, er den prestemannen en stor artist. Hva betyr ikke en uniform fra eller til! Hva synes du om damer, Daniel?

– Jeg vet ikke stort om damer, for å si det som det er.

– Virkelig vite, det er det ingen som gjør, ikke engang Freud, ikke engang de selv, men det er med sånt noe som det er med elektrisiteten, man behøver ikke å vite hvordan det fungerer for å svi fingrene. Kom igjen da, fortell. Hva synes du? Du må ha meg unnskyldt, men hun må ha kvinnelige former, så det er noe å ta tak i, men du ser ut som du har mest sans for de tynne, og det er et syn jeg bare må respektere, så misforstå meg ikke.

– Skal jeg være oppriktig, så har jeg ikke særlig erfaring med kvinnfolk. Rettere sagt ingen.

Fermín Romero de Torres så granskende på meg, visste ikke hva han skulle tro om et slikt uttrykk for askese.

– Jeg som trodde at det den kvelden, du vet, det slåget i ansiktet ...

– Om alt skulle gjøre så vondt som en ørefik ...

Det virket som om Fermín kunne lese tankene mine, så han smilte solidarisk. – Hør nå her, ta det ikke så tungt, for det fineste med kvinnfolka, det er å oppdage dem. Det er ingenting som den første gangen. Man vet ikke hva livet er før man for første gang kler av et kvinnfolk. Knapp for knapp, som om du skrelte en god og varm søtpotet en vinterkveld. Ahhh ...

Noen sekunder senere gjorde Veronica Lake sin entré på scenen, og Fermín var med et sprang over i en annen dimensjon. Så passet han på i en sekvens der Veronica Lake ikke var med, og meddelte at han tok seg en tur til godteboden i vestibylen for å fylle opp lagerbeholdningen. Etter å ha sultet i måneder hadde vennen min mistet sansen for måtehold, men han hadde en forbrenning som en glødelampe og mistet derfor aldri den forsultne og uttærede etterkrigsfremtoningen. Jeg ble sittende alene og fulgte omtrent ikke med i det som foregikk på lerretet. Jeg ville lyve om jeg sa at jeg tenkte på Clara. Jeg tenkte bare på kroppen hennes, som skalv under støtene til musikklæreren, glinsende av svette og vellyst. Blikket mitt falt på lerretet, og først da la jeg merke til den tilskueren som akkurat var kommet inn. Jeg så silhuetten som beveget seg frem til midten av parkett, seks rader lenger fremme, og satte seg. På kino er det fullt av folk som er alene, tenkte jeg. Som meg.

Jeg prøvde å konsentrere meg og fange opp tråden i handlingen igjen. Hovedrolleinnehaveren, en kynisk, men godhjertet detektiv, forklarte for en person i en birolle hvorfor kvinner som Veronica Lake førte ethvert ekte mannfolk i fortapelsen, og ikke desto mindre var det ingen annen råd, man måtte bare elske dem desperat og så bukke under, forrådt av deres troløshet. Fermín Romero de Torres, som etter hvert begynte å bli en dreven kritiker, kalte denne sjangeren for «historien om kneleren». Etter hans oppfatning var de bare misogyne fantasier for kontorister med forstoppelse og fromme koner som kjedet seg forferdelig og drømte om å styrte seg ut i et utsvevende liv og oppføre seg som de råeste luddere. Jeg smilte ved tanken på de fotnotene som min venn kritikeren ville ha kommet med om han ikke hadde hatt dette stevnemøtet med godteboden. Smilet frøs til is på under et sekund. Den tilskueren som hadde satt seg seks rader lenger fremme, hadde snudd seg og stirret stivt på meg. Den disige lysbunten fra fremviseren boret seg gjennom mørket i salen, et pust av blinkende lys som risset opp noen streker og fargeklatter. Jeg kjente straks igjen mannen uten ansikt, Coubert. Blikket uten øyelokk, skinnende, stålgrått. Det leppeløse smilet som slikket seg om munnen i mørket. Jeg følte at kalde fingrer lukket seg rundt hjertet mitt. To hundre fioliner brøt løs på lerretet, det lød skudd, skrik, og scenen gled over i svart. Et øyeblikk senket benkene i parkett seg i stummende mørke, og jeg kunne bare høre pulsen som hamret i tinningene. Langsomt lyste en ny scene opp på lerretet og løste opp mørket i salen i damper av blått og purpurrødt halvlys. Den ansiktsløse mannen var forsvunnet. Jeg snudde meg og så en silhuett på vei bort gjennom midtgangen i parkett, der den møtte Fermín Romero de Torres som var på vei tilbake fra sin gastronomiske safari. Han tok seg inn langs benkeraden og satte seg på plassen sin igjen. Han rakte meg en sjokoladekonfekt og betraktet meg med en viss forbeholdenhet.

– Daniel, du er så hvit som et nonnelår. Går det bra med deg?

Et usynlig pust strøk over benkene i parkett.

– Det lukter så rart, bemerket Fermín Romero de Torres. – Som av harsk fis, fra en notar eller prokurator.

– Nei. Det lukter svidd papir.

– Vær så god, ta en Sugus med sitron, den hjelper mot alt.

– Takk, jeg har ikke lyst på.

– Så behold den så lenge, man vet aldri når en Sugus er tingen for å hjelpe en ut av en klemme.

Jeg puttet konfekten i jakkelommen og bautet meg gjennom resten av filmen uten å ense verken Veronica Lake eller ofrene for hennes skjebnesvangre sjarm. Fermín Romero de Torres var helt oppslukt av forestillingen og konfekten. Da lysene ble tent etter forestillingen, var det som å våkne etter en vond drøm, og jeg følte meg fristet til å oppfatte den fyren i parkett som en illusjon, et puss hukommelsen hadde spilt meg, men det korte blikket i mørket hadde vært nok til å gi meg beskjeden. Han hadde ikke glemt meg, og heller ikke pakten vår.

12

Den første virkningen av at Fermín var kommet inn i bildet, gjorde seg fort gjeldende: Jeg oppdaget at jeg hadde mye mer fritid. Når Fermín ikke var ute og jaktet og fanget et eksotisk bind for å effektuere bestillinger fra kundene, satte han i gang med å rydde i lagerbeholdningene, pønske ut salgsfremstøt i strøket, pusse skiltet og butikkvinduene eller få bokryggene til å skinne med en klut og litt sprit. Slik det lå an, valgte jeg å satse fritiden på to aspekter som jeg hadde forsømt i det siste: fortsette å gruble på gåten med Carax, og især prøve å være mer sammen med min venn Tomás Aguilar, som jeg hadde begynt å savne.

Tomás var en ung mann, innesluttet og med hang til grublerier, som folk ble redd for på grunn av hans barske, alvorstunge og truende ytre. Han hadde kroppsbygning som en bryter, skuldrer som en gladiator og et hardt, borende blikk. Vi var blitt kjent med hverandre en gang for mange år siden i et slagsmål den første uken jeg gikk på skole hos jesuittene i Caspe. Faren hans var kommet for å hente ham etter skoletid, sammen med en innbilsk jente som viste seg å være søsteren til Tomás. Jeg kom i skade for å slå en tåpelig vits om henne, og før jeg rakk å blunke, hadde Tomás Aguilar kastet seg over meg med en skur av knyttneveslag som gjorde meg maroder i mange uker etterpå. Tomás var dobbelt så stor, sterk og vill som meg. I den skolegårdskampen, omgitt av et kor av unger som håpet på et blodig basketak, mistet jeg en tann og fikk en ny sans for proporsjoner. Jeg ville ikke fortelle far eller prestene hvem det var som hadde skamslått meg sånn, heller ikke at faren til motstanderen min sto og så på at jeg fikk juling, frydet seg og heiet i kor med de andre elevene.

– Det var min skyld, sa jeg og regnet saken som ute av verden.

Tre uker senere kom Tomás bort til meg i friminuttet. Jeg ble stående stiv av skrekk. Nå kommer han for å gi meg dødsstøtet, tenkte jeg. Han begynte å stotre, og snart skjønte jeg at det eneste han ville, var å be om unnskyldning for at han hadde banket meg opp, for han visste at det hadde vært en ulike og urettferdig kamp.

– Det er jeg som skulle be deg om unnskyldning for at jeg kjekket meg overfor søsteren din, sa jeg. – Jeg ville ha gjort det den dagen, men du ga meg en på kjeften før jeg fikk sagt noe.

Tomás slo blikket skamfullt ned. Jeg så nærmere på den fryktsomme og stillfarende kjempen som lusket omkring i klasserommene og gangene på skolen som en herreløs sjel. Alle de andre guttene – og særlig jeg – var redde for ham, og ingen snakket til ham eller våget å veksle et blikk med ham. Med nedslått blikk, nesten skjelvende, spurte han om jeg ville være vennen hans. Jeg svarte ja. Han rakte meg hånden, og jeg trykket den. Det var et håndtrykk som gjorde vondt, men jeg holdt ut. Samme ettermiddag ba Tomás meg bli med hjem og spise, og viste meg samlingen av underlige tingester laget av alskens skrammel som han hadde på rommet sitt.

– Jeg har laget dem selv, opplyste han stolt.

Jeg var ute av stand til å skjønne hva de var eller skulle forestille å være, men holdt tann for tunge og nikket beundrende. Jeg fikk inntrykk av at den ensomme, forvoksne kjempen hadde bygd seg sine egne venner av messing, og at jeg var den første han hadde presentert dem for. Det var hans hemmelighet. Jeg fortalte ham om moren min og hvor veldig jeg savnet henne. Da stemmen min sluknet, ga Tomás meg en taus klem. Vi var ti år. Fra den dagen ble han min beste – og jeg hans eneste – venn.

Tross sin krigerske fremtoning var Tomás en fredelig og godmodig sjel, og takket være utseendet slapp han også alle sammenstøt. Han var ganske stam, særlig når han snakket med andre enn moren, søsteren eller meg, men det gjorde han så å si aldri. Han var fascinert av sære oppfinnelser og mekaniske anordninger, og jeg oppdaget snart at han obduserte alle mulige innretninger, fra grammofoner til regnemaskiner, for å finne ut av hemmelighetene deres. Når han ikke var sammen med meg eller arbeidet for faren sin, tilbrakte han det meste av tiden innestengt på rommet sitt, der han konstruerte noen ubegripelige apparater. Han hadde altså et overmål av intelligens, men til gjengjeld skortet det kanskje på praktisk sans. Hans interesse i den virkelige verden konsentrerte seg om delaspekter som synkroniseringen av lyskryssene i Gran Vía, mysteriene i de lysende fontenene på Montjuïc eller automatene i tivoliet på Tibidabo.

Tomás jobbet hver ettermiddag på kontoret til faren, og når han var ferdig, hendte det at han kom innom bokhandelen. Far spurte alltid hvordan det gikk med oppfinnelsene hans, og forærte ham håndbøker i mekanikk eller biografier over ingeniører som Eiffel og Edison, som Tomás forgudet blindt. I årenes løp hadde Tomás fattet en stor godhet for far, og holdt på i evigheter å finne opp et automatisk system han kunne bruke til arkivering av bibliografiske kort ved hjelp av delene fra en gammel vifte. I fire år hadde han arbeidet med det prosjektet, men far viste hele tiden den samme begeistring bare for at ikke Tomás skulle miste motet. Til å begynne med hadde jeg vært bekymret for hvordan Fermín kom til å reagere på vennen min.

– De må være oppfinnervennen til Daniel. Det gleder meg meget å få hilse på Dem. Fermín Romero de Torres, bibliografisk rådgiver for Sempere bokhandel, til tjeneste.

– Tomás Aguilar, stammet vennen min, smilte og trykket hånden til Fermín.

– Pass opp, for det De har der, er ikke en hånd, men en hydraulisk presse, og jeg må ta vare på fiolinistfingrene mine på grunn av jobben i firmaet.

Tomás slapp taket og ba om unnskyldning.

– Apropos, hvordan stiller De Dem til Fermats teorem? spurte Fermín og gned seg i hendene.

Straks viklet de seg inn i en ubegripelig diskusjon om kryptisk matematikk som i mine ører lød som mandarin. Fermín sa alltid De til ham og lot som han ikke merket at han stammet. For å gjengjelde den uendelige tålmodigheten Fermín viste ham, hadde han med seg esker med sveitsisk konfekt i emballasje med bilder av usannsynlig blå sjøer, kuer på technicolorgrønne enger og gjøkur.

– Din venn Tomás har talent, men han mangler retning på livet, og litt tæl, som er det man gjør karriere med, hevdet Fermín Romero de Torres. – Slik er det gjerne med dem som har en vitenskapelig legning. Se bare på Albert Einstein. Alt det fantastiske han fant opp, og den første praktiske anvendelsen man fant for det, var atombomben, og det attpåtil uten hans tillatelse. Dessuten ser jo Tomás ut som en bokser, så det blir fryktelig vanskelig å vinne innpass i akademiske kretser, for det eneste her i livet som alltid får gjennomslag, er fordommene.

Fermín var motivert for å redde Tomás fra et liv i usle kår

93

og manglende forståelse, og hadde derfor bestemt at det som skulle til, var å få ham til å utvikle sin latente talekunst og sin omgjengelighet.

– Mennesket, som den gode ape det er, er et sosialt dyr, og det fremherskende er kameraderi, nepotisme, narreri og bakvaskelser som det iboende mønster for etisk atferd, fremholdt han. – Det er ren biologi.

– Det er nok å ta for hardt i.

– Så bondsk De kan være enkelte ganger, Daniel.

Tomás hadde arvet sitt barske ytre fra faren, en velstående forvalter som hadde kontor i Calle Pelayo like ved varemagasinet El Siglo. Señor Aguilar hørte til de privilegerte hoder som alltid har rett. Han var en mann med dype overbevisninger, og var blant annet sikker på at sønnen var en tafatt sjel med mangelfulle åndsevner. For å motvirke disse skammelige skavankene engasjerte han alle mulige privatlærere i den hensikt å normalisere den førstefødte. «Jeg vil at De skal behandle sønnen min som om han var idiot, er det oppfattet?» hadde jeg hørt ham si ved mer enn én anledning. Lærerne prøvde alt, inklusive inntrengende bønner, men Tomás hadde for vane å bare henvende seg til dem på latin, et språk han behersket med pavelig flyt og ingen stamming. Før eller siden sa huslærerne opp i fortvilelse eller av frykt for at gutten var besatt og prakket på dem djevelske paroler på arameisk. Det eneste håpet señor Aguilar hadde, var at militærtjenesten skulle gjøre sønnen hans til gagns mannfolk.

Tomás hadde en søster som var et år eldre enn oss, Beatriz. Det var henne vi hadde å takke for vennskapet vårt, for hvis jeg ikke hadde sett henne den fjerne ettermiddagen da hun sto hånd i hånd med faren og ventet på at det skulle ringe ut, ville jeg ikke ha funnet på å slå en ytterst smakløs vits om henne, vennen min ville aldri ha kastet seg over meg for å gi meg en drakt pryl, og jeg ville aldri hatt mot til å snakke til ham. Bea Aguilar var sin mors uttrykte bilde, og sin fars øyesten. Hun var rødhåret og dødsblek, alltid kledd i svinedyre kjoler av silke eller ny ull. Hun hadde midje som en modell og gikk rank som en linjal, var stinkende selvgod og innbilte seg at hun var prinsessen i sitt eget eventyr. Hun hadde blågrønne øyne, men selv insisterte hun på at fargen var «smaragd og safir». Til tross for at hun hadde gått en haug med år på skolen til teresianernonnene, eller kanskje nettopp derfor, pleide Bea, når faren ikke så henne, å drikke anis av høye glass, bruke silkestrømper fra La Perla Gris og sminke seg som de filmvampyrene som forstyrret nattesøvnen til min venn Fermín. Jeg tålte ikke synet av henne, og hun gjengjeldte min åpenlyse fiendtlighet med dovne øyekast som uttrykte ringeakt og likegyldighet. Bea hadde en kjæreste som avtjente verneplikten som fenrik i Murcia, en glattslikket falangist som het Pablo Cascos Buendía og tilhørte en eldgammel familie som eide en lang rekke verft i Galicia. Fenrik Cascos Buendía, som tilbrakte halve livet på perm takket være en onkel i overkommandoen, lirte alltid av seg noen lekser om det spanske folkets genetiske og åndelige overlegenhet, og det bolsjevikiske imperiets nær forestående fall.

– Marx er død, sa han høytidelig.

– I 1883, nærmere bestemt, sa jeg.

– Hold kjeft, ditt krek, ellers får du deg en på tygga så du havner i La Rioja.

Mer enn én gang hadde jeg grepet Bea i å smile for seg selv av vrøvlet som denne fenrikgutten hennes lirte av seg. Da løftet hun blikket og iakttok meg, uutgrunnelig. Jeg smilte med den matte hjerteligheten som kjennetegner fiender som har inngått våpenhvile på ubestemt tid, men vendte fort blikket bort. Før ville jeg ha dødd enn å innrømme det, men innerst inne var jeg redd henne.

13

I begynnelsen av det året bestemte Tomás og Fermín Romero de Torres seg for å slå sine respektive talenter sammen i et nytt prosjekt som etter deres mening skulle føre til at min venn og jeg slapp å bli innkalt til militærtjeneste. Fermín delte slett ikke señor Aguilars begeistring for militærlivets erfaringer.

– Militærtjenesten er ikke godt for noe annet enn å avdekke hvor stor prosentandel av råskinn det er som er tatt med i folketellingen, mente han. – Og det oppdager man i de to første ukene, det trengs ikke to år. Hæren, ekteskapet, kirken og banken: Apokalypsens fire ryttere. Ja da, ja da, bare le.

Den anarkistiske tankegangen til Fermín Romero de Torres skulle stilles på en prøve en oktoberettermiddag da vi, på grunn av skjebnens tilfeldigheter, fikk besøk av en gammel venninne i butikken. Far hadde dradd av sted for å taksere en boksamling i Argentona og skulle ikke komme igjen før til kvelden. Jeg fikk stå bak disken i butikken mens Fermín med sine sedvanlige akrobatkunster klatret i stigen for å rydde i den siste bokhyllen som gjensto, en snau håndsbredd fra taket. Like før vi stengte, da solen allerede var nede, avtegnet silhuetten av Bernarda seg bak disken. Hun gikk torsdagskledd, fritidsantrekket, og vinket til meg. Det lyste opp i sjelen min bare ved synet av henne, og jeg gjorde tegn til at hun skulle komme innenfor.

– Å, så stor du er blitt, sa hun fra dørstokken. – Jeg kjente deg nesten ikke igjen ... du er blitt en voksen mann!

Hun slo armene rundt meg, felte noen små tårer og klappet meg på hodet, skuldrene og ansiktet for å se om jeg hadde gått i stykker uten henne.

– Du er savnet i huset, unge mann, sa hun og slo blikket ned.

– Og jeg har savnet deg, Bernarda. Kom, gi meg et kyss.

Hun kysset meg fryktsomt, og jeg plantet et par lydelige kyss på hvert kinn. Hun lo. Jeg så på øynene hennes at hun bare ven-

96

tet på at jeg skulle spørre etter Clara, men det aktet jeg ikke å gjøre.

– Så flott du er i dag, riktig elegant. Hva fikk deg til å komme og besøke oss?

– Nei, faktisk har jeg lenge hatt lyst til å hilse på deg, men du vet hvordan det er, man har det så travelt, og señor Barceló kan saktens være en klok mann, men like fullt en unge, og man får gjøre gode miner til slett spill. Men grunnen til at jeg kommer, det er at i morgen er det fødselsdagen til niesen min, henne i San Adrián, og jeg skulle gjerne ha gitt henne en presang. Jeg hadde tenkt meg en god bok, med masse tekst og lite bilder og annen stas, men siden jeg er så treg og ikke skjønner meg på ...

Før jeg fikk svar, ristet hele butikken med et ballistisk rabalder idet de samlede verkene til Blasco Ibáñez med stiv perm falt ned fra stor høyde. Bernarda og jeg så forskrekket opp. Fermín skled ned trappen som en trapeskunstner, med det florentinske smilet preget inn i ansiktet og øynene gjennomsyret av liderlighet og henrykkelse.

– Bernarda, dette er ...

– Fermín Romero de Torres, bibliografisk rådgiver for Sempere og sønn, i ærbødighet, frue, kunngjorde Fermín, grep hånden til Bernarda og kysset den seremonielt.

På bare noen sekunder ble Bernarda rød som en paprika.

– Der tar De nok feil, jeg frue ...

– Minst en markise, avbrøt Fermín henne. – Det må jo jeg vite, som traver opp og ned i den fineste enden av Avenida Pearson. La meg ha den ære å ledsage Dem til vår avdeling for ungdoms- og barneklassikere der jeg til alt hell kan se at vi har et kompendium med det beste av Emilio Salgari og den episke beretningen til Sandokan.

– Jeg vet ikke riktig, jeg tror ikke bøker om helgener er det rette, for faren til jenta er ihuga for fagforbundet CNT, om De skjønner hva jeg mener.

– Ta det bare helt med ro, for her har jeg intet mindre enn *Den hemmelighetsfulle øya* av Jules Verne, en beretning om store eventyr med vektig pedagogisk innhold, grunnet alt om de teknologiske fremskrittene.

– Hvis De tror det kan være noe, så ...

Jeg fulgte taus etter dem og merket meg hvordan Fermín siklet og hvordan Bernarda ble helt yr av oppvartningen til den lille mannen med holdning som en ussel sigar og taleferdigheter som en markedsselger, og som så på henne med en heftighet som han ellers forbeholdt konfekt fra Nestlé.

– Og du, Daniel, hva synes du?

– Her er det señor Romero de Torres som er eksperten. Du kan stole på ham.

– Da tror jeg jeg tar den om øya, om dere vil pakke den inn for meg. Hva koster den?

– Huset spanderer, sa jeg.

– Nei, det går da ikke an ...

– Frue, om De tillater det og dermed gjør meg til den lykkeligste mann i Barcelona, så spanderer Fermín Romero de Torres.

Bernarda så på oss begge to, målløs.

– Hør nå her, jeg betaler for det jeg kjøper, og dette er en gave jeg vil gi til niesen min ...

– I så fall tillater De kanskje, som bytte, at jeg ber Dem ut på kaffe, kom det fort fra Fermín idet han glattet på håret.

– Bli med, du, oppmuntret jeg henne. – Dere vil få det så hyggelig. Nå skal jeg pakke inn denne mens Fermín går etter jakken sin.

Fermín skyndte seg ut på bakværelset for å gre seg, parfymere seg og slenge på seg jakken. Jeg rappet noen pesetas fra kassen for at han skulle ha noe å spandere på Bernarda med.

– Hvor skal jeg gå med henne? hvisket han, nervøs som en unge.

– Jeg ville ha gått på Els Quatre Gats, sa jeg. – Så vidt jeg vet, bringer det hell i hjertets anliggender.

Jeg rakte Bernarda pakken med boken og blunket til henne.

– Hvor mye skylder jeg da, Daniel?

– Vet ikke, jeg. Jeg skal gi beskjed. Boken var ikke priset, så jeg må spørre far, løy jeg.

Jeg så dem gå arm i arm og forsvinne bortover Calle Santa Ana, og tenkte at kanskje noen i himmelen var på vakt og for en gangs skyld kunne unne dem et par dråper lykke. Jeg hengte opp skiltet LUKKET i vinduet. Så stakk jeg innom bakværelset for å gå igjennom boken der far noterte bestillingene, og hørte bjellen i døren idet den gikk opp. Jeg tenkte at det måtte være Fermín, at han hadde lagt igjen noe, eller kanskje far som allerede var tilbake fra Argentona.

– Hallo?

Det gikk flere sekunder uten at det kom noe svar. Jeg fortsatte å kikke i bestillingsboken.

Jeg hørte langsomme skritt i butikken.

– Fermín? Pappa?

Jeg fikk ikke svar. Jeg syntes jeg hørte en kvalt latter og lukket bestillingsboken. Det var kanskje en kunde som hadde oversett skiltet det sto LUKKET på. Jeg gjorde meg klar til å ekspedere ham da jeg hørte lyden av flere bøker som ramlet fra hyllene i butikken. Jeg svelget tungt. Jeg trev en papirkniv og nærmet meg sakte døren til bakværelset. Jeg våget ikke å rope igjen. Om litt hørte jeg på nytt skritt, nå på vei bort. På nytt lød bjellen i døren, og jeg kjente et gufs fra gaten. Jeg stakk hodet inn i butikken. Det var ingen der. Jeg løp bort til gatedøren og stengte den forsvarlig. Jeg trakk pusten dypt, følte meg tåpelig og feig. Jeg var på vei tilbake til bakværelset da jeg fikk se lappen på disken. Jeg gikk bort og konstaterte at det var et fotografi, et gammelt atelierbilde av det slaget de pleide å trykke på en tykk papplate. Kantene var svidd, og det røykfargede bildet så ut som det hadde spor etter fingrer som var skitne av kullstøv. Jeg gransket det under en lampe. På fotografiet kunne man se et ungt par som smilte til kameraet. Han så ikke ut til å være mer enn sytten–atten år, med lyst hår og aristokratiske, veke trekk. Hun var kanskje litt yngre enn ham, toppen et par år. Hun hadde blek hud og et fint meislet ansikt, omkranset av svart, kort hår som fremhevet et begeistret blikk, forgiftet av glede. Han hadde lagt en arm rundt livet på henne, og hun så ut som om hun hvisket noe til ham, skøyeraktig. Bildet formidlet en varme som tvang frem et smil, som om jeg i de to ukjente menneskene hadde kjent igjen noen gamle venner. Bak dem kunne man se utstillingsvinduet i en butikk, stappfullt av hatter som var gått av mote. Jeg konsentrerte meg om paret. Klærne tydet på at bildet var minst femogtyve–tredve år. Det var et bilde av lys og håp som bar bud om ting som bare finnes i blikkene til dem som er unge av år. Flammene hadde fortært nesten hele kanten rundt bildet, men ennå kunne man fornemme et strengt ansikt bak den eldgamle disken, en gjenferdsaktig silhuett som snek seg inn bak bokstavene som var inngravert i glasset.

Antonio Fortunys Sønner
Firma etablert i 1888

Den natten da jeg kom tilbake til De glemte bøkers kirkegård, hadde Isaac fortalt at Carax brukte morens etternavn, ikke farens: Fortuny. Faren til Carax hadde en hatteforretning i Ronda de San Antonio. Jeg gransket igjen bildet av dette paret og var med ett sikker på at den unge mannen var Julián Carax, som smilte til meg fra fortiden, ute av stand til å se flammene som lukket seg om ham.

SKYGGENES BY
1954

14

Morgenen etter kom Fermín til jobben på Cupidos vinger, smilte og plystret boleroer. Under andre omstendigheter ville jeg ha spurt hvordan det gikk på kafé med Bernarda, men akkurat den dagen var jeg ikke stemt for lyrikk. Far hadde avtalt å levere en bestilling klokken elleve om formiddagen hos professor Javier Velázquez på kontoret ved fakultetet på Plaza Universidad. Fermín fikk krupp bare han hørte navnet på den akademikeren, og det påskuddet benyttet jeg for å dra bort med bøkene selv.

– Han er en skrytepave, et krapyl og en fascistisk spyttslikker, erklærte Fermín og løftet knyttneven på en måte som ikke var til å misforstå, som alltid når trangen til å ta loven i egne hender kom over ham. – Med den røverhistorien om professorat og avgangseksamen kunne mannen ha kommet seg i seng med la pasionaria om det bød seg en anledning.

– Det er å ta for hardt i, Fermín. Velázquez betaler meget godt, alltid på forskudd og anbefaler oss i øst og vest, påminte far ham.

– Det er penger besudlet med uskyldige jomfruers blod, innvendte Fermín. – Så sant Gud lever, jeg har aldri ligget med en mindreårig kvinne, og det skyldes ikke mangel på lyst eller anledning. Det er smått bevendt med meg nå, men en gang i tiden gjorde jeg en flott figur og førte meg så belevent som bare det, men likevel, for sikkerhets skyld og hvis jeg fikk det for meg at de var litt løsaktige, forlangte jeg å få se identitetspapirene, og lot ikke det seg gjøre, ville jeg ha farens skriftlige samtykke for å holde meg innenfor etikkens grenser.

Far himlet med øynene.

– Det går ikke an å diskutere med deg, Fermín.

– Det er bare det at har jeg rett, så har jeg rett.

Jeg tok pakken som jeg selv hadde gjort klar kvelden før, et par Rilke og et apokryft essay tilskrevet Ortega vedrørende tapas og dybden i nasjonalfølelsen, og lot Fermín og far bli igjen, oppslukt av debatten om skikk og bruk.

Det var en strålende dag, med tindrende blå himmel og en ren og frisk bris som luktet høst og hav. Det Barcelona som jeg holder mest av, har alltid vært oktobers, når sjelen er ute og rører på seg og man kjenner seg så mye klokere bare man tar seg en slurk fra drikkekummen i Canaletas, som det akkurat de dagene ved et mirakel ikke smaker klor av. Jeg slentret bortover med lette skritt, styrte utenom skopussere, krakkeslitere som var på vei tilbake etter formiddagskaffen, loddselgere og en ballett av gatefeiere som så ut som de hadde tenkt å pusse byen med pensel, i ro og mak og med pointillistiske strøk. Allerede den gang begynte Barcelona å fylles opp med biler, og ved lyskrysset i Calle Balmes så jeg at det på begge fortauene sto oppstilt firspann av kontorister med grå gabardinfrakker og sultne blikk og slukte en Studebaker med øynene som om det var en visesangerinnes morgenkåpe. Jeg gikk videre oppover Balmes til Gran Vía og forholdt meg til trafikklys, trikker, biler og til og med motorsykler med sidevogn. I et butikkvindu så jeg en plakat fra Phillips som forkynte at det var kommet en ny messias, fjernsynet, som etter sigende skulle forandre livet vårt og etter hvert forvandle oss til fremtidens mennesker, som amerikanerne. Fermín Romero de Torres, som alltid holdt seg orientert om alle oppfinnelser, hadde spådd at dette kom til å skje.

– Fjernsynet, min gode Daniel, er Antikrist, og jeg tror trygt jeg kan si at det bare vil gå tre–fire generasjoner før folk ikke engang kan slå en fjert for egen regning, og mennesket vender tilbake til hulen, til middelalderens barbari, og til grader av tåpelighet som sneglene la bak seg en gang i pleistocen. Denne verden vil ikke forgå på grunn av en atombombe, som det står i avisene, den vil forgå av latter, av banalitet, ved at alt gjøres til en vits, oven i kjøpet en dårlig vits.

Professor Velázquez hadde kontor i tredje etasje ved det historisk-filosofiske fakultet, i enden av et galleri med sjakkmønstret flisegulv og støvete belysning, ut mot den søndre klostergangen. Jeg møtte professoren i døren til et auditorium, der han lot som om han hørte på en kvinnelig elev med fantastisk figur kledd i en granatrød kjole som smøg seg inntil den smale midjen og stilte til skue noen greske legger som glinset i strømper av fin silke. Professor Velázquez hadde ry for å være en donjuan, og det var nok av dem som hevdet at den sentimentale utdannelsen til enhver frøken av fin familie ikke var fullendt uten den sagnomsuste weekenden på et lite hotell i Paseo de Sitges, hvor hun deklamerte aleksandrinere tête-à-tête med den høyt ansette professoren. Jeg, med min sans for forretninger, voktet meg vel for å forstyrre ham i samtalen, så jeg bestemte meg for å fordrive tiden med å ta et røntgenbilde av den eleven som nå nøt hans gunst. Det var kanskje den raske spaserturen som hadde hensatt meg i en løftet stemning, kanskje var det mine atten år og den omstendighet at jeg tilbrakte mer tid blant de muser som er fanget i gamle bøker enn i selskap med jenter av kjøtt og blod, som alltid forekom meg å være lysår unna gjenferdet til Clara Barceló, men akkurat da, mens jeg sto der og leste hver fold i anatomien til den studinen som jeg bare kunne se ryggen på, men som jeg forestilte meg i tre dimensjoner og i aleksandrinsk perspektiv, merket jeg at tennene mine begynte å løpe i fossefall av vann.

– Men er det ikke Daniel, utbrøt professor Velázquez. – Det må jeg si. Godt det er du som kommer, og ikke det fugleskremselet som var her sist, han der med tyrefekternavn, som etter mitt skjønn enten var full eller i en slik forfatning at man burde sperre ham inne og kaste nøkkelen. Vet du hva, han formastet seg til å spørre meg om etymologien til ordet knopp, med en høyst upassende, hånlig undertone.

– Det er fordi legen har forordnet en meget sterk medisinering. Noe med leveren.

– Det går iallfall trill rundt for ham hele dagen, brummet Velázquez. – Hadde jeg vært dere, ville jeg ha kontaktet politiet. De har sikkert noe på ham. Og sånn som det stinker av føttene hans, gud hjelpe meg, det er mye ildrød dritt som er ute og går og ikke har vasket seg siden republikken falt.

Jeg skulle til å dikte opp en sømmelig unnskyldning for Fermín da studinen som hadde stått og pratet med professor Velázquez, snudde seg mot meg, og jeg fikk hakeslepp helt ned på brystkassen.

Jeg så henne smile til meg, og ørene mine ble brennende varme.

– Morn, Daniel, sa Beatriz Aguilar.

Jeg nikket til henne, stum fordi jeg hadde grepet meg selv i å sikle uten selv å vite det etter søsteren til min beste venn, den Bea som var min skrekk og gru.

– Jaså, dere kjenner hverandre? spurte Velázquez forbauset.

– Daniel er en gammel venn av familien, forklarte Bea. – Og den eneste som har tort si rett ut at jeg er snobbete og innbilsk.

Velázquez så forbløffet på meg.

– Det er ti år siden, nyanserte jeg. – Og jeg mente det ikke alvorlig.

– Men jeg går altså fremdeles og venter på en unnskyldning.

Velázquez lo hjertelig og tok pakken ut av hendene mine.

– Det forekommer meg at jeg bare er i veien her, sa han og åpnet pakken. – Ah, fabelaktig. Daniel, si til faren din at jeg er på jakt etter en bok med tittelen *Matamoros: ungdomsbrev fra Ceuta* av Francisco Franco Bahamonde, med prolog og noter av Pemán.

– Det skal bli. De får høre fra oss om et par uker.

– Jeg tror deg på ditt ord, og nå må jeg se å komme meg av sted, for det er toogtredve ubeskrevne sjeler som venter på meg.

Professor Velázquez blunket til meg og forsvant inn i auditoriet, så jeg ble stående alene med Bea. Jeg visste ikke hvor jeg skulle rette blikket.

– Hør her, Bea, angående den fornærmelsen, jeg mente virkelig ...

– Jeg bare ertet deg, Daniel. Jeg vet godt at det var barnestreker, og Tomás har allerede gitt deg nok juling.

– Det gjør vondt fremdeles.

Bea smilte på en måte som jeg oppfattet som et tilbud om fred, eller i det minste våpenhvile.

– Dessuten hadde du rett, jeg er ganske snobbete og noen ganger litt innbilsk, sa Bea. – Du kan visst ikke fordra meg, Daniel?

Spørsmålet kom helt overrumplende på meg, som sto der avvæpnet og forskrekket over hvor lett det var å miste motviljen mot noen man har oppfattet som en fiende så snart vedkommende slutter å oppføre seg som det.

– Nei, det stemmer ikke.

– Tomás sier at det i virkeligheten er jeg som ikke kan fordra deg, saken er jo den at du ikke kan utstå faren min, og at du lar meg unngjelde, siden du ikke tør legge deg ut med ham. Og det sier jeg ingenting på. Det er ingen som tør legge seg ut med far.

Jeg ble stående og måpe, men etter bare noen sekunder grep jeg meg selv i å smile og nikke.

– Det ser stygt ut for at Tomás kjenner meg bedre enn jeg gjør selv.

– Det skal du ikke bli forundret over. Broren min har gjort seg opp en mening om oss alle, det er bare det at han aldri sier noe. Men en dag åpner han nok munnen, og da kommer taket til å ramle i hodet på oss. Han har forresten veldig høye tanker om deg.

Jeg trakk på skuldrene og slo blikket ned.

– Han snakker alltid om deg, og om faren din og bokhandelen og den vennen deres som jogger for dere, som Tomás sier er et uoppdaget geni. Noen ganger skulle man tro at dere er mer hans egentlige familie enn den han har hjemme.

Jeg møtte blikket hennes, hardt, åpent, fryktløst. Jeg visste ikke hva jeg skulle si, så jeg nøyde meg med å smile. Jeg følte at all denne oppriktigheten begynte å trenge meg opp i et hjørne, så jeg lot blikket gå ut i gården.

– Jeg visste ikke at du studerte her.

– Det er det første året.

– Humaniora?

– Far er av den mening at realfag ikke er noe for det svake kjønn.

– Nei. Mye tall.

– Det gjør ikke meg noe, for jeg er glad i å lese, og dessuten blir man kjent med spennende mennesker her.

– Som professor Velázquez?

Bea smilte skjevt.

– Det er sant nok bare det første året mitt, men jeg vet tilstrekkelig til å kjenne dem igjen på lang avstand, Daniel. Især dem av hans klasse.

Jeg lurte på hvilken klasse hun ville regne meg til.

– Dessuten er professor Velázquez en venn av far. De sitter begge i styret i Foreningen til beskyttelse og fremme av den spanske zarzuela og lyrikk.

Jeg anla en mine som skulle vise hvor imponert jeg var.

– Hvordan går det med kjæresten, fenrik Cascos Buendía?

Smilet forsvant.

– Pablo kommer på perm om tre uker.

– Da er du nok glad.

– Veldig. Han er en flott fyr, men jeg kan jo tenke meg hva du må mene om ham.

Det tviler jeg på, tenkte jeg. Bea iakttok meg, litt anspent. Jeg hadde tenkt å snakke om noe annet, men tungen løp av med meg.

– Tomás sier at dere skal gifte dere og slå dere ned i El Ferrol. Hun nikket uten å blunke.

– Så snart Pablo er ferdig med militærtjenesten.

– Du må da være utålmodig, sa jeg og kjente smaken av faenskap i min egen stemme, en flabbete stemme som jeg ikke visste hvor kom fra.

– Det gjør ikke meg noe, egentlig. Familien hans har eiendommer der, et par skipsverft, og Pablo skal overta et av dem. Han har stort talent for lederskap.

– Jeg har skjønt det.

Smilet hennes ble strammere.

– Dessuten har jeg jo sett Barcelona, etter alle disse årene ... Jeg så at blikket hennes var trett, trist.

– Jeg har hørt at El Ferrol er en fascinerende by. Full av liv. Og skalldyrene skal være fantastiske, især krabbene.

Bea sukket og ristet på hodet. Jeg fikk inntrykk av at hun holdt på å gråte av raseri, men var for stolt til det. Hun lo stille.

– Ti år, og du har ennå like stor glede av å fornærme meg, Daniel? Bare kom igjen, du. Det er min egen skyld, som trodde at vi kanskje kunne bli venner, eller late som vi var det, men det er vel fordi jeg ikke er så mye verdt som broren min. Unnskyld at jeg har lagt beslag på tiden din.

Hun snudde seg og begynte å gå bortover korridoren i retning av biblioteket. Jeg så henne fjerne seg over de svarte og hvite flisene, og skyggen hennes skar seg gjennom gardinene av lys som falt fra glassdørene.

– Bea, vent.

Jeg forbannet meg selv og la på sprang etter henne. Jeg fikk stanset henne midtveis borte i korridoren ved å gripe henne i armen. Hun sendte meg et sviende blikk.

– Tilgi meg. Men du tar feil. Det er ikke din skyld, den er helt min egen. Det er jeg som ikke er så mye verdt som broren din eller deg. Og hvis jeg har fornærmet deg, er det fordi jeg har vært misunnelig på den idioten av en kjæreste du har, og av raseri ved tanken på at en som deg skal dra av sted til El Ferrol eller Kongo for å følge etter ham.

– Daniel ...

– Du tar feil av meg, for visst kan vi være venner hvis du lar meg få prøve nå som du vet hvor lite jeg er verdt. Og du tar også feil når det gjelder Barcelona, for selv om du tror du har sett denne byen, tør jeg garantere at det ikke er tilfellet, og hvis du lar meg få lov, skal jeg bevise det.

Jeg så at smilet hennes lyste opp, og en sakte, stum tåre trillet nedover kinnet.

– Det er best for deg at du snakker sant, sa hun. – For ellers sier jeg det til broren min, og da kommer han og slår hodet ned i magen på deg.

Jeg rakte henne hånden.

– Det lyder rett og riktig. Er vi venner da?

Hun rakte meg sin.

– Når slutter du på fredag? spurte jeg.

Hun nølte et øyeblikk.

– Klokken fem.

– Da venter jeg deg i gården klokken fem presis, og før kvelden skal jeg ha vist deg at det er ting i Barcelona som du ennå ikke har sett, og at du ikke kan flytte til El Ferrol med den idioten som jeg aldri kan tro at du elsker, for hvis du gjør det, kommer byen til å forfølge deg, og du vil dø av sorg.

– Du virker svært så sikker på deg selv, Daniel.

Jeg, som aldri var sikker på noe, ikke engang hvor mange klokken var, nikket med den uvitendes overbevisning. Jeg ble stående og se etter henne da hun gikk videre bortover det endeløse galleriet, til silhuetten hennes gikk i ett med halvmørket, og jeg spurte meg selv hva jeg hadde gjort.

15

Hatteforretningen til Fortuny, eller det som var igjen av den, lå og vansmektet i en smal bygning som var svart av sot og så riktig bedrøvelig ut, i Ronda de San Antonio, like ved Plaza de Goya. Det gikk fremdeles an å lese bokstavene som var inngravert i rutene, under tykke lag av skitt, og et skilt i form av en bowlerhatt hang fremdeles og dinglet på fasaden og lovte målsydde modeller og de siste nyhetene fra Paris. Døren var sikret med en hengelås som så ut til å ha hengt der i minst ti år. Jeg presset pannen mot vinduet og prøvde å la blikket trenge inn i mørket der inne.

– Hvis det gjelder leie av lokalet, er De for sent ute, sa en stemme bak meg. – Forretningsføreren har gått for dagen.

Kvinnen som henvendte seg til meg, måtte være rundt de seksti og var kledd i nasjonaldrakten for fromme enker. Et par ruller stakk frem under et rosa tørkle som dekket håret, og tøflene av boatiné matchet de hudfargede knestrømpene. Jeg tok det for gitt at hun var portnersken i gården.

– Er butikken til leie? spurte jeg.

– Var det ikke derfor De kom?

– Egentlig ikke, men man vet aldri, det kan kanskje være av interesse.

Portnersken rynket brynene og spekulerte på om hun skulle katalogisere meg som bløffmaker eller om hun skulle la tvilen komme meg til gode. Jeg anla mitt aller mest engleaktige smil.

– Er det lenge siden butikken ble nedlagt?

– Minst tolv år, da den gamle døde.

– Señor Fortuny? Kjente De ham?

– Jeg har bodd i denne oppgangen i åtteogførti år, unge mann.

– I så fall kjente De kanskje sønnen til señor Fortuny også?

– Julián? Det er klart.

Jeg tok det svidde fotografiet opp av lommen og viste henne det.

– Kunne De si meg om den unge mannen på fotografiet er Julián Carax?

Portnersken så ganske mistroisk på meg. Hun tok bildet og boret blikket i det.

– Kjenner De ham igjen?

– Carax var morens pikenavn, nyanserte portnersken litt irettesettende. – Dette er Julián, ja visst. Jeg husker ham som helt blond, men på dette bildet kan det se ut som om håret er mørkere.

– Kunne De si meg hva det er for en pike han er sammen med?

– Og hvem er den som spør?

– Unnskyld meg, jeg heter Daniel Sempere. Jeg prøver å finne ut noe om señor Carax, om Julián.

– Julián reiste til Paris, det kan ha vært i 18 eller 19. Faren ville ha ham inn i det militære, skjønner De. Jeg tror moren tok ham med for at han skulle få slippe. Og señor Fortuny ble igjen alene, på kvisten.

– Vet De om Julián kom tilbake til Barcelona noen gang?

Portnersken så taus på meg.

– Visste De ikke det? Julián døde samme år, i Paris.

– Unnskyld?

– Jeg sier at Julián avgikk ved døden. I Paris. Like etter at han kom dit. Det hadde vært bedre om han hadde kommet i det militære.

– Tør jeg spørre hvordan De kan vite det?

– Hvordan skulle det være? Fordi hans far fortalte meg det, vel.

Jeg nikket sakte.

– Jeg skjønner. Sa han hva han døde av?

– Den gamle kom ikke med mange detaljer, nei. En dag, like etter at Julián hadde reist, kom det et brev til ham, og da jeg spurte faren hans, sa han at sønnen var død, og hvis det kom noe mer til ham, fikk jeg bare kaste det. Hvorfor setter De opp et slikt ansikt?

– Señor Fortuny løy. Julián døde ikke i 1919.

– Hva er det De sier?

– Julián levde i Paris, iallfall frem til 35, så dro han tilbake til Barcelona.

Ansiktet til portnersken strålte opp.

– Så Julián er her, da? I Barcelona? Hvor?

Jeg nikket og satte min lit til at portnersken da ville føle seg tilskyndet til å fortelle meg mer.

– Du store min ... De aner ikke hvor glad De gjør meg, hvis han da virkelig lever, for han var en så søt gutt, litt rar og veldig fantasifull, det er så, men det var noe ved ham som ikke noe hjerte kunne stå imot. Han ville ikke ha vært noe tess som soldat, det syntes lange veier. Min Isabelita var helt vill etter ham. Tenk, en stund trodde jeg at de skulle bli gift og allting, sånne valpestreker ... Får jeg se på bildet en gang til?

Jeg rakte henne bildet igjen. Portnersken betraktet det som om det var en talisman, en returbillett til ungdommen.

– Det er ikke til å tro, det er jo som å se ham her og nå ... Og den umuliusen som sa at han var død. Men det er klart, det finnes folk som er her i verden bare for at det skal finnes litt av hvert. Hva drev Julián med i Paris, da? Han ble sikkert rik. Jeg innbilte meg alltid at Julián kom til å bli rik.

– Ikke akkurat. Han ble forfatter.

– Skrev han fortellinger?

– Noe sånt. Han skrev romaner.

– For radioen? Å, så fint. Men det forbauser meg ikke. Som guttunge holdt han bare på og fortalte historier til ungene i gaten. Om sommeren hendte det at min Isabelita og kusinene ble med opp på takterrassen om kvelden for å høre på ham. De sa at han aldri fortalte den samme historien to ganger. Men det er sant, alle handlet om døde mennesker og sjeler. Som sagt, han var en liten snåling. Men med en sånn far, er det vel rart at han ikke ble klin gæern. Det overrasket ikke meg at kona gikk fra ham til slutt, for han var en ordentlig umulius. Men altså, jeg stikker ikke nesen min i noen ting. For meg kan folk gjøre akkurat som de vil, men denne mannen var ikke god. I en oppgang kommer alt til slutt for en dag. Han slo henne, ikke sant? Alltid lød det skrik i trappen, og mer enn én gang måtte vi tilkalle politiet. Jeg skjønner så godt at en mann noen ganger må slå kona for å sette seg i respekt, det sier jeg ingenting på, det er nok av flyfiller, og de unge jentene skikker seg ikke som før, men denne mannen likte å gi henne juling, hvis De skjønner hva jeg mener. Den eneste venninnen den stakkars kvinnen hadde, var en ung jente, Viçenteta, som bodde i femte etasje, annen dør. Det hendte at det stakkars mennesket måtte søke tilflukt hos Viçen-

teta for at ikke mannen skulle banke henne mer. Og hun fortalte
ting ...
– Som hva?
Portnersken anla en fortrolig mine, hevet et øyebryn og kastet
skrå blikk til alle kanter.
– Som at ungen ikke var hattemakerens.
– Julián? Mener De at Julián ikke var sønnen til señor Fortuny?
– Han kalte Viçenteta for den franske, jeg vet ikke om det var
av motvilje eller hva det nå var. Det var noe jenta fortalte meg
siden, da de ikke bodde her lenger.
– Hvem var den virkelige faren til Julián, da?
– Den franske ville ikke si det. Kanskje visste hun det ikke.
De vet hvordan utlendingene er.
– Tror De det var derfor mannen slo henne?
– Neimen om jeg vet. Tre ganger måtte hun på sykehuset,
tenk på det, tre. Og den svinepelsen hadde den frekkhet å for-
telle alle og enhver at det var hun som hadde skylden, at hun var
en dranker og fløy rundt i huset og dengte løs på seg selv, bare
fordi hun kikket for dypt i glasset. Kom ikke her! Alltid kom
han i klammeri med naboene. Min salig avdøde mann anmeldte
han en gang for å ha stjålet i butikken, for etter hans mening er
alle fra Murcia noen tyver og dagdrivere, og det enda vi er fra
Úbeda ...
– De sa at De kjente igjen jenta som er sammen med Julián
på fotografiet?
Portnersken konsentrerte seg igjen om bildet.
– Henne har jeg aldri sett. Veldig søt.
– Etter bildet å dømme er de kjærester, antydet jeg, for å se
om det kunne anspore hukommelsen.
Hun rakte meg det og ristet på hodet.
– Fotografier har jeg ingen forstand på. Og så vidt jeg vet,
hadde ikke Julián noen kjæreste, men jeg kan tenke meg at om
han hadde hatt det, ville han ikke ha fortalt det. Det var med
nød og neppe jeg fikk vite at min Isabelita hadde innlatt seg med
han der ... dere unge forteller aldri noen ting. Det er vi gamle
som ikke kan holde opp å prate.
– Kan De huske vennene hans, noen spesiell som pleide å
komme her?
Portnersken trakk på skuldrene.
– Det er jo så lenge siden. Og forresten, de siste årene var det

113

lite vi så til Julián her. Han hadde fått seg en venn på skolen, en gutt av meget god familie, Aldaya, må jeg be. Nå er det ikke mye snakk om dem, men den gangen var det som å si kongefamilien. Mange penger. Jeg vet det, for det hendte at de sendte en bil etter Julián. De skulle bare ha sett den bilen. Ikke engang Franco, bare så De vet det. Med sjåfør, skinnende blank. Min Paco, som hadde forstand på slikt, sa det var en *rolsroi* eller noe sånt. Jeg sier ikke mer.

– Husker De navnet på denne vennen?

– Når man har et etternavn som Aldaya, trenger man ikke fornavn, hvis De skjønner hva jeg mener. Jeg husker også en annen gutt, litt småराr, en viss Miquel. Jeg tror han også var klassekameraten hans. Ikke spør hva han het til etternavn eller hvordan han så ut.

Det virket som om vi var kommet til et dødpunkt, og jeg var redd jeg ikke skulle klare å holde på portnerskens interesse lenger. Jeg bestemte meg for å følge et hugskott.

– Bor det noen i leiligheten til Fortuny nå?

– Nei. Den gamle døde uten testamente, og konen er så vidt jeg vet i Buenos Aires og kom ikke i begravelsen.

– Hvorfor Buenos Aires?

– Fordi hun ikke kunne finne et sted som var lenger unna ham, vil jeg tro. Og jeg klandrer henne ikke. Hun overlot alt til en advokat, en snodig fyr. Jeg så aldri noe til ham, men min datter Isabelita, som bor i sjette etasje, første dør, rett under dem, sier at han har nøkkel, og noen ganger kommer han om kvelden og traver frem og tilbake på gulvet i timevis, og så går han igjen. En gang sa hun at hun til og med hadde hørt hælene til en kvinne. Hva sier De til det?

– Det var kanskje stylter? antydet jeg.

Hun så uforstående på meg. Det var åpenbart at for portnersken var dette en meget alvorlig sak.

– Og det er ingen flere som har besøkt leiligheten på alle disse årene?

– En dag dukket det opp en veldig skummel type, en av dem som smiler hele tiden, småler, men man ser straks at det ikke ligger noe bak. Han sa han var fra kriminalpolitiet. Ville se på leiligheten.

– Sa han hvorfor?

Portnersken ristet på hodet.

114

– Husker De hva han het?

– Inspektør jeg vet ikke hva? Jeg trodde ikke noe på at han var politimann. Det var noe muffens der, jeg har forstand på slikt. Noe personlig. Jeg sendte ham rett på dør og sa at jeg ikke hadde nøklene til leiligheten, og hvis han ville noe, fikk han kontakte advokaten. Han sa at han skulle komme igjen, men jeg har ikke sett noe mer til ham. Og lykke på reisen.

– De skulle ikke tilfeldigvis ha navnet og adressen til denne advokaten?

– Det må De spørre forvalteren om. Señor Molins. Han har kontor rett her borte i nummer 28, Floridablanca, i annen etasje. Si at De kommer fra señora Aurora.

– Mange takk skal De ha. Si meg en ting, señora Aurora, leiligheten til Fortuny står altså tom?

– Ikke tom, for ingen har fjernet noe derfra på alle årene etter at den gamle døde. Noen ganger lukter det faktisk. Jeg vil tro det er mus og allting.

– Tror De det hadde vært mulig å ta en kikk? Kanskje vi finner noe som gir oss et vink om hva som egentlig skjedde med Julián ...

– Nei, det kan jeg nok ikke gjøre. De får snakke med señor Molins, så kan han vise Dem.

Jeg smilte lurt til henne.

– Men De har vel nøkkelen, vil jeg tro. Selv om De sa til den mannen at De ikke hadde den ... Kom ikke og si at De ikke dør av nysgjerrighet etter å vite hva som er der inne.

Doña Aurora sendte meg et skrått blikk.

– De er en djevel.

Døren ga etter som steinen til et gravkammer, med en brå, jamrende lyd, og slapp ut et stinkende og muggent gufs der innenfra. Jeg skjøv inngangsdøren innover, og det åpenbarte seg en gang som ble oppslukt av bekmørket. Det var en innestengt og fuktig lukt der inne. Spiraler av skitt og støv kronet hjørnene oppunder taket og hang ned som hvitt hår. De sprukne flisene på gulvet var dekket av noe som så ut som et asketeppe. Jeg merket meg noe som så ut som fotavtrykk som fortsatte inn i leiligheten.

– Du store allmektige skaper, mumlet portnersken. – Her er det mer dritt enn på vaglestangen i et hønsehus.

– Hvis De vil, kan jeg godt gå inn alene, foreslo jeg.

115

– Det hadde De nok likt. Bare gå først, De, så kommer jeg etter.

Vi lukket døren bak oss. Et øyeblikk, inntil øynene hadde vent seg til halvmørket, ble vi stående urørlige ved terskelen. Jeg hørte den nervøse pusten til portnersken og kjente den sure eimen av svette hun omga seg med. Jeg følte meg som en gravrøver, med sjelen forgiftet av grådighet og brennende lengsel.

– Si meg, hva er det for en lyd? spurte portnersken urolig.

Det var noe som flakset i mørket, skremt opp av vårt nærvær. Jeg syntes jeg skimtet en blek skikkelse som flagret rundt og rundt i enden av gangen.

– Duer, sa jeg. – De må ha kommet seg inn gjennom en knust rute og bygd seg reir her.

– Æsj, jeg synes de er noen motbydelige, feite fuglekrek, sa portnersken. – Og sånn som de skiter.

– Slapp helt av, doña Aurora, de angriper bare hvis de er sultne.

Vi tok noen skritt og kom til enden av gangen, der vi trådte inn i en spisestue som vendte ut mot balkongen. Jeg merket meg et vaklevorent bord dekket av en fillete duk som minnet om et likklede. Det var fire stoler som våket over det, og så et par glassmontre under et slør av skitt, som rommet alt serviset, en samling glass og et tesett. I et hjørne sto ennå det gamle pianoet til Carax' mor. Tangentene var blitt svarte, og det var bare så vidt man skjelnet fugene under støvlaget. Foran balkongen bleknet en lenestol med frynsete, nedhengende kapper. Ved siden av den var det et salongbord, der det lå et par lesebriller og en bibel innbundet i blekt skinn og randsydd med gulltråder, av det slaget man pleide å gi bort til den første kommunionen. Den hadde fremdeles bokmerket i behold, en smal, skarlagenrød tråd.

– Tenk, det var i den lenestolen de fant den gamle død. Legen sa han hadde sittet der i to dager. Så sørgelig å dø på den måten, alene som en hund. Han hadde jo seg selv å takke, men allikevel, jeg syntes rent synd på ham.

Jeg gikk bort til señor Fortunys dødslenestol. Ved siden av bibelen var det en liten eske med svart-hvitt-fotografier, gamle atelierportretter. Jeg satte meg på kne for å se nærmere på dem, kviet meg nesten for å la fingrene stryke over dem. Jeg tenkte at jeg skjendet minnene etter en stakkar, men nysgjerrigheten fikk overhånd. Det første bildet viste et ungt par med et barn som ikke kunne være mer enn fire år. Jeg kjente ham igjen på øynene.

116

– Der har De ham. Señor Fortuny som ung, og hun ...

– Hadde ikke Julián søsken?

Portnersken trakk på skuldrene og sukket.

– Det het seg at hun hadde abortert på grunn av mannens mishandling, men jeg vet ikke. Folk elsker jo å bry seg med ting de ikke har noe med. En gang fortalte Julián ungene i oppgangen at han hadde en søster som bare han kunne se, som kom ut av speilene som om hun var av damp og levde med selveste Satan i et slott under en sjø. Min Isabelita hadde mareritt en hel måned. Så han kunne nok være litt sykelig av seg noen ganger.

Jeg gløttet inn på kjøkkenet. Ruten i et lite vindu som vendte mot bakgården, var knust, og man kunne høre den nervøse og fiendtlige flaksingen i duevinger på den andre siden.

– Er rommene likedan fordelt i alle leilighetene? spurte jeg.

– De som vender mot gaten, det vi si de i oppgang to, men dette er en loftsleilighet, så den er litt annerledes, forklarte portnersken. – Her er det kjøkken og vaskerom som vender mot lyssjakten. I denne gangen er det tre værelser, og badet helt i enden. Blir de skikkelig innredet, har de mange bekvemmeligheter. Denne er omtrent lik den der min Isabelita bor, men akkurat nå ser den jo ut som et gravkammer.

– Vet De hvilket rom som var Juliáns?

– Den første døren er det store soveværelset. Den andre fører til et mindre rom. Det er kanskje det, vil jeg tro.

Jeg gikk inn i gangen. Malingen på veggene løsnet i flak. Innerst i gangen sto døren til badet på gløtt. Et ansikt iakttok meg fra speilet. Det kunne ha vært mitt eget eller det til søsteren som levde i speilene i den leiligheten. Jeg prøvde å åpne den andre døren.

– Den er låst, sa jeg.

Portnersken så forbauset på meg.

– De dørene har ingen lås, mumlet hun.

– Men det har denne.

– Det må være den gamle som har fått den montert, for i de andre leilighetene ...

Jeg slo blikket ned og merket at fotsporene i støvet førte til den låste døren.

– Noen har vært inne i det rommet, sa jeg. – For ikke så lenge siden.

– Ikke skrem meg, sa portnersken.

Jeg gikk bort til den andre døren. Der var det ingen lås. Den

117

ga etter bare jeg rørte ved den, og gled innover med en rusten klage. Midt i rommet sto det en gammel himmelseng, uoppredd. Lakenene gulnet som svetteduker. Et krusifiks ruvet over hodegjerdet. Det var et lite speil på en kommode, et vaskevannsfat og en mugge, og en stol. Et skap med døren på gløtt sto inntil veggen. Jeg gikk rundt sengen til et nattbord med en glassplate over noen bilder av forfedre, meldinger om dødsfall og loddsedler. På bordet lå det en spilledåse av utskåret tre og et lommeur som for alltid var fastfrosset på ti på halv seks. Jeg prøvde å trekke opp spilledåsen, men melodien hengte seg opp etter seks toner. Jeg trakk ut nattbordskuffen. Der fant jeg et tomt brilleetui, en neglesaks, en lommelerke og en medalje med Jomfruen av Lourdes. Ikke noe mer.

– Det må finnes en nøkkel til det rommet et sted, sa jeg.

– Forvalteren har den vel. Nå synes jeg vi skulle gå og ...

Blikket mitt falt på spilledåsen. Jeg løftet lokket, og der lå det en forgylt nøkkel og blokkerte mekanismen. Jeg tok den, og spilledåsen klimpret videre. Jeg dro kjensel på en melodi av Ravel.

– Dette må være nøkkelen, smilte jeg til portnersken.

– Jamen, hvis rommet var låst, må det ha sine grunner. Selv om det bare var av respekt for minnet ...

– Hvis De vil, kan De vente i portnerluken så lenge, doña Aurora.

– De er en djevel. Se nå til å få åpnet.

16

Et gufs av kald luft vislet ut gjennom nøkkelhullet og slikket meg over fingrene da jeg stakk inn nøkkelen. Señor Fortuny hadde fått satt inn lås i døren da sønnen flyttet ut av rommet, av samme type som i ytterdøren. Doña Aurora så engstelig på meg, som om vi var i ferd med å åpne Pandoras eske.

– Vender dette værelset ut mot gaten? spurte jeg.

Portnersken ristet på hodet.

– Det har et lite vindu, et luftehull som går ut mot lyssjakten.

Jeg skjøv døren innover. En brønn av mørke åpnet seg foran oss, ugjennomtrengelig. Det svake lyset bak oss gikk foran oss som et åndedrag som knapt klarte å rispe skyggene. Vinduet mot gården var dekket av gulnede avissider. Jeg rev vekk bladene, og en nål av florlett lys boret seg gjennom mørket.

– Du milde skaper, mumlet portnersken ved siden av meg.

Rommet var dørgende fullt av krusifikser. De hang i taket, dinglende i snorer, og de dekket veggene festet med spiker. De kunne telles i titall. Man kunne skjelne dem i krokene, utskåret med kniv i tremøblene, risset i gulvflisene, malt i rødt på speilene. Fottrinnene som nådde til dørstokken, tegnet et spor i støvet rundt en naken seng, bort til springmadrassen, som nå bare var et skjelett av ståltråd og morkent tre. I den ene enden av soveværelset, under vinduet mot lyssjakten, var det et lukket konsollbord, kronet av en trio av krusifikser i metall. Jeg åpnet det varsomt. Det var ikke støv i fugene i rullesjalusien, og det ante meg straks at skrivebordet hadde vært åpnet for ikke så lenge siden. Det var seks skuffer i bordet. Låsene var blitt åpnet med makt. Jeg undersøkte dem etter tur. Tomme.

Jeg satte meg på kne foran skrivebordet og lot fingrene gli lett over ripene i treet. Jeg forestilte meg hendene til Julián Carax når de strøk over disse krusedullene, hieroglyfer med en betydning som tiden hadde visket ut. Innerst i skrivebordet kunne jeg skjelne en bunke skrivebøker og en krukke med blyanter og penner. Jeg tok en av skrivebøkene og kikket i den. Tegninger og enkelte ord. Regnestykker. Løsrevne setninger, sitater fra bøker. Ufullendte vers. Alle skrivebøkene så like ut. Noen tegninger ble gjentatt side etter side, med forskjellige avskygninger. Jeg festet meg ved en mannsskikkelse som så ut som om den besto av flammer. En annen forestilte noe som kunne ha vært en engel eller et krypdyr som slynget seg rundt et kors. Jeg kunne skjelne skisser av et stort, forfallent hus med fantastiske former, med tårnaktige utbygg og bueganger som ledet tanken hen på katedraler. Tegningen vitnet om et sikkert håndlag og god sans. Den unge Carax hadde etter alt å dømme hatt et visst anlegg for tegning, men ingen av bildene ble noe mer enn skisser.

Jeg skulle til å legge fra meg den siste skriveboken uten å se nærmere på den da noe gled ut av den og falt foran føttene mine. Det var et fotográfi der jeg dro kjensel på den jenta som var med på bildet som var tatt foran bygningen. Hun poserte i en overdådig hage, og mellom trekronene skjelnet jeg det huset jeg nettopp hadde sett i skisseform på ungdomstegningene til Carax. Jeg kjente det igjen med det samme. Det som kalles «El Frare Blanc», i Avenida del Tibidabo. På baksiden av fotografiet var det en inskripsjon der det bare sto:

Penélope elsker deg

Jeg puttet det i lommen, lukket skrivebordet og smilte til portnersken.

– Sett alt nå? spurte hun, oppsatt på å komme seg ut derfra.

– Nesten, sa jeg. – De sa i sted at like etter at Julián dro til Paris, kom det et brev til ham, men faren sa at De skulle kaste det …

Portnersken nølte et øyeblikk, så nikket hun.

– Jeg puttet brevet i kommodeskuffen i salongen, i tilfelle den franske damen skulle komme tilbake en dag. Der ligger det vel ennå …

Vi gikk bort til kommoden og dro ut den øverste skuffen. En okergul konvolutt lå og vansmektet omgitt av en samling klokker som var gått i stå, knapper og mynter som hadde sluttet å være i omløp for tyve år siden. Jeg tok opp konvolutten og så nærmere på den.

– Har De lest det?

– Nei, hva tror De om meg?

– Ta det ikke ille opp. Det hadde vært normalt, omstendighetene tatt i betraktning, da De tenkte at den stakkars Julián var død ...

Portnersken trakk på skuldrene, slo blikket ned og trakk seg tilbake mot døren. Jeg benyttet anledningen til å putte brevet i innerlommen på jakken min og skjøv igjen skuffen.

– Nå skal De ikke gjøre Dem noen gale tanker, sa portnersken.

– Nei da, selvfølgelig ikke. Hva sto det i brevet?

– Det var et kjærlighetsbrev. Som dem i radioen, men tristere, det er klart, for det hørtes som om det var sant. Tenk, jeg var helt på gråten da jeg leste det.

– De har et stort hjerte, doña Aurora.

– Og De er en djevel.

Samme ettermiddag, etter at jeg hadde sagt adjø til doña Aurora og lovt at jeg skulle holde henne orientert om mine undersøkelser vedrørende Julián Carax, oppsøkte jeg kontoret til gårdens forvalter. Señor Molins var en mann som hadde sett bedre dager, og nå satt han og vansmektet i et skittent kontor bortgjemt i en mezzanin i Calle Floridablanca. Molins var en blid og rund fyr med en halvrøykt sigar som så ut som den grodde frem fra barten hans. Det var vanskelig å avgjøre om han sov eller var våken, for han pustet som når noen snorket. Han hadde fett hår som klistret seg til pannen, og et lurt griseblikk. Han gikk med en dress som han ikke ville ha fått så mye som ti pesetas for på Los Encantes-markedet, men det oppveide han med et slips i skrikende tropiske farger. Etter kontorets forfatning å dømme ble det ikke forvaltet annet derfra enn småkrek og katakomber i et Barcelona fra før bourbonernes restaurasjon.

– Vi er i gang med ombygging, sa Molins som en unnskyldning.

For å bryte isen sa jeg navnet doña Aurora lett henkastet som om det dreide seg om en gammel venn av familien.

– Skal si hun var en frodig dame i sin ungdom, bemerket Molins. – Med årene er hun blitt drøy over baken, men selvfølgelig, jeg er heller ikke den jeg var. Tro det eller ei, da jeg var på Deres alder, var jeg en adonis. Jentene ba meg på sine knær om å gjøre dem en tjeneste, for ikke å si en unge. Det tyvende århundre er for jævlig. Men altså, hva kan jeg stå til tjeneste med, unge mann?

Jeg dyttet på ham en mer eller mindre troverdig historie om et angivelig fjernt slektskap med familien Fortuny. Etter fem minutters pjatt sjabbet Molins bort til arkivskapet og ga meg adressen til advokaten som skjøttet sakene til Sophie Carax, moren til Julián.

– Få se nå ... José María Requejo. Calle León XIII, 59. Men posten sender vi hvert halvår til en postboks i hovedpostkontoret i Vía Layetana.

– Kjenner De señor Requejo?

– Jeg tror jeg har snakket med sekretæren hans i telefonen en gang. Men ellers har vi nok bare brevlig kontakt, og den er det min sekretær som tar seg av, og hun er hos frisøren i dag. Advokatene har ikke lenger tid til formell omgang, slik som før i verden. Det finnes ikke lenger noen gentlemen i faget.

Etter alt å dømme fantes det heller ikke pålitelige adresser lenger. Et fort blikk på gateoversikten som hang over skrivebordet bekreftet mine mistanker: Adressen til den angivelige advokat Requejo eksisterte ikke. Jeg meddelte dette til señor Molins, som tok nyheten som en vits.

– Hørt på maken, lo han. – Hva sa jeg? Kjeltringpakk.

Forvalteren lente seg tilbake i den store stolen sin og kom med enda en av snorkelydene sine.

– De skulle ikke ha nummeret til denne postboksen?

– Ifølge kartotekkortet er det 2837, selv om jeg ikke skjønner tallene som sekretæren min lager, for som De vet, kvinnfolk duger ikke til matematikk, det de duger til, er ...

– Kan jeg få se på det kortet?

– Skulle bare mangle. Vær så god.

Han rakte meg kortet, og jeg så nøye på det. Det var ingen kunst å skjønne tallene. Postboksen var nummer 2321. Jeg tenkte med gru på hvordan regnskapene måtte være på dette kontoret.

– Hadde De mye med señor Fortuny å gjøre? spurte jeg.

– Sånn De vet. En meget barsk mann. Jeg husker da jeg fikk høre at den franske dama hadde gått fra ham, da sa jeg til ham at han skulle ta med noen venner og gå på horehus, jeg visste om et fantastisk bra sted ved siden av La Paloma. For at han skulle komme seg litt ovenpå igjen, ikke sant? Og vet De hva, han sa ikke et ord til meg siden, hilste ikke på gaten engang, omtrent som jeg var usynlig. Hva gir De meg?

– Jeg fatter og begriper det ikke. Hva mer kan De fortelle om familien Fortuny? Husker De dem godt?

– Det var andre tider, mumlet han nostalgisk. – Faktisk kjente jeg allerede bestefar Fortuny, han som startet hatteforretningen. For ikke å snakke om sønnen. Hun var forresten til å dåne av. For et kvinnfolk. Og ærbar, tross ryktene og folkesnakket som gikk om henne ...

– Som det at Julián ikke var den ektefødte sønnen til señor Fortuny?

– Hvor har De hørt det?

– Som sagt, jeg er i slekt. Man vet alt om hverandre.

– Ikke noe av det der ble noen gang bevist.

– Men snakket gikk, oppmuntret jeg.

– Folk kakler så det ikke er måte på. Mennesket stammer ikke fra apene, men fra hønene.

– Og hva sa folk?

– Skal det være et lite glass rom? Den er fra Igualada, men har noe nesten karibisk ved seg ... Den er kjempegod.

– Nei takk, men jeg holder Dem gjerne med selskap. Imens kan De jo fortelle ...

Antoni Fortuny, som alle kalte hattemakeren, var blitt kjent med Sophie Carax i 1899 foran trappen til katedralen i Barcelona. Han var kommet for å avlegge et løfte til Sankt Eustachio, som blant alle helgenene med eget kapell hadde ry for å være den mest tjenstvillige og minst dydsirede når det gjaldt å spandere kjærlighetsmirakler. Antoni Fortuny, som allerede hadde fylt tredve år og luktet ungkar lange veier, ville ha en kone, og det straks. Sophie var en ung fransk dame som bodde i et hjem for unge frøkener i Calle Riera Alta og ga privattimer i solfeggio og piano for avkommet til Barcelonas bedrestilte familier. Hun hadde ingen familie eller arvet formue, bare sin ungdom og den musikkutdannelsen hennes far, pianist ved et teater i Nîmes, hadde maktet å gi henne før han døde av tuberkulose i 1886. Antoni Fortuny, derimot, var en mann underveis mot velstand. Han hadde nettopp arvet forretningen etter sin far, en velansett hatteforretning i Ronda de San Antonio, der han hadde lært det yrket som han drømte om en dag å få lære sin egen sønn. Sophie Carax var i hans øyne sart, vakker, ung, føyelig og fruktbar. Sankt Eustachio hadde levd opp til sitt rykte. Etter fire måneders iherdig kurtise sa

123

Sophie ja til hans tilbud om ekteskap. Señor Molins, som hadde vært en venn av bestefar Fortuny, advarte Antoni og sa at han giftet seg med en ukjent, at Sophie lot til å være en bra pike, men at dette ekteskapet kanskje var litt vel beleilig for henne, at han fikk vente i det minste ett år ... Antoni Fortuny svarte at han allerede visste nok om sin vordende hustru. Resten interesserte ham ikke. De giftet seg i Pino-kirken og skulle tilbringe en tredagers bryllupsreise på et kurbad i Mongat. Morgenen før de reiste, spurte hattemakeren señor Molins i all fortrolighet om hvordan han skulle gå frem i soveværelsets mysterier. Molins sa sarkastisk at det fikk han spørre sin kone om. Ekteparet Fortuny vendte tilbake til Barcelona bare to dager senere. Naboene hevdet at Sophie gråt da hun kom inn i trappeoppgangen. Viçenteta skulle mange år senere sverge på at Sophie hadde sagt at hattemakeren ikke hadde rørt henne, og da hun hadde villet forføre ham, hadde han behandlet henne som et ludder og følt seg frastøtt av de uanstendige greiene hun foreslo. Seks måneder senere kunngjorde Sophie for sin mann at hun bar et barn under sitt hjerte. En annen manns barn.

Antoni Fortuny hadde sett sin egen far denge moren et utall ganger, og gjorde det han mente var tilrådelig. Han ga seg ikke før han trodde at hun ville dø bare han kom borti henne en eneste gang til. Likevel hadde Sophie nektet å røpe hvem som var faren til barnet hun bar på. Antoni Fortuny hadde ved hjelp av sin helt egne logikk kommet frem til at det måtte være djevelen, for han var ingen ringere enn syndens sønn, og synden hadde bare én far: den onde. Da hattemakeren således hadde latt seg overbevise om at synden hadde sneket seg inn i hans hjem og mellom lårene på hans kone, fikk han det med å henge opp krusifikser overalt: på veggene, på dørene i alle rommene og i taket. Da Sophie kom over ham mens han hauget opp krusifikser på soveværelset som han hadde forvist henne til, ble hun skremt, og med tårer i øynene spurte hun om han var blitt gal. I blindt raseri snudde han seg da og fikte til henne. «Ei hore, som alle andre,» snerret han og sparket henne ut på trappeavsatsen etter å ha peiset løs på henne med en rem som flådde huden av henne. Dagen etter, da Antoni Fortuny åpnet døren for å gå ned og åpne hatteforretningen, var Sophie der fremdeles, innsmurt med størknet blod og skjelvende av kulde. Legene klarte aldri helt å rette opp igjen alle bruddene i den høyre hånden hennes. Sophie Carax skulle aldri mer spille piano, men hun nedkom med et guttebarn som hun skulle kalle Julián til minne om faren som hun hadde mistet så altfor tidlig, som alt her i livet. Fortuny lurte på om han skulle kaste henne ut, men han tenkte at skandalen ikke ville være bra for forretningen. Ingen ville kjøpe hatter av en mann som var en notorisk hanrei. Det var en selvmotsigelse. Sophie fikk flytte inn på et mørkt og kaldt soveværelse i den bakerste delen av leiligheten. Der skulle hun nedkomme med sønnen sin, hjulpet av to nabofruer i oppgangen. Antoni kom ikke hjem før tre dager senere. «Dette er den sønnen som Gud har gitt deg,» kunngjorde Sophie. «Hvis du skal straffe noen, så straff meg, men ikke et uskyldig barn. Barnet trenger et hjem og en far. Mine synder er ikke hans. Jeg ber deg forbarme deg over oss.»

De første månedene ble vanskelige for begge. Antoni Fortuny hadde besluttet å degradere sin kone til hushjelps rang. De delte verken seng eller bord lenger, og det var sjelden de vekslet et ord annet enn for å avgjøre et stridsspørsmål på det huslige området. En gang i måneden, noe som vanligvis falt sammen med fullmåne, innfant Antoni Fortuny seg i Sophies soveværelse grytidlig om morgenen og uten at det ble sagt et ord, gikk han løs på sin gamle kone med stor villskap, men ringe håndlag. Sophie utnyttet disse sjeldne og krigerske stundenes intimitet til å innynde seg hos ham, hvisket kjærlige ord og ga ham de kyndigste kjærtegn. Hattemakeren var ingen tilhenger av sånt vas, og begjærets ubendige uro løyet på bare noen minutter, for ikke å si sekunder. Disse stormfulle fremstøtene med oppbrettet nattskjorte resulterte ikke i noe barn. Etter noen år holdt Antoni Fortuny opp med å oppsøke Sophies soveværelse for godt, og la seg til vanen med å lese i den hellige skrift til langt utpå morgenkvisten, for å søke lindring for sine pinsler.

Ved hjelp av evangeliene gjorde hattemakeren en kraftanstrengelse for å vekke en kjærlighet i sitt hjerte til denne gutten med det dype blikket som likte å slå vitser om alt mulig og dikte opp skygger der ingen fantes. Tross sin standhaftighet opplevde han aldri lille Julián som et barn av sitt kjød, og kjente seg ikke igjen i ham. Gutten for sin del syntes ikke å ha så mye interesse at det gjorde noe verken for hatter eller kristendomskunnskap. Når julen kom, kunne Julián finne på å flytte rundt på skikkelsene i julekrybben og pønske ut intriger der Jesusbarnet var blitt bortført av de tre vise menn fra Østerland med de slibrigste baktan-

ker. Snart fikk han også for seg å tegne engler med ulvetenner og dikte opp historier om hettekledde ånder som kom frem fra husveggene og spiste opp folks ideer mens de sov. Med tiden ga hattemakeren opp ethvert håp om å få skikk på gutten og gjøre ham til et gagns menneske. Gutten var ingen Fortuny og ville aldri bli det. Han hevdet at han kjedet seg på skolen og kom hjem igjen med alle skrivebøkene sine fulle av kruseduller som forestilte uhyrer, vingede slanger og levende bygninger som gikk omkring og slukte dem som ikke passet seg. Allerede den gang sto det klart at dikt og fantasi interesserte ham uendelig mye mer enn den hverdagsvirkeligheten som omga ham. Av alle de skuffelsene som tårnet seg opp i hans liv, var det ingen som smertet Antoni Fortuny mer enn den sønnen som djevelen hadde sendt for å drive gjøn med ham.

Da Julián var ti år, opplyste han at han ville bli maler, som Velázquez, for han drømte om å ta fatt på de lerretene som den store mesteren ikke hadde rukket å male mens han levde, fremholdt han, fordi han hadde vært forpliktet til å lage så mange portretter av den åndssvake kongefamilien. For at alt endelig skulle falle på plass, hadde Sophie, kanskje for å overvinne ensomheten og minnes faren sin, kommet på at hun kunne gi sønnen pianotimer. Julián, som elsket musikk, maleri og alle mulige emner som var blottet for nytte og utbytte i menneskenes samfunn, lærte seg fort det mest elementære i harmonilæren og kom frem til at han foretrakk å lage sine egne komposisjoner fremfor å følge partiturene i solfeggio-boken, hvilket var i strid med naturen. På den tiden trodde Antoni Fortuny fremdeles at en del av guttens åndssvakhet skyldtes kostholdet, som var altfor påvirket av morens franske kjøkken. Det var en kjent sak at smørets overstadighet forårsaket moralsk ruin og sløvet forstanden. Han forbød Sophie å bruke smør i matlagingen for all fremtid. Resultatene ble ikke akkurat som forventet.

Som tolvåring begynte Julián å miste den febrilske interessen for maleriet og for Velázquez, men hattemakerens første forhåpninger varte ikke lenge. Julián lot drømmene om Prado fare, men i deres sted kom det en annen last som var mye mer fordervelig. Han hadde oppdaget biblioteket i Calle del Carmen og benyttet hver pause som faren unte ham i hatteforretningen, til å oppsøke bøkenes fristed og slukte bind etter bind med romaner, dikt og historie. En dag før han fylte tretten år, sa han at han ville bli en

126

som het Robert Louis Stevenson, helt opplagt en utlending. Hattemakeren innvendte at han fikk være sjeleglad om han greide å bli steinhugger. Det var da han fikk full visshet om at sønnen rett og slett var en sinke.

Noen ganger fikk Antoni Fortuny ikke sove og ble liggende i sengen og vri seg av raseri og frustrasjon. Innerst inne elsket han denne gutten, sa han til seg selv. Og selv om hun ikke hadde fortjent det, elsket han også det kjerringskinnet som hadde bedradd ham fra første dag. Han elsket dem av hele sitt hjerte, men på sin egen måte, som var den eneste rette. Han ba bare Gud vise ham hvordan de tre kunne bli lykkelige, fortrinnsvis også det på hans egen måte. Han bønnfalt Herren om å sende ham et tegn, en hviskning, en smule av sitt nærvær. Men Gud, i sin uendelige visdom, og kanskje overveldet av dette skred av bønner fra så mange forpinte sjeler, svarte ikke. Mens Antoni Fortuny våndet seg i samvittighetsnag og innestengt harme, sluknet Sophie langsomt på den andre siden av veggen, hvor hun så sitt liv lide skipbrudd i et gufs av skyld, svik, bedrag. Hun elsket ikke den mannen hun tjente hos, men hun følte seg som hans, og muligheten for å forlate ham og ta med seg sønnen til et annet sted, var noe hun ikke kunne forestille seg. Hun mintes med bitterhet Juliáns egentlige far, og med tiden lærte hun seg å hate ham og forakte alt han sto for, som simpelthen var alt det hun lengtet etter. I mangel av samtaler fikk ekteparet det etter hvert med å utveksle skrik. Fornærmelser og bitende anklager fløy gjennom leiligheten som kniver som gikk tvers igjennom den som våget å stille seg i deres vei, vanligvis Julián. Etterpå husket hattemakeren aldri nøyaktig hva det var han hadde banket opp sin kone for. Han husket bare villskapen og skammen. Han sverget da på at det aldri skulle gjenta seg, og om nødvendig fikk han overgi seg til myndighetene slik at de kunne sperre ham inne i et tukthus.

Med Guds hjelp, det var Antoni Fortuny forvisset om, ville han til slutt bli et bedre menneske enn hans egen far hadde vært mens han levde. Men før eller siden fant knyttnevene hans igjen Sophies bløte kjøtt, og med tiden følte Fortuny at om han ikke kunne eie henne som ektemann, fikk han gjøre det som bøddel. På denne måten, i det skjulte, lot familien Fortuny årene gå, tvang hjertene og sjelene til taushet, og så lenge tidde de at de til slutt glemte de ordene som kan uttrykke deres egentlige følelser, og ble til fremmede som levde sam-

men under samme tak, et av så mange andre i den endeløse byen.

Klokken var allerede over halv tre da jeg kom tilbake til bokhandelen. Idet jeg trådte inn, sendte Fermín meg et sarkastisk blikk fra toppen av stigen, der han sto og gned frem glansen i en samling av *Episodios nacionales* av selveste don Benito.

– Lovet være de øynene som ser. Vi trodde du hadde reist til Amerika, Daniel.

– Jeg ble heftet av noe på veien. Og far?

– Siden du ikke kom tilbake, gikk han selv resten av ærendene. Han ba meg si at i ettermiddag skulle han til Tiana og taksere privatbiblioteket til en enke. Man skulle ikke trodd det om din far, men skinnet bedrar. Han sa at du ikke skulle vente på ham før du stengte.

– Var han sur?

Fermín ristet på hodet og kom seg ned fra stigen med katteaktig spenst.

– Ikke tøys. Din far som er en helgen. Dessuten var han godt fornøyd med at du hadde fått deg en kjæreste.

– Hva?

Fermín blunket lurt til meg og slikket seg om munnen.

– Du er meg litt av en skurk. Gå der og ikke si noen ting. Og for en jente, hun kunne jo lage trafikkaos. Det er lett å se at hun har gått på gode skoler, selv om det var noe litt fordervet i blikket ... Hadde ikke jeg allerede tapt mitt hjerte til Bernarda, for jeg har jo ennå ikke fortalt hvordan det gikk da vi var ute sammen ... det slo gnister, vet du, gnister, så man skulle trodd det var sankthansaften ...

– Fermín, ta det der om igjen. Hva er det du snakker om?

– Om kjæresten din.

– Jeg har ingen kjæreste, Fermín.

– Nei vel, ungdommen nå for tiden kaller det jeg vet ikke hva, girlifriend eller ...

– Fermín, spol tilbake. Hva er det du snakker om?

Fermín Romero de Torres så forbløffet på meg, føyde fingrene på den ene hånden sammen og fektet på siciliansk vis.

– Jo, i ettermiddag, det kan vel ha vært for halvannen time siden, kom det en rålekker frøken innom og spurte etter deg. Deres far og undertegnede var til stede, og jeg kan forsikre deg, og det hevet over enhver tvil, at det ikke var noe ved den jenta som tydet på at hun var et åndesyn. Jeg kunne godt beskrive alt for deg, til og med lukten. Lavendel, bare søtere. Som en nybakt kake.

– Si meg, sa denne kaken at hun var kjæresten min?

– Nei, ikke med rene ord, men hun smilte liksom litt skrått, hvis du skjønner hva jeg mener, og sa at hun ventet på deg fredag ettermiddag. Vi nøyde oss bare med å legge sammen to og to.

– Bea ..., mumlet jeg.

– Ergo, hun eksisterer, påpekte Fermín lettet.

– Ja, men hun er ikke kjæresten min, sa jeg.

– Men da skjønner ikke jeg hva det er du venter på.

– Hun er søsteren til Tomás Aguilar.

– Din venn oppfinneren?

Jeg nikket.

– Enda en god grunn. Om hun så hadde vært søsteren til Gil Robles. Hun er jo kjempesøt. Hadde jeg vært deg, ville jeg ha vært på sprangen.

– Bea har kjæreste fra før. En fenrik som er i det militære.

Fermín sukket irritert.

– Ah, i hæren, en svøpe og den siste skansen for apekattenes laugsvesen. Så mye desto bedre. Da kan du jo gjøre ham til hanrei uten spor av dårlig samvittighet.

– Du er fra sans og samling, Fermín. Bea skal gifte seg så snart fenriken er ferdig med militærtjenesten.

Fermín sendte meg et lurt smil.

– Nei, hør nå her, det der gjør ikke noe fra eller til, den jenta gifter seg ikke.

– Det kan da ikke du vite.

– Om kvinnfolk og andre verdslige anliggender vet jeg atskillig mer enn deg. Som Freud har lært oss, ønsker kvinnen seg det motsatte av det hun tenker eller hevder, og rett besett er det ikke så forferdelig, for det er en kjent sak, mannen på sin side følger påbud fra kjønnsorganene eller fordøyelsesapparatet.

– Spar meg for utlegningene dine, Fermín, jeg har gjennomskuet deg. Hvis du har noe du skal ha sagt, så fatt deg i korthet.

– Jo, nå skal du høre, kort og fyndig sier jeg det slik: Hun så ikke akkurat ut som en som går bort og gifter seg med El Cascorro.

– Ikke det? Hva var det da hun så ut som?

Fermín tok et skritt nærmere og satte opp en fortrolig mine.

– Det var noe sykt ved henne, fremholdt han og hevet brynene underfundig. – Og la det være helt klart at det sier jeg som en kompliment.

Som alltid hadde Fermín truffet spikeren på hodet. Jeg skjønte at slaget var tapt og bestemte meg for å spille ballen over på hans bane.

– Apropos sykt, få høre mer om Bernarda. Ble det kyss eller ble det ikke?

– Du skal ikke fornærme meg, Daniel. La meg få minne om at du snakker med en profesjonell forfører, og kyss og sånt er noe for amatører og dilettanter i tøfler. En virkelig kvinne beseirer man litt etter litt. Det hele er et spørsmål om psykologi, som en rekke godt gjennomførte trekk på tyrefektningsarenaen.

– Med andre ord, hun ga deg kurven.

– Fermín Romero de Torres er det ingen som gir kurven, ikke om det så er Sankt Roch. Saken er nå engang den at mannen, for å vende tilbake til Freud og unnskyld metaforen, varmer seg opp som en lyspære: Rødglødende på én to tre, og kald igjen på et blunk. Kvinnen derimot, og dette er ren vitenskap, varmer seg opp som et strykejern, skjønner du hva jeg mener? Litt etter litt, på lavt bluss, som en god *escudella*. Men så, når hun først har fått opp varmen, da er det ingenting som kan stoppe henne. Som høyovnene i Vizcaya.

Jeg overveide Fermíns termodynamiske teorier.

– Er det det du gjør med Bernarda, da? spurte jeg? – Setter strykejernet på varmen?

Fermín blunket til meg.

– Den kvinnen er en vulkan like før utbruddet, med en libido av glødende magma og et hjerte av gull, sa han og slikket seg om munnen. – For å sette opp en sannferdig parallell, så minner hun meg om den lille mulattpiken min i Havanna, som var en særdeles from helgendyrker. Men da jeg innerst inne er en herre av den gamle sorten, utnytter jeg aldri situasjonen, og med et kyskt kyss på kinnet slo jeg meg til tåls. For jeg har det ikke travelt. Man kan alltid vente når man venter på noe godt. Det er tølpere der ute som tror at om de gir en dame en klaps på baken og hun ikke klager, så har de henne i sin hule hånd. Læregutter. Kvinnens hjerte er en labyrint av finurligheter som trosser den

130

plumpe hjernen til den skurkaktige mannen. Dersom du virkelig ønsker å eie en kvinne, må du tenke som henne, og det første man da må gjøre, er å vinne hennes hjerte. Resten, den søte, myke innpakningen som berøver en både dyd og fornuft, er noe man får i tilgift.

Jeg ga denne talen mitt høytidelige bifall.

– Fermín, du er en poet.

– Nei, jeg holder meg til Ortega og er en pragmatiker, for poesien lyver, om enn på en tiltalende måte, og det jeg sier, er så sant som det er sagt. Det er som mesteren har sagt en gang, vis meg en donjuan, og jeg skal vise deg en maskert værhane. For meg er det det varige som gjelder, det evigvarende. Jeg fører deg som vitne på at jeg skal gjøre Bernarda til, kanskje ikke en ærbar kvinne, for det er hun fra før, men i det minste lykkelig.

Jeg smilte og nikket. Hans begeistring var smittende, og hans diktekunst uovervinnelig.

– Ta godt vare på henne for meg, Fermín. Bernarda har et så altfor stort hjerte, og hun har møtt altfor mange skuffelser.

– Tror du kanskje ikke at jeg vet det? Hun bærer det jo åpent til skue som en polise fra krigsenkenes stiftelse. Jeg sier det som det er, angående det å få seg en trøkk i trynet, så har jeg erfaringer i massevis. Men denne kvinnen skal jeg overvelde med lykke, om det så skal bli det siste jeg gjør her i verden.

– Æresord?

Han rakte meg hånden med en tempelridders verdighet.

– Fermín Romero de Torres gir deg sitt ord på det.

Vi fikk en langdryg ettermiddag i butikken, med bare et par stykker som var innom for å kikke. Slik det lå an, foreslo jeg at Fermín skulle ta seg fri resten av dagen.

– Så, gå og se om Bernarda er hjemme, og ta henne med på kino eller for å kikke i butikkvinduene i Calle Puertaferrisa, arm i arm, det er noe hun liker så godt.

Fermín var ikke sen om å ta meg på ordet og gikk og pyntet seg på bakværelset, der han alltid hadde et ulastelig klesskift og alle mulige kølnervann og kremer i en toalettveske som ville ha gjort doña Concha Piquer grønn av misunnelse. Da han kom ut, så han ut som en førsteelsker i en lettbent B-film, men tredve kilo lettere i benbygningen. Han hadde tatt på seg en dress som hadde vært fars, og en filthatt som var et par nummer for stor, et problem han fikset ved å putte kuler av avispapir under pullen.

– Det er sant, Fermín, før du går ... Jeg ville be deg om en tjeneste.

– Det skal bli. Du befaler, jeg er jo her for å adlyde.

– Jeg må be om at dette blir mellom oss to. Ikke et ord til far, hva?

Han smilte fra øre til øre.

– Du er meg litt av en skurk. Det har noe med den lekre dama å gjøre, ikke sant?

– Nei. Her er det snakk om etterforskning og krokveier. Altså ditt spesiale.

– Damer vet jeg jo også atskillig om. Jeg bare nevner det, i tilfelle du en dag skulle få behov for tekniske råd og sånt. I all fortrolighet: Når det gjelder slike ting, er jeg jevngod med en doktor. Uten noe pjatt.

– Jeg skal skrive meg det bak øret. Det jeg gjerne skulle ha visst nå, er hvem som eier en postboks på hovedpostkontoret i Vía Layetana. Nummer 2321. Og om mulig, hvem som henter posten som kommer dit. Kunne du være meg behjelpelig med det?

Fermín noterte nummeret på vristen, under sokken, med kulepenn.

– Det er ingen sak. Det finnes ikke det offentlige organ som kan stå imot meg. La meg få noen dager på meg, så skal du få fullstendig rapport.

– Og da er vi enige: Ikke et ord til far?

– Vær trygg. Jeg er som Keops-sfinksen, bare så du vet det.

– Takk skal du ha. Og nå får du komme deg av sted, og lykke til.

Jeg sendte ham bort med en militær hilsen og så ham spankulere stolt av sted som en hane på vei til hønsegården. Det kunne ikke ha gått så mye som fem minutter etter at Fermín var gått da jeg hørte bjellen i døren og så opp fra kolonnene med tall og overstrekninger. En fyr som var formummet i grå gabardinfrakk og filthatt var nettopp kommet inn. Mannen flottet seg med en penselsmal bart og hadde blå, glassaktige øyne. Han serverte et selgersmil, falskt og tvungent. Jeg beklaget at Fermín ikke var der, for han hadde teken på å kvitte seg med folk som iblant stakk innom bokhandelen for å selge kamfer og alskens skram-

132

mel. Mannen jeg hadde fått på besøk, trakterte meg med det fettete og falske smilet sitt, grep på slump en bok fra en haug som skulle vært ordnet og taksert, like ved inngangsdøren. Hele skikkelsen oste av forakt for alt han så. Til meg skal du ikke få solgt så mye som en dritt, tenkte jeg.

– Masser av bokstaver, hva? sa han.

– Det er en bok. De pleier å ha ganske mange bokstaver. Hva kan jeg hjelpe Dem med?

Fyren la boken tilbake i haugen, nikket med åpenbar ulyst og overhørte spørsmålet.

– Jeg sier det bare. Lese, det er noe for folk som har god tid og ingenting å ta seg til. Som kvinnfolk. Den som må arbeide, har ikke tid til sånt vås. Det er bare å stå på her i livet. Er De ikke enig?

– Det er en skjønnssak. Leter De etter noe spesielt?

– Det er ingen skjønnssak, det er en kjensgjerning. Det er det som er feilen med dette landet, at folk ikke gidder å arbeide. Det kryr av dovenpelser. Er De ikke enig?

– Jeg vet ikke riktig. Kanskje det. Som De ser, her selger vi bare bøker.

Fyren kom bort til disken, blikket flakket hele tiden rundt i butikken, møtte en gang iblant mitt. Det var liksom noe kjent ved hele fremtoningen og måten å føre seg på, selv om jeg ikke kunne si hvor jeg hadde det fra. Det var noe ved ham som ledet tanken hen på en av de figurene som opptrer på spåkort eller i gamle kortstokker, en person som hadde rømt fra illustrasjonene i en inkunabel. Han hadde en gravdyster og heftig fremtreden, som en forbannelse i sin fineste stas.

– Om De kunne si hva jeg kunne hjelpe Dem med …

– Det er vel nærmest jeg som er kommet for å gjøre Dem en tjeneste. Er det De som eier dette etablissementet?

– Nei. Innehaveren er min far.

– Og navnet er?

– Mitt eller min fars?

Mannen spanderte et durkdrevent smil på meg. En flirekopp, tenkte jeg.

– Jeg har det for meg at skiltet Sempere og Sønn gjelder for begge.

– Meget skarpsindig av Dem. Tør jeg spørre hva som er hensikten med besøket, dersom De ikke er interessert i en bok?

133

– Hensikten med besøket, som ikke er en høflighetsvisitt, er at det er kommet meg for øre at dere pleier omgang med avskum, og da i særdeleshet perverse og fordervede mennesker.

Jeg så forbløffet på ham.

– Unnskyld?

Fyren boret blikket i meg.

– Jeg snakker om homser og tjuvepakk. Kom ikke og si at De ikke skjønner hva jeg snakker om.

– Jeg er redd jeg ikke har den fjerneste anelse, og heller ingen som helst interesse av å høre på Dem lenger.

Fyren nikket og anla en fiendtlig og forarget mine.

– De får pinadø finne Dem i det. Jeg formoder at De er kjent med Federico Flaviás gjøren og laten.

– Don Federico er urmakeren i gaten, en utmerket person, og jeg tviler sterkt på at han kan kalles avskum.

– Jeg snakket om homser. Meg bekjent vanker den soperen i Deres etablissement, og jeg formoder at det er for å kjøpe romantisk skval og pornografi.

– Og hva, om jeg tør spørre, har De med det?

Som svar trakk han frem lommeboken sin og la den oppslått på disken. Jeg kikket på et møkkete politikort med denne fyrens oppsyn, bare noe yngre. Jeg leste meg dit hvor det sto: «Politiinspektør Francisco Javier Fumero Almuñiz.»

– Unge mann, det er best De viser respekt når De snakker til meg, ellers gir jeg Dem og Deres far en påpakning så håret blåser av dere, for å selge bolsjevikisk kloakklitteratur. Er det oppfattet?

Jeg skulle til å svare, men ordene hadde frosset fast i munnen på meg.

– Nok om det, det er ikke på grunn av den homsen jeg er kommet hit i dag. Før eller siden havner han på politistasjonen, som alle av hans kaliber, og da skal nok jeg svinge opp med ham. Det som opptar meg nå, er at jeg er kommet under vær med at dere har ansatt en simpel kjeltring, en uønsket person av verste skuffe.

– Jeg skjønner ikke hvem De snakker om, politiinspektør.

Fumero kom igjen med det krypende, klebrige fliret som viste at han var dreven i sladder og intriger.

– Gudene må vite hvilket navn han benytter nå. En gang for mange år siden kalte han seg Wilfredo Camagüey, mambokonge, og påsto at han var ekspert på voodoo, danselærer for don Juan

134

av Bourbon og elskeren til Mata Hari. Andre ganger antar han navnet til ambassadører, varietékunstnere og tyrefektere. Vi er kommet ut av tellingen.

– Jeg kan dessverre ikke hjelpe Dem. Jeg kjenner ingen som heter Wilfredo Camagüey.

– Sikkert ikke, men De vet hvem jeg sikter til, ikke sant?

– Nei.

Fumero lo igjen. Den tvungne og affekterte latteren definerte og resymerte ham som en innholdsfortegnelse.

– De liker visst å gjøre det vanskelig for Dem? Hør nå her: Jeg er kommet hit som en venn for å advare dere og varsle om at den som tar en uønsket person inn i huset, får svidd fingertuppene, og så behandler De meg som bedrager.

– Aldeles ikke. Jeg takker for besøket og advarselen, men kan forsikre at det ikke …

– Spar meg for sånt pisspreik, for jeg krøsser ingen og kan gi Dem en omgang De sent glemmer, og få stengt denne sjappa, er det oppfattet? Men i dag er jeg i det lune hjørnet, så jeg lar Dem slippe med bare en advarsel. De får tenke over hvem De velger å omgås. Hvis De liker å omgås homser og tjuver, må det være fordi De ikke er fri for det selv. Jeg snakker rett fra levra. Enten er De med meg eller mot meg. Sånn er livet. Er vi blitt enige?

Jeg sa ingenting. Fumero nikket og kom med enda en latter.

– Utmerket, Sempere. Det er opp til Dem. Vi fikk en dårlig start, vi to. Hvis De ønsker trøbbel, skal De få det. Livet er ikke som i romanene, vet De. I det virkelige liv må man velge side. Og det er klart hva De har valgt. De har tatt parti for dem som taper av ren dumskap.

– Nå må jeg be Dem være så vennlig å gå.

Han gikk mot døren og dro med seg den orakelaktige latteren sin.

– Vi sees igjen. Og si til vennen deres at politiinspektør Fumero har ham i kikkerten og hilser så mye.

Den hersens politiinspektørens besøk og ekkoet av det han hadde sagt, spolerte ettermiddagen for meg. Etter at jeg hadde travet frem og tilbake bak disken et kvarters tid og kjent at magen knøt seg i meg, bestemte jeg meg for å stenge bokhandelen før tiden og gi meg til å vandre gatelangs. Jeg greide ikke å skyve fra meg tanken på insinuasjonene og truslene den slakterlærlingen hadde kommet med. Jeg spekulerte på om jeg burde varsle far og Fermín om besøket, men antok at det var akkurat det som hadde vært Fumeros mening, å så tvil, bekymring, frykt og uvisshet blant oss. Jeg kom til at jeg ikke ville være med på opplegget hans. På den annen side, insinuasjonene når det gjaldt Fermíns fortid, bekymret meg. Jeg skammet meg da jeg oppdaget at jeg et øyeblikk hadde festet lit til politimannens ord. Etter å ha tenkt mye frem og tilbake på det bestemte jeg meg for å forsegle den episoden i en avkrok av hukommelsen og se bort fra implikasjonene. På hjemveien kom jeg forbi urmakerbutikken i kvartalet vårt. Don Federico hilste fra disken og vinket på meg. Urmakeren var en elskverdig og smilende mann som aldri glemte å ønske til lykke når vi feiret noe, og som man alltid kunne gå til for å få redet ut en floke, i trygg forvissning om at han ville finne løsningen. Jeg kunne ikke unngå å grøsse ved tanken på at han sto på svartelisten til politiinspektør Fumero, og jeg spekulerte på om jeg skulle advare ham, selv om jeg ikke ante hvordan jeg skulle klare det uten å legge meg opp i ting jeg ikke hadde noe med. Mer forvirret enn noensinne gikk jeg smilende inn i urmakerbutikken.

– Står til, Daniel? For et oppsyn!

– En dårlig dag, sa jeg. – Og det går bra med deg, don Federico?

– Tikker og går. Klokkene blir bare dårligere og dårligere, så jeg får mer enn nok å gjøre. Hvis det fortsetter slik, må jeg få meg en assistent. Din venn oppfinneren skulle vel ikke være interessert? Han må ha godt håndlag for sånt.

Jeg hadde ikke vondt for å forestille meg hva faren til Tomás Aguilar ville mene om utsikten til at sønnen hans tok seg jobb i butikken til don Federico, kvartalets offisielle homse.

– Jeg skal nevne det for ham.

– Det er sant, Daniel. Jeg har jo den vekkerklokken som din far kom med for fjorten dager siden. Jeg vet ikke hva han har gjort med den, men det lønner seg mer å kjøpe en ny enn å reparere den.

Jeg husket at far noen ganger, når sommernettene ble kvelende varme, kunne legge seg til å sove på balkongen.

– Den ramlet ned på gaten, sa jeg.

– Kan tenke meg det. Si til ham at han får gi meg beskjed. Jeg kan skaffe ham en Radiant til en billig penge. Hvis du vil, kan du forresten ta med deg en og la ham prøve den. Hvis han liker den, betaler han. Hvis ikke, leverer han den tilbake.

– Mange takk, don Federico.

Urmakeren begynte å pakke inn skramleverket.

– Høyteknologisk, sa han fornøyd. – Jeg er forresten så begeistret for boken som Fermín solgte til meg her om dagen. En av Graham Greene. Denne Fermín er litt av et funn.

Jeg nikket.

– Ja, han er gull verdt.

– Jeg har lagt merke til at han aldri går med klokke. Si at han får stikke innom, så skal vi nok komme overens.

– Det skal jeg gjøre. Takk, don Federico.

Idet urmakeren rakte meg vekkerklokken, så han granskende på meg og hevet brynene.

– Sikkert at det ikke er noe galt, Daniel? Bare en dårlig dag?

Jeg nikket igjen smilende.

– Det er ingenting, don Federico. Ha det godt.

– I like måte, Daniel.

Da jeg kom hjem, lå far og sov på sofaen med avisen på brystet. Jeg satte vekkerklokken på bordet med en lapp der det sto: «fra don Federico: du bør kaste den gamle», og listet meg stille inn på rommet mitt. Jeg strakte meg på sengen i halvmørket og sovnet mens jeg tenkte på politiinspektøren, på Fermín og urmakeren. Da jeg våknet, var klokken to om natten. Jeg kikket ut i gangen og så at far hadde trukket seg tilbake til rommet sitt med den nye vekkerklokken. Leiligheten lå i mørke, og verden forekom meg å være et mørkere og nifsere sted enn jeg hadde tenkt natten før. Jeg skjønte at jeg innerst inne ikke hadde fått meg til å tro at politiinspektør Fumero var virkelig. Nå forekom han meg å være én blant tusen. Jeg gikk ut på kjøkkenet og tok meg et glass kald melk. Jeg lurte på om det hadde gått bra med Fermín, om han var kommet tilbake til pensjonatet i god behold.

Da jeg kom inn på rommet mitt igjen, prøvde jeg å skyve bildet av politimannen ut av hodet. Jeg prøvde å falle i søvn på nytt, men skjønte at toget var gått. Jeg tente lyset og bestemte meg for å se nærmere på konvolutten til Julián Carax som jeg hadde rappet med meg fra doña Aurora den formiddagen, og som jeg fremdeles hadde liggende i jakkelommen. Jeg la den på skrivebordet under lyskjeglen fra leselampen. Det var en pergamentaktig konvolutt med sagtakkede kanter som hadde gulnet og var leiraktig å ta på. Poststempelet, som bare var en skygge, sa «18. oktober 1919». Lakkseglet hadde falt av, trolig takket være

137

doña Auroras iherdige innsats. I dets sted var det en rød flekk, som et streif av leppestift som kysset klaffen, der man kunne lese avsenderens navn og adresse:

Penélope Aldaya
Avenida del Tibidabo 32, Barcelona

Jeg åpnet konvolutten og tok ut brevet, et okergult ark som var prydelig brettet på midten. En strek av blått blekk med nervøs pust som bleknet litt etter litt for så å skjerpe seg igjen med få ords mellomrom. Alt ved papiret talte om en svunnen tid. Streken som var slavisk underlagt blekkhuset, ordene som var krasset på det grove papiret med pennesplitten, den ru overflaten på arket. Jeg glattet ut brevet på bordplaten og leste det, nesten åndeløst:

Kjære Julián,
I dag morges fikk jeg gjennom Jorge kjennskap til at du virke-
lig har forlatt Barcelona og dradd av sted mot dine drømmers
mål. Jeg har alltid fryktet at disse drømmene aldri ville la deg bli
min, ikke noen annens heller. Jeg skulle så gjerne ha sett deg for
siste gang, kunne se deg inn i øynene og si deg ting som jeg ikke
kan få sagt i et brev. Ingenting gikk som vi hadde planlagt. Jeg
kjenner deg for godt og vet at du ikke vil skrive til meg, at du
ikke engang vil sende meg adressen din, at du vil bli en annen.
Jeg vet at du vil hate meg for at jeg ikke var der som jeg lovte.
At du vil tro at jeg svek deg. At jeg ikke torde.

Hvor mange ganger har jeg ikke sett deg for meg, alene på
det toget, overbevist om at jeg hadde sviktet deg. Mange ganger
forsøkte jeg å treffe deg gjennom Miquel, men han sa at du ikke
lenger ville ha noe med meg å gjøre. Hvilke løgner har de fortalt
deg, Julián? Hva har de sagt om meg? Hvorfor trodde du på
dem?

Nå vet jeg at du er tapt for meg, at alt er tapt. Likevel kan jeg
ikke bare la deg reise bort for alltid og glemme meg uten å få vite
at jeg ikke bærer nag til deg, at jeg visste det fra første stund, at
jeg visste at jeg kom til å miste deg, og at du aldri skulle se det i
meg som jeg så i deg. Jeg vil du skal vite at jeg har elsket deg fra
første dag, og at jeg fremdeles elsker deg, nå mer enn noensinne,
enten du liker det eller ei.

Jeg skriver til deg i smug, uten at noen vet det. Jorge har sver-

138

*get at hvis han ser deg igjen, dreper han deg. De lar meg ikke gå
ut, ikke engang lene meg ut av vinduet. Jeg tror aldri noensinne
de tilgir meg. En jeg vet jeg kan stole på, har lovt å sende dette
brevet til deg. Jeg nevner ikke navnet for ikke å hensette ham i
en pinlig situasjon. Jeg vet ikke om disse ordene vil nå frem til
deg. Men om det skulle skje og du bestemmer deg for å komme
tilbake, så vil du finne en utvei til å gjøre det. Mens jeg skriver det,
ser jeg deg for meg på det toget, tynget av søvn og med sønder-
knust hjerte på grunn av sviket, på flukt fra oss alle og fra deg
selv. Det er så mange ting jeg ikke kan fortelle deg, Julián. Ting
som vi aldri fikk vite, og som det er best du aldri får vite.*

*Jeg ønsker meg ikke noe annet her i verden enn at du skal bli
lykkelig, Julián, at alt det du streber etter, må bli virkelighet, og
selv om du glemmer meg med tiden, at du en dag skal komme
til å forstå hvor høyt jeg elsket deg.*

Din for alltid
Penélope

17

Ordene til Penélope Aldaya, som jeg leste om og om igjen den natten til jeg kunne dem utenat, slettet med et pennestrøk det ubehaget som politiinspektør Fumeros besøk hadde etterlatt. Etter den lange våkenatten, oppslukt av dette brevet og stemmen jeg fornemmet i det, gikk jeg ut i grålysningen. Jeg kledde stille på meg og la igjen en beskjed til far på kommoden i salongen, der jeg sa at jeg hadde noen ærend og skulle være tilbake i bokhandelen klokken halv ti. Da jeg stakk hodet ut av porten, lå gatene der stille, ennå skjult under et blått teppe som slikket opp skyggene og dammene som duskregnet hadde dannet i nattens løp. Jeg knappet igjen den tykke jakken min helt opp til halsen og gikk med lette skritt i retning av Plaza de Cataluña. Opp fra trappene til metroen sto det et slør av lunken damp som glødet i kobberlyset. I billettlukene til de katalanske jernbaner kjøpte jeg en billett på tredje klasse til Tibidabo stasjon. Jeg reiste strekningen i en vogn full av visergutter, hushjelper og løsarbeidere som hadde med seg rundstykker på størrelse med en murstein pakket i avispapir. Jeg søkte tilflukt i tunnelenes bekmørke og lente hodet mot vinduet, lot øynene gli halvt igjen mens toget kjørte gjennom byens innvoller frem til foten av Tibidabo. Da jeg igjen kom ut på gaten, var det som om jeg gjenoppdaget et annet Barcelona. Det grydde av dag, og en purpurrød stripe spjæret skyene og spredte seg utover de små landstedene og herskapsboligene som lå langs Avenida del Tibidabo. Den blå trikken slynget seg dovent gjennom disen. Jeg løp etter den og fikk slengt meg opp på den bakre plattformen, under konduktørens strenge blikk. Det var nesten folketomt der inne. Et par munker og en sørgekledd dame med askegrå hud satt og vugget søvndrukkent i takt med vognen, som ble dradd av usynlige hester.

– Jeg skal bare til nummer toogtredve, sa jeg til konduktøren og spanderte mitt beste smil på ham.

– For meg kunne det like gjerne vært Finisterre, svarte han likeglad. – Her har alle betalt billetten sin, til og med Kristi krigsmenn. Alle betaler som jeg befaler. Eller går av.

De to munkene, som hadde sandaler og en brun munkekutte av fransiskansk strenghet, nikket og viste frem hver sin rosa billett som bevis.

– I så fall får jeg gå av, sa jeg. – For jeg har ikke med meg småpenger.

– Som De vil. Men vent til neste holdeplass, for jeg vil ikke ha noen ulykker.

Trikken beveget seg oppover nesten i gangfart, kjærtegnet skyggene i alleen og speidet over murene og hagene til herskapsboligene med sjel som en borg, der jeg forestilte meg masser av statuer, springvann, staller og hemmelige kapeller. Jeg bøyde meg ut på den ene siden av plattformen og skjelnet silhuetten av «El Frare Blanc» som avtegnet seg mellom trærne. Da trikken nærmet seg hjørnet av Román Macaya, saktnet den farten til den nesten stanset helt. Trikkeføreren ringte med bjellen sin, og konduktøren sendte meg et bebreidende blikk.

– Kom igjen, din luring. Opp med farten, for nummer toogtredve har De der.

Jeg steg av og hørte skramlingen fra den blå trikken bli borte i tåken. Familien Aldayas residens lå rett over gaten. En smijernsport nedgrodd i eføy og løvverk voktet den. Mellom sprossene kunne jeg skjelne en liten dør som var lukket og låst. Over gitteret, sammenføyd i slanger av svart jern, kunne jeg lese nummer 32. Jeg prøvde å speide inn på eiendommen derfra, men kunne bare så vidt ane hvelvene og buene i et mørkt tårn. En fure av rust blødde fra nøkkelhullet i den lille døren. Jeg satte meg på kne og prøvde å få en skimt av gårdsrommet derfra. Jeg kunne bare så vidt ane en floke med ugress og omrisset av noe som for meg å se var en fontene eller en dam der det strakte seg opp en hånd som pekte mot himmelen. Det varte noen øyeblikk før jeg skjønte at det var en steinhånd, og at det var andre lemmer og silhuetter som jeg ikke greide å skjelne, nedsenket i fontenen. Lenger borte, tildekket av villniset, kunne jeg ane en marmortrapp som var sprukket og dekket av murbrokker og vissent løv. Familien Aldayas storhet og herlighet hadde endret retning for lenge siden. Dette stedet var et gravkammer.

Jeg trakk meg noen skritt unna og svingte rundt hjørnet for

å kaste et blikk på sørfløyen. Derfra fikk jeg et bedre overblikk over det ene av tårnene. I det samme så jeg fra øyekroken silhuetten av en person, en utsultet fremtoning i blå støvfrakk, som svingte en kost som han brukte til å trakassere løvet på fortauet. Han betraktet meg temmelig mistroisk, og jeg formodet at det var portneren i en av de tilgrensende eiendommene. Jeg smilte til ham slik bare den kan gjøre som har tilbrakt mange timer bak en disk.

– God dag, god dag, istemte jeg hjertelig. – Vet De om familien Aldayas hus har stått lenge avlåst?

Han så på meg som om jeg hadde forhørt meg om sirkelens kvadratur. Mannen løftet noen gulnede fingrer til haken, og man kunne formode at han hadde en svakhet for Celtas uten filter. Jeg beklaget at jeg ikke hadde med meg en sigarettpakke for å kunne innynde meg hos ham. Jeg gravde i jakkelommen for å se hvilken gave som bød seg frem.

– Tyve–femogtyve år minst, og det kan godt fortsette, sa portneren med det flate og føyelige tonefallet som er så typisk for folk som er dømt til å tjene andre under trussel om juling.

– Har De vært her lenge?

Mannen nikket.

– Undertegnede har vært ansatt hos Miravells helt siden 1920.

– De har vel ingen anelse om hva som skjedde med familien Aldaya?

– De har vel hørt at de tapte mye under republikken, sa han. – Den som sår splid ... Det lille jeg veit, er det jeg har hørt hos Miravells, som var venner av familien tidligere. Jeg tror den eldste sønnen, Jorge, dro utenlands, til Argentina. De har visstnok fabrikker der. Folk som vasser i penger. Sånne kommer alltid ned på beina. De skulle ikke tilfeldigvis ha en røyk?

– Beklager, men jeg kan tilby en Sugus-konfekt, og det er en kjent sak at den inneholder like mye nikotin som en Montecristo og dessuten er stappfull av vitaminer.

Portneren rynket brynene, tydelig mistroisk, men nikket. Jeg rakte ham den med sitron som jeg hadde fått av Fermín for evigheter siden, og som jeg hadde oppdaget i folden i lommefôret. Jeg tok sjansen på at den ikke var blitt harsk.

– Den var god, lød portnerens dom mens han sugde på den klebrige konfekten.

– De tygger på den nasjonale konfektindustriens stolthet.

142

Generalissimoen stapper dem i seg som sukkermandler. Si meg en ting, har De noen gang hørt snakk om datteren til familien Aldaya, Penélope?

Portneren støttet seg til kosten som en annen oppreist tenker av Rodin.

– Jeg tror nesten De tar feil. Familien Aldaya hadde ingen døtre. Det var bare sønner.

– Er De sikker på det? Meg bekjent bodde det en gang rundt 1919 en ung pike som het Penélope Aldaya i dette huset. Hun var sannsynligvis søsteren til denne Jorge.

– Det kan tenkes, men som sagt har jeg bare vært her fra 20.

– Og gården, hvem tilhører den nå?

– Så vidt jeg veit, er den fremdeles til salgs, selv om det har vært snakk om å rive den og bygge en skole. Og det er nok det beste de kan gjøre. Rive alt ned til grunnen.

– Hvorfor mener De det?

Portneren så på meg med en fortrolig mine. Når han smilte, så jeg at han manglet minst fire tenner i overmunnen.

– De menneskene, familien Aldaya. De var ikke helt stuerene, om De skjønner hva jeg mener.

– Nei, dessverre. Hva menes med det?

– De veit åssen det er. Ryktene og alt det der. Ikke sånn å forstå at jeg tror på de historiene, for all del, men det sies at det er mer enn én som har måttet bite i gresset der inne.

– De mener vel ikke at huset er forhekset, sa jeg og tvang et tilbake smil.

– Bare le, De. Men ingen røyk uten ild …

– Har De sett noe?

– Nei, sett noe har jeg ikke. Men hørt.

– Har De hørt noe? Hva da?

– Jo, en gang for mange år siden, en kveld jeg ble med Joanet, fordi han absolutt ville det, ikke sant, for jeg syntes ikke jeg hadde noe der å gjøre … hva jeg ville ha sagt, jeg hørte noe rart der. Nesten som en gråt.

Portneren ga meg en høylytt imitasjon av hva han mente. I mine ører lød det som litaniet til en brystsvak mann som nynnet viser.

– Det kan ha vært vinden, foreslo jeg.

– Det kan det, men hårene reiste seg i nakken på meg, for å si det rett ut. De skulle vel ikke ha en konfekt til av de der?

– La meg få by på et Juanola-drops. De frisker godt opp etter det søte.

– Greit, samtykket portneren og rakte frem hånden for å ta imot.

Jeg lot ham få hele pakken. Det virket som om lakrisen fikk tungen hans litt mer på glid når det gjaldt den fantastiske historien om familien Aldayas landsted.

– Mellom oss sagt: Her skjuler det seg litt av hvert. En gang kom Joanet, sønnen til señor Miravell, som er en diger brande, minst dobbelt så stor som Dem (bare så det er sagt, han er med på landslaget i håndball) ... men altså, noen av kompisene til Joanito hadde hørt snakk om huset til familien Aldaya, og de fikk ham med seg. Og han fikk med seg meg, for han var nok stor i kjeften, men torde ikke å gå inn der aleine. De veit hvordan det er, barnestreker. Han skulle absolutt inn der midt på natta, for å kjekke seg for kjæresten, men det var bare så vidt han ikke pissa på seg. For nå ser De det om dagen, men om natta er det noe annet, ikke sant? Nok om det, Joanet sa han var oppe i tredje etasje (for jeg nektet å bli med inn, sa at det der kan umulig være lovlig, til tross for at huset da hadde stått tomt i minst ti år), og at det var noe der. Han syntes han hørte en stemme i et av rommene, men da han ville gå inn der, smalt døra igjen i fleisen på ham. Hva gir De meg?

– Det kan ha vært trekken, sa jeg.

– Eller noe annet, påpekte portneren og senket stemmen. – Forleden dag var det på radioen: Universet er fullt av mysterier. Husk på det at nå har de visst funnet selve det hellige likkledet midt i sentrum av Sardanyola. De hadde sydd det inn i lerretet på en kino for å gjemme det for muslimene, som vil bruke det for å si at Jesus Kristus var neger. Hva gir De meg?

– Jeg finner ikke ord.

– Det skal være visst. Mange mysterier. Denne gården skulle vært revet ned, og så skulle det vært helt kalk over.

Jeg takket señor Remigio for opplysningene og begynte å gå nedover avenyen igjen tilbake til San Gervasio. Jeg hevet blikket og så at Tibidabo-høyden var omsluttet av florlette skyer i morgengryet. Jeg følte plutselig en trang til å gå bort til taubanen og stige oppover skråningen til det gamle tivoliet på toppen og forville meg blant karusellene og automatlokalene, men jeg hadde lovt å komme tidsnok i bokhandelen. På veien tilbake til metrostasjonen forestilte jeg meg Julián Carax gå nedover det samme fortauet og betrakte de samme høytidelige husveggene som knapt hadde forandret seg siden den gang, med trappene sine og hagene med statuer, og kanskje hadde han stått her og ventet på den blå trikken som listet seg på tåspissene mot himmelen. Da jeg var nederst i avenyen, tok jeg frem fotografiet av Penélope Aldaya, som sto smilende i patioen på familiens landsted. Øynene vitnet om en ren sjel og en ennå ubeskrevet fremtid. «Penélope elsker deg.»

Jeg forestilte meg en Julián Carax på min alder med dette bildet i hendene, kanskje i skyggen av det samme treet som skjermet meg. Jeg syntes nesten jeg så ham, smilende, selvsikker, idet han skuet inn i en fremtid som var like vidstrakt og lysende som denne avenyen, og et øyeblikk tenkte jeg at det ikke fantes andre gjenferd der enn fraværets og tapets, og at det lyset som smilte til meg, var til låns, og det var bare noe så lenge jeg kunne holde det fast med blikket, sekund for sekund.

18

Da jeg kom hjem igjen, konstaterte jeg at Fermín eller far allerede hadde åpnet bokhandelen. Jeg gikk som snarest opp i leiligheten for å få meg en rask matbit. Far hadde satt igjen noen ristede skiver, marmelade og en termos med kaffe på spisestuebordet. Jeg satte alt sammen til livs og var nede igjen på under ti minutter. Jeg gikk inn i butikken gjennom bakdøren, som vendte mot vestibylen i bygningen, og skyndte meg bort til skapet mitt. Jeg fikk på meg forkleet jeg pleide å bruke i butikken for å beskytte klærne mot støvet fra kasser og reoler. Innerst i skapet hadde jeg en blikkboks som det fremdeles luktet Camprodón-kjeks av. Der oppbevarte jeg alt mulig unødvendig rukkel som jeg ikke fikk meg til å kvitte meg med: klokker og fyllepenner som ikke lot seg reparere, gamle mynter, nipsgjenstander, klinkekuler, patronhylser som jeg hadde funnet i Parque del Laberinto og gamle postkort fra Barcelona omkring århundreskiftet. I alt dette skrammelet lå fremdeles den gamle avisbiten der Isaac Monfort hadde notert adressen til sin datter Nuria den natten jeg oppsøkte De glemte bøkers kirkegård for å gjemme bort *Vindens skygge*. Jeg gransket den i det støvete lyset som falt mellom reolene og de oppstablede kassene. Jeg lukket boksen og puttet adressen i pungen. Jeg kikket inn i butikken, fast bestemt på å beskjeftige sinn og hender med de mest banale gjøremål som var i sikte.

– God morgen, ropte jeg.

Fermín var i gang med å sortere innholdet i en hel del kasser som var kommet fra en samler i Salamanca, og far slet og strevde med å tyde en tysk katalog med lutheranske apokryfer som hadde navn som finere pølsevarer.

– Og måtte Gud gi oss enda bedre ettermiddag, trallet Fermín med en dulgt hentydning til mitt stevnemøte med Bea.

Jeg gadd ikke å glede ham med å svare og bestemte meg for å ta fatt på det uunngåelige månedlige besværet med å ajourføre regnskapene, sammenligne kvitteringer for mottatte og avsendte varer, innbetalinger og utbetalinger. Radioen bysset vår fredsommelige monotoni med et skjønnsomt utvalg av høydepunkter i karrieren til Antonio Machín, som var veldig i skuddet på den tiden. De karibiske rytmene gikk far litt på nervene, men han lot dem passere, for han visste at de minnet Fermín om hans etterlengtede Cuba. Det var en scene som gjentok seg hver uke: Far vendte det døve øret til, og Fermín henga seg til noen lett vuggende bevegelser i takt med den kubanske *danzón*, og fylte inn reklamepausene med anekdoter om sine eventyr i Havanna. Døren til butikken sto åpen, og det trengte inn en søt duft av ferskt brød og kaffe, som ansporet en til å se lyst på tilværelsen. Etter en stund stanset nabofruen, Merceditas, som hadde vært og gjort innkjøp på Boquería-markedet, utenfor butikkvinduet og stakk hodet inn av døren.

– God dag, señor Sempere, kurret hun.

Far smilte og ble litt rød i kinnene. Jeg hadde inntrykk av at han likte Merceditas, men karteusermoralen hans påla ham en ubrytelig taushet. Fermín kastet et skrått blikk på henne, slikket seg om munnen og fortsatte med de små hoftebevegelsene, som om det var en rullekake som nettopp var kommet inn av døren. Merceditas åpnet en papirpose og delte ut tre skinnende blanke epler til oss. Jeg innbilte meg at hun fremdeles lekte med tanken på å få arbeide i bokhandelen, og hun anstrengte seg ikke noe særlig for å skjule den motviljen hun følte for Fermín, som urettmessig hadde tatt plassen hennes.

– Har dere sett noe så lekkert. Jeg fikk øye på dem og sa til meg selv: De der er til Sempere, sa hun med affektert tonefall. – Jeg vet jo at dere intellektuelle er glad i epler, akkurat som Isaac Peral.

– Isaac Newton, min lille knupp, innskjerpet Fermín omtenksomt.

Merceditas sendte ham et drepende blikk.

– Nå er den glupen frampå igjen. Vær heller takknemlig for at jeg tok med ett til Dem også, og ikke en grapefrukt, som er det De hadde fortjent.

– Min gode dame, den gave som Deres ungpikehender skjenker meg, selve syndefallets frukt, tenner ild i den stramei som …

– Fermín, hold nå opp, avbrøt far ham.

– Ja vel, señor Sempere, sa Fermín føyelig og slo retrett.

Merceditas skulle akkurat til å gi Fermín svar på tiltale da det ble liv og røre utenfor. Alle tidde og lyttet spent. Ute på gaten hevet det seg fortørnede stemmer, og det ble mumlet fra alle kanter. Merceditas gløttet forsiktig ut. Vi så flere kjøpmenn komme oppskjørtet forbi og utveksle lavmælte protester. Det varte ikke lenge før don Anacleto Olmo dukket opp, en av naboene i gården og oppgangens halvoffisielle talerør for Det kongelige språkakademi. Don Anacleto var gymnaslærer, cand. philol. med spansk hovedfag og bred klassisk lærdom, og delte sin leilighet i tredje etasje, første dør, med syv katter. I de stundene han hadde fri fra lærergjerningen, hadde han en bijobb som tekstredaktør og skrev vaskesedler for et velansett forlag, og det gikk rykter om at han skrev dikt med fordektig erotisk innhold og utga dem under pseudonymet Rodolfo Pitón. I sin omgang med mennesker var don Anacleto en elskverdig og sjarmerende mann, men offentlig følte han seg forpliktet til å spille rollen som rapsode og gjorde bruk av noen talemåter som hadde gitt ham tilnavnet *Gongorino*.

Den morgenen var gymnaslæreren rødsprengt i ansiktet av fortvilelse, og han skalv nesten på hendene som holdt elfenbensstokken. Alle fire så nysgjerrig på ham.

– Don Anacleto, hva er det som foregår? spurte far.

– Franco er død, si at det er sant, kom det forhåpningsfullt fra Fermín.

– Nå holder De munn, tosk, avbrøt Merceditas ham tvert.
– Og la læreren komme til orde.

Don Anacleto trakk pusten dypt, gjenvant sinnsroen og tok med sin sedvanlige majestetiske fremtreden fatt på redegjørelsen for begivenhetene.

– Mine venner, livet er et drama, og selv Herrens edleste skapninger får smake en lunefull og ubøyelig skjebnes galle. I går natt, utpå morgensiden, mens byen sov den søvn som et arbeidsomt folkeferd ærlig har fortjent, ble don Federico Flaviá i Pujades, høyt aktet nabo som har bidratt med så meget til dette kvartals berikelse og adspredelse i sin rolle som urmaker fra sin forretning beliggende kun tre dører fra denne, deres bokhandel, pågrepet av menn fra statens politistyrker.

Jeg kjente at hjertet sank i livet på meg.

– Du godeste skaper, kommenterte Merceditas.

Fermín snøftet skuffet, for det var åpenbart at statssjefen levde i beste velgående. Don Anacleto, som allerede lot seg rive med, hev etter pusten og gjorde seg klar til å fortsette.

– Etter alt å dømme, i henhold til den troverdige fremstilling som er kommet til min kunnskap fra kilder som står politidirektoratet nær, overrumplet to høyt dekorerte medlemmer av kriminalpolitiet inkognito don Federico like over midnatt i går kledd som damemenneske, mens han sang viser med pikant tekst på podiet i en bule i Calle Escudillers, til ære for en tilhørerskare som formodentlig besto av åndssvake individer. Disse gudsforgåene skapninger, som samme aften hadde klart å stikke av fra Cotolengo som drives av en munkeorden, hadde latt buksene falle under forestillingens tiltagende villskap og hoppet usømmelig klappende rundt på dansegulvet med de mørke regioner tårnhøyt til skue og siklende kjefter.

Merceditas korset seg i forskrekkelse over den uanstendige vendingen begivenhetene hadde tatt.

– Da mødrene til noen av de uskyldige små kom under vær med røveriet, anmeldte de forholdet som de mente var til offentlig forargelse og en krenkelse av den mest elementære moral. Pressen, et rovdyr som for sin trivsel er avhengig av skjensel og ulykke, var ikke sene om å få ferten av et bytte, og takket være en profesjonell tysters durkdrevenhet var det ikke gått førti minutter fra de to øvrighetspersoners entré på scenen til det i nevnte lokale innfant seg en person ved navn Kiko Calabuig, journalist i avisen El Caso, mer kjent som møkkagraver'n, klar til å dekke på nødtørftig vis de begivenheter som trengtes for at hans mørke sladderhistorie skulle komme tidsnok til redaksjonens deadline, hvor man i dag – det torde det være overflødig å si – med sladrepressens sedvanlige tarvelighet benevner det skuespill som fant sted i lokalet, som så gruoppvekkende og hårreisende at det kunne være hentet rett fra Dante, med krigsoverskrifter.

– Det er ikke mulig, sa far. – Jeg som trodde at don Federico hadde tatt rev i seilene.

Don Anacleto nikket med pastoral heftighet.

– Ja, men glem ikke ordspråkene, vår kulturarv og uttrykk for våre dypeste erkjennelser, som sier: Naturen fornekter seg aldri, og mennesket lever ikke av brom alene. Og ennå har dere ikke hørt det verste.

– Så kom til saken, for etter alle Deres høytflygende metaforiske utgytelser, begynner jeg å føle trang til å gå på do, protesterte Fermín.

– Ikke bry Dem om den tosken, selv har jeg stor sans for

149

måten De snakker på. Det er akkurat som filmavisen, innskjøt Merceditas.

– Takk, men jeg er bare en sølle lærer. Men altså, uten ytterligere oppsettelse, innledning eller utbrodering. Urmakeren, som ved anholdelsen opptrådte under kunstnernavnet *La Niña er Peine* (Jenta med kammen), skal etter sigende ha vært pågrepet under lignende omstendigheter ved et par anledninger som fremgår av ordensmaktens strafferegister.

– Kall dem heller kjeltringpakk med politiskilt, freste Fermín.

– Jeg blander meg ikke i politikken. Men så meget kan jeg si dere, etter at man hadde slått den arme don Federico ned fra podiet med et velrettet slag med en flaske, førte de to betjentene ham til politistasjonen i Vía Layetana. Ved en annen leilighet, med en smule hell, ville det hele blitt slått bort i spøk og kan hende et par ørefiker og/eller litt smålig trakassering, men så traff det seg så ulykkelig at den som befant seg der nettopp i går natt, var den navnkundige politiinspektør Fumero.

– Fumero, mumlet Fermín, som grøsset bare han hørte navnet på sin nemesis.

– Ingen ringere. Som sagt, den fremste forkjemper for borgernes sikkerhet, som nettopp var tilbake etter en vellykket razzia i et ulovlig spillelokale og åsted for kakerlakkveddeløp, beliggende i Calle Vigatans, ble underrettet om det inntrufne av den meget bekymrede moren til en av de villfarne guttene fra Cotolengo og den formentlige hjerne bak rømmingen, Pepet Guardiola. Den godeste politiinspektøren, som etter alt å dømme hadde fått seg tolv kaffedoktorer med Soberano-konjakk innenbords etter middagen, besluttet på dette tidspunkt å ta affære. Etter å ha satt seg grundig inn i de skjerpende omstendigheter gjorde Fumero det umiddelbart klart for vakthavende politisersjant at så meget (og jeg anfører glosen i dens mest usminkede bokstavelighet til tross for en dames tilstedeværelse på grunn av dens dokumentariske vekt i forhold til hendelsen) *rævpuling* tilsa en lærepenge, og det som urmakeren, det vil si don Federico Flaviá i Pujades, ungkar og barnefødt i Ripollet, kunne behøve, til sitt eget beste og til beste for den udødelige sjelen til de mongoloide unge knektene hvis tilstedeværelse var en biomstendighet, men dog avgjørende i dette tilfelle, det var å tilbringe natten i fellesarresten i institusjonens underetasje i selskap med et utvalgt knippe ugjerningsmenn. Som dere etter all sannsynlighet vet, er nevnte celle beryktet

150

blant forbryterske elementer på grunn av de sanitære forholdenes ugjestmildhet og utilstrekkelighet, og innlemmelsen av en vanlig borger i gjestelisten foranlediger alltid stormende jubel fordi dette medfører noe lekent og spennende i fengselstilværelsens ensformighet.

Da don Anacleto var kommet så langt, gikk han i gang med å skissere en kortfattet, men hjertevarm levnetsbeskrivelse, selv om jo offeret var godt kjent av dem alle.

– Det skulle ikke være nødvendig å minne dere om at señor Flaviá i Pujades er blitt velsignet med en skjør og ømfintlig personlighet, idel godhet og kristen gudfryktighet. Hvis en flue forviller seg inn i butikken, slår han den ikke i hjel med skosålen, men åpner døren og vinduene på vidt gap for at insektet, som en Guds skapning, skal føres bort med vinden, tilbake til økosystemet. Don Federico er så vidt jeg vet en troende mann, meget from og engasjert i menighetsarbeidet, men han har ikke desto mindre vært nødt til å leve hele sitt liv med en mørk hang til det lastefulle, som ved ytterst sjeldne anledninger har fått overhånd og drevet ham ut på gatene forkledd som kjerring. Hans evne til å reparere alt fra armbåndsur til symaskiner har alltid vært navngjeten, og hans person har vært verdsatt av alle oss som kjenner ham og vanker i hans forretning, innbefattet de som ikke ser med blide øyne på hans sporadiske nattlige utflukter utstyrt med allongeparykk, pyntekam og prikkete kjole.

– De snakker som om han var død, kom det bestyrtet fra Fermín.

– Død, nei, gudskjelov ikke.

Jeg pustet lettet ut. Don Federico bodde sammen med en åttiårig mor som var stokk døv, kjent i kvartalet som *La Pepita* og beryktet for å slippe noen orkanaktige fjerter som fikk spurvene til å ramle fortumlet fra balkongen.

– Lite ante La Pepita at hennes Federico, fortsatte gymnaslæreren, – hadde tilbrakt natten i en uhumsk celle der en forsamling råskinn og knivstikkere hadde trukket lodd om ham som festludder, og når de var godt og vel forsynte med hans magre skrott, hadde gitt ham en durabelig drakt pryl mens resten av fangene heiet i kor: «Homsedott, homsedott, ét opp møkka, det er godt.»

En gravdyster stillhet senket seg over oss. Merceditas hulket. Fermín ville trøste henne med en øm omfavnelse, men hun rykket seg tvert unna.

151

19

– Dere kan selv tenke dere denne scenen, sluttet don Anacleto til alles bestyrtelse.

Historiens epilog gjorde ikke utsiktene lysteligere. Utpå formiddagen hadde en grå politibil slengt av don Federico utenfor døren der han bodde. Han var blodig, kjolen hang i laser, og borte var parykken og den fine samlingen med bijouteri. De hadde tisset på ham, og ansiktet var fullt av flenger og blåmerker. Bakerkonens sønn hadde funnet ham sammenkrøpet i portrommet, der han lå skjelvende og gråt som et barn.

– Det er for grovt, det er det virkelig, bemerket Merceditas, som hadde tatt oppstilling i døren til bokhandelen, langt unna hendene til Fermín. – Stakkars liten, han som er et så eiegodt menneske og ikke bryr seg med noen. Om han nå liker å kle seg ut som en faraos kone og gå ut og synge? Hva gjør vel det? Så onde folk er.

Don Anacleto tidde med nedslått blikk.

– Ikke onde, innvendte Fermín. – Idioter, og det er ikke helt det samme. Ondskap forutsetter en moralsk beslutning, hensikt og en viss tenkning. En idiot eller et råskinn gir seg ikke tid til å tenke eller resonnere. Han handler instinktivt, som et dyr i båsen, fullt forvisset om at han gjør det gode, at han alltid har rett, og er stolt over å rævkjøre, unnskyld uttrykket, alt det som i hans øyne er annerledes enn ham selv, det være seg farge, tro, språk, nasjonalitet, eller som tilfellet er med don Federico, hans fritidssysler. Det som mangler her i verden, er flere virkelig onde mennesker og færre innskrenkede surpadder.

– Hold opp med det våset. Det som mangler, er litt mer kristen barmhjertighet og mindre dævelskap. Skulle tro dette var et land for skadedyr, avbrøt Merceditas ham. – Mange flittige kirkegjengere, men vår herre Jesus Kristus gidder ikke engang Gud å bry seg om.

– Merceditas, la oss holde messebokindustrien utenfor dette, for den er en del av problemet og ikke løsningen.

– Der er ateisten ute og går igjen. Og hva har kirkens folk gjort Dem, om jeg tør spørre?

– Spar meg for krangel nå, innskjøt far. – Og du, Fermín, stikk innom don Federico en tur og se om det er noe han trenger, om noen må gå et ærend på apoteket eller handle for ham på torget.

– Ja, señor Sempere. Nå med det samme. Det er veltalenheten som fører meg i fortapelsen, vet du.

– Det som fører Dem i fortapelsen, er skamløsheten og uærbødigheten, fremholdt Merceditas. – Gudsbespotter. De skulle hatt sjelen Deres renset med den sterkeste lut.

– Hør nå her, Merceditas, meg bekjent er De et godt menneske (om enn noe treg i oppfattelsen og mer uvitende enn en gås), og i denne stund står kvartalet overfor en sosial krise hvor det gjelder å prioritere innsatsen, for ellers skulle jeg ha oppklart et par hovedpunkter for Dem.

– Fermín! skrek far opp.

Fermin klappet igjen og forsvant i full fart ut av døren. Merceditas så misbilligende etter ham.

– Den mannen kommer til å rote dere inn i en suppedas når dere minst venter det, sann mine ord. Han er anarkist, minst, han er frimurer, jøde for den saks skyld. Med det nesegrevet …

– De skal ikke bry Dem om ham. Han gjør det bare for å være på tvers.

Merceditas ristet stumt og forarget på hodet.

– Ja, ja, jeg må gå nå, jeg er dobbeltarbeidende, minst, og har ikke tid til sånt. Ha en god dag.

Vi nikket ærbødig og så henne gå, rank i ryggen og med iltert klaprende hæler. Far trakk pusten dypt, som om han ville puste inn den gjenvunne freden. Don Anacleto satt for seg selv og hang, hvit i ansiktet og med trist og høstmørkt blikk.

– Dette landet sitter fast i dritten, sa han og hadde allerede steget ned fra talekunstens svimlende høyder.

– Så, så. Friskt mot, don Anacleto. Slik har det alltid vært, både her og alle andre steder. Men det forekommer bølgedaler, og havner man der, ser alt svartere ut. Don Federico kommer seg nok på fote igjen, skal De se, han er sterkere enn vi tror.

Gymnaslæreren ristet stillferdig på hodet.

– Det er som med tidevannet, vet De, sa han nedkjørt. – Barbari, spør De meg. Det trekker seg tilbake, og man tror man er reddet, men det vender tilbake, alltid vender det tilbake ... og drukner oss. Jeg ser det hver dag på skolen. Gud hjelpe meg. Aper er det som dukker opp til timene. Darwin var en drømmer, det kan jeg forsikre. Verken utvikling eller det døde barnet. For hver enkelt som har evnen til å tenke, må jeg kjempe mot ni orangutanger.

Vi nøyde oss med å nikke føyelig. Læreren hilste høflig og gikk, med bøyd hode og fem år eldre enn da han kom. Far sukket. Vi så fort på hverandre og visste ikke hva vi skulle si. Jeg lurte på om jeg skulle fortelle om Fumeros besøk i bokhandelen. Dette har vært en påminnelse, tenkte jeg. En advarsel. Fumero hadde benyttet den stakkars don Federico som telegram.

– Hva er det med deg, Daniel? Du er hvit i ansiktet.

Jeg sukket og slo blikket ned. Så ga jeg meg til å fortelle om episoden med inspektør Fumero forleden kveld, og om insinuasjonene hans. Far hørte godt etter, men svelget raseriet som ulmet i øynene hans.

– Det er min skyld, sa jeg. – Jeg burde ha sagt noe ...

Far ristet på hodet.

– Nei. Du kunne ikke vite det, Daniel.

– Men ...

– Sånn får du ikke tenke. Og ikke et ord til Fermín. Gud vet hvordan han ville reagere hvis han visste at den mannen er ute etter ham igjen.

– Men noe må vi vel gjøre.

– Sørge for at han ikke roter seg borti noe.

Jeg nikket, uten større overbevisning, og skulle akkurat til å fortsette med det arbeidet Fermín hadde påbegynt, mens far satte seg ned med korrespondansen. Mellom hvert avsnitt kastet han skrå blikk på meg. Jeg lot som jeg ikke merket det.

– Hvordan gikk det med professor Velázquez i går, bare bra? spurte han, ivrig etter å skifte tema.

– Ja da. Han var fornøyd med bøkene. Han nevnte noe om at han var på utkikk etter en bok med Francos brev.

– *Matamoros*. Men den er jo apokryf ... en spøk fra Madariagas hånd. Hva sa du til ham?

– At vi skulle ta oss av det straks, og at han skulle få høre fra oss om toppen fjorten dager.

– Bra. Vi får sette Fermín på saken og ta oss grovt betalt.

Jeg nikket. Vi fortsatte med det som skulle se ut som rutinearbeid. Far fortsatte med å se på meg. Nå kommer det, tenkte jeg.

– I går stakk det en meget sympatisk pike innom her. Fermín sier det er søsteren til Tomás Aguilar.

– Ja.

Far nikket og funderte på dette slumpetreffet, med en mine som sa skulle-du-ha-sett-på-maken. Han unte meg et minutts fred før han gikk til fornyet angrep, denne gangen som om han plutselig kom til å tenke på noe.

– Det er sant, Daniel, i dag får vi en svært lett dag her, og jeg tenkte kanskje du hadde lyst til å bruke den på deg selv og dine ting. Forresten så synes jeg at du har arbeidet for mye i det siste.

– Det går bra med meg, takk.

– Jeg lurer faktisk på om jeg skal la Fermín bli her, mens jeg går på Liceo med Barceló. De spiller *Tannhäuser* i dag, og han har bedt meg bli med, for han har flere plasser i parkett.

Far lot som om han leste korrespondansen. Han var en elendig skuespiller.

– Når begynte du å få sans for Wagner?

Han trakk på skuldrene.

– Man kritiserer ikke det man får i gave … Dessuten, sammen med Barceló kan det være det samme hvilken opera de setter opp, for han sitter bare og kommenterer spillet under hele forestillingen og kritiserer kostymene og tempoet. Han spør ofte etter deg. Du burde besøke ham i butikken en dag.

– En vakker dag.

– Så hvis du ikke har noe imot det, overlater vi butikken til Fermín, mens vi går og morer oss litt, det er sannelig på tide også. Og hvis du har bruk for penger …

– Pappa, Bea er ikke kjæresten min.

– Hvem har sagt noe om kjærester? Jeg står ved det jeg har sagt. Det får bli din sak. Trenger du noe, så ta av kassen, men legg igjen en lapp så ikke Fermín blir forskrekket når han skal stenge.

Da det var sagt, spilte han desorientert og forvillet seg inn i bakværelset med et smil fra øre til øre. Jeg så på klokken. Den var halv elleve om formiddagen. Jeg hadde avtalt å treffe Bea i gården på universitetet klokken fem, og til min store beklagelse tegnet dagen til å bli lengre enn *Brødrene Karamasov*.

Om litt kom Fermín tilbake fra urmakerens bolig og opplyste at en kommando av nabokoner hadde ordnet med fast vakt for å ta hånd om den stakkars don Federico, som legen hadde funnet tre brukne ribben på, masser av kvestelser og en flenge i endetarmen så lang som et vondt år.

– Måtte du gå og kjøpe noe til ham? spurte far.

– Medisiner og salver hadde de nok av til å åpne et apotek, derfor tillot jeg meg å komme med blomster til ham, en flakong kølnervann av merket Nenuco og tre flasker Fruco med fersken, som er det beste don Federico vet.

– Det var riktig av deg. Du får si hva jeg skylder deg, sa far.

– Og han, hvordan så han ut?

– Han hadde det skitt, ingen grunn til å lyve. Bare synet av ham der han lå i en liten tull i sengen og jamret at han ville dø, gjorde meg morderisk til sinns, det sier jeg rett ut. Jeg skulle ha troppet opp på flekken på politihuset væpnet til tennene og meiet ned fem–seks poder, og jeg skulle ha begynt med den væskende verkebyllen Fumero.

– Fermín, nå får du gi deg. Jeg forbyr deg kategorisk å foreta deg noe som helst.

– Som du befaler, Sempere.

– Og La Pepita, hvordan tar hun det?

– Med eksemplarisk åndsnærværelse. Nabokonene har dopet henne ned med noen digre slurker brandy, og da jeg så henne, lå hun i en døs på sofaen og snorket så det durte og slapp noen promper som gikk tvers gjennom veggteppene.

– Hun er seg selv lik. Fermín, jeg må be deg passe butikken i dag, for jeg har tenkt meg en tur bort til don Federico. Siden har jeg en avtale med Barceló. Og Daniel har også sitt å fare med.

Jeg hevet blikket tidsnok til å gripe Fermín og far i å veksle medsammensvorne blikk.

– Dere er meg noen nydelige giftekniver, sa jeg.

De lo fremdeles av meg da jeg strøk på dør, eitrende sint.

En kald og bitende vind feide langs gatene og spredte penselstrøk av damp på sin ferd. En stålblank sol tynte ekko av kobber ut av de fjerne hustakene og klokketårnene i den gotiske bydelen. Det var ennå mange timer til jeg skulle treffe Bea på universitetet, så jeg bestemte meg for å prøve lykken og oppsøke Nuria Monfort, idet jeg satte min lit til at hun fremdeles bodde på den adressen hennes far hadde oppgitt for en stund siden.

San Felipe Neri er en plass som ikke kan kalles stort mer enn et pustehull i den labyrinten av gater som den gotiske bydelen har spunnet, bortgjemt bak de gamle romerske murene. Sporene etter mitraljøseild fra krigens dager var spredt utover kirkemurene. Den morgenen var det noen unger som lekte soldater, intetanende om murenes minner. En ung kvinne med sølvstenk i håret satt på en benk og holdt øye med dem, med en halvåpen bok i hendene og et bortkomment blikk. Ifølge adresseopplysningene skulle Nuria Monfort bo i en bygning på terskelen til plassen. Byggedatoen kunne fremdeles leses på den sotsvarte steinbuen som kronet porten, 1801. Fra forhallen kunne jeg så vidt skjelne et skyggefullt rom der en trapp snoddde seg oppover i en slags spiral. Jeg rådførte meg med bikuben av messingpostkasser. Navnene på beboerne kunne leses på gulnede pappskilt som var stukket inn i en slisse til det bruk.

Miquel Moliner / Nuria Monfort
3.-2.

Jeg gikk langsomt opp, fryktet nesten at gården skulle rase sammen hvis jeg dristet meg til å tråkke hardt på de ørsmå trinnene, som i en dukkestue. Det var to dører på hver avsats, uten nummer eller andre kjennemerker. Da jeg kom opp i fjerde, valgte jeg en på slump og banket på. Trappen luktet fukt, gammel stein og leire. Jeg banket på flere ganger uten å få svar. Jeg bestemte meg da for å se om det gikk bedre med den andre døren. Jeg banket tre ganger på døren med knyttneven. Inne i leiligheten kunne jeg høre en radio som sto på for fullt og sendte programmet «Tid for ettertanke med pater Martín Calzado».

Døren ble åpnet for meg av en dame i vattert morgenkåpe med turkise ruter, tøfler og en hjelm av ruller. I det stusslige lyset minnet hun om en dykker. Bak henne lød den fløyelsmyke stemmen til pater Martín Calzado, som spanderte noen ord på programmets sponsor, skjønnhetsproduktene fra Aurorín, foretrukket av pilegrimene til helligdommen i Lourdes og en sann mirakelkur mot verkebyller og uærbødige vorter.

– God dag. Jeg ser etter señora Monfort.

– Nurieta? Da har De tatt feil dør, unge mann. Det er den midt imot.

– Unnskyld, men jeg har banket på der, og det var ingen inne.

– De er vel ikke pengeoppkrever? spurte nabokonen brått, med erfaringens mistro.

– Nei. Det er faren til señora Monfort som har sendt meg.

– Å, da så. Nurieta sitter nok nede og leser. Så De henne ikke da De gikk opp?

Da jeg kom ned på gaten igjen, konstaterte jeg at kvinnen med sølvstenk i håret og boken mellom hendene fremdeles satt strandet på benken ute på plassen. Jeg betraktet henne inngående. Nuria Monfort var en kvinne som var mer enn tiltrekkende, med noen trekk som var som meislet for motedukker og atelierportretter, med en ungdom som syntes å vike tilbake for blikket. Det var noe av faren i den spede og fint utpenslede skikkelsen. Jeg anslo at hun måtte være noenogførti, men lot meg kanskje narre av disse islettene av sølvgrått hår og rynkene som furet et ansikt som i halvlyset kunne ha gått for å være ti år yngre.

– Señora Monfort?

Hun kikket på meg som når noen våkner av en transe, uten å se meg.

– Mitt navn er Daniel Sempere. Deres far ga meg adressen for en stund siden og sa at De kanskje kunne fortelle meg noe om Julián Carax.

Da hun hørte de ordene, ble ethvert fordrømt uttrykk visket bort i ansiktet hennes. Det ante meg at det ikke hadde vært så velvalgt å nevne faren hennes.

– Hva er det De vil? spurte hun mistenksomt.

Jeg følte at hvis jeg ikke oppnådde hennes tillit i samme øyeblikk, ville sjansen ha gått fra meg. Det eneste kortet jeg kunne spille ut, var sannheten.

– La meg forklare. For åtte år siden fant jeg nærmest ved en tilfeldighet, i De glemte bøkers kirkegård, en roman av Julián Carax som De hadde gjemt der for å unngå at en mann som kaller seg Laín Coubert, skulle ødelegge den, sa jeg.

Hun så stivt, urørlig på meg, som om hun fryktet at verden skulle styrte sammen rundt henne.

– Jeg skal bare stjele noen minutter, la jeg til. – Det lover jeg.

Hun nikket nedslått.

– Hvordan står det til med min far? spurte hun, men unnvek blikket mitt.

– Bra. Noe eldre, men. Han savner Dem meget.

Nuria kom med et sukk som jeg ikke var i stand til å tyde.

– Det er best De blir med opp. Jeg vil ikke snakke om dette ute på gaten.

20

Nuria Monfort levde i skyggene. En smal gang førte til en spisestue som gjorde tjeneste som kjøkken, bibliotek og kontor. Underveis fikk jeg en skimt av et enkelt soveværelse, uten vinduer. Det var alt. Resten av boligen besto av et knøttlite bad, uten dusj eller kar, der det kom sivende alle mulige dufter, fra kjøkkenlukten i baren nedenunder til gufset fra et røropplegg som måtte være fra århundreskiftet. Huset lå i evig halvmørke, en balkong av mørke båret oppe mellom husvegger der malingen hadde skallet av. Det luktet svart tobakk, kulde og fravær. Nuria Monfort iakttok meg, mens jeg lot som jeg ikke la merke til det skrale husværet.

– Jeg går ned på gaten for å lese, for her i leiligheten er det omtrent ikke lys, sa hun. – Min mann har lovt å gi meg en leselampe når han kommer hjem igjen.

– Er Deres mann bortreist?

– Miquel sitter i fengsel.

– Unnskyld, det visste jeg ikke …

– Det var ingen grunn til at De skulle vite det. Jeg skammer meg ikke over å si det, for min mann er ingen forbryter. Den siste gangen kom de og tok ham fordi han hadde trykt noen flygeblader for metallarbeiderforbundet. Det er alt to år siden. Naboene tror han er i Amerika, på reise. Far vet det heller ikke, og jeg vil helst ikke at han skal få greie på det.

– Ingen fare. Gjennom meg skal han ikke få vite noe, sa jeg.

Det oppsto en spent stillhet, og jeg antok at hun så meg som en spion utsendt av Isaac.

– Det må være stritt å ta seg av huset alene, sa jeg dumt, for å fylle ut tomrommet.

– Det er ikke lett. Jeg får så mye jeg kan ut av oversettelsene, men med en mann i fengsel rekker det ikke langt. Advokatene har flådd meg, og jeg sitter i gjeld til opp over ørene. Å oversette kaster omtrent like lite av seg som å skrive.

Hun så på meg som om hun ventet på et svar. Jeg nøyde meg med å smile føyelig.

– Oversetter De bøker?

– Ikke nå lenger. Nå har jeg begynt å oversette trykksaker, kontrakter og tolldokumenter, for det er mye bedre betalt. Å oversette litteratur har man fint lite igjen for, om enn noe mer enn for å skrive, det er så. Leieboerforeningen har allerede prøvd å få kastet meg ut et par ganger. Ikke fordi jeg henger etter med betalingen av fellesutgiftene. Men De kan selv tenke Dem, snakke fremmede språk og gå med bukser. Det er nok av dem som beskylder meg for å leie ut leiligheten som treffsted for kjærestepar. Det ville ha vært andre boller ...

Jeg stolte på at halvmørket skjulte rødmen i kinnene mine.

– Unnskyld. Jeg skjønner ikke hvorfor jeg forteller Dem alt dette. Jeg gjør Dem forlegen.

– Det er min skyld. Det var jeg som spurte.

Hun lo nervøst. Ensomheten som denne kvinnen omga seg med, brant meg i huden.

– De ligner litt på Julián, sa hun plutselig. – I måten å se på og i minespillet. Han gjorde som Dem. Ble taus, så på deg uten at du kunne vite hva han tenkte på, og så ble jeg liksom helt på styr og ga meg til å fortelle ting jeg heller skulle holdt tett med ... kan jeg få by på noe? Kaffe med melk?

– Nei takk, ingenting. Ikke noe bry for min skyld.

Noe ga meg en mistanke om at den kaffen med melk var alt hun hadde å spise midt på dagen. Jeg avslo igjen invitasjonen og så henne trekke seg tilbake til et hjørne av spisestuen, der hun hadde en elektrisk kokeplate.

– Finn Dem bare til rette så lenge, sa hun og vendte ryggen til meg.

Jeg så meg omkring og lurte på hvordan. Nuria Monfort hadde kontoret sitt på et skrivebord som opptok hjørnet ved balkongen. Der sto det en Underwood-skrivemaskin ved siden av en bordlampe og en reol stappfull av ordbøker og håndbøker. Det fantes ingen familiebilder, men veggen foran skrivebordet var dekket av postkort, samtlige forestilte en bro jeg husket jeg hadde sett et sted, men ikke kunne plassere, kanskje i Paris eller Roma. Nedenfor denne veggpynten åndet skrivebordet av en nesten tvangsmessig pyntelighet og pertentlighet. Blyantene var spisset og lagt snorrett ved siden av hverandre. Papirene og

161

mappene var ordnet og fordelt i tre symmetriske rader. Da jeg snudde meg, oppdaget jeg at Nuria Monfort sto og betraktet meg fra terskelen i gangen. Hun iakttok meg i taushet, slik man ser på fremmede på gaten eller metroen. Hun tente en røyk og ble stående der hun var, med ansiktet sløret bak blå røykspiraler. Jeg tenkte at Nuria Monfort, til sin egen beklagelse, hadde en egen, skjebnetung utstråling, av den sorten som forblindet Fermín når de trådte frem fra tåken på en stasjon i Berlin innhyllet i en glorie av umulig lys, og at hun kanskje gremmet seg over sitt eget utseende.

– Det er ikke stort å fortelle, begynte hun. – Jeg ble kjent med Julián for over tyve år siden, i Paris. På den tiden arbeidet jeg for forlaget Cabestany. Señor Cabestany hadde sikret seg rettighetene til Juliáns romaner for en slikk og ingenting. Jeg hadde begynt i administrasjonen, men da señor Cabestany fikk greie på at jeg snakket fransk, italiensk og litt tysk, lot han meg overta ansvaret for kjøp av rettigheter og gjorde meg til sin privatsekretær. Blant mine gjøremål inngikk det å føre korrespondansen med utenlandske forfattere og forleggere som forlaget hadde forbindelse med, og slik var det jeg kom i kontakt med Julián Carax.

– Deres far sa at dere hadde vært gode venner.

– Min far har nok sagt at vi hadde et eventyr eller noe i den stil. Ikke sant? Han vil ha det til at jeg flyr etter alle mannebein, som om jeg var en tispe i løpetiden.

Denne kvinnens oppriktighet og frimodighet gjorde meg målløs. Jeg brukte altfor lang tid på å pønske ut et akseptabelt svar. Imens hadde Nuria Monfort begynt å smile for seg selv og riste på hodet.

– De må ikke høre på ham. Far fikk det der for seg etter en reise jeg måtte ta til Paris i 33 for å rede ut et mellomværende mellom señor Cabestany og Gallimard. Jeg ble en uke i byen og tok inn hos Julián av den enkle grunn at señor Cabestany helst sparte utgiftene til hotell. Der ser De selv hvor romantisk det var. Før dette hadde mitt forhold til Julián Carax vært strengt brevlig, og det dreide seg stort sett om rettigheter, korrekturer og redaksjonelle spørsmål. Det jeg visste om ham, eller forestilte meg, hadde jeg lest meg til, ut fra de manuskriptene han sendte oss.

– Fortalte han Dem noe om sitt liv i Paris?

162

– Nei. Julián likte ikke å snakke om bøkene sine eller seg selv. Jeg innbilte meg at han ikke var lykkelig i Paris, selv om han ga meg inntrykk av at han var en av dem som ikke kan være lykkelig noe sted. I virkeligheten ble jeg aldri kjent med ham til bunns. Han lot ingen bli det. Han var en meget reservert mann, og noen ganger følte jeg at han hadde sluttet å interessere seg for verden og menneskene. Señor Cabestany oppfattet ham som meget fryktsom og kanskje litt gal, men slik jeg så det, levde Julián i fortiden, innemurt i minnene sine. Julián levde bak lukkede dører, for bøkene sine og i dem, som en luksusfange.

– De sier det som om De misunte ham.

– Det finnes verre fengsler enn ordenes, Daniel.

Jeg nøyde meg med å nikke, for jeg skjønte ikke helt hva hun siktet til.

– Snakket Julián noen gang om disse minnene, om årene i Barcelona?

– Svært lite. I løpet av den uken jeg bodde hos ham, i Paris, fortalte han litt om familien. Moren var fransk, ga musikkundervisning. Faren hadde en hatteforretning eller noe slikt. Jeg vet at han var en meget religiøs mann, meget streng.

– Sa Julián noe om hva slags forhold han hadde til ham?

– Jeg vet at de kom forferdelig dårlig ut av det med hverandre. Det var noe som lå langt tilbake i tiden. Når Julián reiste til Paris, var det egentlig for å unngå at faren sendte ham i det militære. Moren hadde lovt ham at før det skjedde, skulle hun få ham med seg langt bort fra den mannen.

– Den mannen var hans far, når alt kom til alt.

Nuria Monfort smilte. Hun gjorde det med bare noen lette rykninger i munnvikene og en trist, sliten glans i blikket.

– Om så var, oppførte han seg aldri som det, og Julián betraktet ham aldri som sådan. En gang betrodde han meg at før moren giftet seg med ham, hadde hun hatt et eventyr med en ukjent person med et navn hun aldri ville røpe. Den mannen var Juliáns egentlige far.

– Det minner om åpningen av *Vindens skygge*. Tror De han fortalte sannheten?

Nuria Monfort nikket.

– Julián fortalte at han under oppveksten hadde sett hvordan hattemakeren, for det var det han kalte ham, hånte og slo moren. Etterpå kom han inn på soveværelset til Julián for å si at han var født i synd, at han hadde arvet morens svake og ynkelige karakter, og at han kom til å bli et krek hele sitt liv, en fiasko hva han enn satte seg fore ...

– Bar Julián nag til faren?

– Tiden kjøler ned slike ting. Jeg følte ikke at Julián hatet ham. Det hadde kanskje vært det beste. Mitt inntrykk var at han hadde mistet all respekt for hattemakeren etter all trakasseringen. Julián snakket om det som om det ikke betydde noen ting, som om det tilhørte en fortid han hadde lagt bak seg, men slikt går det jo aldri an å glemme. De ordene som forgifter hjertet til en sønn, det være seg av smålighet eller uvitenhet, blir innkapslet i hukommelsen, og før eller senere svir de ham i sjelen.

Jeg spekulerte på om hun snakket ut fra egen erfaring, og jeg så igjen for meg bildet av min venn Tomás Aguilar som lyttet stoisk til sitt faderlige opphavs vidløftige formaninger.

– Hvor gammel var Julián den gang?

– Åtte–ti år, kan jeg tenke meg.

Jeg sukket.

– Så snart han ble gammel nok til å komme i det militære, tok moren ham med seg til Paris. Jeg tror ikke engang de sa adjø. Hattemakeren kunne aldri forstå at familien hadde sviktet ham.

– Hørte De noen gang Julián nevne en pike som het Penélope?

– Penélope? Jeg tror ikke det. Det ville jeg ha husket.

– Det var en kjæreste han hadde, da han ennå bodde i Barcelona.

Jeg tok frem fotografiet av Carax og Penélope Aldaya og rakte henne det. Jeg så at smilet lyste opp da hun fikk se en Julián Carax fra ungdomstiden. Hun var martret av lengsel, av savn.

– Så blottende ung han var her ... er det der Penélope?

Jeg nikket.

– Så søt. Julián var flink til å innrette seg slik at han alltid var omgitt av pene kvinner.

Som Dem, tenkte jeg.

– Vet De om han hadde mange ...?

Det samme smilet igjen, på min bekostning.

– Kjærester? Venninner? Jeg vet ikke. Sant å si så hørte jeg aldri at han snakket om noen kvinne i sitt liv. En gang spurte jeg ham, bare for å erte ham. De vet vel at han tjente til livets opphold ved å spille piano i et lokale der pikene drakk med gjestene mot betaling? Jeg spurte om han ikke følte seg fristet, sånn hele dagen omgitt av lettlivede skjønnheter. Han satte ikke pris på den spøken. Han svarte at han ikke hadde rett til å elske noen, at han fortjente å være alene.

– Sa han hvorfor?

– Julián sa aldri hvorfor om noe.

– Men allikevel, til sist, like før han dro tilbake til Barcelona i 1936, skulle Julián Carax gifte seg.

– Så sies det.

– Tviler De på det?

Hun trakk skeptisk på skuldrene.

– Som sagt, på alle de årene vi kjente hverandre, hadde Julián aldri sagt et ord om noen spesiell kvinne, langt mindre en som han skulle gifte seg med. Det angivelige giftermålet var noe som kom meg for øre senere. Neuval, den siste forleggeren til Carax, fortalte Cabestany at bruden var en kvinne som var tyve år eldre enn Julián, en velhavende og syk enke. Ifølge Neuval hadde denne kvinnen mer eller mindre født ham i en årrekke. Legene ga henne et halvt år å leve, toppen et år. Ifølge Neuval ville hun gifte seg med Julián for at han skulle arve henne.

– Men bryllupet fant aldri sted.

– Om det noen gang fantes noen slik plan eller noen slik enke.

– Så vidt jeg har forstått, ble Carax viklet inn i en duell ved daggry samme dag som ekteskapet skulle inngås. Vet De med hvem eller hvorfor?

– Neuval trodde det dreide seg om noen med tilknytning til enken. En fjern og grisk slektning som var redd for at arven skulle komme i klørne på en oppkomling. Neuval utga hovedsakelig kiosklitteratur, og det kan se ut som om sjangeren hadde steget ham til hodet.

– Jeg skjønner at De ikke fester større tiltro til den historien om bryllupet og duellen.

– Nei. Jeg har aldri trodd på den.

– Hva tror De det var som skjedde, da? Hvorfor reiste Carax tilbake til Barcelona?

Hun smilte trist.

– I sytten år har jeg stilt meg selv det spørsmålet.

Nuria Monfort tente enda en røyk. Hun bød meg på en. Jeg følte meg fristet til å ta imot, men avslo.

– Men De har vel en mistanke, antydet jeg.

– Jeg vet bare at sommeren 1936, like etter at krigen brøt ut, ringte en ansatt ved det kommunale likhuset og sa at de hadde fått inn liket til Julián Carax tre dager tidligere. De hadde funnet ham død i Callejón del Raval, kledd i filler og med en kule i hjertet. Han hadde hatt en bok på seg, et eksemplar av *Vindens skygge*, og passet sitt. Stempelet viste at han hadde krysset grensen fra Frankrike for en måned siden. Hvor han hadde vært i mellomtiden, er det ingen som vet. Politiet kontaktet faren, men han nektet å ta hånd om liket, idet han hevdet at han ikke hadde noen sønn. Da det hadde gått to dager uten at noen gjorde krav på liket, ble det begravd i en fellesgrav på Montjuïc kirkegård. Jeg kunne ikke engang gå dit med blomster, for ingen kunne si meg hvor han var blitt begravd. Mannen på likhuset, som hadde beholdt boken han fant i jakken til Julián, kom på at han skulle ringe til forlaget Cabestany flere dager etter. Det var slik jeg fikk vite hva som var skjedd. Jeg kunne ikke fatte det: Om Julián fremdeles hadde noen han kunne henvende seg til i Barcelona, måtte det være meg, og til nød señor Cabestany. Vi var hans eneste venner, men han fortalte oss aldri at han var kommet tilbake. Vi fikk først vite at han var tilbake i Barcelona, etter at han var død ...

– Fant De ut noe mer etter at De hadde fått vite at han var død?

– Nei. Det var de første krigsmånedene, og Julián var ikke den eneste som var sporløst forsvunnet. Ingen snakker om det lenger, men det finnes mange navnløse graver som Juliáns. Å spørre seg for var som å stange hodet i veggen. Ved hjelp av señor Cabestany, som da allerede var meget syk, sendte jeg inn en klage til politiet og trakk i alle de trådene jeg kunne. Det eneste jeg oppnådde, var å få besøk av en ung betjent, en truende og arrogant fyr, som sa det ikke var verdt jeg stilte flere spørsmål, og at jeg heller burde konsentrere meg om å innta en mer positiv holdning, for landet sto midt oppe i et korstog. Det var de ordene han brukte. Han het Fumero, det er det eneste jeg husker. Nå har han visst kommet seg høyt opp. Det står mye om ham i avisene. De har kanskje hørt om ham?

Jeg svelget tungt.

– Det foresvever meg.

– Jeg hørte ikke mer snakk om Julián før en fyr tok kontakt med forlaget og lurte på om han kunne få kjøpt de eksemplarene som fantes på lager av romanene til Carax.

166

– Laín Coubert.

Nuria Monfort nikket.

– Har De noen formening om hvem den mannen var?

– Jeg har mine mistanker, men er ikke sikker. I mars 1936, jeg husker det for vi skulle akkurat til å utgi *Vindens skygge*, var det en som ringte til forlaget og ville ha adressen hans. Han sa han var en gammel venn og ville besøke Julián i Paris. Gi ham en overraskelse. De satte telefonen over til meg, og jeg sa at jeg ikke hadde lov å gi ham den opplysningen.

– Sa han hvem han var?

– Jorge et eller annet.

– Jorge Aldaya?

– Det kan godt hende. Julián hadde nevnt ham ved flere anledninger. Jeg tror de hadde studert sammen på San Gabriel, og noen ganger omtalte han ham som om det hadde vært bestevennen hans.

– Visste De at Jorge Aldaya var broren til Penélope?

Nuria Monfort rynket brynene forbløffet.

– Ga De Aldaya adressen til Julián i Paris? spurte jeg.

– Nei. Jeg syntes det var noe suspekt ved ham.

– Hva sa han?

– Han lo av meg, sa at han nok skulle få tak i den gjennom andre kanaler, og slengte på røret.

Det virket som om et eller annet lå og naget i henne. Det begynte å ane meg hvor denne samtalen skulle føre hen.

– Men De fikk høre fra ham igjen, ikke sant?

Hun nikket nervøst.

– Som sagt, kort tid etter at Julián forsvant, troppet denne mannen opp i Cabestany forlag. Señor Cabestany kunne da ikke arbeide lenger, og den eldste sønnen hadde overtatt ledelsen av bedriften. Gjesten, Laín Coubert, tilbød seg å kjøpe hele lagerbeholdningen av romanene til Julián. Jeg trodde det måtte være en usmakelig vits. Laín Coubert var en person i *Vindens skygge*.

– Djevelen.

Nuria Monfort nikket.

– Fikk De selv se Laín Coubert?

Hun ristet på hodet og tente sin tredje røyk.

– Nei, men jeg hørte en del av samtalen med junior på kontoret til señor Cabestany.

Hun lot setningen henge i løse luften, som om hun var redd

for å fullføre den eller ikke visste hvordan hun skulle gjøre det. Sigaretten skalv mellom fingrene hennes.

– Stemmen hans, sa hun. – Det var stemmen til ham som ringte og sa han var Jorge Aldaya. Sønnen til Cabestany, en arrogant tosk, ville ha mer penger. Denne Coubert sa da at han skulle tenke over tilbudet. Samme natt brant boklageret i Pueblo Nuevo ned, og bøkene til Julián med det.

– Unntatt dem som De berget og gjemte i De glemte bøkers kirkegård.

– Stemmer.

– Har De noen anelse om grunnen til at noen skulle ønske å brenne alle bøkene til Julián Carax?

– Hvorfor brenner man bøker? Av dumhet, av uvitenhet, av hat … Ikke godt å vite.

– Hva tror De? insisterte jeg.

– Julián levde i bøkene sine. Det liket som havnet i likhuset, var bare en del av ham. Sjelen hans ligger i historiene hans. En gang spurte jeg hvem han hentet inspirasjon fra til personene sine, og han svarte ingen. At alle personene hans var ham selv.

– Så hvis noen ønsket å tilintetgjøre ham, måtte han tilintetgjøre disse historiene og disse personene, er det det De mener?

Igjen trådte det motløse, oppgitte, trette smilet frem.

– De minner meg om Julián, sa hun. – Før han mistet troen.

– Troen på hva?

– På alt.

Hun kom bort til meg i halvmørket og grep hånden min. Hun kjærtegnet håndflaten min taust, som om hun ville lese linjene i huden. Hånden min skalv under berøringen. Jeg grep meg selv i å tegne omrisset av kroppen hennes under de utgamle klærne som hun like gjerne kunne hatt til låns. Jeg følte trang til å ta i henne og kjenne pulsen som brant under huden. Blikkene våre møttes, og jeg ble sikker på at hun visste hva jeg tenkte. Jeg følte at hun var mer alene enn noensinne. Jeg hevet blikket og møtte det fredsommelige blikket hennes, helt overlatt til seg selv.

– Julián døde alene, overbevist om at ingen ville huske ham eller bøkene hans, og at livet hans ikke hadde betydd noen ting, sa hun. – Han ville ha likt å vite at noen ønsket å holde ham i live, ville huske ham. Han pleide å si at vi eksisterer så lenge det er noen som husker oss.

Jeg ble overveldet av en nesten pinefull trang til å kysse henne, en lengsel som jeg aldri hadde opplevd maken til, ikke engang når jeg manet frem gjenferdet av Clara Barceló. Hun leste blikket mitt.

– Det begynner å bli sent, Daniel, mumlet hun.

En del av meg ønsket å bli, gi seg hen til den sære skyggefortroligheten hos den ukjente kvinnen og høre henne si hvordan mine fakter og min taushet minnet henne om Julián Carax.

– Ja, stotret jeg.

Hun nikket uten å si noe og fulgte meg til døren. Gangen forekom meg evig lang. Hun åpnet døren, og jeg gikk ut på avsatsen.

– Hvis De ser min far, så si det er bra med meg. Lyv for ham.

Jeg sa et dempet adjø, takket henne for tiden hun hadde ofret på meg og rakte henne hånden hjertelig. Nuria Monfort overså den formelle hilsenen. Hun la hendene på armene mine, bøyde seg frem og kysset meg på kinnet. Vi så taust på hverandre, og denne gangen tok jeg mot til meg og fant leppene hennes, nesten skjelvende. Det forekom meg at de åpnet seg så vidt det var, og at fingrene hennes søkte seg opp til ansiktet mitt. I siste øyeblikk trakk Nuria Monfort seg tilbake og slo blikket ned.

– Jeg tror det er best De går, Daniel, hvisket hun.

Det så ut som hun var på gråten, og før jeg fikk sagt noe, lukket hun døren. Jeg ble stående på avsatsen og fornemmet hennes nærvær på den andre siden av døren, urørlig, og spurte meg selv hva som var skjedd der inne. På den andre kanten av avsatsen blunket det i kikkhullet til nabofruen. Jeg spanderte en hilsen på henne og stormet ned trappen. Da jeg kom meg ut på gaten, hadde jeg fremdeles ansiktet, stemmen og lukten hennes fastnaglet i sjelen. Jeg hadde berøringen av leppene og pusten hennes sittende i huden og bar den med meg bortover gater myldrende av ansiktsløse mennesker som kom ilende fra kontorer og forretninger. Idet jeg begynte å gå bortover Calle Canuda, ble jeg møtt av en isnende vind som la en demper på sinnsopprøret. Det var herlig å kjenne den kalde luften i ansiktet, og jeg satte kursen for universitetet. Idet jeg skrådde over Ramblas, banet jeg meg vei mot Calle Tallers og forsvant inn i dens trange, skumle løp, og følte det som om jeg var blitt sittende fanget i den mørke spisestuen der jeg forestilte meg at Nuria Monfort satt alene i skyggen og ordnet med blyantene, mappene og minnene sine i taushet, med øynene forgiftet av tårer.

21

Kvelden kom kastende over meg nesten forrædersk, med et kaldt pust og en fiolett kappe som snek seg inn mellom sprekkene i gatene. Jeg satte opp farten, og tyve minutter senere dukket universitetets fasade frem som et okergult skip strandet i natten. Portneren ved historisk-filosofisk fakultet satt i avlukket sitt og leste Spanias mest innflytelsesrike penner for øyeblikket, i ettermiddagsutgaven av sportsbladet *El Mundo Deportivo*. Det var omtrent ingen studenter igjen på området. Ekkoet av skrittene mine fulgte meg gjennom korridorene og søylegangene som førte til den indre gården, der skjæret fra to gulskimrende lys knapt maktet å forstyrre halvmørket. Det slo meg plutselig at Bea kunne ha holdt meg for narr, og at hun hadde avtalt å møte meg der på denne tiden bare for å hevne seg for min innbilskhet. Bladene i appelsintrærne blinket som sølvtårer, og bruset fra fontenen snodde seg inn mellom buene. Jeg utforsket gården med blikket og blandet skuffelse med noe som kanskje var en viss feig lettelse. Der var hun. Silhuetten avtegnet seg foran fontenen, der hun satt på en av benkene med blikket klatrende oppover hvelvene i gården. Jeg ble stående på terskelen for å betrakte henne, og et øyeblikk syntes jeg jeg så en gjenspeiling av Nuria Monfort sitte og drømme i våken tilstand på benken sin på plassen. Jeg la merke til at hun ikke hadde mappen sin og ikke bøkene, og jeg fikk en mistanke om at hun ikke hadde hatt noen forelesninger den ettermiddagen. Kanskje var hun bare kommet for å treffe meg. Jeg svelget tungt og gikk inn dit. Fottrinnene mine på brolegningen avslørte meg, og Bea hevet blikket og smilte overrasket, som om mitt nærvær der var en tilfeldighet.

– Jeg trodde ikke du skulle komme, sa Bea.

– Det samme tenkte jeg, svarte jeg.

Hun ble sittende, meget rank, med knærne tett inntil hverandre og hendene samlet i fanget. Jeg spurte meg selv hvordan det var mulig å føle at noen var så fjern, samtidig som jeg kunne lese hver rynke i leppene hennes.

– Jeg kom fordi jeg ville bevise at du tok feil i det du sa til meg forleden dag, Daniel. At jeg skal gifte meg med Pablo, og at det ikke spiller noen rolle hva du viser meg i kveld, for jeg drar til El Ferrol med ham så snart han er ferdig med militærtjenesten.

Jeg så på henne som man ser på et tog som går fra en. Det gikk opp for meg at jeg hadde svevd oppe i skyene i to dager, og så glapp verden ut av hendene på meg.

– Og jeg som trodde du var kommet fordi du hadde lyst til å treffe meg. Jeg smilte kraftløst.

Jeg la merke til den avvisende holdningen som gjorde henne blussende rød.

– Jeg sa det for spøk, løy jeg. – Derimot mente jeg alvor med løftet om å vise deg en side ved byen som du ennå ikke har sett. Så får du i det minste en grunn til å huske meg, eller Barcelona, hvor du så drar hen.

Bea smilte litt bedrøvet og unnvek blikket mitt.

– Det var like før jeg gikk på kino, bare for å slippe å se deg i dag, sa hun.

– Hvorfor det?

Bea iakttok meg i taushet. Hun trakk på skuldrene og himlet med øynene, som om hun ville fakke de ordene som tok flukten og unnslapp henne.

– Fordi jeg var redd for at du kanskje hadde rett, sa hun omsider.

Jeg sukket. Vi fant ly i skumringen og den hjelpeløse stillheten som forener to fremmede, og jeg mannet meg opp til å si noe, om det så skulle bli for siste gang.

– Elsker du ham eller ikke?

Hun spanderte et smil som gikk opp i sømmene.

– Det vedkommer deg ikke.

– Det er sant, sa jeg. – Det vedkommer ingen andre enn deg.

Hun ble kald i blikket.

– Og hva gjør det deg?

– Det vedkommer deg ikke, sa jeg.

Hun smilte ikke. Leppene bevret.

– De som kjenner meg, vet at jeg setter Pablo høyt. Min familie og …

– Men jeg er nesten en fremmed, avbrøt jeg henne. – Og jeg ville gjerne høre det fra deg.

– Høre hva?

– At du virkelig elsker ham. At du ikke gifter deg med ham for å komme deg hjemmefra, eller for å få Barcelona og familien på lang avstand, der de ikke kan gjøre deg noe. At du reiser og ikke rømmer.

Øynene hennes glitret av vredestårer.

– Du har ingen rett til å si slikt til meg, Daniel. Du kjenner meg ikke.

– Si at jeg tar feil, så skal jeg gå. Elsker du ham?

Vi så lenge taust på hverandre.

– Jeg vet ikke, mumlet hun til slutt. – Jeg vet ikke.

– Noen har en gang sagt at i det øyeblikket du stanser opp for å tenke over om du elsker noen, da har du allerede sluttet å elske vedkommende for alltid, sa jeg.

Bea speidet etter ironien i ansiktet mitt.

– Hvem har sagt det?

– En viss Julián Carax.

– En venn av deg?

Jeg overrasket meg selv med å nikke.

– Noe sånt.

– Du får presentere ham for meg.

– Nå i kveld hvis du vil.

Vi forlot universitetet under en himmel full av blussende, blodunderløpne skjolder. Vi vandret omkring uten mål og med, mer for å venne oss til den andres gange enn for å komme oss et bestemt sted. Vi grep til det eneste temaet vi hadde felles, hennes bror Tomás. Bea snakket om ham som en fremmed som man er glad i, men nesten ikke kjenner. Hun unnvek blikket mitt og smilte nervøst. Det ante meg at hun angret på det hun hadde sagt i gården på universitetet, at hun ennå våndet seg over ordene som lå og murret inne i henne.

– Angående det jeg sa i sted, sa hun plutselig, uten noen sammenheng, – du sier det vel ikke til Tomás?

– Selvsagt ikke. Ikke til noen.

Hun lo nervøst.

– Jeg skjønner ikke hva som gikk av meg. Ta det ikke ille opp,

172

men noen ganger føler man seg friere sammen med en fremmed enn når man snakker med folk man kjenner. Hva kan det komme av?

Jeg trakk på skuldrene.

– Antagelig fordi en fremmed ser oss som det vi er, ikke som han vil tro at vi er.

– Gjelder det også din venn Carax?

– Nei, det var noe jeg fant på for å gjøre inntrykk på deg.

– Og hvordan ser du på meg?

– Som et mysterium.

– Det er den snåleste kompliment noen har gitt meg.

– Det er ingen kompliment. Det er en trussel.

– Hvordan det?

– Mysterier er man nødt til å løse, bringe på det rene hva de skjuler.

– Du vil kanskje bli skuffet når du ser hva som er der inne.

– Jeg blir kanskje overrasket. Og du også.

– Tomás har ikke fortalt meg at du er så frekk.

– Det er fordi det lille jeg har av frekkhet, bruker jeg i sin helhet på deg.

– Hvorfor det?

Fordi du skremmer meg, tenkte jeg.

Vi søkte tilflukt på en gammel kafé like ved Poliorama teater. Der fant vi et vindusbord og bestilte rundstykker med serrano-skinke og et par kaffe med melk for å få varmen i kroppen. Om litt kom sjefen, en radmager fyr med en geip som en smådjevel, bort til bordet med en geskjeftig mine.

– Si meg en tingen, er det dere som sku ha skinke med brød? Vi nikket.

– Synd å si det, på vegner a firma, at det er blåst for skinke. Kan by på spikepølse, svart, hvit, blanda, kjøttkake eller kryd-derpølse. Klasse prima, dønn fersk. Vi har også marinert sardin, hvisom at dere ikke eter kjøtt av røljøse grunner. Siden det er fredan …

– Jeg tar til takke med kaffen med melk, da, svarte Bea. Jeg holdt på å dø av sult.

– Enn om dere serverer to bravas-poteter, sa jeg. – Og litt brød også, takk.

– Ska bli. Dekk får unnskylde at det er så smått stell. Ellers har jeg støtt alltingen, til og med bolsjevikerkaviar. Men i ettermiddag så var det semifinale i europakøppen, og det var tjukt av gjester. Snakker om kamp.

Bestyreren gikk fra oss med et høytidelig bukk. Bea kikket muntert etter ham.

– Hvor er den dialekten fra? Jaén?

– Santa Coloma de Gramanet, bestemte jeg. – Det er sjelden du tar metroen, ikke sant?

– Far sier at på metroen er det stappfullt av pakk, og hvis du kjører alene, klår sigøynerne på deg.

Jeg skulle til å si noe, men tok meg i det. Så snart kaffen og maten kom på bordet, kastet jeg meg over det og gaflet det i meg uten forsøk på fine manerer. Bea smakte ikke en bit. Med begge hender rundt den dampende koppen betraktet hun meg med et lite smil, noe midt mellom nysgjerrighet og forbauselse.

– Hva er det så du har tenkt å vise meg i dag, som jeg ikke har sett ennå?

– Det er forskjellig. Det vil si, det jeg skal vise deg, er noe som hører til historien vår. Sa du ikke her om dagen at det du likte, var å lese?

Bea nikket og hevet øyebrynene.

– Altså, dette er en historie om bøker.

– Bøker?

– Om fordømte bøker, om mannen som skrev dem, om en person som unnslapp sidene i en roman for å brenne den, om et svik og et tapt vennskap. Det er en historie om kjærlighet, om hat og om de drømmene som lever i vindens skygge.

– Du snakker som innbretten på en billigbok, Daniel.

– Det kan skyldes at jeg jobber i en bokhandel og har sett for mange. Men dette er en virkelig historie. Like sann som at det brødet de har servert oss, er minst tre dager gammelt. Og som alle virkelige historier begynner og ender denne på en kirkegård, om enn ikke akkurat en slik kirkegård som du tenker deg.

Hun smilte som barn gjør når man lover dem en gjettelek eller en tryllekunst.

– Jeg er lutter øre.

Jeg helte i meg den siste kaffeskvetten og betraktet henne taust noen sekunder. Jeg tenkte på hvor gjerne jeg skulle ha søkt tilflukt i det unnvikende blikket som så nødig ville virke gjennomsiktig, tomt. Jeg tenkte på ensomheten som ville styrte seg over meg den natten når jeg våknet uten henne, uten flere knep eller historier for å snike meg til hennes selskap. Jeg tenkte på hvor lite jeg hadde å by henne og hvor mye jeg ville ha av henne.

– Det knaker i hjernen din, Daniel, sa hun. – Hva er det du pønsker på?

Jeg innledet beretningen med den fjerne morgenen da jeg våknet og ikke kunne huske mors ansikt, og jeg stanset ikke før jeg mintes den skyggetunge verdenen jeg hadde fornemmet den formiddagen hjemme hos Nuria Monfort. Bea lyttet taust, med en oppmerksomhet som ikke røpet dømmesyke eller innbilskhet. Jeg fortalte om det første besøket i De glemte bøkers kirkegård, og om den natten jeg leste *Vindens skygge*. Jeg fortalte om møtet med den ansiktsløse mannen og brevet som var undertegnet av Penélope Aldaya, som jeg alltid hadde med meg uten å vite hvorfor. Jeg fortalte om hvordan jeg aldri kom meg så langt som til å kysse Clara Barceló eller noen annen, og hvor skjelven jeg var blitt på hendene da jeg kjente leppene til Nuria Monfort streife huden min for bare noen timer siden. Jeg fortalte om hvordan jeg før dette øyeblikket ikke hadde skjønt at dette var en historie om mennesker som var alene, om fravær og tap, og at jeg av den grunn hadde søkt tilflukt i den til jeg blandet den sammen med mitt eget liv, som når noen er på flukt gjennom sidene i en roman fordi de som man har behov for å elske, bare er skygger som lever i sjelen til en fremmed.

– Ikke si mer, mumlet Bea. – Bare ta meg med til det stedet.

Det var allerede stummende mørkt da vi stanset utenfor porten til De glemte bøkers kirkegård i skyggene av Calle Arco del Teatro. Jeg grep smådjevelens dørhammer og banket tre ganger. Det blåste en kald vind mettet med lukten av kull. Vi søkte ly under buen ved inngangen mens vi ventet. Jeg møtte Beas blikk bare noen centimeter fra mitt. Hun smilte. Om litt hørtes noen lette skritt som nærmet seg porten, og vi hørte den slitne stemmen til vokteren.

– Hvem der? spurte Isaac.

– Det er Daniel Sempere, Isaac.

Jeg syntes jeg hørte ham banne lavt. Så fulgte noen knirkende og jamrende lyder i den kafkaske låsen. Endelig ga porten etter noen centimeter og avslørte ørneansiktet til Isaac Monfort i skjæret av en oljelampe. Da vokteren fikk se meg, stønnet han og vrengte det hvite ut av øynene.

– Jeg skjønner heller ikke hvorfor jeg spør, sa han. – Hvem skulle det ellers være på denne tiden av døgnet?

Isaac hadde på seg noe som i mine øyne var en merkelig blanding av slåbrok, badekåpe og frakk fra den russiske hæren. De vatterte tøflene var en perfekt match til en rutete lue med dusk og skygge.

– Jeg håper jeg ikke har trukket Dem opp av sengen, sa jeg.

– Nei da. Jeg hadde akkurat begynt på aftenbønnen.

Han kastet et blikk på Bea som om han akkurat hadde oppdaget en tent dyamittgubbe under føttene.

– Jeg håper for Deres skyld at det der ikke er det det ser ut som, sa han truende.

– Isaac, dette er min venninne Beatriz, og med Deres tillatelse ville jeg gjerne få vise henne stedet. Ingen grunn til bekymring, det skjer i all fortrolighet.

– Sempere, jeg har kjent pattebarn med mer vett i skallen enn Dem.

– Bare et lite øyeblikk.

Isaac prustet oppgitt og gransket Bea inngående, med en politimanns mistro.

– Er De klar over at De er i følge med en åndssvak person? spurte han.

Bea smilte høflig.

– Det begynner å demre for meg.

– Hellige uskyld. Kjenner De reglene?

Bea nikket. Isaac ristet på hodet, mumlet lavt og slapp oss inn, idet han som alltid speidet inn i skyggene på gaten.

– Jeg har besøkt Deres datter Nuria, sa jeg lett henkastet. – Det står bra til. Mye å gjøre, men ellers bare bra. Hun sender mange hilsener.

– Ja, og forgiftede piler. De er virkelig en elendig skrønemaker, Sempere. Men takk for forsøket. Kom nå, stig på.

Da vi vel var inne, rakte han meg lampen og ga seg til å låse igjen uten å ofre oss mer oppmerksomhet.

– Når dere er ferdige, vet dere hvor dere finner meg.

Bøkenes labyrint kunne fornemmes i de spøkelsesaktige hjørnene som stakk frem fra tåkesløret. Oljelampen spredte en boble av dampende lys rundt føttene våre. Bea stanset målløs på terskelen til labyrinten. Jeg smilte, og det jeg så i ansiktet hennes, må

176

ha vært det samme uttrykket som far hadde sett hos meg mange år tidligere. Vi bega oss inn i labyrintens tunneler og ganger, og det knakte under skrittene våre. Merkene jeg hadde satt på mitt siste streiftog der inne, var der fremdeles.

– Kom, det er noe jeg vil vise deg, sa jeg.

Mer enn én gang mistet jeg mitt eget spor, og vi måtte gå tilbake et stykke og lete etter det siste merket. Bea så på meg med en blanding av bestyrtelse og fascinasjon. Mitt indre kompass ville ha det til at ruten vår var forsvunnet inn i en sløyfe av spiraler som langsomt hevet seg mot labyrintens innerste. Endelig greide jeg å følge mine egne skritt tilbake gjennom virvaret av ganger og tunneler så langt at jeg svingte inn i en smal korridor som minnet om en gangbro som tøyde seg ut i bekmørket. Jeg la meg på kne ved den siste hyllen og lette etter min gamle venn, som sto skjult bak raden av bind begravd under et lag av støv som skinte som rim i skjæret fra lampen. Jeg strakte hendene frem etter boken og ga den til Bea.

– La meg få presentere Julián Carax.

– *Vindens skygge*, leste Bea og lot fingrene gli ømt over de halvt utviskede bokstavene på omslaget.

– Får jeg ta den med? spurte hun.

– Hvilken som helst, bare ikke denne.

– Jamen, det er ikke rettferdig. Etter det du har fortalt, er det akkurat denne jeg vil ha.

– En dag kanskje, men ikke i dag.

Jeg tok den ut av hendene hennes og gjemte den på samme sted igjen.

– Jeg kommer tilbake uten deg og tar den uten at du merker det, sa hun ertende.

– Du finner den ikke på tusen år.

– Det tror du, det. Jeg har sett merkene dine, og jeg har også hørt fortellingen om Minotauros.

– Isaac slipper deg ikke inn.

– Der tar du feil. Han liker meg bedre enn deg.

– Hvordan kan du vite det?

– Jeg kan tyde blikk.

Med dyp beklagelse trodde jeg henne og vendte mitt bort.

– Velg en hvilken som helst annen. Se, denne er jo lovende. *Høyslettens svin, det ukjente: På sporet av røttene til den iberiske grisen*, av Anselmo Torquemada. Den har sikkert solgt i flere eksemplarer enn en hvilken som helst bok av Julián Carax. På grisen kan man utnytte alt.

– Den andre der virker mer fristende.

– *Tess of the d'Urbervilles*. Det er originalversjonen. Tør du gi deg i kast med Thomas Hardy på engelsk?

Hun sendte meg et skrått blikk.

– Innvilget.

– Der ser du! Det er som om den har ventet på meg. Som om den har stått gjemt her til meg fra før jeg ble født.

Jeg stirret målløs på henne. Bea hentet frem smilerynkene.

– Har jeg sagt noe rart?

Så, uten å tenke over det, bare så vidt at leppene våre streifet hverandre, kysset jeg henne.

Det var nesten midnatt da vi kom til porten hjemme hos Bea. Vi hadde gått nesten hele veien i taushet, torde ikke si hva vi tenkte. Vi gikk hver for oss, gjemte oss for hverandre. Bea gikk rank med sin *Tess* under armen, og jeg fulgte en håndsbredd bak henne, med smaken av leppene hennes. Jeg følte meg ennå tynget av det skjeve blikket Isaac hadde sendt meg idet vi forlot De glemte bøkers kirkegård. Det var et blikk jeg kjente godt og hadde sett tusen ganger hos far, et blikk som spurte om jeg hadde den fjerneste anelse om hva jeg gjorde. De siste timene hadde forløpt i en annen verden, et univers av lette berøringer, blikk jeg ikke forsto og som tok knekken på forstanden og skammen. Nå som jeg var tilbake i den virkeligheten som alltid lå på lur i skyggene i Eixample, slapp forhekselsen taket, og jeg sto igjen med bare det pinefulle begjæret og en navnløs uro. Et eneste blikk på Bea var nok til å forstå at mine betenkeligheter knapt var et pust i den snøstormen som pisket i hennes indre. Vi stanset foran porten og så på hverandre uten minste forsøk på å forstille oss. En sangglad vekter kom ruslende, nynnet boleroer og akkompagnerte seg med den lekre klirringen i nøklenes villnis.

– Du mener kanskje det er best at vi ikke sees mer, ymtet jeg frempå uten overbevisning.

– Jeg vet ikke, Daniel. Jeg vet ingenting. Er det det du vil?

– Nei. Selvsagt ikke. Og du?

Hun trakk på skuldrene og antydet et kraftløst smil.

– Hva tror du? spurte hun. – Jeg løy i sted, ikke sant? Inne i gården på universitetet.

– Om hva da?

– Om at jeg ikke ville treffe deg i dag.

Vekteren gikk utenom oss og sendte oss et skjevt lite smil, åpenbart likeglad med min første portscene med tilhørende hvisking. Så gammel som han var i tralten, måtte det virke banalt og fortersket.

– For meg har det ingen hast, sa han. – Jeg tar meg en liten røyk på hjørnet, så gir dere meg beskjed.

Jeg ventet til vekteren hadde gått.

– Når får jeg se deg igjen?

– Jeg vet ikke, Daniel.

– I morgen?

– Vær så snill, Daniel. Jeg vet ikke.

Jeg nikket. Hun klappet meg på kinnet.

– Det er best du går nå.

– Du vet iallfall hvor du kan finne meg?

Hun nikket.

– Da lever jeg i håpet.

– Jeg også.

Jeg gikk, uten å slippe henne med blikket. Vekteren, som var ekspert på den slags opptrinn, kom allerede ilende for å åpne porten for henne.

– Du er meg en frekkas, mumlet han i forbifarten, ikke uten en viss beundring. – For et lekkert stykke.

Jeg ventet til Bea var kommet inn i bygningen, så gikk jeg raskt derfra, men kastet et blikk tilbake for hvert skritt. Langsomt ble jeg overmannet av en absurd overbevisning om at alt var mulig, og det var som om også disse øde gatene og denne fiendtlige vinden luktet håp. Da jeg kom til Plaza Cataluña, la jeg merke til at en flokk duer hadde samlet seg midt på plassen. De dekket alt, som et teppe av hvite vinger som vugget i stillhet. Jeg hadde tenkt å gå utenom, men så merket jeg at flokken flyttet seg til side uten å lette. Jeg skrittet prøvende videre og så hvordan duene trakk seg unna for meg og sluttet seg sammen igjen bak meg. Da jeg var kommet midt ut på plassen, hørte jeg klangen i katedralklokkene som slo tolv. Jeg stanset et øyeblikk, strandet i et hav av sølvskimrende fugler, og tenkte at dette hadde vært den mest forunderlige og fantastiske dagen i mitt liv.

22

Det var fremdeles lys i bokhandelen da jeg kom forbi utstillings-
vinduet. Jeg tenkte at far kanskje var blitt sittende lenge for å
komme à jour med korrespondansen eller hadde funnet et eller
annet påskudd for å sitte oppe og vente på meg og fritte meg ut
om møtet med Bea. Jeg iakttok silhuetten som ryddet i en sta-
bel med bøker og dro kjensel på den inntørkede og senesterke
skikkelsen til Fermín, helt oppslukt av det han holdt på med.
Jeg banket på ruten. Fermín kikket ut, behagelig overrasket, og
gjorde tegn til at jeg skulle komme inn bakveien.

– Fortsatt på jobb, Fermín? Det er jo fryktelig sent.

– Egentlig fordrev jeg bare tiden fordi jeg hadde tenkt meg
bort til den stakkars don Federico etterpå for å våke over ham.
Vi er blitt enige om en vaktordning, jeg og Eloy, optikeren. Jeg
sover allikevel ikke stort. Toppen to–tre timer. Men du er jo heller
ikke tapt bak en vogn, Daniel. Klokken er over tolv, og jeg slutter
meg da til at møtet med den lille snuppa ble en kjempesuksess.

Jeg trakk på skuldrene.

– Det vet jeg faktisk ikke, innrømmet jeg.

– Fikk du ta på henne?

– Nei.

– Et godt tegn. Stol aldri på noen som lar folk ta på seg ved
første møte. Men stol enda mindre på dem som må ha en prest til
å gi sitt bifall. Indrefileten, og unnskyld den kjøttfulle sammen-
ligningen, ligger et sted i midten. Hvis det byr seg en anledning,
så sier det seg selv at du ikke skal være for dydig, det er bare å
ta for seg. Men hvis det du er ute etter, er alvorlig, som i mitt
tifelle med Bernarda, skal du huske denne gylne regelen.

– Så du mener det alvorlig?

– Mer enn alvorlig. Åndelig. Og det med denne jentungen,
Beatriz, hvordan er det? At hun kan by på encyklopediske her-
ligheter, ser alle som har øyne i hodet, men sakens kjerne er: Er

hun av dem som vil at noen skal bli forelsket, eller er hun av dem som bare vil gjøre mindreårige helt på styr?

– Jeg har ingen anelse, fastslo jeg. – Begge deler, vil jeg tro.

– Hør nå her, Daniel, det der er som en forstoppelse. Kan du kjenne noe her, i mellomgulvet? Som om du hadde slukt en murstein? Eller er det bare en ubestemmelig feber?

– Mest som en murstein, sa jeg, selv om jeg ikke helt ville avskrive det med feberen.

– Det betyr i så fall at det er alvor. Gud trøste og bære! Kom, sett deg, så skal jeg lage lindete.

Vi slo oss ned ved bordet i bakværelset, omgitt av bøker og stillhet. Byen sov, og bokhandelen var som en båt i drift på et hav av fred og skygge. Fermín rakte meg en dampende kopp og smilte litt forlegent. Det var noe som romsterte i hodet på ham.

– Får jeg stille deg et spørsmål av personlig art, Daniel?

– Naturligvis.

– Jeg må be deg svare ærlig og oppriktig, sa han og kremtet. – Tror du at jeg kunne bli far?

Han må ha lest rådvillheten i ansiktet mitt og skyndte seg å legge til:

– Jeg mener ikke biologisk far, for da vil du saktens mene at jeg er for puslete å se til, men gudskjelov har forsynet utstyrt meg med en manndomskraft og villskap som en ungstut. Jeg tenkte på en annen type far. En god far, om du skjønner hva jeg mener.

– En god far?

– Ja. Som din. En mann med hode, hjerte og sjel. En mann som er i stand til å lytte, veilede og respektere et barn, ikke kvele sine egne feil og mangler i det. En som en sønn ikke bare vil være glad i fordi han er faren hans, men som han vil beundre som den personen han er. En som han ønsker å bli lik.

– Hvorfor spør du meg om det, Fermín? Jeg mente at du ikke trodde på ekteskapet og familien. Åket og alt det der. Du har vel ikke glemt det?

Fermín nikket.

– Alt det der er jo bare dilettantisme. Ekteskapet og familien er ikke mer enn vi selv gjør ut av dem. Uten det er de ikke mer enn et arnested for hykleri. Skrammel og ordskvalder. Men hvis det finnes ekte kjærlighet, av den sorten man ikke prater om eller erklærer i øst og vest, av den som gjør seg gjeldende og fremstår som …

– Du er jo som et nytt menneske, Fermín.

– Det er nettopp det jeg er. Bernarda har fått meg til å ønske at jeg var et bedre menneske enn jeg er.

– Hvorfor det?

– For å gjøre meg fortjent til henne. Du forstår deg ikke på slikt nå, så ung som du er. Men med tiden vil du se at det som noen ganger teller, ikke er det man gir, men det man avstår. Bernarda og jeg har snakket om det. Hun er en hønemor, det vet du jo. Hun sier det ikke, men jeg har inntrykk av at den største lykken hun kunne få i livet, er å bli mor. Og jeg synes denne kvinnen er herligere enn fersken i sukkerlake. For å si det som det er, jeg kunne finne på å be om kirkens velsignelse etter toogtredve års avholdenhet fra alt som geistlighet heter, og stemme i salmene til Sankt Serafin eller hva det nå er hun finner påkrevd.

– Det forekommer meg at dette er noe forhastet, Fermín. Du er jo nettopp blitt kjent med henne …

– Hør nå her, Daniel, i min alder må man ha fått et klart blikk for hva som er det rette, ellers er man solgt. Livet er verdt å leve for tre eller fire ting, resten er bare dritt som egner seg best som gjødsel. Jeg har foretatt meg mye dumt, og nå vet jeg at det eneste jeg ønsker, er å gjøre Bernarda lykkelig og en dag dø i hennes armer. Jeg vil bli en respektabel mann igjen, ikke sant? Ikke for min egen skyld, for jeg gir fanden med fett på i det sangkor av apekatter som vi kaller menneskeheten, men for hennes skyld. For Bernarda tror på den slags, på radioføljetongene, på prestene, på aktverdigheten og på Jomfruen av Lourdes. Det er slik hun er, og jeg elsker henne som hun er, uten at noen skal komme og forandre på så mye som et hår av dem som vokser på haken hennes. Det er derfor jeg vil være en som hun kan være stolt av. Jeg vil at hun skal tenke: Min Fermín er et skikkelig mannfolk, som Cary Grant, Hemingway eller Manolete.

Jeg la armene i kors og prøvde å sette saken inn i en større sammenheng.

– Har du snakket med henne om alt det der? Om å få barn sammen?

– Herregud, nei. Hva tar du meg for? Tror du jeg går omkring i verden og sier til kvinnene at jeg har lyst til å besvangre dem? Det skorter altså ikke på lyst, for det der fjolset Merceditas kunne jeg godt ha satt trillinger på og følt meg som Gud Fader selv, men …

182

– Har du sagt til Bernarda at du kunne tenke deg å stifte familie?

– Det er slikt man ikke behøver å si, Daniel. Det ser man på folk.

Jeg nikket.

– Nå vel, om nå min mening er noe verdt, så er jeg sikker på at du ville bli en fabelaktig far og ektemann. Selv om du ikke bør tro fullt og fast på alle de tingene, for dermed vil du aldri ta dem som en selvfølge.

Hele ansiktet hans strålte av glede.

– Mener du virkelig det?

– Om jeg gjør.

– Du har tatt en enorm bør fra mine skuldrer. For bare jeg lar tankene gå til mitt faderlige opphav og lurer på om jeg kunne bli det samme for et annet menneske som han var for meg, føler jeg trang til å sterilisere meg.

– Det kan du ta helt med ro. Dessuten finnes det sannsynligvis ingen behandling som kan legge en demper på din forplantningsdrift.

– Det er sant, sa han ettertenksomt. Nei, nå må du gå og hvile. Jeg skal ikke oppholde deg mer.

– Du oppholder meg ikke, Fermín. Jeg har på følelsen at jeg ikke vil få blund på øynene.

– Skabb som det følger velvære med ... Forresten, det du nevnte om den postboksen, husker du det?

– Har du funnet ut noe?

– Jeg sa jo at det bare var å overlate det til meg. I middagspausen i dag tok jeg en tur bort til posthuset og vekslet noen ord med en gammel kjenning som jobber der. Postboks 2321 står oppført på en viss José María Requejo, advokat med kontor i Calle León XIII. Jeg tillot meg å kontrollere adressen til angjeldende person, og ble ikke overrasket da det viste seg at den ikke eksisterer, men jeg kan tenke meg at det er noe du vet fra før. Korrespondansen som kommer til denne postboksen, er i en årrekke blitt hentet av én person. Jeg vet det, for noen av sendingene som kommer fra et forvaltningsbyrå for leiegårder, er rekommanderte, og når man henter dem, må man skrive under på en liten kvittering og vise legitimasjon.

– Hvem er det? En av de ansatte hos advokat Requejo? spurte jeg.

183

– Så langt er jeg ikke kommet ennå, men jeg tviler. Hvis jeg ikke tar helt feil, eksisterer denne Requejo på samme plan som Jomfruen av Fátima. Jeg kan bare oppgi navnet på den personen som henter korrespondansen: Nuria Monfort.

Jeg bleknet.

– Nuria Monfort? Er du sikker på det, Fermín?

– Jeg har selv sett noen av kvitteringene. Der sto navnet og nummeret på identitetskortet. Ut fra det oppkastgrå ansiktet du satte opp, trekker jeg den slutning at den avsløringen overrasker deg.

– Temmelig.

– Tør jeg spørre hvem denne Nuria Monfort er? Den funksjonæren jeg snakket med, sa at han husket henne meget godt, for hun hadde vært der for et par uker siden og hentet korrespondansen, og etter hans uhildede syn var hun flottere enn Venus fra Milo og med fastere bryster. Og jeg stoler på hans vurdering, for før krigen underviste han i estetikk, men ettersom han var en fjern slektning av Largo Caballero, det er klart, så slikker han nå stempelmerker ...

– Jeg snakket med den damen i dag, hjemme hos henne, mumlet jeg.

Fermín så forbløffet på meg.

– Nuria Monfort? Jeg begynner å lure på om jeg har tatt feil av deg, Daniel. Du er jo den reneste uthaleren.

– Det er ikke som du tror, Fermín.

– Det er i så fall verst for deg selv. Da jeg var på din alder, var jeg som El Molino, morgen, middag og kveld.

Jeg så granskende på den inntørkede og knoklete lille mannen, bare nese og gulnet hud, og det slo meg at han var i ferd med å bli min beste venn.

– Får jeg si deg noe, Fermin? Noe som jeg har gått og kvernet på i lange tider.

– Skulle bare mangle. Hva som helst. Især hvis det er slibrig og har noe med den jenta å gjøre.

For annen gang den kvelden ga jeg meg til å fortelle historien om Julián Carax og gåten i forbindelse med hans død. Fermín lyttet med største oppmerksomhet, noterte seg ting i en kladdebok og avbrøt meg iblant for å spørre om en detalj som jeg ikke helt kunne se betydningen av. Mens jeg hørte på meg selv, oppdaget jeg også stadig nye huller i historien. Ved mer enn én anledning gikk jeg i stå, og tankene mine strevde med å gjette seg til hvorfor Nuria Monfort hadde løyet for meg. Hvilken betydning hadde det at det var hun som i en årrekke hadde hentet posten som var adressert til et advokatkontor som ikke eksisterte, og som angivelig forvaltet leiligheten til familien Fortuny-Carax i Ronda de San Antonio? Jeg var ikke klar over at jeg uttrykte mine tvil høyt.

– Vi kan ennå ikke vite hvorfor denne kvinnen løy, sa Fermín. – Men vi kan driste oss til å anta at når hun løy i så henseende, kunne hun ha gjort det, og gjorde det trolig også, i andre henseender.

Jeg sukket oppgitt.

– Hva vil du foreslå, Fermín?

Fermín Romero de Torres sukket og satte opp en filosofisk mine.

– Jeg skal si deg hva vi kan gjøre. På søndag, hvis ikke du har noe imot det, stikker vi liksom motstrebende innom San Gabriel og forhører oss litt om opprinnelsen til vennskapet mellom denne Carax og den andre herremannen, den rike kaksen ...

– Aldaya.

– Og er det noe jeg har godt håndlag med, så er det prester, bare vent og se, om det så bare skyldes at jeg ser ut som en villfaren karteuser. Bare litt smiger, og jeg har dem i min hule hånd.

– Og så?

– Bare vent! Jeg garanterer at de kommer til å synge som Escolanía de Montserrat.

23

Den lørdagen gikk jeg som i ørske, men holdt meg hele tiden bak disken i bokhandelen i håp om å se Bea dukke opp i døren som ved en trolldom. Hver gang telefonen ringte, kastet jeg meg over den for å svare og rev røret ut av hendene på far eller Fermín. Utpå ettermiddagen, etter nærmere tyve oppringninger fra kunder og uten nytt fra Bea, begynte jeg å forsone meg med at verden og min ulykkelige tilværelse lakket mot slutten. Far var ute for å taksere en samling i San Gervasio, og Fermín benyttet anledningen til å prakke på meg enda en av sine mesterlige forelesninger om elskovsintrigenes krinkelkroker.

– Demp deg, ellers kommer du til å få en stein på leveren, rådet Fermín meg. – Det er med slike kjærlighetshistorier som det er med tango: absurd og bare spillfekteri. Men du er mann, og det er opp til deg å ta initiativet.

Dette begynte å ta en betenkelig vending.

– Initiativet? Jeg?

– Hva ellers? Det er prisen man må betale for å kunne stå og pisse.

– Ja, men Bea lot meg forstå at hun skulle gi meg beskjed.

– Du skjønner deg virkelig ikke på kvinner, Daniel. Jeg skal gjerne vedde hele julegratialet på at det møfrøet sitter hjemme og stirrer lengselsfullt ut av vinduet som en annen Kameliadame og venter på at du skal komme og redde henne fra den bøllete faren og rive henne med i en ustoppelig spiral av synd og vellyst.

– Er du sikker?

– Ren vitenskap.

– Men tenk om hun har kommet frem til at hun ikke vil se meg mer?

– Hør nå her, Daniel. Kvinner er mer intelligente enn oss, med visse bemerkelsesverdige unntak som nabokonen, Merceditas, eller i det minste mer oppriktige overfor seg selv når det gjelder hva de vil eller ikke vil. Noe annet er om de sier det til en eller til verden. Du står overfor en av naturens gåter, Daniel. Kvinnen, babel og labyrint. Hvis du lar henne tenke på det, er du fortapt. Husk: varmt hjerte, kaldt sinn. Forførerens uskrevne regel.

Fermín skulle til å gjøre rede for forførerkunstens særegenheter og tekniske finurligheter da bjellen i døren ringte, og vi så min venn Tomás Aguilar komme inn. Hjertet gjorde et hopp i brystet på meg. Forsynet unte meg ikke Bea, men det sendte meg hennes bror. Et uhellsvangert sendebud, tenkte jeg. Tomás var mørk i ansiktet og så temmelig mismodig ut.

– Veldig så gravdyster du ser ut i dag, Tomás, bemerket Fermín. – Men du drikker vel en kopp kaffe med oss i det minste?

– Jeg sier ikke nei, sa Tomás med sin sedvanlige tilbakeholdenhet.

Fermín skjenket i en kopp av det brygget han hadde stående på termosen, og som ga fra seg en mistenkelig eim av sherry.

– Er det noe galt? spurte jeg.

Tomás trakk på skuldrene.

– Ikke noe nytt. Far har den dagen i dag, og jeg foretrakk å gå ut og trekke litt frisk luft.

Jeg svelget tungt.

– Hvorfor det?

– Neimen om jeg vet. Bea kom ganske sent hjem i går kveld. Far satt oppe og ventet på henne, litt oppskjørtet som vanlig. Hun nektet å si hvor hun hadde vært og hvem hun hadde vært sammen med, og far ble fly forbannet. Han holdt det gående til klokken fire, brølte og kalte henne en flokse og sverget at han skulle sette henne i kloster, og hvis hun ble med barn, skulle han sparke henne rett på gaten.

Fermín sendte meg et forskrekket øyekast. Jeg følte at svettedråpene som silte nedover ryggen på meg, ble flere grader kaldere.

– I dag tidlig, fortsatte Tomás, – stengte Bea seg inne på rommet, og er ikke kommet ut på hele dagen. Far har satt seg til å lese avisen ABC og høre på zarzuelaer på radioen for full styrke. I mellomakten på *Luisa Fernanda* måtte jeg bare gå, for jeg trodde jeg skulle bli gal.

– Ja, ja, søsteren din var vel sammen med kjæresten? sa Fermín ertende. – Det er bare naturlig.

Jeg langet ut et spark bak disken, som Fermín driblet med katteaktig spenst.

– Kjæresten hennes er i det militære, opplyste Tomás. – Han kommer ikke på perm før om et par uker. Og dessuten, når hun går ut med ham, er hun hjemme klokken åtte, senest.

– Og du har ingen anelse om hvor hun var eller med hvem?

– Han har jo allerede sagt nei, Fermín, innskjøt jeg, ivrig etter å skifte tema.

– Ikke faren hennes heller? turet Fermín frem og storkoste seg.

– Nei, men han har sverget å bringe det på det rene og knuse bena og ansiktet på ham så snart han får vite det.

Jeg ble askegrå. Fermín skjenket i en kopp av brygget sitt uten å spørre meg. Jeg helte det i meg i én slurk. Det smakte lunken diesel. Tomás iakttok meg i taushet, med et mørkt og ugjennomtrengelig blikk.

– Hørte dere det? sa Fermín plutselig. – Omtrent som tromme-virvlene før en saltomortale.

– Nei.

– Tarmene til undertegnede. Det var veldig så sulten jeg ble … gjør det noe om jeg lar dere bli alene en stund og stikker bort til bakeriet og ser om jeg kan få meg en bolle? For ikke å snakke om den nye ekspeditrisen som akkurat er kommet fra Reus og kan få tennene til å løpe i vann og det ene med det andre. Hun heter María Virtudes, men én last har hun … Dere får bare prate om deres ting så lenge.

Ti sekunder senere var Fermín forsvunnet som ved et trylle-slag, underveis til det lille måltidet sitt og møtet med det lille pikebarnet. Tomás og jeg ble sittende alene, omgitt av en stillhet som tegnet til å bli enda mer solid enn sveitserfrancen.

– Tomás, begynte jeg, tørr i munnen. – Søsteren din var sammen med meg i går kveld.

Han så på meg nesten uten å blunke. Jeg svelget tungt.

– Si noe, sa jeg.

– Du er ikke riktig.

Det gikk et minutt med surr av stemmer på gaten. Tomás holdt kaffekoppen sin, uten å drikke.

– Mener du det? spurte han.

– Jeg har bare truffet henne én gang.

– Det er ikke noe svar.

– Ville du bry deg om det?

188

Han trakk på skuldrene.

– Du vet vel hva du gjør. Ville du holde opp med å treffe henne hvis jeg ba deg om det?

– Ja, løy jeg. – Men du ber meg ikke om det.

Tomás bøyde hodet.

– Du kjenner ikke Bea, mumlet han.

Jeg tidde. Vi lot det gå flere minutter uten at et ord ble sagt, så på de grå skikkelsene som kikket i butikkvinduet, håpet inderlig at noen skulle manne seg opp til å gå inn og redde oss ut av den forgiftede stillheten. Etter en stund satte Tomás koppen fra seg på disken og gikk mot døren.

– Skal du gå alt?

Han nikket.

– Kan vi ikke treffes en stund i morgen? sa jeg. – Vi kunne gå på kino med Fermín, som før i tiden.

Han stanset i døren.

– Jeg sier det bare én gang, Daniel. Nåde deg hvis du gjør søsteren min fortred.

Idet han gikk, støtte han på Fermín, som kom med en pose full av rykende varme småkaker. Fermín så ham forsvinne i natten og ristet på hodet. Han la kakene på disken og bød på en nybakt butterdeigsbolle. Jeg avslo. Jeg ville aldri ha klart å svelge så mye som en aspirin.

– Det går over, skal du se, Daniel. Slikt er normalt mellom venner.

– Jeg vet ikke, mumlet jeg.

24

Vi møttes klokken halv åtte den søndagsmorgenen på Café Cana-letas, der Fermín spanderte kaffe med melk og noen briocher som selv med smør på hadde en konsistens som kunne minne om pimpestein. Vi ble oppvartet av en servitør med falanksens emblem på jakkeslaget og blyantsmal bart. Han gikk og nynnet hele tiden, og da vi spurte hvorfor han var i så strålende humør, forklarte han at han var blitt far dagen før. Da vi gratulerte ham, ville han absolutt gi oss en Faria hver for at vi skulle røyke den i dagens løp til ære for hans førstefødte. Vi sa vi skulle gjøre det. Fermín kastet skrå blikk på ham, med rynket panne, og det ante meg at han pønsket på noe.

Under frokosten erklærte Fermín dagens etterforskning for åpnet ved å risse opp hovedlinjene i gåten.

– Det hele begynner med det oppriktige vennskapet mellom to gutter, Julián Carax og Jorge Aldaya, klassekamerater fra barndommen av, som Tomás og du. I mange år går alt bra. Uatskillelige venner med hele livet foran seg. Men så, på et visst tidspunkt, oppstår det en konflikt som sprenger dette vennskapet. For å parafrasere salongdramaturger, konflikten har en kvinnes navn og heter Penélope. Meget homerisk. Er du med?

Det eneste jeg kunne komme på, var Tomás Aguilars siste ord kvelden før, i bokhandelen: «Du gjør ikke søsteren min fortred.» Jeg ble kvalm.

– I 1919 drar Julián Carax av sted til Paris som en annen Odysseus, fortsatte Fermín. – Brevet fra Penélopes hånd, som han aldri mottar, gjør det klart at på det daværende tidspunkt er den unge damen innesperret i sitt eget hjem, der hun holdes fanget av sin egen familie av grunner som er temmelig uklare, og at vennskapet mellom Aldaya og Carax har opphørt. Ja mer enn det, etter hva Penélope beretter, har hennes bror Jorge sverget at om han ser sin gamle venn Julián igjen, skal han drepe ham. Store ord for å markere slutten på et vennskap. Man behøver ikke å være noen Pasteur for å slutte seg til at konflikten er en direkte konsekvens av forholdet mellom Penélope og Carax.

Kaldsvetten dekket pannen min. Jeg følte at kaffen med melk og de fire bitene jeg hadde svelget, presset på i halsen og ville opp igjen.

– Dog må vi formode at Carax aldri får vite hva som er skjedd med Penélope, for brevet kommer ham ikke i hende. Hans liv fortaper seg i Paris' tåke, der han skal utfolde en spøkelsesaktig tilværelse mellom jobben som pianist i et varietélokale og en katastrofal karriere som mislykket romanforfatter. Disse årene i Paris er et mysterium. Det eneste som gjenstår av dem, er et litterært verk som er glemt og praktisk talt forsvunnet. Vi vet at han på et gitt tidspunkt bestemmer seg for å inngå ekteskap med en gåtefull og velhavende dame som er dobbelt så gammel som ham. Dette ekteskapets natur er, om vi skal holde oss til vitneutsagn, etter alt å dømme mer en barmhjertighetsgjerning eller vennetjeneste fra en syk dames side enn en romantisk affære. Alt tyder på at mesenen, som ser mørkt på protesjeens økonomiske fremtid, bestemmer seg for å testamentere formuen sin til ham og si farvel til denne verden med en omgang i sengehalmen til kunstens større ære. Parisere er sånn.

– Det kan jo ha vært ekte kjærlighet, fremholdt jeg med tynn stemme.

– Er det noe i veien med deg, Daniel? Du er blitt kriddende hvit, og svetten siler.

– Det er bare bra med meg, løy jeg.

– Hva jeg ville ha sagt. Kjærligheten er som pølsevarer: Det er kjøttpølse og det er servelat. Alt har sin plass og sin funksjon. Carax hadde erklært at han ikke følte seg verdig noen som helst kjærlighet, og vi vet ganske riktig ikke om noen registrert romanse i de årene han bodde i Paris. Siden han jobbet på et slikt etablissement der menn kommer for å treffe damer, kan det jo tenkes at driftenes mest elementære glød kan ha blitt tilfredsstilt via samrøre mellom firmaets ansatte, som om det var snakk om en bonus eller, aldri har det vel passet bedre, julegratialet. Men det er ren spekulasjon. La oss nå vende tilbake til det øyeblikket da det lyses til ekteskap mellom Carax og hans beskytterinne. Det er da Jorge Aldaya igjen dukker opp på kartet i denne grumsete affæren. Vi vet at han tar kontakt med Carax' forlegger i Barcelona for å finne frem til forfatterens bopel. Kort tid etter, om morgenen den dagen bryllupet skal stå, kjemper Julián Carax i en duell med en ukjent mann på kirkegården Père Lachaise og forsvinner. Bryllupet finner aldri sted. Fra da av blir alt en eneste røre.

Fermín la inn en dramatisk pause og sendte meg et blikk farget av disse høytflygende intrigene.

– Antagelig krysser Carax grensen og gir nok et bevis for sin navngjetne sans for timing da han vender tilbake til Barcelona i 1936, akkurat idet borgerkrigen bryter ut. Hans gjøremål og oppholdssted i Barcelona i disse ukene er dunkle. Vi formoder at han blir værende i byen en måned, og at han i løpet av den tiden ikke kontakter noen av sine bekjente. Verken sin far eller sin venninne Nuria Monfort. Han blir funnet død litt senere, skutt ned på gaten. Det varer ikke lenge før en uhellsvanger figur gjør sin entré, en mann som kaller seg Laín Coubert, et navn han har lånt fra en person i den siste romanen til selveste Carax, og som oven i kjøpet er selveste mørkets fyrste. Den formentlige smådjevelen viser at han er oppsatt på å slette fra kartet det lille som er igjen av Carax, og ødelegge bøkene hans for alltid. For å gjøre melodramaet fullkomment opptrer han som en mann uten ansikt, vansiret av ild. En tølper rømt fra en gotisk operette, og for å gjøre det hele enda mer innfløkt: Nuria Monfort synes hun drar kjensel på stemmen til Jorge Aldaya hos ham.

– Jeg må få minne deg på at Nuria Monfort løy for meg, sa jeg.

– Ja visst, men selv om Nuria Monfort løy, er det mulig at det var en unnlatelsessynd, og at hun gjorde det for å skape avstand mellom seg og hendelsene. Det finnes få grunner til å fortelle sannheten, mens til å lyve er antallet uendelig. Er det sikkert at det går bra med deg? Du har samme farge i ansiktet som en galicisk blåmuggost.

Jeg ristet på hodet og styrtet ut på toalettet.

Jeg kastet opp frokosten, kveldsmaten og en god del av raseriet jeg bar på. Jeg vasket meg i ansiktet med iskaldt vann fra springen og gransket ansiktet mitt i det duggete speilet der noen hadde rablet med oljekritt: «Girón hanrei». Da jeg kom tilbake til bordet, så jeg at Fermín sto borte ved disken og betalte regningen og diskuterte fotball med ham som hadde servert oss.

– Bedre? spurte han.

Jeg nikket.

– Det skyldes et fall i blodtrykket, sa Fermín. – Ta deg en Sugus, den kurerer alt.

Da vi kom ut fra kafeen, ville Fermín absolutt ta en taxi til San Gabriel-skolen, mente at metroen fikk være til en annen dag, og fremholdt at dette var en morgen som skulle vært foreviget på et veggmaleri, mens tunnelene var for rotter.

– En taxi til Sarriá koster en formue, innvendte jeg.

– Idiotenes pantelånerkontor river i, avbrøt Fermín, – den patrioten der inne ga tilbake feil vekslepenger, så vi tjente stort. Og du er ikke i form til noen kjøretur under jorden.

Godt forsynt med urettmessige likvider stilte vi oss da opp på et hjørne nederst i Rambla de Cataluña og ventet på at det skulle dukke opp en taxi. Vi måtte la flere stykker passere, for Fermín erklærte at når han for én gangs skyld satte seg inn i en bil, skulle det i det minste være en Studebaker. Det tok oss et kvarter å finne et kjøretøy etter hans smak, og den ga Fermín seg til å praie med store fakter. Fermín insisterte på å sitte i forsetet, hvilket ga ham en anledning til å vikle seg inn i en diskusjon med sjåføren vedrørende gullet i Moskva og Josef Stalin, som var hans idol og åndelige veileder i det fjerne.

– Det har vært tre store skikkelser i dette århundret: Dolores Ibárruri, Manolete og Josef Stalin, kunngjorde taxisjåføren og skulle til å traktere oss med en detaljert hagiografi over den navnkundige kameraten.

Selv satt jeg komfortabelt i baksetet, uten å ense de langsommelige utlegningene, med vinduet åpent så jeg kunne nyte den friske luften. Fermín, som frydet seg over å kjøre Studebaker, jattet med sjåføren, avbrøt bare en sjelden gang den inderlig hengivne levnetsskildringen til den sovjetiske lederen som taxisjåføren ga, med spørsmål av tvilsom historiografisk interesse.

– Så vidt jeg har forstått, er han sterkt plaget av prostata etter at han svelget steinen i en mispel, og nå kan han bare late vannet hvis noen nynner Internasjonalen, innskjøt Fermín.

– Fascistisk propaganda, avklarte taxisjåføren, mer hengiven enn noen gang. – Kameraten pisser som en okse. Det er en flom som Volga selv kunne ha ønsket seg.

Denne høyttravende politiske diskusjonen fulgte oss hele veien bortover Vía Augusta på vei mot den øvre delen av byen. Det lysnet mer og mer, og en frisk bris kledde himmelen i glødende blått. Da vi kom til Calle Ganduxer, svingte sjåføren til høyre, og vi tok fatt på den langsomme oppstigningen mot Paseo de la Bonanova.

San Gabriel lå ruvende midt i en liten lund øverst i en smal og buktende gate som klatret oppover fra Bonanova. Fasaden, som var gjennomhullet av en mengde knivformede vinduer, avtegnet omrisset av et gotisk palé av rød teglstein, med luftige buer og tårn som raget over platanene i katedralaktige hvelvinger. Vi forlot taxien og bega oss inn i en frodig park med springvann der det dukket frem mugne kjeruber, og et flettverk av steinsatte stier som snodde seg mellom trærne. Underveis mot hovedinngangen ga Fermín meg en kort innføring i skolens fortid med en av sine sedvanlige mesterlige forelesninger i sosialhistorie.

– Selv om denne skolen i dine øyne må være som Rasputins mausoleum, var San Gabriel i sin tid en av de mest velansette og eksklusive institusjonene i Barcelona. I republikkens tid gikk det nedover med den, for den tidens nyrike, de nye industriherrene og bankierene, som hadde opplevd at deres avkom var blitt nektet adgang i år etter år fordi etternavnene deres luktet nytt, hadde bestemt seg for å opprette sine egne skoler der de ble behandlet med ærbødighet, og der de kunne nekte andres barn adgang. Penger er som et hvilket som helst annet virus: Når de godt og vel har fått sjelen til å råtne opp i den som huser dem, drar de videre på jakt etter friskt blod. Det er slik her i verden at et etternavn varer like kort som en sukkermandel. I sine glansdager, sånn omtrent mellom 1880 og 1930, tok San Gabriel opp kremen av de fine unge herrene av fin gammel avstamning og klingende pengepung. Aldaya og kompani strømmet til dette uhellsvangre stedet som kostskoleelever hvor de fikk omgås sine likemenn, gå til messe og lære seg historie med tanke på å la den gjenta seg ad nauseam.

– Men Julián Carax var ikke akkurat en av dem, påpekte jeg.

– Nei, men det hender at disse gilde institusjonene tilbyr et stipend eller to til gartnerens eller en skopussers barn, for slik å vise storsinn og kristen gavmildhet, hevdet Fermín. – Den mest effektive måten å gjøre fattigfolk harmløse på, er å lære dem å herme etter de rike. Dette er den giften som kapitalismen bruker for å blinde de …

– Nå må du ikke gi deg i kast med sosiale doktriner, Fermín, for hvis en av disse prestene hører deg, sparker de oss rett ut, avbrøt jeg ham da jeg merket at et par prester iakttok oss med en blanding av nysgjerrighet og forbeholdenhet oppe fra en trapp som førte til den store inngangsporten til skolen, og jeg lurte på om de kunne ha hørt noe av det vi snakket om.

En av dem kom oss i møte med et høflig smil og hendene i kors foran brystet i en biskoppelig gestus. Han var vel rundt de femti, og med den tynne skikkelsen og det glisne håret lignet han en rovfugl. Han hadde et stikkende blikk og omga seg med en duft av friskt kølnervann og naftalin.

– God dag. Jeg er fader Fernando Ramos, opplyste han. – Hva kan jeg stå til tjeneste med?

Fermín rakte ham hånden, og presten gransket den et øyeblikk før han trykket den, fremdeles skjermet bak det iskalde smilet.

– Fermín Romero de Torres, bibliografisk konsulent hos Sempere og sønner. Det er med aller største glede jeg hilser på hans aller frommeste høyvelbårenhet. Den som ved min side står, er min medarbeider samt venn, Daniel, en ung mann med fremtiden for seg og viden anerkjente kristelige anlegg.

Fader Fernando iakttok oss uten å blunke. Jeg følte trang til å synke i jorden.

– Gleden er på min side, señor Romero de Torres, svarte han hjertelig. – Tør jeg spørre hva som bringer to så fremragende mennesker til vår ringe institusjon?

Jeg besluttet å gripe inn før Fermín bestormet presten med enda flere uhyrligheter og vi måtte ta bena på nakken.

– Fader Fernando, vi prøver å lokalisere to gamle elever ved San Gabriel: Jorge Aldaya og Julián Carax.

Fader Fernando knep leppene sammen og hevet det ene øyebrynet.

– Julián døde for over femten år siden, og Aldaya har reist til Argentina, sa han tvert.

– Kjente De dem? spurte Fermín.

Prestens skarpe blikk dvelte ved oss etter tur før han svarte:

– Vi var klassekamerater. Hva skyldes Deres interesse for saken, om jeg tør spørre?

Jeg overveide hvordan jeg skulle besvare det spørsmålet da Fermín kom meg i forkjøpet.

– Saken er den at vi er kommet i besittelse av en rekke artikler som tilhører eller tilhørte, for den juridiske siden ved saken er noe uklar, de to før nevnte.

– Og av hvilken natur er så bemeldte artikler, om det tør være meg tillatt å spørre?

– Jeg må henstille til Dem å godta vår taushet dessangående, for så sant Gud lever, i sakens anledning er det et vell av samvittighetsspørsmål og dulgte sider som intet har å gjøre med den betingelsesløse tillit vi har overfor Deres høyvelbårenhet og den orden som De med slik tapperhet og fromhet representerer, ramset Fermín opp i full fart.

Fader Fernando så nesten sjokkskadet ut. Jeg fant det best å ta opp igjen samtalen før Fermín rakk å trekke pusten.

– De artiklene som señor Romero de Torres henviser til, er av privat karakter, suvenirer og gjenstander som kun er av sentimental verdi. Det vi hadde tenkt å be Dem om, hvis det ikke er til for meget bry, er om De ville fortelle oss hva De husker om Julián og Aldaya fra den tiden de studerte her.

Fader Fernando betraktet oss fremdeles med mistro. Det ble mer og mer åpenbart at han ikke var fornøyd med forklaringene vi hadde gitt på vår interesse, så han var ikke innstilt på å samarbeide. Jeg kastet et blikk på Fermín med bønn om hjelp og håpet inderlig at han kom på noe finurlig som kunne få presten over på vår side.

– Vet De at De ligner litt på Julián som ung mann? spurte plutselig fader Fernando.

Det glimtet til i øynene på Fermín. Der har vi det, tenkte han. Nå satser vi alt på ett kort.

– Meget skarpsindig, Deres Høyærverdighet, utbrøt Fermín med tilgjort forbauselse. – Deres klarsyn har demaskert oss på det ubarmhjertigste. De kommer til å nå langt og bli minst kardinal eller pave.

– Hva er det De snakker om?

– Er ikke det åpenbart og innlysende, Deres Høyvelbårenhet?

– Sant å si ikke.

– Kan vi stole på skrifteseglets overholdelse?

– Dette er en park, ingen skriftestol.

– Vi nøyer oss med Deres geistlige diskresjon.

– Den har De.

Fermín sukket dypt og så på meg med en melankolsk mine.

– Daniel, vi kan ikke fortsette å lyve for denne hellige Guds krigsmann.

– Nei, selvsagt ikke …, stadfestet jeg, helt desorientert.

Fermín gikk bort til presten og mumlet med fortrolig tonefall:

– Fader, vi har bunnsolide grunner til å formode at Daniel er intet mindre enn den hemmelige sønnen til den avdøde Julián Carax. Deri bunner vår interesse av å rekonstruere hans fortid og gjenreise minnet om en fraværende hedersmann som Døden fant for godt å rive bort fra det stakkars guttebarnets side.

Fader Fernando boret øynene i meg, lamslått.

– Er det sant?

Jeg nikket. Fermín klappet meg på skulderen, inderlig bedrøvet.

– Se på ham, stakkar. Her er han og leter etter en far som er forsvunnet i minnenes tåke. Hva kunne være mer sørgelig? Kan De si meg det, Deres aller helligste nåde?

– Har dere beviser som kan underbygge påstandene?

Fermín grep meg i haken og bød frem ansiktet mitt som en gangbar mynt.

– Har presten behov for ytterligere bevis enn dette fjeset, et stumt og troverdig vitne om angjeldende faderlige omstendighet?

Presten så ut til å nøle.

– Vil De hjelpe meg, fader? bønnfalt jeg listig. – Vær så snill …

Fader Fernando sukket, ille til mote.

– Jeg kan jo ikke se noe galt i det, sa han omsider. – Hva er det dere vil vite?

– Alt, sa Fermín.

25

Fader Fernando sammenfattet minnene sine med et nærmest for-
kynnende tonefall. Han bygde opp setningene propert og med
mesterlig edruelighet, fremsagt i en rytme som syntes å romme
en tilleggsmoral som aldri antok faste former. Det var mange års
lærergjerning som hadde gitt ham den faste og belærende stem-
men til en som er vant til å bli hørt, men som spør seg selv om
det er noen som lytter.

– Hvis jeg ikke husker feil, begynte Julián Carax på San Gab-
riel i 1914. Jeg fattet straks sympati for ham, for vi hørte begge
til den fåtallige gruppen elever som ikke kom fra velhavende
familier. De kalte oss *Mortsdegana*-kommandoen. Vi hadde alle
vår særegne historie. Selv hadde jeg fått et stipend takket være
min far, som i femogtyve år hadde arbeidet på kjøkkenet i dette
huset. Julián var blitt tatt opp takket være señor Aldaya, som
var fast kunde i hatteforretningen Fortuny, som var eid av Juli-
áns far. Det var selvfølgelig andre tider, og den gang var makten
fremdeles samlet i familier og dynastier. Det er en verden som
nå er forsvunnet, de siste rester ble feid bort av republikken,
formodentlig var det det beste, og det som ennå finnes av den,
er disse navnene som figurerer i brevhodet til bedrifter, banker
og konserner uten ansikt. Som alle gamle byer er Barcelona en
sum av ruiner. All herligheten som mange hever til skyene, paleer,
fabrikker og minnesmerker, hederstegn som vi identifiserer oss
med, er ikke annet enn kadavre, relikvier fra en sivilisasjon som
er gått under.

Da fader Fernando var kommet så langt, la han inn en høyti-
delig pause, og det virket som han ventet svar fra menigheten i
form av noen latinske brokker eller et gjensvar fra messeboken.

– De kan trygt si amen, Deres Velærverdighet. Hvilken stor
sannhet er det ikke, sa Fermín for å glatte over den ubekvemme
stillheten.

– De snakket om min fars første år på skolen, innskjøt jeg mildt.

Fader Fernando nikket.

– Allerede den gang lot han seg kalle Carax, til tross for at hans første etternavn var Fortuny. Den første tiden var det noen av guttene som gjorde narr av ham for det, og naturligvis fordi han var en *Mortsdegana*. De gjorde også narr av meg fordi jeg var kokkens sønn. Dere vet hvordan unger er. Gud har fylt deres hjerter med godhet, men de gjentar det de hører hjemme.

– Englebarn, fastslo Fermín.

– Hva husker De om min far?

– Det er jo så lenge siden, men ... Deres fars beste venn på den tiden var ikke Jorge Aldaya, men en gutt som het Miquel Moliner. Miquel kom fra en familie som var nesten like grunnrik som Aldaya, og jeg våger den påstand at han var den merkverdigste elev som noensinne har gått på denne skolen. Rektor mente han var besatt av djevelen, for han siterte Marx på tysk under messen.

– Et usvikelig tegn på besettelse, stadfestet Fermín.

– Miquel og Julián kom meget godt ut av det med hverandre. Noen ganger var vi tre sammen i det store frikvarteret, og Julián fortalte historier. Andre ganger snakket han om familien sin og om Aldayas ...

Presten så ut som om han nølte.

– Også etter at vi var gått ut av skolen, holdt Miquel og jeg kontakt en god stund. Julián hadde da allerede reist til Paris. Jeg vet at Miquel savnet ham og snakket ofte om ham og husket ting han hadde betrodd oss for lang tid tilbake. Da så jeg begynte på presteskolen, sa Miquel at jeg var gått over til fienden, han sa det for spøk, men det var sant, vi begynte å gli fra hverandre.

– Sier det Dem noe at Miquel giftet seg med en viss Nuria Monfort?

– Miquel, gift?

– Forbauser det Dem?

– Det burde det vel ikke, men ... Jeg vet ikke. Saken er den at jeg ikke har hørt noe fra Miquel på mange år. Ikke siden før krigen.

– Nevnte han noen gang Nuria Monfort for Dem?

– Nei, aldri. Heller ikke at han hadde tenkt å gifte seg eller hadde en kjæreste ... Jeg er ikke helt sikker på om jeg burde snakke med dere om disse tingene. Det er slikt jeg har fått vite om Julián og Miquel konfidensielt, under forutsetning av at det ble mellom oss ...

– Vil De nekte en sønn den eneste muligheten for å få igjen minnene om sin far? spurte Fermín.

Fader Fernando ble slitt mellom tvilen og, forekom det meg, ønsket om å minnes, om å gjenvinne de tapte dagene.

– Det har formodentlig gått så mange år nå at det ikke spiller noen rolle. Jeg husker ennå den dagen da Julián forklarte hvordan han var blitt kjent med Aldayas, og hvordan det hadde forandret livet hans, nesten umerkelig ...

... I oktober 1914 stanset en innretning som mange tok for å være et rullende panteon en ettermiddag utenfor hatteforretningen Fortuny i Ronda de San Antonio. Ut steg den hovmodige, majestetiske og arrogante skikkelsen til don Ricardo Aldaya, som allerede den gang var en av de rikeste, ikke bare i Barcelona, men i Spania, og hans tekstilfabrikker var et imperium som bredte seg i forsteder og boligstrøk langs elvene i hele Catalonia. Hans høyre hånd holdt tømmene i halve provinsens bankvesen og landeiendommer. Den venstre, som alltid var i aktivitet, trakk i trådene i provinsregjeringen, bystyret, diverse ministerier, stiftet og toll- og havnevesenet.

Den ettermiddagen hadde ansiktet med de overdådige bartene, det fyrstelige kinnskjegget og det bare hodet som fylte alle med skrekk, behov for en hatt. Han trådte inn i butikken til don Antoni Fortuny, og etter å ha kastet et flyktig blikk på innredningen sendte han hattemakeren og medhjelperen hans, den unge Julián, et skrått blikk og sa som følger: «Jeg har latt meg fortelle at det er herfra, selv om det ikke ser slik ut, at Barcelonas beste hatter kommer. Dette tegner til å bli en barsk høst, og jeg vil få behov for seks flosshatter, et dusin bowlerhatter, jaktluer og noe jeg kan bruke i parlamentet i Madrid. Har De notert det, eller venter De at jeg skal gjenta det?» Det ble opptakten til en møysommelig og innbringende prosess der far og sønn med forente krefter klarte å innfri don Ricardo Aldayas bestilling. Julián, som leste aviser, hadde fått med seg hvilken posisjon Aldaya inntok, og sa til seg selv at han ikke kunne svikte faren nå, i denne forretningens mest avgjørende og skjellsettende øyeblikk. Helt fra potentaten trådte inn i butikken, hadde hattemakeren svevd *av fryd. Aldaya hadde lovt at hvis han var fornøyd, skulle han anbefale stedet til alle sine venner. Det innebar at hatteforretningen Fortuny ville svinge seg opp fra å være en verdig, men beskjeden butikk til høyere sfærer, som skulle kle små og store hoder på deputerte, borgermestere, kardinaler og ministre. Den uken gikk dagene som en røyk. Julián gikk ikke på skolen, men satt hjemme og arbeidet både atten og tyve timer på verkstedet i bakværelset. Faren var over seg av begeistring og kom stadig innom og klemte ham og til og med kysset ham uten å tenke over det. Det gikk så vidt at han ga sin kone Sophie en kjole og et par nye sko for første gang på fjorten år. Hattemakeren var ikke til å kjenne igjen. En søndag glemte han å gå til messe, og samme ettermiddag slo han armene rundt Julián, struttende av stolthet, og sa med tårer i øynene: «Bestefar ville vært stolt av oss.»*

En av de mest innviklede prosessene i den nå forsvunne hattemakerkunsten, teknisk og politisk, var det å ta mål. Don Ricardo Aldaya hadde en hodeskalle som ifølge Julián grenset til det melonformede og viltvoksende. Hattemakeren ble oppmerksom på vanskelighetene straks blikket falt på stormannens hode, og samme kveld, da Julián sa at det minnet ham om visse stykker av fjellmassivet Montserrat, kunne ikke Fortuny annet enn å si seg enig. «Far, med respekt å melde, du vet at når det gjelder å ta mål, har jeg bedre håndlag enn deg, for du har lett for å bli nervøs. La meg gjøre det.» Hattemakeren ga straks sitt samtykke, og dagen etter, da Aldaya kom kjørende med sin Mercedes Benz, tok Julián imot ham og viste ham inn på verkstedet. Da Aldaya skjønte at det var en fjortenårig guttunge som skulle ta mål av ham, ble han rasende. «Hva er dette? Guttestreker? Driver dere ap med meg?» Julián, som var fullt klar over denne mannens offentlige betydning, men overhodet ikke lot seg skremme, svarte: «Señor Aldaya, ap ønsker ingen å drive, men denne issen minner mest om Plaza de las Arenas, og hvis vi ikke i all hast får laget et sett med hatter til Dem, kommer folk til å forveksle knollen Deres med Cerdá-planen.» Da Fortuny hørte det, trodde han at han skulle dø. Aldaya boret øynene i Julián, uten å fortrekke en mine. Så, til alles overraskelse, satte han i gang å le som han ikke hadde gjort på mange år.

«Denne guttungen Deres vil nå langt, Fortunato,» fastslo Aldaya, som aldri kom så langt som til å lære seg hattemakerens etternavn.

*

Det var slik de fikk kjennskap til at don Ricardo Aldaya var til langt opp over ørene og like opp til den voksende issen lei av at alle fryktet ham, smigret ham og la seg langflate når han kom forbi, for å gjøre nytten som gulvmatter. Han foraktet spyttslikkere, reddharer og enhver annen som viste noe som helst tegn til svakhet, fysisk, psykisk eller moralsk. Da Aldaya nå støtte på en simpel guttunge, knapt nok lærling, som hadde den freidighet og slagferdighet å drive gjøn med ham, bestemte han at han virkelig hadde funnet den ideelle hatteforretningen og doblet bestillingen. I løpet av den uken troppet han villig opp hver dag for at Julián skulle få tatt mål og prøvd modellene. Antoni Fortuny så til sin forbløffelse hvordan det katalanske samfunnets høvdingskikkelse holdt på å le seg skakk av vitsene og historiene til den sønnen som hadde vært ukjent for ham, som han aldri hadde snakket med, og som ikke på mange år hadde vist noe tegn på å ha humoristisk sans. Da den uken var gått, trakk Aldaya hattemakeren til side i et hjørne for å snakke fortrolig med ham.

– Nå skal De høre, Fortunato, denne sønnen Deres er et stort talent, og De lar ham gå her og kjede livet av seg og drømme seg bort i en tredjerangs sjappe.

– Dette er en god forretning, don Ricardo, og gutten har visse anlegg, men ikke den rette innstillingen.

– Sludder! Hvilken skole sender De ham på?

– Vel, han går på skolen i ...

– Det er en løsarbeiderfabrikk. Hvis man ikke pleier talentet, geniet, når man er ung, surner det og fortærer den som er i besittelse av det. Det må ledes inn i de rette baner. Gis støtte. Skjønner De hva jeg mener, Fortunato?

– De tar feil når det gjelder min sønn. Han er ikke rare geniet. Det er med nød og neppe han får med seg geografien ... lærerne har alt sagt at han roter med hodet sitt, og har en fryktelig dårlig innstilling, akkurat som moren, men her får han i det minste et hederlig yrke og ...

– Fortunato, De kjeder meg. Allerede i dag går jeg og snakker med styret på San Gabriel og ber dem ta inn sønnen Deres i samme klasse som min førstefødte, Jorge. Noe mindre ville være for gjerrig.

Hattemakeren gjorde øyne så store som tinntallerkener. San Gabriel var oppdrettsstedet for kremen i sosieteten.

– Men don Ricardo, jeg ville ikke engang ha råd til ...

– Ingen har sagt at De skal behøve å betale en real. Guttens skolegang tar jeg meg av. Som far har De bare å si ja.

– Klart det, skulle bare mangle, men …

– Da er det ikke mer å snakke om. Såfremt Julián går med på det, selvfølgelig.

– Han gjør det han blir bedt om, noe annet skulle ta seg ut.

På det punktet i samtalen stakk Julián hodet inn av døren til bakværelset med en modell i hånden.

– Don Ricardo, når De måtte ønske …

– Si meg, Julián, hva har du å gjøre i ettermiddag? spurte Aldaya.

Julián så vekselvis på faren og industriherren.

– Vel, hjelpe far i butikken.

– Bortsett fra det.

– Jeg hadde tenkt å gå på biblioteket og …

– Du liker bøker, hva?

-- Ja, det gjør jeg.

– Har du lest Conrad? Mørkets hjerte?

– Tre ganger.

Hattemakeren rynket brynene, helt uforstående.

– Og denne Conrad, hvem er det, om jeg tør spørre?

Aldaya brakte ham til taushet med en grimase som virket utformet med tanke på å få aksjonærmøter til å forstumme.

– Hjemme har jeg et bibliotek på fjorten tusen bind, Julián. Som ung leste jeg meget, men nå har jeg ikke tid. Apropos, jeg har tre eksemplarer som Conrad personlig har signert. Min sønn Jorge setter ikke sine ben i biblioteket, ikke om jeg så drar ham etter håret. Den eneste hjemme hos meg som tenker og leser, er min datter, Penélope, så alle disse bøkene står der til ingen nytte. Har du lyst til å se dem?

Julian nikket, men hadde mistet talens bruk. Hattemakeren bivånet denne scenen med en uro han ikke helt kunne bli klok på. Alle disse navnene var ukjente for ham. Alle og enhver visste at romaner var noe for kvinner og folk som ikke hadde noe å gjøre. Mørkets hjerte hørtes, syntes han, som en dødssynd.

– Fortunato, sønnen Deres blir med meg, jeg vil presentere ham for min Jorge. Ta det bare rolig, De skal få ham tilbake etterpå. Si meg, gutt, har du noen gang sittet i en Mercedes Benz?

Julián sluttet seg til at det var navnet på den kongelige innretningen som industriherren benyttet når han skulle fra sted til sted. Han ristet på hodet.

– Da er det sannelig på tide. Det er som å komme til himmelen, men man behøver ikke å dø først.

Antoni Fortuny så dem kjøre av sted i det vanvittige luksus-kjøretøyet, og da han kjente etter i sitt hjerte, fant han bare bedrøvelse. Den kvelden, mens han spiste middag med Sophie (som hadde på seg den nye kjolen og skoene og nesten ikke hadde blåmerker eller arr), spurte han seg selv om han hadde begått en tabbe denne gangen. Akkurat idet Gud ga ham en sønn tilbake, kom Aldaya og tok ham fra ham.

– Få av deg den kjolen, kjerring, du ser ut som et ludder. Og la meg slippe å se denne vinen på bordet mer. Det klarer seg i massevis med den som er utvannet. Grådigheten kommer til å føre oss i forvervelsen.

Julián hadde aldri vært over på den andre siden av Avenida Diagonal. Denne linjen av skogholt, løkker og paleer som lå der strandet og ventet på en by, var en forbudt grense. Ovenfor Diagonal lå det landsbyer, åser og gåtefulle egner, overdådige og legendariske. Underveis fortalte Aldaya om San Gabriel, om nye venner han aldri hadde sett, om en fremtid han ikke hadde kunnet forestille seg.

– Si meg, hva er det du streber etter, Julián? Her i livet, mener jeg?

– Jeg vet ikke. Noen ganger tenker jeg at jeg gjerne skulle vært forfatter. Skrevet romaner.

– Som Conrad, hva? Du er jo så ung, så. Si meg en ting, du er ikke fristet av banken?

– Jeg vet ikke riktig. Faktisk har den tanken aldri streifet meg. Jeg har aldri sett mer enn tre pesetas på én gang. Storfinansen er meg en gåte.

Aldaya lo.

– Det er ikke noe gåtefullt ved den, Julián. Kunsten er å samle pesetas, ikke tre og tre, men tre millioner og tre millioner. Da finnes det ikke fnugg av gåter. Ikke engang den hellige treenighet.

Den ettermiddagen, på vei oppover Avenida del Tibidabo, følte Julián det som om han passerte paradisets porter. Langs veien lå det herskapsboliger som i hans øyne var katedraler. Midtveis svingte sjåføren inn gjennom gitterporten til én av dem. Straks satte en hær av tjenere seg i bevegelse for å ta imot husets herre.

Det eneste Julián kunne se, var en majestetisk bygning på tre eta-sjer. Det hadde aldri falt ham inn at det bodde virkelige personer på et sted som dette. Han lot seg slepe med inn i vestibylen, gikk gjennom en stue med hvelvet tak der en staselig marmortrapp førte opp til annen etasje, markert med fløyelsforheng, og videre inn i et stort rom med vegger som var dekket av bøker fra gulvet til uendeligheten.

– Hva syns du? spurte Aldaya.

Julián hørte knapt etter.

– Damián, si til Jorge at han skal komme ned i biblioteket nå med det samme.

Tjenerne, som var uten ansikt eller hørbart nærvær, gled av sted ved den minste befaling fra husets herre, med samme effektivitet og føyelighet som et korps av veldresserte insekter.

– Du må nok få deg en annen garderobe, Julián. Det er så mange tølpere som bare fester seg ved det ytre skinn … Jeg skal be Jacinta om å ordne det, du skal overhodet ikke tenke på det. Og det er nesten best du ikke sier noe til din far, så han ikke føler seg brydd. Se, der har vi Jorge. Jorge, jeg vil at du skal hilse på en fenomenal gutt som skal bli den nye klassekameraten din. Julián Fortu …

– Julián Carax, presiserte han.

– Julián Carax, gjentok Aldaya tilfreds. – Jeg liker klangen i det. Dette er min sønn Jorge.

Julián rakte frem hånden, og Jorge Aldaya trykket den. Berøringen var lunken, uvillig. Ansiktet var rent og blekt siselert, som en følge av å vokse opp i denne dukkeverdenen. Han gikk i klær og sko som Julián opplevde som romanaktige. Blikket vitnet om selvtilfredshet og arroganse, om forakt og sukkersøt høflighet. Julián smilte åpent og leste usikkerhet, frykt og tomhet under det prangende og bombastiske panseret.

– Er det sant at du ikke har lest noen av disse bøkene?

– Bøker er så kjedelige.

– Bøker er speil: Man kan ikke se annet i dem enn det man har inni seg fra før, svarte Julián.

Don Ricardo Aldaya lo igjen.

– Da lar jeg dere to være alene, så dere kan bli kjent med hverandre. Julián, du skal få se at Jorge, under denne masken som viser en bortskjemt og hoven guttunge, ikke er så dum som han ser ut til. Noe har han arvet etter faren sin.

Aldayas ord traff åpenbart gutten som kniver, til tross for at smilet ikke vek så mye som en millimeter. Julián angret allerede bemerkningen sin og syntes synd på gutten.

– Du må være hattemakerens sønn, sa Jorge uten spor av ondsinnethet. – Far har snakket så mye om deg i det siste.

– Det er fordi det er så nytt. Jeg håper du ikke legger meg det til last. Under denne masken av snusfornuft og nesevishet er jeg ikke så idiotisk som jeg ser ut.

Jorge smilte. Julián tenkte at han smilte som folk som ikke har venner, med takknemlighet.

– Kom, skal jeg vise deg resten av huset.

De forlot biblioteket, bega seg mot ytterdøren med kurs for hagen. På vei gjennom stuen, ved foten av trappen, hevet Julián blikket og skjelnet en silhuett som smøg seg oppover med hånden på gelenderet. Det kjentes som å fortape seg i et drømmesyn. Piken kunne vel være tolv–tretten år og hadde følge av en middelaldrende, småvokst og rosenrød kvinne med alle en guvernantes kjennetegn. Hun hadde silkeglatt, blå kjole. Håret var mandelfarget, og huden på skuldrene og den slanke halsen ble liksom gjennomsiktig i lyset. Hun stanset øverst i trappen og snudde seg et øyeblikk. Blikkene deres møttes et sekund, og hun bevilget ham noe som knapt var ansatsen til et smil. Så la guvernanten armene rundt skuldrene hennes og geleidet henne mot terskelen til en gang som begge forsvant inn i. Julián slo blikket ned og sto overfor Jorge igjen.

– Det er min søster Penélope. Du kommer snart til å bli kjent med henne. Hun er litt smårar. Gjør ikke annet enn å lese dagen lang. Kom, så går vi, jeg skal vise deg kapellet i kjelleren. Kokkepikene vil ha det til at det er forhekset.

Julián fulgte lydig med, men hans tak på verden var i ferd med å glippe. For første gang siden han satte seg inn i don Ricardo Aldayas Mercedes Benz, forsto han meningen. Han hadde drømt om henne utallige ganger, den samme trappen, den blå kjolen og den dreiningen av det askegrå blikket, uten å vite hvem hun var eller hvorfor hun smilte. Idet han trådte ut i hagen, lot han seg føre med av Jorge bort til vognskurene og tennisbanen som strakte seg bortenfor dem. Først da snudde han seg og så henne, i vinduet i annen etasje. Han kunne bare skimte silhuetten av henne, men han visste at hun smilte til ham, og at hun også på et eller annet vis hadde gjenkjent ham.

Det flyktige glimtet av Penélope Aldaya øverst i trappen fulgte ham de første ukene han gikk på San Gabriel. Hans nye verden hadde mange folder, og ikke alle var etter hans smak. Elevene på San Gabriel oppførte seg som hovne og arrogante fyrster, og lærerne lignet lydige og dannede tjenere. Den første vennen Julián fikk der, utenom Jorge Aldaya, var en gutt som het Fernando Ramos, sønnen til en av kokkene på skolen, som aldri hadde forestilt seg at han en dag skulle trekke i prestekjole og undervise i de samme klasserommene der han var oppvokst. Fernando, som de andre hadde gitt tilnavnet El Cocinillas, og som de behandlet som en dreng, var kvikk og oppvakt, men hadde omtrent ingen venner blant elevene. Hans eneste kamerat var en underlig fyr som het Miquel Moliner, og som med tiden skulle bli den beste vennen Julián noensinne fikk på denne skolen. Miquel Moliner, som hadde hjerne i massevis, men manglet tålmodighet, hadde stor fornøyelse av å terge lærerne ved å trekke utsagnene deres i tvil ved hjelp av et dialektisk spill som vitnet om både oppfinnsomhet og en huggorms ilterhet. De andre fryktet hans spisse tunge og regnet ham som tilhørende en annen art, og det var på sett og vis ikke så helt på jordet. Til tross for den bohemaktige fremtoningen og til tross for at den aristokratiske tonen var avdempet, var Miquel sønn av en industriherre som var blitt vanvittig rik takket være våpenproduksjon.

– Carax, var det så? Jeg hører at din far lager hatter? sa han da Fernando Ramos presenterte dem.

– Julián blant venner. Jeg hører at din lager kanoner.

– Han bare selger dem. Med hensyn til å lage ting så kan han ikke gjøre annet enn penger. Vennene mine, og blant dem regner jeg bare Nietzsche og min kamerat Fernando her, kaller meg Miquel.

Miquel Moliner var en trist gutt. Han led av en usunn besettelse av døden og alle gravdystre temaer, et emne han ofret en stor del av sin tid og begavelse på å gjennomtenke. Hans mor hadde dødd for tre år siden i en underlig hjemmeulykke som en tåpelig lege hadde formastet seg til å kalle selvmord. Miquel var den som hadde funnet liket som lå og skimret under vannet i brønnen på familiens sommersted i Argentona. Da de fikk heist henne opp med tau, viste det seg at lommene på den kåpen som den døde hadde på seg, var fulle av stein. Det var også et brev skrevet på tysk, hennes morsmål, men señor Moliner, som aldri

hadde tatt seg bryet med å lære seg språket, brente det samme
ettermiddag uten å la noen få lese det. Miquel Moliner så død alle
steder, i vissent løv, i fugleunger som falt ut av redene, i gamle
mennesker og i regnet som vasket bort alt. Han hadde usedvanlig
gode anlegg for tegning, og han kunne ofte fortape seg i timevis
i kulltegninger der det alltid trådte en dame frem fra tåken på
øde strender, og Julián forestilte seg at det var moren.

– Hva vil du bli når du blir stor, Miquel?
– Jeg skal aldri bli stor, sa han gåtefullt.

Hans fremste interesse, bortsett fra tegning og det å motsi alle
og enhver, var verkene til en gåtefull østerriksk lege som med
årene skulle bli berømt: Sigmund Freud. Miquel Moliner, som
takket være sin avdøde mor leste og skrev tysk til fullkommen-
het, hadde flere bind av denne wienerlegens skrifter. Hans ynd-
lingsgebet var drømmetydning. Han pleide å spørre folk hva de
hadde drømt, for så å gi seg i kast med en diagnose av pasienten.
Alltid hevdet han at han skulle dø ung, og at han ikke brydde seg
om det. Etter å ha tenkt så mye på døden, trodde Julián, hadde
han til slutt funnet mer mening i den enn i livet.

– Den dagen jeg dør, skal alt mitt bli ditt, Julián, pleide han
å si. – Unntatt drømmene.

Foruten Fernando Ramos, Moliner og Jorge Aldaya ble Julián
snart kjent med en engstelig og litt mutt gutt som het Javier, den
eneste sønnen til portnerne på San Gabriel, som hadde en beskje-
den liten bolig ved inngangen til parken. Javier, som på lik linje
med Fernando nærmest ble betraktet som en uønsket lakei av de
andre guttene, tuslet bare rundt i parkene og gårdsrommene uten
å ta kontakt med noen. Så mye som han hadde streifet omkring
på skolen, hadde han gjort seg grundig kjent med alle bygningens
krinkelkroker, tunnelene i kjelleren, gangene som førte opp til
tårnene, og alle mulige labyrintiske skjulesteder som ingen hus-
ket lenger. Det var hans hemmelige verden, der han søkte tilflukt.
Han gikk alltid rundt med en follekniv han hadde rappet fra en
av farens skuffer, og han likte å skjære ut figurer i tre som han
hadde liggende i skolens dueslag. Hans far Ramón, portneren,
var veteran fra krigen på Cuba, der han hadde mistet en hånd
og (ville ondsinnede rykter ha det til) den høyre testikkelen av et
haglskudd som ble avfyrt av selveste Theodore Roosevelt under
angrepet i Cochinos. Fordi han var overbevist om at lediggang
var roten til alt ondt, hadde Ramón, Enballingen *(som elevene*

kalte ham), pålagt sønnen å samle alt det visne løvet i lunden og fontenegården i en sekk. Ramón var et godt menneske, litt klossete og skjebnebestemt til alltid å havne i dårlig selskap. Det verste var konen hans. Enballingen hadde giftet seg med en dundre som var noe kort for hodet og hadde prinsessenykker til tross for at hun så ut som en vaskekjerring, og som likte å innynde seg lettkledd og rett opp i glaningen på sønnen sin og elevene på skolen, noe som ble foranledningen til ukentlig fjas og morskap. Hennes døpenavn var María Craponcia, men hun ville helst bli kalt Yvonne, for hun syntes det var stiligere. Yvonne hadde for vane å spørre ut sønnen om hvilke muligheter for å komme seg opp og frem i samfunnet som fulgte med vennskapene hennes sønn, trodde hun, sluttet med kremen i Barcelonas sosietet. Hun forhørte seg om formuen til den ene og den andre og så seg selv komme pyntet i den lekreste silke, invitert på te med butterdeigskaker i det gode selskap.

Javier gikk inn for å være minst mulig hjemme og var takknemlig for alle oppgavene faren ga ham, hvor stritt det enn ble. Han benyttet ethvert påskudd for å være alene, for å rømme inn i sin hemmelige verden og skjære ut trefigurer. Når elevene så ham på lang avstand, var det noen som lo eller kastet stein etter ham. En dag syntes Julián det var så leit å se at en stein laget en flenge i pannen hans og slo ham over ende i murbrokkene at han bestemte seg for å komme ham til unnsetning og tilby ham sitt vennskap. I begynnelsen trodde Javier at Julián var kommet for å gjøre kål på ham mens de andre lo seg fillete.

– Jeg heter Julián, sa han og rakte ham hånden. – Vennene mine og jeg hadde tenkt å spille noen slag sjakk i furuskogen, og jeg lurte på om du hadde lyst til å være med.

– Jeg kan ikke spille sjakk.

– Det kunne ikke jeg heller, helt til for fjorten dager siden. Men Miquel er en flink lærer ...

Gutten så mistroisk på ham og ventet seg å bli mobbet, et bakholdsangrep hvert øyeblikk.

– Jeg vet ikke om vennene dine vil at jeg skal bli med ...

– Det var de som foreslo det. Hva sier du?

Fra den dagen hendte det flere ganger at Javier sluttet seg til dem når han var ferdig med oppgavene han var blitt pålagt. Han pleide å forholde seg taus, bare lytte og iaktta de andre. Aldaya var i grunnen litt redd ham. Fernando, som hadde opplevd på kroppen hva det vil si å bli foraktet på grunn av sin ringe her-komst, gjorde sitt ytterste for å vise den gåtefulle gutten sin venn-lighet. Miquel Moliner, som lærte ham det mest elementære i sjakk og betraktet ham med klinisk blikk, var den som var minst overbevist.

– Den gutten er sprø. Han jakter på katter og duer og piner dem i timevis med kniven sin. Etterpå begraver han dem i furuskogen. Det er fine greier!

– Hvem har sagt det?

– Det fortalte han selv forleden dag mens jeg forklarte hvordan springeren kan hoppe. Han fortalte også at moren noen ganger kryper opp i sengen til ham om natten og klår på ham.

– Han må ha drevet ap med deg.

– Det tviler jeg på. Den fyren er ikke riktig klok, Julián, og sannsynligvis kan han ikke noe for det.

Julián anstrengte seg for å overhøre advarslene og spådom-mene til Miquel, men det skal være sikkert, det var vanskelig å komme på vennskapelig fot med portnersønnen. Særlig Yvonne så ikke med blide øyne på Julián eller Fernando Ramos. I hele flokken av fine unge herrer var de de eneste som ikke eide pen-ger. Det het seg at faren til Julián var en fattig kjøpmann, og at moren ikke hadde drevet det lenger enn til musikklærerinne. «De menneskene har verken penger eller klasse eller eleganse, skat-ten min,» formante moren, «den rette for deg er Aldaya, som er av fin familie.» «Ja, mor,» svarte han, «som du vil.» Med tiden virket det som om Javier begynte å stole på de nye vennene sine. En sjelden gang åpnet han munnen for å si noe, og han skar ut et sett sjakkbrikker til Miquel Moliner som takk for undervis-ningen. En vakker dag, da ingen ventet det eller trodde det var mulig, oppdaget de at Javier kunne smile, og at han hadde en nydelig og åpen latter, en barnelatter.

– Ser du? Han er en ganske alminnelig gutt, hevdet Julián.

Men Miquel Moliner var ennå bekymret og betraktet den sære gutten både vel og grundig, nesten vitenskapelig.

– Javier er besatt av deg, Julián, sa han en dag. – Alt han foretar seg, gjør han for å få din anerkjennelse.

– For noe tull! Til den slags har han da en far og mor. Jeg er bare en venn.

– Er det en som ikke skjønner noen ting, så er det deg. Hans far er en fattig mann som sliter ræva av seg for å få endene til å møtes, og doña Yvonne er en furie med hjerne som en loppe og gjør ikke annet dagen lang enn å fly omkring i bare trusene i håp om at noen liksom tilfeldigvis får se henne, så overbevist er hun om at hun er doña María Guerrero eller noe verre som jeg helst ikke vil nevne. Det er bare naturlig at gutten søker en erstatning, og du faller ned fra himmelen som en reddende engel og rekker ham hånden. Sankt Julián av kilden, skytshelgen for alle samfunnets stebarn.

– Denne doktor Freud gjør deg visst helt skjør i knollen, Miquel. Alle trenger venner. Til og med du.

– Den gutten har ikke og vil aldri få venner. Han har sjel som en edderkopp. Bare vent og se. Jeg undres på hva han drømmer om …

Lite ante Miquel Moliner at drømmene til Francisco Javier var mer lik drømmene til hans venn Julián enn han hadde trodd var mulig. En gang, flere måneder før Julián begynte på denne skolen, hadde portnersønnen feid vissent løv i fontenegården da den luksuriøse bilen til don Ricardo Aldaya kom kjørende. Den ettermiddagen hadde industriherren med seg noen. Det var en åpenbaring, en lysets engel kledd i silke, som så ut som om den svevde over bakken. Engelen, som ikke var noen annen enn hans datter Penélope, steg ut av Mercedesen og gikk bort til fontenen, viftet med parasollen sin og stanset for å plaske med hånden i vannet. Som alltid fulgte guvernanten omtenksomt med og voktet på hver minste bevegelse. Det ville ikke ha betydd stort fra eller til om hun hadde vært i følge med en hel hær av tjenere: Javier hadde bare blikk for denne piken. Han fryktet at hvis han blunket, ville dette synet bli visket ut. Han ble stående urørlig og stirret åndeløst på denne luftspeilingen. Om litt var det som om hun hadde fornemmet at han var der og tittet stjålent på henne, for hun hevet blikket og så på ham. Skjønnheten i dette ansiktet forekom ham pinefull, ikke til å holde ut. Han syntes han skimtet et tilløp til smil på leppene hennes. Skrekkslagen løp Javier og gjemte seg øverst i vanntårnet, like ved dueslaget på kvisten, som var det stedet han helst gjemte seg. Hendene skalv fremdeles da han grep skjæreredskapene sine og begynte å arbeide på en ny gjenstand som skulle ligne det ansiktet han nettopp hadde fått skimten av. Da han kom tilbake til portnerboligen den kvelden, mange timer senere enn ellers, ventet moren på ham, halvnaken og rasende. Gutten slo blikket ned og fryktet at hvis moren leste *i blikket hans, ville hun se piken ved fontenen og skjønne hva han hadde tenkt på.*

– Hvor har du gjort av deg, din snørrunge?

– Unnskyld meg, mor. Jeg gikk meg bort.

– Bortkommen har du vært fra den dagen du ble født.

Mange år senere, hver gang han kjørte revolveren inn i munnen på en fange og trykket på avtrekkeren, skulle politiinspektør Francisco Javier Fumero minnes den dagen han så morens hodeskalle sprekke som en moden melon et sted i nærheten av et lite spisested i Las Planas, og han følte ingenting, bare de døde tings kjedsomhet. Sivilgarden som ble varslet av stedets bestyrer, som hadde hørt skuddet, fant gutten sittende på en stein med geværet i fanget, ennå lunkent. Der satt han og stirret uforferdet på den hodeløse kroppen til María Craponcia, alias Yvonne, dekket av insekter. Da han fikk øye på sivilgardistene, nøyde han seg med å trekke på skuldrene, med ansiktet oversprøytet av bloddråper som om det ble tæret opp av kopper. Sivilgardistene gikk etter lyden av gråt og fant Ramón, Enballingen, sammenkrøpet ved et tre tredve meter unna, inne i krattskogen. Han skalv som et barn og var ute av stand til å gjøre seg forstått. Løytnanten i sivilgarden avgjorde etter å ha grublet både lenge og vel at det hadde vært en tragisk ulykke, og det var det han nedfelte i rapporten, om ikke i samvittigheten. Da de spurte gutten om det var noe de kunne gjøre for ham, spurte Francisco Javier Fumero om han kunne få beholde geværet, for når han ble stor, skulle han bli soldat ...

– Går det bra med Dem, señor Romero de Torres?

Fumeros plutselige opptreden i fader Fernando Ramos' fortelling, hadde fått det til å gå kaldt nedover ryggen på meg, mens virkningen på Fermín hadde vært uhyggelig. Han ble gul i ansiktet og skalv på hendene.

– Det er et fall i blodtrykket, improviserte Fermín med tynn stemme. – Det hender at det katalanske klimaet spenner oss på pinebenken.

– Får jeg by på et glass vann? spurte presten bestyrtet.

– Hvis det ikke er til for mye bry for Deres Høyærverdighet. Og kanskje en bit sjokolade, på grunn av glukosen ...

Presten skjenket i et glass vann som Fermín helte grådig i seg.

– Jeg har ikke annet enn eukalyptusdrops. Kan de hjelpe?

– Gud lønne Dem!

Fermín stappet i seg en neve med drops, og etter en stund virket det som om han fikk tilbake litt av den gamle blekheten.

– Denne gutten, sønnen til portneren som så heltemodig mistet pungen da han forsvarte koloniene, er De sikker på at han het Fumero, Francisco Javier Fumero?

– Ja. Helt og holdent. Kjenner dere ham kanskje?

– Nei, istemte vi begge polyfont.

Fader Fernando rynket brynene.

– Det ville ikke ha vært så rart. Francisco Javier er med tiden blitt en sørgelig beryktet person.

– Vi er ikke sikre på om vi forstår Dem …

– Dere forstår meg til de grader. Francisco Javier Fumero er inspektør i Barcelonas kriminalpoliti, og hans ry er bare så altfor kjent, også for dem av oss som aldri forlater skolens område. Og da De hørte navnet, skrumpet De flere centimeter, skulle jeg tro.

– Nå som Deres Eksellense nevner det, har navnet en kjent klang …

Fader Fernando kastet et skrått blikk på oss.

– Denne gutten er ikke sønnen til Julián Carax. Har jeg ikke rett?

– Sjelelig sønn, Deres Eminense, og moralsk sett har det større vekt.

– Hva er det for slags røverhistorie dere roter med? Hvem er det som har sendt dere?

Jeg følte meg med ett sikker på at det var like før vi ville bli sparket ut av prestens kontor, så jeg bestemte meg for å bringe Fermín til taushet og for en gangs skyld spille ut ærlighetens kort.

– De har rett, fader. Julián Carax er ikke min far. Men det er ingen som har sendt oss. En gang for mange år siden kom jeg tilfeldigvis over en bok av Carax, en bok man trodde var forsvunnet, og siden har jeg forsøkt å finne ut mer om ham og klargjøre omstendighetene omkring hans død. Señor Romero de Torres har vært meg behjelpelig …

– Hvilken bok?

– *Vindens skygge*. Har De lest den?

– Jeg har lest alle Juliáns romaner.

– Har De beholdt dem?

Presten ristet på hodet.

– Tør jeg spørre hva De har gjort med dem?

213

– En gang for mange år siden var det noen som kom seg inn på rommet mitt og satte fyr på dem.

– Mistenker De noen?

– Naturligvis. Fumero. Er det ikke derfor dere er her?

Fermín og jeg vekslet rådville blikk.

– Politiinspektør Fumero? Hvorfor skulle han ønske å brenne de bøkene?

– Hvem ellers? Det siste året vi gikk på skolen sammen, prøvde Francisco Javier å myrde Julián med farens gevær. Hvis ikke Miquel hadde holdt ham igjen ...

– Hvorfor prøvde han å myrde ham? Julián hadde jo vært hans eneste venn.

– Francisco Javier var besatt av Penélope Aldaya. Ingen visste om det. Jeg tror ikke engang Penélope selv hadde tenkt over at den gutten var til. Han holdt på hemmeligheten i flere år. Han må ha fulgt etter Julián uten at han visste det. Jeg tror at han en dag så at han kysset henne. Jeg vet ikke. Jeg vet bare at han prøvde å myrde ham ved høylys dag. Miquel Moliner, som aldri hadde stolt på Fumero, kastet seg over ham og holdt ham igjen i siste sekund. Man kan ennå se kulehullet ved inngangsdøren. Hver gang jeg går forbi, husker jeg den dagen.

– Hva skjedde med Fumero?

– Han og familien ble utvist fra skolens område. Jeg tror Francisco Javier ble sendt på internatskole en stund. Vi hørte ikke noe mer til ham før et par år senere, da moren døde i en jaktulykke. Det var aldeles ingen ulykke. Miquel hadde hatt rett fra først stund. Francisco Javier Fumero er en morder.

– Hvis jeg hadde fortalt Dem ..., mumlet Fermín.

– Det hadde ikke vært av veien om dere hadde fortalt meg noe, noe sannferdig til en forandring.

– Vi kan si Dem at det ikke var Fumero som brente bøkene Deres.

– Hvem var det da?

– Det var ganske sikkert en mann med et ansikt som var vansiret av ild, og som kaller seg Laín Coubert.

– Er ikke det ...?

Jeg nikket.

– Navnet på en person hos Carax. Djevelen.

Fader Fernando lente seg tilbake i stolen, nesten like mye på jordet som oss.

214

– Det som synes mer og mer klart, er at Penélope Aldaya er midtpunktet i hele denne affæren, og det er henne vi vet minst om, fremholdt Fermín.

– Jeg tror ikke jeg kan hjelpe dere der. Jeg har bare sett henne på avstand et par–tre ganger. Alt jeg vet om henne, er det Julián fortalte meg, og det var ikke stort. Den eneste personen jeg hørte nevne Penélope en gang, var Jacinta Coronado.

– Jacinta Coronado?

– Guvernanten til Penélope. Hun hadde tatt seg av Jorge og Penélope under oppveksten. Hun elsket dem avsindig høyt, især Penélope. Hun kom noen ganger til skolen for å hente Jorge, for Ricardo Aldaya likte ikke at barna hans var uten tilsyn av noen hjemmefra, ikke så mye som et sekund. Jacinta var en engel. Hun hadde hørt at både jeg og Julián var ubemidlede mennesker, så hun hadde alltid med seg en matbit, for hun trodde at vi gikk og sultet. Jeg sa at far var kokk, at hun ikke skulle bekymre seg, for mat fikk jeg nok av. Men hun ga seg ikke. Jeg ventet noen ganger på henne og slo av en prat med henne. Hun var den mest hjerte-gode kvinne jeg har kjent. Hun hadde ikke barn, heller ingen kjent kjæreste. Hun var alene i verden og hadde brukt livet til å oppdra barna til Aldaya. Hun forgudet Penélope av hele sitt hjerte. Hun snakker fremdeles om henne …

– Har De fremdeles kontakt med Jacinta?

– Jeg besøker henne noen ganger på aldershjemmet Santa Lucía. Hun har ingen. Det er ikke alltid Herren lønner oss i dette liv, av grunner som er skjult for vår forstand. Jacinta er nå en meget tilårskommen kvinne, og er fremdeles like alene som hun alltid har vært.

Fermín og jeg vekslet blikk.

– Og Penélope? Har De aldri besøkt henne?

Fader Fernandos blikk var en svart brønn.

– Ingen vet hva som skjedde med Penélope. Piken var livet for Jacinta. Da familien Aldaya reiste til Sør-Amerika og hun mistet henne, mistet hun alt.

– Hvorfor tok de henne ikke med seg? Reiste Penélope også til Argentina, sammen med resten av familien? spurte jeg.

Presten trakk på skuldrene.

– Det vet jeg ikke. Ingen så noe mer til Penélope eller hørte fra henne etter 1919.

– Det året Carax reiste til Paris, bemerket Fermín.

215

– Dere må love meg at dere ikke plager den stakkars gamle damen for å grave frem smertelige minner.

– Hva tar De oss for? spurte Fermín forarget.

Fader Fernando hadde nok en mistanke om at han ikke ville få noe mer ut av oss, men fikk oss til å sverge på at vi skulle holde ham underrettet om det vi fant ut. Fermín ville, for å berolige ham, på liv og død sverge på Det nye Testamente som lå på prestens skrivebord.

– La nå evangeliene være. Det er nok at De gir meg Deres ord.

– De lar visst ingen slippe unna, fader! For en iver!

– Kom, så følger jeg dere til porten.

Han viste oss vei gjennom parken til smijernsporten med lanser, og stanset på behørig avstand fra utgangen og kikket ut på gaten som snodde seg nedover mot den virkelige verden, som om han var redd han skulle fordampe om han dristet seg noen skritt utenfor den. Jeg lurte på når fader Fernando sist hadde forlatt skolens område.

– Jeg syntes det var så trist å høre at Julián var død, sa han stille. – Til tross for alt det som skjedde siden, og til tross for at vi kom bort fra hverandre med tiden, var vi gode venner: Miquel, Aldaya, Julián og jeg. Ja, Fumero også. Jeg trodde alltid at vi skulle være uatskillelige, men livet må vite noe som vi ikke vet. Jeg har aldri siden hatt venner som dem, og jeg tror aldri jeg får det igjen. Jeg håper De finner det De søker, Daniel.

26

Det led utpå formiddagen da vi kom til Paseo de la Bonanova, og vi gikk begge i våre egne tanker. Det var ingen tvil om at Fermíns kretset om inspektør Fumeros illevarslende tilsynekomst i denne historien. Jeg skottet på ham og så at ansiktet var forgremmet, herjet av uro. Et slør av mørke skyer strakte seg som utgytt blod og skilte ut splinter av lys med farge som vissent løv.

– Hvis vi ikke forter oss, kommer vi ut for litt av en skur, sa jeg.

– Ikke ennå. De skyene har et nattlig preg, omtrent som blåmerker. De er av det slaget som venter.

– Kom ikke og si at du også har forstand på skyer.

– Når man bor på gaten, lærer man mer enn man ønsker å vite. Bare tanken på det der med Fumero gjorde meg skrubbsulten. Hva synes du om å stikke innom en bar på Plaza de Sarriá og tegne seg for to rundstykker med tortilla og masser av løk?

Vi satte kurs for plassen, der en horde av eldre gubber koketterte for det lokale dueslaget, og dermed reduserte livet til et spill av smuler og venting. Vi sikret oss et bord like ved døren, der Fermín satte i gang og stappet i seg begge rundstykkene, både sitt og mitt, et glass øl, to sjokoladeplater og en trefaset rom. Til dessert tok han seg en Sugus. Ved nabobordet satt det en mann og iakttok Fermín med stadige skrå blikk over avisen, og gjorde seg formodentlig de samme tankene som jeg.

– Jeg fatter ikke hvor du gjør av alt det der, Fermín.

– I min familie har vi alltid hatt høy forbrenning. Min søster Jesusa, fred være med henne, var i stand til å spise en tortilla med blodpølse og mør hvitløk på seks egg tidlig på ettermiddagen, og siden ta for seg som en kosakk til middagen. De kalte henne La Higadillos (Levra), for hun var så plaget av dårlig ånde. Stakkar. Hun var akkurat som meg. Med samme oppsyn og samme seige skrott, og lite kjøtt på bena. En lege i Cáceres sa en gang til mor at vi Romero de Torres var det manglende mellomledd mellom

217

mennesket og hammerhaien, for nitti prosent av organismen vår er brusk, hovedsakelig konsentrert i nesen og øregangene. Det hendte ofte at de forvekslet Jesusa og meg i landsbyen, for den stakkars jenta fikk aldri bryster og begynte å barbere seg før meg. Hun døde av tæring toogtyve år gammel, jomfru i siste stadium og hemmelig forelsket i en skinnhellig prest som hver gang han møtte henne på gaten, sa: «Morn, Fermín, du er jo alt blitt en hel liten herremann.» Livets ironi.

– Savner du dem?

– Familien?

Fermín trakk på skuldrene, strandet i et nostalgisk smil.

– Neimen om jeg vet. Det er få ting som er så forræderske som minnene. Se bare på den presten ... Enn du? Savner du moren din?

Jeg slo blikket ned.

– Veldig.

– Vet du hva det er jeg husker best ved min? spurte Fermín. – Lukten. Det luktet alltid rent av henne, søtt brød. Det spilte ingen rolle om hun hadde vært ute på jordene og arbeidet hele dagen eller om hun hadde gått med de samme fillene hele uken. Hun luktet alltid av alt det gjeve som i verden er. Og husk på at hun var fæl. Hun bannet som en tyrk, men luktet som en eventyrprinsesse. Det syntes iallfall jeg. Enn du? Hva er det du husker best ved moren din, Daniel?

Jeg nølte et øyeblikk og krafset etter de ordene som strøk av gårde med stemmen min.

– Ikke noe. Jeg har ikke kunnet huske moren min på mange år. Ikke hvordan ansiktet, eller stemmen, eller lukten var. De ble borte for meg den dagen jeg oppdaget Julián Carax, og de er ikke kommet tilbake.

Fermin betraktet meg forsiktig og veide svaret nøye.

– Har du ikke noe bilde av henne?

– Jeg har aldri villet se på dem, sa jeg.

– Hvorfor ikke?

Jeg hadde aldri fortalt dette til noen, ikke engang til far eller Tomás.

– Fordi det skremmer meg. Det skremmer meg at jeg kunne finne frem et bilde av mor og oppdage en fremmed i henne. Du synes sikkert det er tåpelig, men.

Fermín ristet på hodet.

218

– Og derfor tror du at om du maktet å rede ut mysteriet Julián Carax og redde det fra glemselen, ville din mors ansikt komme tilbake til deg?

Jeg så stumt på ham. Det var verken ironi eller fordømmelse i blikket hans. Et øyeblikk forekom Fermín Romero de Torres meg å være universets skarpeste og klokeste mann.

– Kanskje, sa jeg uten å tenke meg om.

På slaget tolv tok vi en buss tilbake til sentrum. Vi satte oss foran, rett bak sjåføren, en omstendighet Fermín benyttet til å starte en debatt om alle fremskrittene, tekniske så vel som kosmetiske, som han la merke til i de offentlige kommunikasjonsmidlene på landjorden i forhold til sist han hadde gjort bruk av dem, sånn omkring 1940, især med hensyn til skiltingen, hvilket fremgikk av et oppslag som lød: «Spytting og grove gloser forbudt.» Fermín kastet skrå blikk på skiltet og bestemte seg for å vise sin mening om det ved å ta hardt i og samle en saftig klyse, og det var nok til å pådra oss svovelosende blikk fra en trio med skinnhellige kjerringer som tronet bak i bussen, utstyrt med hver sin messebok.

– Barbar, mumlet den fromme på østflanken, som oppviste en forbløffende likhet med det offisielle portrettet av general Yagüe.

– Der har vi dem, sa Fermín. – Tre hellige kvinner har mitt Spania. Sankta Pinlig, Sankta Noksagt og Sankta Snerp. Sammen har vi maktet å gjøre dette landet til en vits.

– Det skal være sikkert, samtykket sjåføren. – Vi hadde det bedre under Azaña. For ikke å snakke om trafikken. For jævlig.

En mann lenger bak satte i å le og frydet seg over denne utvekslingen av synspunkter. Jeg kjente ham igjen som den som hadde sittet ved siden av oss på baren. Det var noe ved utseendet som kunne tyde på at han holdt med Fermín og gjerne hadde sett at han herset litt med bedekonene. Jeg vekslet et fort blikk med ham. Han smilte hjertelig til meg og vendte uinteressert tilbake til avisen sin. Da vi kom til Calle Ganduxer, merket jeg at Fermín hadde krøpet sammen i en liten tull under gabardinfrakken og tok seg en høneblund med åpen munn og et salig uttrykk i ansiktet. Bussen rullet bortover langs all den stivede fornemheten i Paseo de San Gervasio da Fermín bråvåknet.

– Jeg satt og drømte om fader Fernando, sa han. – Bare at i drømmen var han kledd som spiss i Real Madrid og hadde ligapokalen ved siden av seg, skinnende blank.

– Ja, og så? spurte jeg.

– Hvis Freud har rett, betyr det at presten kanskje scoret et mål mot oss.

– Jeg oppfattet ham som et ærlig menneske.

– Det er sikkert og visst. Kanskje for ærlig til å være sann. De prestene som har to i seg til å bli helgener, blir sendt på misjonsmarken alle mann for å se om de blir spist av moskito eller piraja.

– Han holdt vel ikke helt, da.

– For en salig troskyldighet, Daniel. Du tror vel til og med på det der med tannfeen. Ta for eksempel den skrønen med Miquel Moliner som Nuria Monfort dyttet på deg. Jeg innbiller meg at den jentungen slo flere plater i deg enn lederartiklene i L'Osservatore Romano. Nå viser det seg altså at hun er gift med en barndomsvenn av Aldaya og Carax, det er neimen ikke dårlig. Og oven i kjøpet har vi den historien om Jacinta, den gode guvernanten, som kanskje er sann, men lyder altfor lik siste akt av Alejandro Casona. For ikke å snakke om Fumero, som får opptre i stjernerollen som slakter.

– Du tror altså at fader Fernando løy?

– Nei. Jeg er enig med deg i at han virker hederlig, men uniformen veier tungt, og han stakk i det minste én novene unna i strømpen, for å si det slik. Jeg tror at om han løy, så gjorde han det av unnlatelse og sømmelighet, ikke av ondskap eller med overlegg. Forresten kan jeg aldri tro at han er i stand til å dikte opp en sånn røverhistorie. Hadde han vært flinkere til å lyve, ville han ikke ha gått der og undervist i algebra og latin. Han ville ha vært biskop for lengst, med kardinalkontor og søtsaker til kaffen.

– Hva synes du vi skal gjøre, da?

– Før eller senere skal vi få gravd opp mumien til den englelige bestemammaen og tatt henne i anklene og filleristet henne, for å se hva som ramler ut. Foreløpig skal jeg trekke i noen tråder og se om jeg finner ut noe om denne Miquel Moliner. Og det hadde kanskje ikke vært så dumt å kaste et blikk på den der Nuria Monfort, for så vidt jeg kan forstå, viser hun seg etter hvert som det min salig mor pleide å kalle en snik.

– Du tar feil av henne, hevdet jeg.

– Kommer det noen og viser deg et par veldreide pupper, så tror du at du har sett den hellige Teresa av Jesus, og i din alder lar det seg unnskylde, men ikke avhjelpe. Overlat henne til meg,

220

Daniel, for duften av det evig kvinnelige fordreier ikke lenger hodet på meg som på deg. I min alder får blodtilstrømningen til hodet forrang fremfor den som er bestemt for de bløte legemsdeler.

– Nei, hør hvem som snakker.

Fermín tok frem pungen og begynte å telle opp innholdet.

– Du har jo en formue der, sa jeg. – Ble det så mye overskytende av vekslepengene i dag morges?

– Delvis. Resten er lovformelig. Jeg skal nemlig ut med Bernarda i dag. Den kvinnen er jeg ikke i stand til å nekte noen ting. Om nødvendig raner jeg Banco de España for å innfri alle nykkene hennes. Hvilke planer har så du for resten av dagen?

– Ikke noe spesielt.

– Og den jenta, da?

– Hvilken jente?

– Den snuppa. Hvem skulle det ellers være? Søsteren til Aguilar.

– Jeg vet ikke.

– Visst vet du. Det du mangler, for å si det med rene ord, er såpass til baller at du kan ta tyren ved hornene.

I det samme kom konduktøren bort til oss med en trett mine og sjonglerte med en tannpirker som han flyttet hit og dit og snurret rundt mellom tennene med en behendighet som var en sirkusakrobat verdig.

– Dere må ha meg unnskyldt, men damene der bak lurte på om dere kunne benytte et sømmeligere språk.

– Visst faen! svarte Fermín høyt.

Konduktøren snudde seg mot de tre damene og trakk på skuldrene for å la dem forstå at han hadde gjort hva han kunne, og at han ikke var innstilt på å kaste seg ut i noe basketak foranlediget av semantisk bluferdighet.

– Folk som ikke har noe liv, må støtt bry seg med andre menneskers, brummet Fermín. – Hva var det vi snakket om?

– Min mangel på besluttsomhet.

– Akkurat. Et kronisk tilfelle. Sann mine ord. Se til å oppsøke jenta, for livet går som en røyk, især den delen av det som det er umaken verdt å leve. Du hørte selv hva presten sa. Ting forsvinner før du får sukk for deg.

– Det er da ikke piken *min*.

– Så se til å vinne henne før noen annen drar av gårde med henne, især den tinnsoldaten.

– Du snakker som om Bea var et trofé.

– Nei, som om hun var en velsignelse, rettet Fernando. – Hør nå her, Daniel. Skjebnen pleier å vente like rundt hjørnet. I form av en raner, et ludder eller en loddselger: dens tre mest brukte inkarnasjoner. Men noe den ikke gjør, det er å gå på hjemmebesøk. Man er nødt til å oppsøke den.

Resten av kjøreturen satt jeg og funderte på den filosofiske perlen mens Fermín tok seg enda en høneblund, en beskjeftigelse han hadde en napoleonisk evne til. Vi gikk av bussen på hjørnet av Gran Vía og Paseo de Gracia under en askegrå himmel som slukte lyset. Fermín kneppet frakken helt opp til halsen og meddelte at han ville ta strake veien hjem til pensjonatet for å pynte seg til stevnemøtet med Bernarda.

– Du må huske på at med en fremtoning som i det store og hele er uanselig, som tilfellet er med min, kan man ikke gjøre toalett på under nitti minutter. Det finnes intet sinn uten skinn: Det er den sørgelige virkelighet i disse storskrytende tider. Vanitas pecata mundi.

Jeg så ham gå bortover Gran Vía, knapt mer enn en skisse til et mannfolk skjermet av den grå gabardinfrakken, som blafret som et loslitt flagg i vinden. Jeg tok fatt på hjemveien og hadde tenkt å verve en god bok og gjemme meg bort for verden. Idet jeg svingte rundt hjørnet mellom Puerta del Ángel og Calle Santa Ana, gjorde hjertet et hopp i brystet på meg. Fermín hadde hatt rett, som alltid. Skjebnen sto og ventet på meg utenfor bokhandelen, kledd i grå ulldrakt, nye sko og silkestrømper, og gransket speilbildet sitt i butikkvinduet.

– Far tror at jeg har gått til høymessen, sa Bea uten å heve blikket fra sitt eget bilde.

– Det er ikke langt ifra at du er det. Det er ikke mer enn tyve meter til Santa Ana-kirken, der de holder det gående sammenhengende fra klokken ni om morgenen.

Vi snakket som to ukjente som tilfeldigvis hadde stanset opp utenfor et butikkvindu og prøvde å fange hverandres blikk i glasset.

– Det er ikke noe å spøke med. Jeg måtte skaffe meg et søndagsblad for å se hva prekenen handlet om. Etterpå vil han forlange en detaljert synopsis av meg.

– Din far gjør seg gjeldende overalt.

– Han har sverget at han skal brekke bena dine.

222

– Først må han finne ut hvem jeg er. Og så lenge mine er like hele, løper jeg fortere enn ham.

Bea betraktet meg anspent og speidet over skulderen på fotgjengerne som strøk forbi bak oss i gufs av gråvær og vind.

– Jeg skjønner ikke hva du ler av, sa hun. – Han mener alvor.

– Jeg ler ikke. Jeg er livredd. Det er bare at jeg er så glad for å se deg.

Et flagg på halv stang, nervøst, flyktig.

– I like måte, innrømmet Bea.

– Du sier det som om det var en sykdom.

– Det er verre enn som så. Jeg tenkte at hvis jeg så deg igjen i fullt dagslys, ville jeg kanskje ta fornuften fangen.

Jeg lurte på om det var en kompliment eller en dødsdom.

– De kan ikke se oss sammen, Daniel. Ikke slik, midt på gaten.

– Hvis du vil, kan vi gå inn i bokhandelen. I bakværelset er det en kaffekjele og …

– Nei. Jeg vil ikke at noen skal se at jeg går inn eller ut her. Hvis noen ser meg snakke med deg nå, kan jeg alltids si at jeg tilfeldigvis har støtt på min brors beste venn. Hvis de ser oss sammen to ganger, vil det vekke mistanke.

Jeg sukket.

– Hvem skulle se oss? Hvem bryr seg om hva vi gjør?

– Folk har alltid øynene åpne for ting de ikke har noe med, og far kjenner halve Barcelona.

– Hvorfor er du da kommet hit for å vente på meg?

– Jeg kom ikke for å vente på deg. Jeg skulle til messe, har du glemt det? Du sa det jo selv. Bare tyve meter herfra …

– Du skremmer meg, Bea. Du er flinkere til å lyve enn meg.

– Du kjenner meg ikke, Daniel.

– Broren din sier det.

Blikkene våre møttes i speilbildet.

– Du viste meg noe forleden kveld som jeg aldri hadde sett, mumlet Bea. – Nå er det min tur.

Jeg rynket pannen, forundret. Bea åpnet vesken og tok opp et brettet kort som hun rakte meg.

– Du er ikke den eneste som kjenner til mysterier i Barcelona, Daniel. Jeg har en overraskelse til deg. Jeg venter på deg på denne adressen i dag klokken fire. Ingen må få vite at vi skal møtes der.

– Hvordan skjønner jeg om jeg har funnet det rette stedet?

– Det vil du skjønne.

Jeg skottet på henne og håpet inderlig at hun ikke drev ap med meg.

– Hvis du ikke kommer, vil jeg forstå det, sa Bea. – Jeg vil forstå at du ikke vil se meg mer.

Uten å gi meg et sekund til å svare snudde Bea seg og gikk med raske skritt i retning av Ramblas. Jeg ble stående med kortet i hånden og ordene på tungen, og fulgte henne med blikket til silhuetten gled i ett med det grå halvmørket som gikk forut for uværet. Jeg åpnet kortet. Innvendig sto det med blått blekk en adresse jeg kjente godt.

Avenida del Tibidabo 32

27

Uværet ventet ikke til kvelden med å bite fra seg. De første lynene overrumplet meg like etter at jeg hadde gått på en buss på linje 22. Idet vi kjørte rundt Plaza Molina og videre oppover Balmes, var byen allerede i ferd med å bli visket ut under tepper av flytende fløyel, og det minnet meg om at jeg burde ha vært forutseende nok til å ta med meg en skarve paraply.

– Nå gjelder det å manne seg opp, mumlet sjåføren da jeg ba ham stoppe på neste holdeplass.

Klokken var alt blitt ti over fire da bussen kjørte fra meg på en ødslig holdeplass i enden av Calle Calmes, helt i uværets vold. Foran meg løste Avenida del Tibidabo seg opp i en vannskimrende luftspeiling under en blygrå himmel. Jeg telte til tre og la på sprang i regnværet. Noen minutter senere, våt til skinnet og skjelvende av kulde, stanset jeg i ly av en port for å trekke pusten. Jeg prøvde å lodde resten av strekningen. Uværets isnende pust feide med seg et grått slør som dekket til det gjenferdsaktige omrisset av praktvillaer og herskapsboliger, begravd i tåken. Blant den raget det opp et mørkt og enslig tårn som tilhørte Aldayas eiendom, strandet i det bølgende skogholtet. Jeg strøk tilbake det klissvåte håret som falt ned over øynene mine, og la på sprang dit bort, skrått over den folketomme avenyen.

Smijernsporten slang i vinden. Innenfor den gikk det en buktende sti oppover mot huset. Jeg smatt innenfor og fortsatte inn på eiendommen. Inne i villniset skimtet jeg soklene til statuer som var brutalt revet ned. Da jeg nærmet meg huset, la jeg merke til at en av statuene, som forestilte en lutrende engel, var blitt liggende slengt i en fontene som var anbrakt øverst i parkanlegget. Silhuetten av det svarte marmoret lyste spøkelsesaktig under vannet som fløt utover. Hånden til denne ildens engel stakk opp av vannet. En anklagende finger, spiss som en bajonett, pekte mot hovedinngangen. Døren av utskåret eik så ut til å stå på klem.

Jeg skjøv den opp og dristet meg noen skritt inn i den grottelignende stuen, med murvegger som bølget under det ene vokslysets kjærtegn.

– Jeg trodde du ikke kom, sa Bea.

Silhuetten avtegnet seg i en korridor som var innfelt i mørket, og trådte frem i det gustne skjæret fra et galleri som åpnet seg innerst inne. Hun satt i en stol inntil veggen, med et vokslys foran føttene.

– Lås døren, sa hun uten å reise seg. – Nøkkelen står i låsen.

Jeg adlød. Låsen knirket med et gravdystert ekko. Jeg hørte Beas skritt nærme seg bakfra og kjente en lett berøring mot de våte klærne mine.

– Du skjelver. Er det av redsel eller kulde?

– Det har jeg ikke bestemt ennå. Hvorfor er vi her?

Hun smilte i halvmørket og tok hånden min.

– Vet du ikke det? Jeg trodde du hadde gjettet det.

– Dette var familien Aldayas hus, det er alt jeg vet. Hvordan har du kommet deg inn, og hvordan visste du …?

– Kom, vi fyrer i peisen så du får varmen i deg.

Hun fulgte meg gjennom korridoren til galleriet som vendte ut mot den indre patioen. Stuen kneiste med marmorsøyler og nakne murvegger som buktet seg mot kassettaket, der store biter hadde falt ned. Man kunne skjelne merkene etter bilder og speil som en gang i tiden hadde dekket veggene, likesom spor etter møbler på marmorgulvet. I den ene enden av stuen var det et ildsted der noen kubber var lagt klare. En haug med gamle aviser lå pent ved siden av ildraken. Det sto en pust fra peisen som vitnet om at det nylig hadde brent der, og en lukt av kullstøv. Bea la seg på kne foran ildstedet og begynte å plassere flere avissider mellom kubbene. Hun tok frem en fyrstikk og satte fyr på dem, og mante fort frem en flammekrone. Beas hender flyttet drevent og behendig på kubbene. Hun trodde antagelig at jeg holdt på å dø av nysgjerrighet og utålmodighet, men jeg bestemte meg for å anlegge en flegmatisk mine som gjorde det klart at hvis Bea ønsket å oppføre et mysteriespill for meg, hadde hun valgt feil person. Det at jeg skalv sånn på hendene, gjorde neppe skuespillet mitt mer troverdig.

– Er du ofte her? spurte jeg.

– Det er første gang i dag. Nysgjerrig?

– For så vidt.

Hun la seg på kne foran ilden og brettet ut et rent pledd som hun tok opp av en bag. Det luktet lavendel.

– Så, sett deg her foran ilden, du må ikke få lungebetennelse på grunn av meg.

Varmen fra peisen fikk liv i meg igjen. Bea betraktet flammene i taushet, som forhekset.

– Skal du røpe hemmeligheten snart? spurte jeg omsider.

Bea sukket og satte seg i en av stolene. Jeg holdt meg tett ved peisen og så dampen stige opp fra klærne mine som en flyktende ånd.

– Det du kaller Aldayas praktvilla, har i virkeligheten et eget navn. Huset heter «Tåkeengelen», men nesten ingen vet om det. Min fars kontor har i femten år strevd med å få solgt denne eiendommen uten å lykkes. Forleden dag, mens du fortalte historien om Julián Carax og Penélope Aldaya, festet jeg meg ikke ved det. Men så, vel hjemme den natten, samlet jeg løse ender og kom til å tenke på at jeg hadde hørt far snakke om familien Aldaya en gang, og da spesielt om dette huset. I går stakk jeg innom fars kontor, og sekretæren hans, Casasús, fortalte meg husets historie. Visste du at dette egentlig ikke var deres offisielle bopel, men et av sommerstedene deres?

Jeg ristet på hodet.

– Familien Aldayas residens var et palé som ble revet i 1925 for å gi plass til en boligblokk i det som i dag er krysset mellom Calle Bruch og Calle Mallorca, tegnet av Puig i Cadafalch på bestilling av bestefaren til Penélope og Jorge, Simón Aldaya, i 1896, da det området ikke var annet enn jorder og grøfter. Den eldste sønnen til patriarken Simón, don Ricardo Aldaya, hadde en gang på slutten av 1800-tallet kjøpt det til spottpris av en meget fargerik person, fordi huset hadde dårlig rykte. Casasús sa at det var forbannet, og at ikke engang selgerne våget seg dit for å vise det frem, og snek seg unna med et hvilket som helst påskudd ...

28

Den ettermiddagen, mens jeg strevde med å få varmen i kroppen igjen, fortalte Bea historien om hvordan «Tåkeengelen» var kommet på familien Aldayas hender. Det var et snuskete melodrama som meget vel kunne ha skrevet seg fra Julián Carax' penn. Huset var bygd i 1899 av arkitektfirmaet Naulí, Martorell i Bergadà på initiativ fra en velhavende og vidløftig katalansk finansmann ved navn Salvador Jausà, som bare skulle bo der et år. Denne potentaten, som hadde vært foreldreløs siden han var seks år og var av ringe herkomst, hadde lagt seg opp størstedelen av formuen sin på Cuba og Puerto Rico. Det het seg at han var en av de mange svarte hendene bak intrigene som førte til Cubas fall og krigen mot De forente stater, der Spanias siste kolonier gikk tapt. Fra den nye verden hadde han med seg noe mer enn en formue: Han kom sammen med en nordamerikansk kone, en blek og skrøpelig ung dame fra det fine selskap i Philadelphia som ikke snakket ett ord spansk, og en mulattpike som hadde vært i hans tjeneste fra de første årene på Cuba, og som reiste sammen med en ape i bur, kledd som harlekin, og syv kister med bagasje. I første omgang innrettet han seg i flere værelser på Hotel Colón ved Plaza de Cataluña, mens han så seg om etter en bolig som svarte til Jausàs smak og fordringer.

Ingen var i den minste tvil om at tjenestepiken – en ibenholtskjønnhet med et blikk og en midje som ifølge sosietetskrønikene ga menn hjertebank – i virkeligheten var hans elskerinne og veiviser i utilbørlige og talløse nytelser. At hun også var både heks og trollkone, var noe som kom i tillegg. Hun het Marisela, det var iallfall det Jausà kalte henne, og hennes gåtefulle fremtoning og vesen skulle snart bli yndlingsskandalen som ble tatt opp ved de sammenkomstene som damer av fornem herkomst holdt for å nyte delikatesser og fordrive tiden på kvelende varme høstdager. I disse selskapene gikk det ubekreftede rykter som antydet at det afrikanske kvinnemennesket, direkte tilskyndet fra helvete, besteg mannen når hun drev hor, det vil si, hun red på ham som en hoppe i brunst, hvilket nødvendigvis innebar at det ble begått fem eller seks dødssynder. Det manglet da ikke på dem som skrev til biskopen og utba seg en egen velsignelse og beskyttelse for den ubesudlede og snøhvite sjelen til velrenommerte Barcelona-familier mot en slik påvirkning. Og som om ikke det var nok, hadde Jausá den enestående frekkhet å ta med sin kone og Mari-sela på en kjøretur i vognen sin søndag formiddag, for slik å fremføre usedelighetens babylonske skuespill rett foran øynene på enhver ufordervet ung mann som kunne ferdes på Paseo de Gracia underveis til messen klokken elleve. Også avisene ytret seg om negerjentas stolte og hovmodige blikk, som betraktet det barcelonesiske publikum «slik en dronning fra jungelen ville skue ut over en gjeng med pygmeer».

På den tiden herjet modernisme-feberen Barcelona, men Jausà ga beskjed til arkitektene han hadde engasjert for å bygge den nye boligen, om at han ønsket seg noe annerledes. I hans ordforråd var «annerledes» det gjeveste av alle adjektiver. Jausà hadde i årevis promenert foran rekken av nygotiske herskapsboliger som de store magnatene i den nordamerikanske industriepoken hadde fått bygd på den strekningen av Fifth Avenue som lå strandet mellom 58th og 72nd Street, vendt mot østsiden av Central Park. Så beruset var finansmannen av sine amerikanske dagdrømmer at han nektet å lytte til noen argumenter for å bygge etter tidens skikk og mote, på samme måte som han hadde nektet å skaffe seg en losje på Liceo, som ellers var obligatorisk, og betegnet det som spetakkel for de døve og et reir for uønskede personer. Han ville ha seg et hus et godt stykke fra byen, i det som den gang fremdeles var de relativt ødslige traktene langs Avenida del Tibidabo. Han ville skue ut over Barcelona på avstand, sa han. Det eneste han ønsket seg som selskap, var en park med engle-statuer som ifølge instruksene (som Marisela lot sive ut), skulle stilles opp på spissene av en syvtakket stjerne, akkurat så mange, verken mer eller mindre. Salvador Jausà var fast bestemt på å gjennomføre planene sine, og med breddfulle pengekister kunne han jo gjøre alt som det behaget ham, så han sendte arkitektene sine til New York i tre måneder for at de skulle få studere de avsindige bygningene som var blitt reist for å huse kommandør Vanderbilt, familien til John Jacob Astor, Andrew Carnegie og resten av de femti gullfamiliene. Han ga dem instrukser om å tilpasse stilen og teknikken fra arkitekturverkstedet til Stanford, White & McKim, og sa at det ikke var verdt at de kom og forstyrret ham med et prosjekt tilpasset smaken til dem han kalte «pølsemakere og knappestøpere».

Et år senere troppet de tre arkitektene opp i hans overdådige værelser på Hotel Colón for å fremlegge prosjektet. Jausà, som var sammen med mulattpiken Marisela, lyttet til dem i taushet, og etter fremleggelsen spurte han hvor mye det ville koste å fullføre arbeidet på et halvt år. Frederic Martorell, seniorpartner i arkitektverkstedet, kremtet, og av sømmelighetsgrunner noterte han tallet på et ark og rakte det til potentaten. Uten å blunke skrev han ut en sjekk på det samlede beløpet og sendte følget fra seg med en fraværende gest. Syv måneder senere, i juli 1900, flyttet Jausà, hans kone og tjenestepiken Marisela inn i huset. I august samme år skulle de to kvinnene være døde, og politiet skulle finne Salvador Jausà liggende for døden, naken og lenket med håndjern til lenestolen på arbeidsværelset sitt. Rapporten fra den sersjanten som utredet saken, nevnte at veggene i hele huset var innsmurt i blod, at englestatuene som omga parken, var lemlestet – ansiktene deres var blitt malt som stammefolksmasker – og man hadde funnet spor etter svarte alterlys på soklene. Etterforskningen pågikk i åtte måneder. Imens var Jausà blitt stum.

Politiets undersøkelser førte til følgende konklusjon: Alt tydet på at Jausà og hans kone var blitt forgiftet av et urteekstrakt som Marisela hadde gitt dem, og i hennes gemakker fant man da også flere flasker med dette stoffet. Av en eller annen grunn hadde Jausà overlevd giften, selv om ettervirkningene var grusomme, så han mistet mælet og hørselen, deler av kroppen ble lammet med uhyggelige smerter, og han var dømt til å leve resten av sine levedager i evig pine. Señora de Jausà ble funnet på sitt værelse, utstrakt på sengen uten annet på seg enn smykkene og et briljantarmbånd. Politiets antagelser gikk ut på at Marisela, etter å ha begått forbrytelsen, hadde skåret over blodårene med en kniv og løpt rundt i huset og sprutet blod på veggene i korridorer og værelser til hun segnet død om på sitt eget rom på kvisten. Motivet hadde, ifølge politiet, vært sjalusi. Etter alt å dømme hadde potentatens hustru vært gravid i dødsøyeblikket. Marisela hadde, ble det sagt, tegnet et dødninghode på den nakne

magen til fruen med varm, rød voks. Saken ble, som Salvador
Jausàs munn, forseglet for godt noen måneder senere. Barcelonas
fine selskap kommenterte at noe slikt aldri hadde forekommet
før i byens historie, og at alt fanteriet til hjemvendte spanske
oppkomlinger og annet pakk var i ferd med å spolere landets
grunnfestede moralske gehalt. Bak lukkede dører var det mange
som frydet seg over at Salvador Jausàs eksentrisiteter endelig var
slutt. De tok feil, som alltid: De hadde bare så vidt begynt.

Politiet og Jausàs advokater gikk inn for å avslutte saken, men
den hjemvendte spanjolen Jausà var innstilt på å fortsette. Det
var på den tiden han ble kjent med don Ricardo Aldaya, som
allerede den gang var en velstående industriherre med ry som
skjørtejeger og temperament som en løve. Han tilbød seg å kjøpe
eiendommen med tanke på å rive huset og selge den på nytt til
en svimlende pris, for tomteprisene i området steg til værs som
skum. Jausà kunne ikke tenke seg å selge, men ba Ricardo Aldaya
komme og besøke huset i den hensikt å vise ham det han kalte
et vitenskapelig og sjelelig eksperiment. Ingen hadde satt sine
ben på eiendommen etter at etterforskningen var avsluttet. Det
Aldaya ble vitne til der, gjorde ham lamslått. Jausà hadde gått helt
fra forstanden. Den mørke skyggen etter Mariselas blod dekket
fremdeles veggene. Jausà hadde innkalt en oppfinner og pioner
i det som var den tids teknologiske kuriositet: kinematografen.
Mannen het Fructuós Gelabert og hadde gått med på Jausàs hen-
stillinger, mot at han fikk midler til å bygge et kinematografisk
studio i Vallès, i vissheten om at levende bilder i det 20. århundre
kom til å erstatte den organiserte religionen. Jausà var visstnok
overbevist om at negerpiken Mariselas sjel ennå fantes i huset.
Han påsto at han følte hennes nærvær, hennes stemme og lukt,
og til og med hennes berøring i mørket. Da tjenerskapet fikk høre
disse historiene, hadde alle rømt i fullt firsprang mot stillinger
som var mindre nervepirrende, i nabostrøket Sarriá, hvor det var
nok av staselige familieboliger der man ikke selv var i stand til
å fylle en bøtte med vann eller stoppe sokkene sine.

Jausà ble dermed alene, med sin besettelse og sine usynlige
spøkelser. Han kom snart frem til at nøkkelen lå i å overvinne
denne usynlighetstilstanden. Den hjemvendte spanjolen hadde
allerede hatt anledning til å se resultatet av den kinematogra-
fiske oppfinnelsen i New York, og han delte den avdøde Mari-
selas oppfatning av at kameraet sugde til seg sjeler, både fra den

som ble filmet og den som var tilskuer. I tråd med dette resonnementet hadde han gitt Fructuós Gelabert i oppdrag å ta meter på meter med film i korridorene på «Tåkeengelen» på jakt etter tegn og syner fra det hinsidige. Forsøkene hadde inntil da, og tross døpenavnet til teknikeren som sto bak operasjonen, vært fruktesløse.

Alt forandret seg da Gelabert opplyste at han hadde mottatt en ny type følsomt materiale fra fabrikken til Thomas Edison i Menlo Park, New Jersey, som gjorde det mulig å filme scener under så elendige lysforhold at det hittil hadde vært utenkelig. Med et fakuttrykk som aldri ble brakt på det rene, hadde laboratorieassistentene til Gelabert helt musserende vin på druen xarelo fra Penedés, i fremkallerskålen, og som en frukt av den kjemiske reaksjonen begynte det å dukke frem underlige former på filmen. Det var den filmen Jausà ønsket å vise don Ricardo Aldaya den kvelden han inviterte ham til den spøkelsesaktige herskapsboligen i nummer 32 i Avenida del Tibidabo.

Da Aldaya fikk høre om det, antok han at Gelabert fryktet at det skulle bli slutt på de økonomiske midlene som Jausà tilførte ham, og hadde grepet til et så bysantinsk knep for å beholde oppdragsgiverens interesse. Jausà var imidlertid ikke i tvil når det gjaldt resultatenes pålitelighet. Hva mer var, der andre så former og skygger, så han sjeler. Han sverget på at han kunne skjelne silhuetten til Marisela materialisere seg på en svetteduk, en skygge som forvandlet seg til en ulv og gikk oppreist. Ricardo Aldaya så ikke annet enn uformelige klatter i det som ble fremvist, og hevdet dessuten at både den fremviste filmen og teknikeren som passet fremviseren, stinket av vin og andre alkoholholdige drikker. Men som den gode forretningsmann han var, ante det industriherren at alt dette kunne falle ut til hans fordel. En gal millionær, alene og besatt av å fange ektoplasmaer, var et kjærkomment offer. I flere uker tok Gelabert og hans menn opp kilometervis med film som måtte fremkalles i forskjellige beholdere med kjemiske oppløsninger av fremkallervæsker som var fortynnet med Aromas de Montserrat, rødvin velsignet i Ninots sognekirke og alle mulige cavaer fra Tarragona-traktene. Mellom fremvisningene ga Jausà fullmakter, undertegnet autorisasjoner og overlot kontrollen med sine finansielle beholdninger til Ricardo Aldaya.

Jausà ble borte under en uværsnatt i november det året. Han skal ha vært i gang med å fremkalle noen ruller av Gelaberts spesialfilm da ulykken kom over ham. Don Ricardo Aldaya ga Gelabert beskjed om å ta vare på nevnte filmrull, og etter å ha tatt den i øyesyn privat satte han personlig fyr på den og ga teknikeren beskjed om å glemme hele greia ved hjelp av en ubestridelig raus sjekk. Aldaya var da allerede den rettmessige innehaveren av de fleste eiendommene til den forsvunne Jausà. Noen ville ha det til at det var den avdøde Marisela som var kommet tilbake for å ta ham med til helvete. Andre fremholdt at en tigger som var svært lik den avdøde millionæren, ble sett i flere måneder i strøket rundt citadellet, helt til en svart vogn med fortrukne gardiner kjørte ham ned i fullt dagslys uten å stanse. Da var det også for sent: Den svarte legenden som heftet ved huset, og den bondske *son*-musikkens innpass i byens danselokaler, var ustoppelig.

Noen måneder senere flyttet don Ricardo Aldaya familien sin til huset i Avenida del Tibidabo, der ekteparets lille datter, Penélope, skulle bli født fjorten dager senere. For å feire det omdøpte Aldaya huset til «Villa Penélope», men det nye navnet slo aldri an. Huset hadde sine særegenheter og var immun mot de nye eiernes innflytelse. De ferske beboerne klaget over støy og slag i veggene om natten, plutselige lukter av forråtnelse og en iskald trekk som liksom dro gjennom huset som omflakkende skiltvakter. Huset var et kompendium av mysterier. Det hadde dobbelt kjeller, med en slags krypt som ennå ikke var tatt i bruk på nederste plan, og et kapell på det øverste, dominert av en stor Kristus på et polykromt kors som tjenerne mente hadde en urovekkende likhet med Rasputin, en meget populær skikkelse på den tiden. Bøkene i biblioteket ble stadig ordnet på nytt, eller snudd feil vei. Det var et rom i fjerde etasje, et soveværelse som ikke ble brukt på grunn av uforklarlige fuktflekker som tøt frem fra veggene og dannet halvt utviskede ansikter, friske blomster visnet etter bare noen minutter, og alltid hørte man fluer som surret, selv om det var umulig å se dem.

Kokkepikene bedyret at enkelte ting, som sukkeret, forsvant som ved trolldom fra spiskammeret, og at melken ble rød ved første nymåne hver måned. Noen ganger fant man døde fugler ved døren til enkelte rom, eller små gnagere. Andre ganger savnet man småting, især smykker eller knapper fra de klærne man hadde liggende i skuffer og skap. En ytterst sjelden gang dukket de fjernede tingene opp igjen som ved trolldom flere måneder senere i en fjern avkrok av huset, eller nedgravd i parken. Vanligvis ble de aldri funnet. Alle disse hendelsene var i don Ricardos øyne juks og bedrag, dumheter som nærmest hørte rikfolk til. Etter hans mening ville en ukes faste ha kurert familien for disse skremslene. Det han derimot ikke tok med samme filosofiske ro, var tyveriene av hustruens smykker. Mer enn fem hushjelper ble avskjediget da forskjellige ting fra konens smykkeskrin forsvant, til tross for at alle gråt sine salte tårer og sverget at de var uskyldige. De mest skarpsynte helte til den oppfatning at det ikke var så mystisk, men skyldtes don Ricardos ulykksalige vane med å snike seg inn på soverommene til de unge tjenestepikene midt på natten, med fjas og utenomekteskapelige aktiviteter for øye. Hans ry i så henseende var nesten like viden kjent som hans formue, og det var nok av dem som hevdet at sånn som han sto i, ville de uekte barna han etterlot langs veien, kunne stifte sin egen fagforening. Det var forresten ikke bare smykkene som forsvant. Med tiden kom også familiens livsglede på avveie.

Familien Aldaya ble aldri lykkelig i det huset som var blitt ervervet ved hjelp av don Ricardos grumsete forretningsknep. Señora Aldaya ba ustoppelig sin mann om å selge eiendommen og flytte til en bolig i byen, eller for den saks skyld vende tilbake til det paleet som Puig i Cadafalch hadde bygd for bestefar Simón, klanens patriark. Ricardo Aldaya nektet plent. Ettersom han det meste av tiden var på reise eller på familiens fabrikker, kunne han ikke skjønne at det var noe problem med huset. En gang forsvant lille Jorge i åtte timer i husets indre. Moren og tjenerne lette desperat, uten hell. Da gutten dukket opp igjen, blek og fortumlet, hevdet han at han hadde vært i biblioteket hele tiden sammen med den mystiske, fargede kvinnen, som hadde vist ham gamle fotografier og sagt at alle kvinnene i familien skulle dø i dette huset for å sone for mennenes synder. Den mystiske damen gikk så langt som til å avsløre for lille Jorge datoen for morens død: 12. april 1921. Det sier seg selv at den angivelige svarte damen aldri ble funnet, men señora Aldaya ble mange år senere funnet livløs i sengen på soveværelset ved daggry 12. april 1921. Alle smykkene hennes var forsvunnet. Da man tømte brønnen i gården, fant en av tjenerne dem i mudderet på bunnen, sammen med dukken som hadde tilhørt hennes datter Penélope.

En uke senere bestemte don Ricardo Aldaya seg for å skille seg av med huset. Hans finansimperium var på den tiden allerede dødelig såret, og det var nok av dem som ymtet om at det skyldtes det fordømte huset som brakte ulykke over alle som bodde der. Andre var mer forsiktige og nøyde seg med å påpeke at Aldaya aldri hadde forstått at markedet var i stadig endring, og at det eneste han hadde gjort i sitt liv, var å ruinere den forretningen som patriarken Simón hadde bygd opp. Ricardo Aldaya meddelte at han forlot Barcelona, og flyttet med familien til Argentina, der tekstilfabrikkene hans gikk strålende. Mange mente at han rømte fra fiaskoen og skammen.

I 1922 ble «Tåkeengelen» lagt ut for salg til spottpris. I utgangspunktet var interessen stor, både av morbide grunner og den stadig større prestisjen strøket nøt godt av, men ingen av de potensielle kjøperne la inn noe bud etter at de hadde vært og sett på huset. I 1923 ble den staselige villaen stengt. Skjøtet ble overført til et eiendomsfirma som Aldaya skyldte penger i forbindelse med at det skulle selge huset, rive det eller hva som passet best. Huset var til salgs i flere år uten at firmaet greide å finne en kjøper. Angjeldende selskap, Botell i Llofré, S.L., gikk konkurs i 1939 da de to seniorpartnerne havnet i fengsel, tiltalt for forhold som aldri ble helt klarlagt, og etter begges tragiske død i en ulykke på tukthuset San Vicens i 1940, ble det oppkjøpt av et finanskonsortium i Madrid, der det blant seniorpartnerne fantes tre generaler, en sveitsisk bankier og firmaets eksekutor og styreformann, señor Aguilar, faren til min venn Tomás og Bea. Tross alle salgsfremstøt lyktes det aldri selgerne under señor Aguilars ledelse å få solgt huset, ikke engang da man frembød det til en pris langt under markedsverdi. Ingen satte sine ben på eiendommen på ti år.

– Til denne dag, sa Bea og hensank igjen i taushet.

Med tiden skulle jeg venne meg til det, å se henne bli fjern og lukke seg inne, med forvillet blikk og en stemme som trakk seg tilbake.

– Jeg ville gjerne vise deg dette stedet. Gi deg en overraskelse. Da jeg hørte på det Casasús fortalte, sa jeg til meg selv at jeg måtte ta deg med hit, for dette var en del av din historie, historien til Carax og Penélope. Jeg tyvlånte nøkkelen på fars kontor. Ingen vet at vi er her. Det er vår hemmelighet. Jeg ville dele den med deg. Og jeg var så spent på om du kom.

– Det visste du godt at jeg ville.

Hun nikket og smilte.

– Jeg tror ikke noe skjer tilfeldig, nemlig. At innerst inne har tingene sin hemmelige plan, selv om vi ikke forstår den. Som det at du fant den romanen til Julián Carax i De glemte bøkers kirkegård, eller at du og jeg er her nå, i dette huset som har tilhørt familien Aldaya. Alt inngår som en del av noe vi ikke kan forstå, men som eier oss.

Mens hun snakket, hadde hånden min lagt seg klossete på ankelen til Bea og beveget seg oppover til kneet. Hun betraktet den som om det var et insekt som hadde kravlet opp dit. Jeg lurte på hva Fermín ville ha gjort i dette øyeblikket. Hvor var hans kunnskaper når jeg mest trengte dem?

– Tomás sier at du aldri har hatt noen kjæreste, sa Bea, som om det forklarte alt.

Jeg trakk hånden til meg og slo oppgitt blikket ned. Jeg innbilte meg at Bea satt der og smilte, men jeg ville helst ikke bringe det på det rene.

– Til å være så taus synes jeg broren din er en skravlepave. Hva mer ble det sagt om meg i den filmavisen?

– Han sier at du i mange år var forelsket i en kvinne som var eldre enn deg, og at den erfaringen knuste ditt hjerte.

– Det eneste som ble knust i den forbindelse, var en leppe og så skammen.

– Tomás sier at du aldri siden har vært sammen med noen, fordi du sammenligner dem med den kvinnen.

Den gode Tomás og hans lumske slag.

– Navnet er Clara, opplyste jeg.

– Jeg vet det. Clara Barceló.

– Kjenner du henne?

– Alle mennesker kjenner en Clara Barceló. Navnet er ikke så viktig.

Vi ble sittende tause en stund og se inn i den gnistrende ilden.

– I går kveld, etter at jeg var gått fra deg, skrev jeg et brev til Pablo, sa Bea.

Jeg svelget.

– Fenriken som er kjæresten din? Hvorfor det?

Bea tok en konvolutt opp av bluselommen og viste meg den. Den var lukket og forseglet.

– I brevet sier jeg at jeg vil gifte meg snarest mulig, innen en måned så sant det er mulig, og at jeg vil reise fra Barcelona for godt.

Jeg møtte det uutgrunnelige blikket hennes, nesten skjelvende.

– Hvorfor forteller du meg det?

– Fordi jeg vil at du skal si meg om jeg skal sende det eller ikke. Det er derfor jeg ba deg komme hit i dag, Daniel.

Jeg så granskende på konvolutten som gikk rundt og rundt i hendene hennes som om det dreide seg om et terningspill.

– Se på meg, sa hun.

Jeg så opp og møtte blikket hennes. Jeg visste ikke hva jeg skulle svare. Bea slo blikket ned og gikk helt bort i enden av galleriet. En dør førte til marmorbalustraden som vendte mot den indre gården. Jeg så silhuetten hennes gli i ett med regnet. Jeg gikk etter henne og holdt henne igjen, rev konvolutten ut av hendene hennes. Regnet pisket henne i ansiktet og feide bort tårene og sinnet. Jeg leide henne inn i huset igjen og trakk henne med bort i varmen foran peisen. Hun unnvek blikket mitt. Jeg tok konvolutten og lot den bli flammenes rov. Vi så brevet smuldre opp i glørne, og arkene fordunste i blå røykspiraler, den ene etter den andre. Bea satte seg på kne ved siden av meg med tårer i øynene. Jeg slo armene rundt henne og kjente pusten hennes mot halsen.

– Du får ikke la meg i stikken, Daniel, mumlet hun.

Den klokeste mannen jeg har kjent, Fermín Romero de Torres, hadde en gang forklart at det ikke finnes noen erfaring her i livet som kan sammenlignes med den første gangen man kler en kvinne naken. Klok som han var, hadde han ikke løyet, men han hadde heller ikke fortalt hele sannheten. Han hadde ikke sagt noe om den underlige skjelvingen i hendene som gjorde hver knapp, hver glidelås, til en oppgave for kjemper. Han hadde ikke sagt noe om forheksselen i den bleke og skjelvende huden, leppenes første berøring eller den luftspeilingen som syntes å gløde i hver pore av huden. Han hadde ikke fortalt noe om alt dette, for han visste at mirakelet bare skjer én gang, og når det skjer, snakker det et hemmelig språk som, så snart det har åpenbart sin mening, unnflyr for alltid. Utallige ganger har jeg ønsket å få tilbake den første ettermiddagen med Bea i herskapsboligen i Avenida del Tibidabo, der bruset av regnet førte verden langt av sted. Utallige ganger har jeg ønsket å vende tilbake og fortape meg i et minne som det ikke er annet igjen av enn et bilde jeg har stjålet fra flammenes varme. Bea, naken og glinsende av regn, utstrakt foran ilden, åpen i et blikk som har forfulgt meg siden. Jeg bøyde meg over henne og lot fingertuppene stryke over magen hennes. Bea senket øyelokkene, blikket og smilte til meg, trygg og sterk.

– Gjør med meg hva du vil, hvisket hun.

Hun var sytten år og hadde livet på leppene.

29

Det var blitt mørkt da vi forlot huset, hyllet i blå skygger. Det var bare et kaldt yr igjen av uværet. Jeg ville gi henne tilbake nøkkelen, men Bea tilkjennega med et blikk at jeg skulle beholde den. Vi gikk ned til Paseo de San Gervasio i håp om å finne en taxi eller en buss. Vi gikk tause, hånd i hånd og uten å se på hverandre.

– Jeg kan ikke treffe deg igjen før tirsdag, sa Bea med skjelvende stemme, som om hun plutselig tvilte på om jeg ville se henne mer.

– Jeg venter på deg her, sa jeg.

Jeg tok det for gitt at alle mine møter med Bea skulle finne sted mellom murveggene i dette gamle huset, at resten av byen ikke tilhørte oss. Det var også som om fastheten i hennes berøring bleknet etter hvert som vi fjernet oss derfra, at styrken og varmen hennes avtok for hvert skritt. Da vi kom ned på gaten, konstaterte vi at den lå nærmest øde.

– Her finner vi ingenting, sa Bea. – Vi får gå nedover Balmes.

Vi svingte inn på Calle Balmes med faste skritt og gikk under trekronene for å skjerme oss mot duskregnet og kanskje mot hverandres blikk. Det var som om Bea hele tiden økte farten, nesten trakk meg med. Et øyeblikk tenkte jeg at hvis jeg slapp hånden hennes, ville hun legge på sprang. Min fantasi, som fremdeles var forgiftet av berøringen og smaken av kroppen hennes, brant av begjær etter å skyve henne bort på en benk, kysse henne, si hele den remsen av tåpeligheter som ville fått alle andre til å le seg fillete på min bekostning. Men Bea var ikke der lenger. Det var noe som naget i henne, stumt og skrikende.

– Hva er det? hvisket jeg.

Hun sendte meg et sønderknust smil, av angst og ensomhet. Jeg så meg selv gjennom hennes øyne; bare en gjennomsiktig guttunge som trodde han hadde vunnet verden på en time og ennå ikke visste at han kunne miste den på et minutt. Jeg gikk videre uten å vente på svar. Våknet omsider. Om litt hørtes bruset fra trafikken, og det var som om luften tok fyr som en gassboble i varmen fra gatelyktene og trafikklysene, som fikk meg til å tenke på en usynlig mur.

– Det er best vi skilles, sa Bea og slapp hånden min.

Lysene fra en drosjeholdeplass skimret borte på hjørnet, et opptog av sankthansormer.

– Som du vil.

Bea bøyde seg frem og streifet kinnet mitt med leppene. Det luktet voks av håret hennes.

– Bea, begynte jeg nesten uten stemme, – jeg elsker deg …

Hun ristet stumt på hodet og forseglet leppene mine med hånden, som om ordene mine såret henne.

– Tirsdag klokken seks. Avtale? spurte hun.

Jeg nikket igjen. Jeg så henne gå og forsvinne inn i en taxi, nesten som en ukjent. En av sjåførene, som hadde fulgt med i replikkvekslingen med blikk som en linjedommer, iakttok meg nysgjerrig.

– Nå? Skal vi hjem igjen, gutt?

Jeg satte meg inn i taxien uten å tenke meg om. Sjåførens blikk gransket meg i speilet. Jeg mistet bilen med Bea av syne, to lysprikker som sank ned i en svart brønn.

Jeg fikk ikke sove før daggryet spredte hundre gråtoner over soveværelsesvinduet, den ene mer pessimistisk enn den andre. Det var Fermín som vekket meg ved å kaste stein på ruten min fra kirkeplassen. Jeg slengte på meg det første det beste jeg fant og gikk ned for å lukke opp. Fermín stilte med den ulidelige entusiasmen som er så typisk for en mandags morgenfugl. Vi heiste opp gitteret og hengte ut skiltet med ÅPENT.

– Litt av noen svarte render du har under øynene, Daniel. Minner meg om en byggeplass. Det er lett å skjønne at du har kastet deg pladask ut i det.

Da jeg kom inn på bakværelset igjen, tok jeg på meg den blå støvfrakken og rakte ham hans, eller rettere sagt, kylte den arrig etter ham. Fermín fanget den opp i luften med et skurkaktig smil.

– Det var vel heller sånn at jeg ramlet pladask ut i det, sa jeg tvert.

– Ordspillene kan du trygt overlate til don Ramón Gómez de la Serna, for dine er litt blodfattige. Så, fortell nå.

– Hva vil du at jeg skal fortelle?

– Jeg overlater valget til deg. Antall støt eller rundene i manesjen.

– Jeg er ikke i humør, Fermín.

– Ungdom, fjolleriets storhetstid. Men meg skal du ikke være sur på, for jeg kommer med ferske nyheter til vår etterforskning av din venn Julián Carax.

– Jeg er lutter øre.

Han sendte meg et blikk som var en internasjonal intrige verdig; det ene øyebrynet hevet, det andre årvåkent.

– Saken er den at i går, etter å ha fulgt Bernarda hjem igjen med dyden i behold, men med et par flotte blåmerker på rumpa, fikk jeg et anfall av søvnløshet på grunn av det kveldsbrødet, og jeg benyttet da anledningen til å stikke bortom et av informasjonssentrene i Barcelonas underverden, nemlig verthuset til Eliodoro Salfumán, alias Pichafreda, beliggende i et lokale som er usunt, men meget fargerikt, i Calle de Sant Jeroni, Ravals sjel og stolthet.

– Fatt deg i korthet, Fermín, i Herrens navn.

– Det var meningen. Altså, da jeg vel var fremme, kom jeg i snakk med noen av stamgjestene, gamle venner i nøden, og begynte å forhøre meg litt om denne Miquel Moliner, mannen til din Mata Hari Nuria Monfort og antatt innsatt på et av kommunens straffehoteller.

– Antatt?

– Og aldri har det vært mer treffende, eller la meg si det slik, i dette tilfellet er det ingen avstand fra partisipp til kjensgjerning. Jeg vet av erfaring at når det gjelder oversikt og registrering av fengselsbefolkningen mønstrer mine informanter i Pichafredas kneipe mer pålitelighet enn blodsugerne i tinghuset, og jeg kan attestere, min kjære Daniel, at ingen har hørt snakk om noen Miquel Moliner i egenskap av fange, besøkende eller levende vesen i Barcelonas fengsler på minst ti år.

– Han sitter kanskje i en annen straffeanstalt.

– Alcatraz, Sing-Sing eller Bastillen. Daniel, denne kvinnen løy.

– Jeg antar det.

– Du skal ikke anta det, men akseptere det.

– Hva nå? Miquel Moliner er altså et blindspor.

241

– Mens denne Nuria er og blir et spor så godt som noe.

– Hva foreslår du nå, da?

– I første omgang å utforske andre veier. Det hadde ikke vært så dumt å oppsøke den gamle damen, den gode guvernanten i skrønen som presten prakket på oss i går morges.

– Du vil ikke si at du har mistanke om at guvernanten også er forsvunnet?

– Nei, men jeg tror nesten det er på tide at vi lar all finfølelse fare og det der med å banke på porten som om vi tigde om almisse. I denne saken må man gå bakdører. Er du med?

– Fermín, alt hva du sier, er den rene og skjære sannhet.

– Da får du børste støvet av korguttforkledningen din, for så snart vi stenger i ettermiddag, skal vi avlegge et barmhjertighets-besøk hos den gamle damen på aldershjemmet Santa Lucía. Og la meg nå få høre, hvordan gikk det egentlig med den hoppen i går? Ikke vær så innelukket, for det du ikke forteller meg, vil presse seg frem i form av kviser.

Jeg sukket, ga meg over og tømte meg for betroelser, uten å hoppe over den minste detalj. På slutten av historien og rede-gjørelsen for den forsinkede skoleguttens eksistensielle kvaler, overrumplet Fermín meg med en plutselig og dyptfølt omfavnelse.

– Du er forelsket, mumlet han beveget og klappet meg på ryggen. – Stakkars gutt.

Den kvelden forlot vi bokhandelen presis, og med det pådro vi oss et skarpt blikk fra far, som begynte å mistenke oss for å holde på med lyssky affærer, sånn som vi var på farten. Fermín stotret frem noen usammenhengende setninger om viktige ærender, og vi kom oss av gårde i en viss fart. Jeg antok at jeg før eller siden måtte avsløre en del av hele denne suppedasen for far; nøyaktig hvilken del var en annen sak.

Underveis dro Fermín veksler på sin sedvanlige evne til følje-tongaktig folklore og satte meg inn i forhistorien til den skue-plassen vi hadde tenkt oss til. Aldershjemmet Santa Lucía var en institusjon med et spøkelsesaktig omdømme som lå og døste i det indre av et gammelt, forfallent palé beliggende i Calle Mon-cada. Den legenden som omga stedet, avtegnet en profil midtveis mellom skjærsilden og et likhus der de sanitære forholdene lå på et avgrunnsdypt plan. Historien var, for å si det mildt, eiendom-melig. Fra det 11. århundre hadde det huset blant annet flere solide familier, et fengsel, en salong med kurtisaner, et bibliotek

242

med forbudte håndskrifter, en kaserne, et billedhuggerverksted, et pestsanatorium og et kloster. På midten av 1800-tallet, da det praktisk talt falt fra hverandre, var paleet blitt gjort om til et museum for misdannelser og sirkusvanskapninger av en vidløftig impresario som kalte seg Laszlo de Vicherny, hertug av Parma og privatalkymist i huset Bourbon, men hvis egentlige navn viste seg å være Baltasar Deulofeu i Carallot, barnefødt i Esparraguera, profesjonell gigolo og bondefanger.

Ovennevnte person skrøt av at han hadde den mest omfattende samling av humanoide fostre i forskjellige faser av misdannelse, oppbevart i formalin på glass, for ikke å snakke om den enda mer rikholdige samlingen av arrestordrer utstedt av politiet i halve Europa og Amerika. Blant andre attraksjoner, bød dette *Tenebrarium* (det var det navnet Deulofeu hadde omdøpt sitt verk til) på spiritistiske seanser, nekromanti, kamper mellom haner, rotter, hunder, matroner, invalide eller en blanding av disse, foruten veddemål, et bordell som hadde spesialisert seg på krøplinger og misfostre, et kasino, et juridisk og finansielt rådgivningskontor, et verksted som fremstilte elskovsdrikker, en scene der man oppførte regional folklore, marionettforestillinger og oppvisninger av eksotiske danserinner. Til jul satte de opp *Los Pastorets,* der rollelisten ble besatt av folk fra museet og horehuset, hvis ry hadde spredt seg til provinsens ytterste grenser.

Dette *Tenebrarium* var en strålende suksess i femten år, helt til det kom for en dag at Deulofeu hadde forført konen, datteren og svigermoren til provinsens militærguvernør i løpet av én eneste uke, og da rammet den svarteste vanære underholdningssenteret og dets opphavsmann. Før Deulofeu kunne rømme fra byen og anta en annen av sine mangfoldige identiteter, tok en bande maskerte slaktere opp jakten på ham i de trange smugene i bydelen Santa María og hengte ham og satte fyr på ham i Citadellet, for så å slenge ut liket slik at det kunne bli spist opp av villhundene som streifet om i strøket. Etter to tiårs forfall, og uten at noen hadde gjort seg umak med å fjerne katalogen med alle den begredelige Laszlos uhyrligheter, ble hele hans *Tenebrarium* gjort om til en offentlig veldedighetsinstitusjon drevet av en nonneorden.

– Den ytterste straffens damer eller noe annet morbid i samme stil, sa Fermín. – Det er bare så dumt at de vokter meget nidkjært på stedets hemmeligheter (dårlig samvittighet, ville jeg påstå), så man må finne på et eller annet påskudd for å snike seg inn.

I den senere tid hadde man rekruttert beboerne til aldershjem-met Santa Lucía blant døende, forlatte, demente, fattige oldinger og en og annen fra Barcelonas omfangsrike underverden som hadde sett lyset. Til alt hell pleide de ikke å leve lenge når de først kom dit. Forholdene på stedet og det selskapet de fikk, oppmunt-ret ikke til noe langt liv. Ifølge Fermín ble de døde fraktet bort like før daggry, og la ut på sin siste ferd mot fellesgraven i en vogn som var donert av en bedrift i Hospitalet de Llobregat som hadde spesialisert seg på kjøtt- og pølsevarer av tvilsomt ry, som mange år senere skulle bli viklet inn i en lite lystelig skandale.

– Alt det der er bare noe du finner på, protesterte jeg, overveldet av denne skildringen som var som hentet rett ut av Dante.

– Min oppfinnsomhet rekker ikke så langt, Daniel. Bare vent og se. Jeg besøkte bygningen ved en ulykksalig anledning for noe sånt som ti år siden, og jeg bare sier det, man skulle tro de hadde engasjert din venn Julián Carax som interiørarkitekt. Synd vi ikke har tatt med oss noen laurbærblader for å dempe den lukten som kjennetegner stedet. Vi vil uansett ha vår fulle hyre med å få slippe inn.

Med den slags utsikter å se frem til svingte vi inn i Calle Moncada, som på den tiden allerede begynte å formørkes, med gamle paleer som var gjort om til varehus og verksteder på begge sider. Klokkeslagenes litani fra Santa María del Mar blan-det seg med ekkoet av skrittene våre. Om litt var det et bit-tert og gjennomtrengende gufs som trengte gjennom den kalde vinterbrisen.

– Hva er det for en lukt?

– Vi er fremme, kunngjorde Fermín.

30

En råtten treport førte oss inn i et gårdsrom overvåket av gasslykter som fikk frem et dryss av gargouiller og engler med ansiktstrekk som smuldret bort i den gamle steinen. En trapp førte opp til annen etasje, der en firkant av sløret lys avtegnet aldershjemmets hovedinngang. Gasslyset som strømmet fra denne åpningen, farget tåkedunstene der innefra okergule. En skarpskåret og rovfuglaktig silhuett iakttok oss fra den buede døren. I halvmørket kunne man skjelne det skarpe blikket, av samme stålgrå farge som drakten. Hun bar på en dampende trebøtte som ga fra seg en ubeskrivelig stank.

– HillDegAllerRenesteJomfruMariaUnnfangetUtenSynd, sa Fermín på rams og med stor entusiasme.

– Og kisten? svarte stemmen der oppe, streng og tilbakeholden.

– Kisten? spurte Fermín og jeg i kor.

– Kommer dere ikke fra begravelsesbyrået? spurte nonnen med trett stemme.

Jeg spurte meg selv om dette var en kommentar til vårt utseende eller et ekte spørsmål. Fermíns ansikt strålte opp over denne skjebnesendte anledningen.

– Kisten står i bilen. Vi ville bare ta en kikk på klienten først. Et rent teknisk spørsmål.

Jeg kjente at kvalmen murret i meg.

– Jeg trodde señor Collbató skulle komme selv, sa nonnen.

– Señor Collbató ber så meget om unnskyldning, men han fikk inn en balsamering på korteste varsel, en meget komplisert affære. En sirkuskjempe.

– Arbeider dere i begravelsesbyrået til señor Collbató?

– Vi er hans henholdsvis høyre og venstre hånd. Wilfredo Velludo til tjeneste, og den som hos meg står, min lærling, student Sansón Carrasco.

– Gleder meg, fulgte jeg opp.

Nonnen tok oss raskt i øyesyn og nikket, likeglad med de to fugleskremslene som speilte seg i blikket hennes.

– Velkommen til Santa Lucía. Jeg er søster Hortensia, den som sendte bud på dere. Følg meg.

Vi fulgte etter søster Hortensia og tidde mukk stille gjennom en grottelignende korridor med en lukt som minnet om tunnelene i metroen. Langs korridoren var det karmer uten dører, og innenfor dem kunne man skjelne saler opplyst av stearinlys, med senger på rekke og rad inntil veggen, dekket av myggnett som bølget som svetteduker. Man kunne høre jamring og ane noen skikkelser gjennom nettinggardinene.

– Denne veien, anviste søster Hortensia, som gikk et par meter foran oss.

Vi bega oss inn under en mektig hvelving der det ikke kostet meg store anstrengelser å henlegge det *Tenebrarium* som Fermín hadde gitt meg en beskrivelse av. Halvmørket tilslørte det som ved første øyekast hadde virket som en samling voksfigurer som satt eller lå henslengt i krokene, med døde og glassaktige øyne som skinte som messingmynter i skjæret fra stearinlysene. Jeg tenkte at det kanskje var dukker eller levninger fra det gamle museet. Så konstaterte jeg at de rørte på seg, om enn meget langsomt og fordekt. Det var ikke mulig å fastslå alder eller kjønn. Fillene som dekket dem, hadde samme farge som aske.

– Señor Collbató sa at vi ikke skulle røre eller rydde bort noen ting, sa søster Hortensia nesten unnskyldende. – Vi nøyde oss med å legge den stakkars mannen i en av kistene vi hadde stående, for han begynte å dryppe, men ikke noe mer enn det.

– Det var helt riktig av dere. Man kan aldri være forsiktig nok, samtykket Fermín.

Jeg sendte ham et desperat blikk. Han ristet sindig på hodet og lot meg forstå at jeg skulle overlate til ham å mestre denne situasjonen. Søster Hortensia geleidet oss til noe som minnet om en celle uten luftning eller lys i enden av en smal gang. Hun tok en av gasslampene som hang på veggen og rakte oss den.

– Tar det lang tid? Jeg har det travelt.

– De må ikke la Dem oppholde av oss. Fortsett med Deres, så skal vi nok få ham med oss. Vær bare helt rolig.

– Ja, ja, hvis det er noe dere trenger, så er jeg i kjelleren, i galleriet med de sengeliggende. Om det ikke er for mye forlangt, så ta ham ut bakveien. Så ikke de andre ser ham. Det er ikke bra for moralen til de innlagte.

– Det skal vi ordne, sa jeg med brusten stemme.

Søster Hortensia så et øyeblikk på meg med vag nysgjerrighet. Nå som jeg så henne på nært hold, slo det meg at hun var en eldre kvinne, nesten eldgammel. Det var få år som skilte henne fra resten av dem som bodde i huset.

– Si meg, denne lærlingen er ikke i yngste laget til dette arbeidet?

– Livets sannheter kjenner ingen alder, søster, påpekte Fermín.

Nonnen smilte blidt og nikket. Det var ingen mistro i det blikket, bare bedrøvelse.

– Men allikevel, mumlet hun.

Hun fjernet seg i mørket, med bøtten sin, og slepte på skyggen sin som et brudeslør. Fermín skjøv meg inn i cellen. Det var en ussel bås hugd inn i huleveggen, silende av fuktighet, der det i taket hang lenker som endte i kroker, og i det ujevne gulvet var det innfelt et gitter til drenering. I midten, på et bord av grålig marmor, sto det en trekasse av det slaget som brukes til emballasje i industrien. Fermín løftet lampen, og vi skjelnet silhuetten av den avdøde som stakk seg frem i halmen som var stappet nedi. Ansiktstrekk som pergament, utenkelige, utskårne og livløse. Den pløsete huden var blåfiolett. Øynene, hvite som eggeskall, var åpne.

Det vrengte seg i magen min, og jeg vendte blikket bort.

– Kom igjen, til verket, sa Fermín.

– Er du gal?

– Jeg tenkte på at vi må finne denne Jacinta før man avslører oss.

– Hvordan?

– Hvordan tror du? Ved å spørre.

Vi kikket ut i gangen for å forvisse oss om at søster Hortensia var forsvunnet. Så snek vi oss i retning av den store salen vi hadde gått gjennom. De ynkelige skikkelsene betraktet oss fremdeles, med blikk som varierte fra nysgjerrighet til engstelse, og i enkelte tilfeller griskhet.

– Pass på, for noen av de der er slik at om de kunne suge blodet ut av deg for å bli unge igjen, så ville de gå i strupen på deg, sa Fermín. – Alderen gjør at alle virker spake som lam, men her er det like mye rakkerpakk som ute, eller vel så det. Dette er jo de som har holdt ut og fulgt de andre til jorden. Ingen grunn til å synes synd på dem. Så, du får begynne med dem i det hjørnet der, som så vidt jeg kan se, ikke har tenner.

Om disse ordene var ment å skulle sette mot i meg til oppgaven, kom de sørgelig til kort. Jeg iakttok gruppen av menneskelig vrakgods som levde sin hensyknende tilværelse i denne kroken, og smilte til dem. Deres blotte nærvær forekom meg å være et propagandafremstøt for universets moralske tomhet og den mekaniske brutaliteten det fór frem med når det ødela de delene det ikke lenger hadde bruk for. Fermín må ha lest disse dype tankene mine, for han nikket alvorstungt.

– Moder natur er den aller største hore, det er en sørgelig kjensgjerning, sa han. – Friskt mot og stå på.

Den første runden med forespørsler innbrakte ikke annet enn tomme blikk, stønn, rap og febervillelser fra alle dem jeg spurte ut om hvor Jacinta Coronado kunne befinne seg. Et kvarter senere ga jeg tapt og sluttet meg igjen til Fermín for å høre om han hadde hatt mer hell med seg. Motløsheten hadde gått over sine bredder der.

– Hvordan skal vi finne Jacinta Coronado i dette hullet?

– Jeg aner ikke. De er tomsete hele bunten. Jeg forsøkte meg med Sugus, men de trodde det var stikkpiller.

– Kunne vi ikke spørre søster Hortensia? Si det som det er, ferdig med det?

– Sannheten sier man bare når det ikke finnes noen annen utvei, Daniel, og aller sist til en nonne. Først får vi spille ut alle trumfkortene. Se på den lille klyngen der borte, der er det liv og røre. De er nok ikke tapt bak en vogn. Gå og hør med dem.

– Og hva har du tenkt å gjøre?

– Jeg skal vokte på baktroppen i tilfelle pingvinen kommer igjen. Sett i gang nå.

Med lite eller intet håp om suksess gikk jeg bort til en gruppe innlagte som holdt til i et hjørne av salen.

– God aften, sa jeg og skjønte straks hvor meningsløs denne hilsenen var, ettersom det alltid var mørkt der inne. – Jeg ser etter señora Jacinta Coronado. Co-ro-na-do. Er det noen av dere som kjenner henne eller kan si hvor jeg finner henne?

Rett frem, fire blikk som lyste lumskt av grådighet. Her er noe som butter imot. Kanskje ikke alt er tapt allikevel.

– Jacinta Coronado? sa jeg om igjen.

De fire innlagte vekslet blikk og nikket seg imellom. En av dem, trinn og rund og uten et eneste synlig hår på hele kroppen, lot til å være bandelederen. Hele hans oppsyn og vesen i omgivelser som disse, et ormebol for oppbevaring av eskatologiske fenomener, ledet tanken hen på en lykkelig Nero, som klimpret på harpen mens Roma råtnet for hans føtter. Med majestetisk mine smilte keiser Nero lekelystent til meg. Håpefullt gjengjeldte jeg smilet.

Mannen gjorde tegn til at jeg skulle komme nærmere, som om han ville hviske noe i øret mitt. Jeg nølte, men gikk med på hans betingelser.

– Kunne De si meg hvor jeg finner señora Jacinta Coronado? spurte jeg for siste gang.

Jeg stakk øret bort til mannens lepper, slik at jeg kunne kjenne den lunkne og stinkende pusten mot huden. Jeg var redd han skulle bite meg, men uventet ga han seg til å slippe en fis med fantastisk kraft og styrke. Kameratene gapskrattet og klappet i hendene. Jeg trakk meg et par skritt tilbake, men de strømmende tarmgassene hadde allerede grepet ubønnhørlig fatt i meg. Det var da jeg rett ved siden av meg ble var en gammel mann som var sammensunket i seg selv, utrustet med skjegg som en profet, pistrete hår og ildfulle øyne. Han sto støttet til en stokk og betraktet dem hånlig.

– De kaster bort tiden, unge mann. Juanito kan ikke annet enn å slå fjerter, og det eneste de andre der kan, er å le av dem og puste dem inn. Som De ser, den sosiale strukturen her inne skiller seg ikke meget fra den i utenverdenen.

Den gamle filosofen snakket med dyp stemme og perfekt uttale. Han mønstret meg fra øverst til nederst, tok mål av meg.

– De leter etter Jacinta, syntes jeg at jeg hørte?

Jeg nikket, forbløffet over at intelligent liv kunne gjøre sin entré i denne redslenes hule.

– Hvorfor det?

– Jeg er hennes barnebarn.

– Og jeg er markien av Matoimel. En løgnhals, det er det De er. Si meg hvorfor De vil ha tak i henne, ellers spiller jeg gal. Her er det ingen sak. Og hvis De har tenkt å gå omkring og spørre disse stakkarene etter tur, vil det ikke vare lenge før De skjønner hvorfor.

Juanito og hans klikk av inhalatorer lo fremdeles så det ljomet.

Solisten slapp da et dakapo, mer dempet og langtrukkent enn den første, i form av en visling som kunne ligne lyden når man stikker hull på et bildekk, og gjorde det dermed klart at Juanito hadde en lukkemuskelbeherskelse som grenset til det virtuose. Det var bare å gi seg over for dette innlysende faktum.

– De har rett. Jeg er ikke i slekt med señora Coronado, men jeg skulle absolutt ha snakket med henne. Det gjelder en sak av aller største viktighet.

Den gamle kom tett bort til meg. Han hadde et skjelmskt og katteaktig smil, som en bortskjemt unge, og blikket ulmet av sluhet.

– Kan De hjelpe meg? tryglet jeg.

– Det kommer an på hvorvidt De kan hjelpe meg.

– Så sant det er i min makt, ville det være meg en fornøyelse å hjelpe Dem. Vil De at jeg skal overbringe en hilsen til Deres familie?

Den gamle mannen brast i en bitter latter.

– Det er min familie som har sperret meg inne i dette hullet. En fin gjeng av blodsugere som kunne få seg til å stjele underbuksene til folk mens de ennå er lunkne. Det man trygt kan overlate til dem, er helvete eller rådhuset. Jeg har tålt dem og født dem i tilstrekkelig mange år. Det jeg vil ha, er et kvinnfolk.

– Unnskyld?

Den gamle mannen så utålmodig på meg.

– Deres unge år er ingen unnskyldning for sløvhet i oppfattelsen, gutt. Jeg sier at jeg vil ha et kvinnfolk. En dame, en jente eller renraset hoppe. Ung, det er så, under femogfemti år, og frisk, uten åpne sår eller benbrudd.

– Jeg vet ikke helt om jeg forstår …

– De forstår meg aldeles glimrende. Jeg vil gjerne få elske med en kvinne som har tenner og ikke pisser på meg før jeg går til det hinsidige. Det er det samme for meg om hun er pen eller ikke. Jeg er halvblind, og i min alder er enhver jente som har noe å ta i, den rene Venus. Har De forstått det?

– Som en åpen bok. Men jeg skjønner ikke helt hvordan jeg skal finne en kvinne …

– Da jeg var på Deres alder, fantes det noe i servicenæringen som kaltes løsaktige damer. Jeg vet godt at verden forandrer seg, men aldri i det elementære. Skaff meg en slik en, lubben og kåt, så skal vi nok komme til enighet. Og dersom De skulle stille Dem tvilende til mine evner til å elske med en dame, så skal De tenke på at jeg kunne nøye meg med å klype henne litt i baken og veie hennes yndigheter i hånden. Fortrinn som følger med erfaringen.

– De tekniske detaljene overlater jeg til Dem, men akkurat nå kan jeg ikke komme hit med noen dame til Dem.

– Jeg er saktens en gammel og kåt hannkatt, men idiot er jeg ikke. Såpass vet jeg. For meg holder det at De lover meg det.

– Hvordan kan De vite om jeg ikke sier ja bare for å få Dem til å si meg hvor Jacinta Coronado er?

Den gamle mannen smilte lurt til meg.

– De skal bare gi meg Deres ord og så overlate samvittighets- problemene til meg.

Jeg så meg omkring. Juanito tok nettopp fatt på annen del av konserten. Livet dabbet stadig mer av.

Den lystne bestefarens henstilling var det eneste som virket meningsfullt i denne skjærsilden.

– Jeg gir Dem mitt ord. Jeg skal gjøre hva jeg kan.

Den gamle mannen smilte fra øre til øre. Jeg telte tre tenner.

– Blond, selv om det skulle være bleket. Med et par gode mug- ger og grisete stemme, så sant råd er, for av alle sanser er det hørselen jeg har best i behold.

– Jeg skal se hva jeg kan gjøre. Si meg nå hvor jeg kan finne Jacinta Coronado.

31

– At du lovte den metusalemen der borte hva for noe?

– Du hørte hva jeg sa.

– Jeg får håpe du sa det for spøk.

– Jeg lyver ikke for en gammel bestefar som står på gravens rand, hvor geil han enn er.

– Det tjener deg til ære, Daniel, men hvordan har du tenkt å få et kvinnemenneske inn i dette hellige huset?

– Ved å betale tredobbelt, vil jeg tro. De enkelte detaljer overlater jeg til deg.

Fermín trakk resignert på skuldrene.

– Ja vel, en avtale er en avtale. Vi kommer nok på noe. Men altså, neste gang det oppstår behov for den slags forhandlinger, overlater du ordet til meg.

– Som du vil.

Ganske som den gamle friskusen hadde opplyst, fant vi Jacinta Coronado i et kvistværelse som man bare kunne nå via en trapp i fjerde etasje. Ifølge den liderlige bestefaren var loftet et tilfluktssted for de ytterst få innlagte som Døden ikke hadde hatt den anstendighet å frata forstanden, en tilstand som for øvrig ikke var langvarig. Visstnok skulle denne bortgjemte fløyen i sin tid ha huset Baltasar Deulofeu, alias *Laszlo de Vicherny*, og derfra hadde han ført tilsyn med all virksomhet i sitt *Tenebrarium* og dyrket elskovskunster som nettopp var kommet hit fra Orienten, omgitt av damp og duftende oljer. Det eneste som var igjen av denne tvilsomme glansen, var damp og dufter, om enn av en annen natur. Jacinta Coronado henslepte sin tilværelse i en kurvstol, tullet inn i et pledd.

– Señora Coronado? spurte jeg og hevet stemmen, da jeg fryktet at den stakkars damen var døv, sprø eller begge deler.

Den gamle damen gransket oss inngående og en smule forbeholdent. Hun hadde et grumsete blikk, og bare noen dotter med hvitaktig hår som dekket hodet. Jeg la merke til at hun betraktet meg forundret, som om hun hadde sett meg før og ikke husket hvor. Jeg fryktet at Fermín skulle forhaste seg og presentere meg som sønnen til Carax eller et tilsvarende knep, men han nøyde seg med å falle på kne ved siden av den gamle damen og gripe den skjelvende og slitte hånden hennes.

– Jacinta, jeg er Fermín, og denne poden er min venn Daniel. Den som har sendt oss, er Deres venn fader Fernando Ramos, som ikke kunne komme i dag fordi han hadde tolv messer å holde, ja, De vet hvordan det er med alle helgenmessene, men han sender de aller flittigste hilsener. Hvordan står det til med Dem?

Den gamle damen smilte blidt til Fermín. Min venn klappet henne på kinnet og pannen. Den gamle damen var like takknemlig for berøringen med et annet menneskes hud som om hun hadde vært en skjødekatt. Jeg merket at strupen min snørte seg igjen.

– At det går an å spørre så dumt, hva? fortsatte Fermín. – Det De helst hadde likt, det var å komme dit ut og ta Dem en svingom. For at De er en god danserinne, det er noe alle mennesker må si seg enig i.

Jeg hadde aldri før sett ham opptre med slik finfølelse overfor noen, ikke engang Bernarda. Ordene var den reneste smiger, men tonefallet og ansiktsuttrykket var oppriktig.

– Så pent av Dem å si det, mumlet hun med en stemme som var rusten, enten fordi hun ikke hadde noen å snakke med eller ikke hadde noe å si.

– Pent, men ikke halvparten så pen som Dem, Jacinta. Tror De vi kunne få stille Dem noen spørsmål? Som disse spørrelekene i radioen, ikke sant?

Den gamle damene bare blunket med øynene til svar.

– Jeg vil mene at det er et ja. Husker De Penélope, Jacinta? Penélope Aldaya? Det er henne vi gjerne ville spørre Dem om.

Jacinta nikket, og blikket lyste opp et øyeblikk.

– Min lille pike, mumlet hun, og det var som om hun skulle begynne å gråte der og da.

– Akkurat. De husker henne, hva? Vi er venner av Julián. Julián Carax. Han med de nifse fortellingene. De husker ham også, ikke sant?

Den gamle damens øyne skinte, som om ordene og hudkontakten mer og mer brakte henne tilbake til livet.

– Fader Fernando på San Gabriel fortalte at De holdt meget av Penélope. Han holder også meget av Dem og tenker på Dem hver dag. Når han ikke kommer og besøker Dem oftere, er det fordi den nye biskopen, som er en streber, driver ham til vanvidd med en kvote med messer som gjør ham helt hes.

– De får vel endelig nok å spise? spurte den gamle damen plutselig bekymret.

– Jeg eter som en gamp, Jacinta, saken er den at jeg har et meget maskulint stoffskifte og forbrenner alt sammen. Men tro det eller ei, under disse klærne er alt bare muskler. Og det er jo det det kommer an på. Som Charles Atlas, bare mer hårete.

Jacinta nikket beroliget. Hun hadde bare øyne for Fermín. Meg hadde hun totalt glemt.

– Hva kan De fortelle oss om Penélope og Julián?

– De gikk sammen om å ta henne fra meg, sa hun. – Min lille pike.

Jeg tok et skritt frem for å si noe, men Fermín sendte meg et blikk som sa: Hold munn.

– Hvem tok Penélope fra Dem, Jacinta? Kan De huske det?

– Herren, sa hun og hevet blikket engstelig, som om hun var redd for at noen skulle høre oss.

Fermín så ut som om han vurderte trykket i den gamle damens minespill, fulgte hennes blikk mot det høye og veide de forskjellige mulighetene opp mot hverandre.

– Sikter De til den allmektige Gud, himlenes hersker, eller kanskje heller señorita Penélopes herr fader, don Ricardo?

– Hvordan er det med Fernando? spurte den gamle damen.

– Presten? Lever og blomstrer. En vakker dag gjør de ham til pave, og da lar han Dem flytte inn i Det sixtinske kapell. Han hilser så meget.

– Han er den eneste som kommer og besøker meg, nemlig. Han kommer fordi han vet at jeg ikke har noen annen.

Fermín sendte meg et skrått blikk som om han tenkte det samme som jeg. Jacinta Coronado hadde atskillig mer forstand enn hennes ytre tydet på. Kroppen var i ferd med å dø en stille død, men sinnet og sjelen fortsatte å ulme i dette usle hullet. Jeg spurte meg selv hvor mange flere som henne, og som den tøyesløse gamle mannen som hadde vist oss hvor vi kunne finne henne, som satt fanget der inne.

– Han kommer fordi han holder meget av Dem, Jacinta. Fordi

254

han husker hvor godt De passet på ham og ga ham mat da han var guttunge. Han har fortalt oss alt om det. Husker De det, Jacinta? Husker De noe fra den tiden, da De var og hentet Jorge på skolen, husker De Fernando og Julián?

– Julián ...

Stemmen var en slepende mumling, men smilet røpet henne.

– Husker De Julián Carax, Jacinta?

– Jeg husker den dagen Penélope sa at hun skulle gifte seg med ham.

Fermín og jeg så forbløffet på hverandre.

– Gifte seg? Når var det, Jacinta?

– Den dagen hun så ham for første gang. Hun var tretten år, og hun visste ikke engang hvem han var eller hva han het.

– Hvordan kunne hun da vite at hun skulle gifte seg med ham?

– Fordi hun hadde sett ham. I drømme.

Som liten pike hadde María Jacinta Coronado vært overbevist om at verden tok slutt i utkanten av Toledo, og at det utenfor byens ytterkanter ikke var annet enn mørke og ildhav. Jacinta hadde fått den forestillingen fra en drøm hun hadde under en febersykdom som nesten hadde gjort det av med henne da hun var fire år. Drømmene begynte med den gåtefulle feberen, som noen mente måtte skyldes at hun ble bitt av en diger, rød skorpion som en dag dukket opp i huset, og som aldri siden ble sett, og andre mente den skyldtes de onde gjerningene til en sinnssyk nonne som snek seg inn i husene om nettene og forgiftet barna, og som mange år senere skulle dø i garrotten mens hun ba fadervår baklengs og med øyne som sto ut av hodet på henne samtidig som en rød sky spredte seg over byen og slapp løs et styrtregn av døde biller. I drømmene sine så Jacinta fortiden, fremtiden, og iblant fornemmet hun gåtene og hemmelighetene i Toledos gamle gater. En av de personene hun pleide å se i drømmene sine, var Zacarías, en engel som alltid var kledd i svart og kom i følge med en mørk katt med gule øyne og svoveldunstende ånde. Zacarías visste alt: Han hadde forutsagt dagen og timen da hennes onkel Benancio, en kremmer som solgte salver og vievann, skulle dø. Han hadde avslørt stedet der hennes mor, en overfrom dame, hadde gjemt en bunke med brev fra en ildfull medisinstudent med små økonomiske midler, men grundige kunnskaper i anatomi, i hvis soveværelse i det trange smuget Santa María hun hadde oppdaget paradisets porter på forskudd. Han hadde kunngjort at det var noe galt som hadde bitt seg fast i magen hennes, en død ånd som ville henne vondt, og at hun bare skulle få oppleve én manns kjærlighet, en tom og egoistisk kjærlighet som skulle kløve hennes sjel midt i to. Han hadde varslet henne om at hun skulle få se alt det hun hadde kjær i denne verden, gå til grunne, og før hun kom til himmelen, skulle hun innom helvete. Den dagen hun fikk sin første menstruasjon, forsvant Zacarías og den svovelosende katten hans fra drømmene hennes, men mange år senere skulle Jacinta få tårer i øynene når hun husket de gangene hun fikk besøk av den svartkledde engelen, ettersom alle hans spådommer var gått i oppfyllelse.

Da legene stilte den diagnosen at hun aldri kunne få barn, ble Jacinta således ikke overrasket. Hun ble heller ikke overrasket, til tross for at hun holdt på å dø av sorg, da han som hadde vært hennes mann i tre år, fortalte at han gikk fra henne på grunn av en annen, for hun var som en gold og ufruktbar mark som ikke bar frukt, for hun var ingen kvinne. Nå som Zacarías ikke var der lenger (hun hadde tatt ham som en sendemann fra himmelen, for svart eller ei, han var en lysende engel – og den kjekkeste mannen hun noen gang hadde sett eller drømt –), snakket Jacinta med Gud alene, i krokene, uten å se ham og uten å vente at han skulle bry seg med å svare, for det var så mye vondt i verden, og hennes ting var til syvende og sist bare småtteri. Alle hennes monologer med Gud dreide seg om det samme temaet: Hun ønsket seg bare én ting i livet, å bli mor, å bli kvinne.

En dag som så mange andre, mens hun ba til Gud i katedralen, kom det en mann bort til henne, og hun kjente ham straks igjen som Zacarías. Han var kledd som han alltid var, og han hadde den fæle katten sin i armene. Han var ikke blitt én dag eldre, og oppviste fremdeles noen praktfulle negler, som på en hertuginne, lange og smale. Engelen bekjente at han måtte trå til, for Gud aktet ikke å svare på hennes inderlige bønner. Zacarías sa at hun ikke skulle være bekymret, for på en eller annen måte skulle han få sendt henne et barn. Han bøyde seg over henne, hvisket ordet Tibidabo, og kysset henne så ømt på munnen. Idet Jacinta kjente de fine leppene, som karamell, mot sine, hadde hun et syn: Hun skulle få en pike uten behov for å kjenne en mann (hvilket hun opplevde som en lettelse, ut fra tre års erfaring på soveværelset med en ektemann som absolutt skulle gjøre tingene sine oppå henne mens han holdt en pute over hodet på henne og mumlet «ikke kikk, ditt svin»). Denne piken skulle komme til henne i en by langt borte, inneklemt mellom en måne av fjell og et hav av lys, en by formet av bygninger som bare kunne eksistere i drømmene. Siden kunne ikke Jacinta si for sikkert om Zacarías' besøk hadde vært enda en drøm, eller om engelen virkelig var kommet til henne i katedralen i Toledo, med katten sin og med de nymanikyrerte, skarlagenrøde neglene. Det hun ikke tvilte et øyeblikk på, var disse spådommenes sannferdighet. Samme ettermiddag rådførte hun seg med menighetens diakon, som var en belest mann og hadde sett seg om i verden (han skulle ha vært helt i Andorra og snakket gebrokkent baskisk). Diakonen, som påpekte at han ikke kjente til engelen Zacarías blant alle himmelens vingede hærskarer, lyttet oppmerksomt til det synet Jacinta hadde hatt, og etter å ha tenkt lenge og vel på det, og forholdt seg til beskrivelsen av en slags katedral som, med den synske kvinnens ord, minnet om en diger pyntekam laget av smeltet sjokolade, sa den lærde mannen: «Jacinta, det du har sett, er Barcelona, den store trollkvinnen, og Den hellige families forsoningstempel ...» Fjorten dager senere dro Jacinta av sted med kurs for Barcelona, overbevist om at alt det engelen hadde beskrevet, skulle bli til virkelighet.

Etter mange måneders strabaser og gjenvordigheter fikk Jacinta omsider fast jobb i en av butikkene til Aldaya og sønner, like ved paviljongene til den gamle verdensutstillingen ved Citadellet. Hennes drømmers Barcelona var forvandlet til en mørk og fiendtlig by, med lukkede palasser og fabrikker som åndet en tåkepust som forgiftet huden med kull og svovel. Jacinta skjønte fra første dag at denne byen var en kvinne, grusom og forfengelig, og lærte seg å frykte den og aldri se den inn i øynene. Hun bodde alene på et pensjonat i bydelen Ribera, der lønnen hennes med nød og neppe rakk til å betale et usselt rom, uten vinduer eller annen belysning enn de vokslysene hun stjal i katedralen, og som hun lot brenne hele natten for å skremme rottene, som hadde spist ørene og fingrene på den halvt år gamle babyen til Ramoneta, en prostituert som leide rommet ved siden av, og den eneste venninnen hun hadde fått etter elleve måneder i Barcelona. Den vinteren regnet det nesten hver eneste dag, et svart regn, av sot og arsenikk. Jacinta begynte snart å frykte at Zacarías hadde *narret henne, at hun var kommet til denne fryktelige byen for å dø av kulde, nød og glemsel.*

Jacinta var innstilt på å overleve, så hver morgen før det grydde av dag, møtte hun i butikken og gikk ikke igjen før langt på kveld. Det var der hun tilfeldigvis møtte don Ricardo Aldaya, da hun ekspederte datteren til en av formennene, en pike som hadde fått tæring, og da han så den iver og ømhet som piken utstrålte, bestemte han seg for å ta henne med hjem, slik at hun kunne ta seg av hans kone, som gikk svanger med den som skulle bli hans førstefødte. Hennes bønner var blitt hørt. Den natten så Jacinta igjen Zacarías i en drøm. Engelen var ikke lenger kledd i svart. Han var naken, og huden var dekket av skjell. Han hadde ikke lenger med seg katten, men en hvit slange som snodde seg rundt kroppen. Håret hadde vokst helt til livet, og smilet, karamellsmilet som hadde kysset henne i katedralen i Toledo, var gjennomskåret av trekantede og takkete tenner som dem hun hadde sett på noen dypvannsfisker som lå og sprellet med halen på fisketorget. Mange år senere skulle piken skildre dette drømmesynet for en Julián Carax på atten år og huske at den dagen Jacinta skulle forlate pensjonatet i Ribera og flytte til Aldayas staselige villa, fikk hun høre at venninnen Ramoneta var blitt stukket ned med kniv og drept i porten den natten, og at babyen hennes hadde frosset i hjel i likets armer. Da nyheten ble kjent, hadde de som bodde på pensjonatet, kastet seg ut i et basketak med skrik, knyttneveslag og kloring for å kare til seg de få eiendelene etter den døde. Det eneste de lot bli igjen, var det som hadde vært hennes mest dyrebare skatt: en bok. Jacinta kjente den igjen, for mange kvelder hadde Ramoneta spurt om hun ikke kunne lese et par sider for henne. Selv hadde hun aldri lært å lese.

Fire måneder senere ble Jorge Aldaya født, og selv om Jacinta skulle overøse ham med all den kjærlighet som moren, en eterisk dame som alltid virket oppslukt av sitt eget speilbilde, aldri kunne eller ville gi ham, forsto barnepiken at det ikke var dette barnet Zacarías hadde lovt henne. I de årene hadde Jacinta lagt ungdommen bak seg og var blitt forvandlet til en annen kvinne som ikke hadde beholdt annet enn navnet og ansiktet. Den andre Jacinta var blitt igjen på pensjonatet i bydelen Ribera, like død som Ramoneta. Nå levde hun i skyggen av familien Aldayas overflod, fjernt fra den mørke byen som hun hadde kommet til å hate så inderlig, og som hun ikke engang dristet seg ned i den dagen hun hadde fri, én gang i måneden. Hun lærte seg å leve gjennom andre, den familien som red på en formue som hun knapt kunne fatte. Hun gikk og ventet på det barnet, som skulle være en pike, akkurat som byen, og som hun skulle skjenke all den kjærlighet som Gud hadde forgiftet hennes sjel med. Noen ganger spurte Jacinta seg selv om denne søvnige freden som fortærte alle hennes dager, denne samvittighetens natt, var det som noen kalte lykken, og hun ville så gjerne tro at Gud, i sin uendelige taushet, på sin måte hadde besvart hennes bønner.

Penélope Aldaya ble født våren 1903. Imens hadde Ricardo Aldaya allerede kjøpt huset i Avenida del Tibidabo, den staselige villaen som de andre i tjenerstaben mente var under en mektig trolldom, men som Jacinta ikke fryktet, for hun visste at det som andre oppfattet som forheksel, ikke var annet enn et nærvær som bare hun kunne se i drømme: skyggen av Zacarías, som knapt nok lenger minnet om den mannen hun husket, og som nå bare ga seg til kjenne som en ulv som gikk på bakbena.

Penélope var en sart, blek og tander pike. Jacinta så henne vokse opp som en blomst omgitt av vinter. I mange år våket hun over henne hver natt, tilberedte personlig hvert eneste ett av måltidene hennes, sydde klærne hennes, satt ved hennes side når hun kjempet seg igjennom tusen og én sykdommer, da hun sa sine første ord, da hun ble kvinne. Señora Aldaya var bare nok en skikkelse i kulissene, en brikke som gikk inn og ut av scenen ifølge sømmelighetens bud. Før hun gikk og la seg, måtte hun innom og si god natt til datteren sin og si til henne at hun elsket henne over alt i hele verden, at hun var det viktigste i universet for henne. Jacinta sa aldri til Penélope at hun elsket henne. Barnepiken visste at den som virkelig elsker, elsker i taushet, med gjerninger og aldri med ord. Innerst inne foraktet Jacinta señora Aldaya, den tomme og forfengelige skapningen som ble eldre og eldre i alle husets ganger under vekten av smykkene som ektemannen – som i mange år hadde søkt trøst i andres favn – brakte henne til taushet med. Hun hatet henne fordi Gud, blant alle kvinner, hadde utpekt henne til å sette Penélope til verden, mens hennes skjød, den sanne morens skjød, skulle forbli goldt og ufruktbart. Med tiden mistet Jacinta til og med de kvinnelige formene, som om ektemannens ord hadde vært profetiske. Hun hadde tapt seg mye, og skikkelsen minnet om det barske oppsynet som følger med sliten hud og knokler. Brystene hadde skrumpet inn og blitt til bare pust av hud, hoftene lignet en gutts, og hennes kjødelige former, harde og knortete, glapp sågar fra øyekastene til don Ricardo Aldaya, som ellers ikke trengte annet enn en kim til frodighet før han gikk på som en rasende, som ungpikene i huset og i slektens hus visste så godt. Det er like greit, sa Jacinta til seg selv. Hun hadde ikke tid til dumheter.

All hennes tid gikk til Penélope. Hun leste for henne, fulgte med henne overalt, badet henne, kledde på henne, kledde av henne, gredde henne, gikk tur med henne, la henne og vekket henne. Men først og fremst snakket hun med henne. Alle betraktet henne som en forrykt barnepike, en gammel jomfru som levde og åndet for jobben sin, men ingen kjente til sannheten: Jacinta var ikke bare Penélopes mor, men også hennes beste venninne. Helt fra piken begynte å snakke og uttrykke tanker, som var mye tidligere enn Jacinta kunne huske hos noe annet barn, delte de to sine hemmeligheter, sine drømmer og sine liv.

Tidens gang bare styrket dette båndet. Da Penélope kom opp i ungdomsårene, var de to allerede uatskillelige. Jacinta så at Penélope foldet seg ut som en kvinne med en skjønnhet og en stråleglans som ikke bare var åpenbare for hennes forelskede øyne. Penélope var lys. Da den gåtefulle gutten som het Julián, kom til huset, merket Jacinta fra første stund at det strømmet noe mellom ham og Penélope. Det var noe som knyttet dem sammen, maken til det som forente henne og Penélope, og samtidig forskjellig. Mer intenst. Farlig. Først trodde hun at hun ville komme til å hate gutten, men hun konstaterte snart at hun ikke hatet Julián Carax, og at hun aldri kunne hate ham. Etter hvert som Penélope falt mer og mer under Juliáns forheksele, lot også hun seg rive med, og med tiden begjærte hun bare det som Penélope begjærte. Ingen hadde lagt merke til noe, ingen hadde vært oppmerksom på det, men som alltid var det slik at det vesentligste var blitt avgjort før denne historien tok til, og på det tidspunkt var det allerede for sent.

Det skulle gå mange måneder med fåfengte blikk og brennende lengsel før Julián Carax og Penélope fikk være alene. De levde på tilfeldighetene. De møttes i gangene, de kikket på hverandre fra hver sin ende av bordet, de streifet hverandre i taushet, de fornemmet hverandre i fraværet. De vekslet de første ordene i biblioteket i huset i Avenida del Tibidabo en uværsdag da «Villa

260

Penélope» lå badet i gjenskjæret fra alterlys, bare noen sekunder da Julián trodde at det han så i den unge pikens øyne, var vissheten om at begge følte det samme, at det var den samme hemmeligheten som fortærte dem. Det virket som om ingen merket noen ting. Ingen andre enn Jacinta, som med stigende uro så det spill av blikk som Penélope og Julián vevde i Aldaya-familiens skygge.

Allerede den gang hadde Julián begynt å få søvnløse netter da han satt og skrev historier fra midnatt til daggry, da han utgjøt sin sjel for Penélope. Så, når han besøkte huset i Avenida del Tibidabo under et hvilket som helst påskudd, passet han alltid på å smette usett inn på rommet til Jacinta og levere arkene sine for at hun skulle gi dem til den unge piken. Noen ganger overrakte Jacinta ham en liten hilsen som Penélope hadde skrevet, og den kunne han lese om og om igjen i dagevis. Dette spillet skulle pågå i måneder. Mens tiden var i ferd med å undergrave deres lykke, gjorde Julián alt som var nødvendig for å få være i nærheten av Penélope. Jacinta hjalp ham, for å se Penélope lykkelig, for å holde det lyset i live. Julián for sin del følte at den første tidens tilfeldige uskyld svant bort, og at det snart var nødvendig å avgi terreng. Slik begynte han å lyve for don Ricardo om fremtidsplanene sine, å tilkjennegi en pappentusiasme for bank og finanser, å simulere en hengivenhet og godhet for Jorge Aldaya som han ikke følte, for å ha noe som kunne rettferdiggjøre hans nesten konstante nærvær i huset i Avenida del Tibidabo, å si bare det han visste at de andre ønsket å høre ham si, å lese blikkene og lengslene deres, å stenge ærligheten og oppriktigheten inne i ubetenksomhetenes fangehull, å føle at han solgte sjelen sin stykkevis, og å frykte at om han en dag skulle gjøre seg fortjent til Penélope, ville det ikke lenger være noe igjen av den Julián som hadde sett henne første gang. Somme tider våknet Julián ved daggry, frådende av raseri, og tørstet bare etter å erklære sine sanne følelser for all verden, stå ansikt til ansikt med don Ricardo Aldaya og si at han ikke hadde noen interesse av formuen hans, hans overveielser om fremtiden og firmaet, at det eneste han higet etter, var hans datter Penélope, og at han aktet å ta henne med så langt bort han kunne fra den tomme og liksvøpte verden som han holdt henne fanget i. Så kom dagslyset, og med det forsvant hans vrede.

Noen ganger åpnet Julián sitt hjerte for Jacinta, som begynte å få denne gutten mer kjær enn hun selv hadde ønsket. Det *hendte ofte at Jacinta forlot Penélope en kort stund, og under foregivende av å skulle hente Jorge på San Gabriel, besøkte hun Julián og overbrakte beskjeder fra Penélope. Det var slik hun ble kjent med Fernando, som mange år senere skulle bli den eneste vennen hun hadde i behold mens hun ventet på døden i Santa Lucías helvete, slik engelen Zacarías hadde spådd. Av og til var barnepiken så snedig at hun tok med seg Penélope, og la dermed forholdene til rette for korte møter mellom de to unge, og så at det mellom de to vokste frem en kjærlighet som hun aldri hadde kjent, som ikke var blitt henne forunt. Det var også på den tiden Jacinta ble oppmerksom på det dystre og foruroligende nærvær av en stillfarende ung mann som alle kalte Francisco Javier, sønnen til portneren på San Gabriel. Hun knep ham i å spionere på dem, tyde minene og geberdene deres på lang avstand og sluke Penélope med øynene. Jacinta hadde beholdt et fotografi som familien Aldayas offisielle portrettmaker, Recasens, hadde tatt av Julián og Penélope i døren til hatteforretningen i Ronda de San Antonio. Det var et uskyldig bilde, tatt midt på dagen med både don Ricardo og Sophie Carax til stede. Jacinta hadde det alltid på seg.*

En dag mens hun ventet på Jorge utenfor porten til San Gabriel, glemte barnepiken vesken sin borte ved springvannet, og da hun kom tilbake for å hente den, oppdaget hun at den unge Fumero lusket omkring der og kikket nervøst på henne. Samme kveld, da hun lette etter portrettet, fant hun det ikke og var sikker på at den unge gutten hadde stjålet det. En annen gang, noen uker senere, henvendte Francisco Javier Fumero seg til barnepiken og spurte om hun kunne overbringe Penélope noe fra ham. Da Jacinta spurte hva det var, tok gutten frem et klede som han hadde viklet rundt noe som lignet en figur skåret ut i furutre. Jacinta så straks at det skulle forestille Penélope, og det gikk kaldt nedover ryggen på henne. Før hun kom seg til å si noe, hadde gutten gått sin vei. På hjemveien til Avenida del Tibidabo kastet Jacinta figuren ut av bilvinduet som om det var et stinkende kadaver. Mer enn én gang skulle Jacinta våkne i grålysningen, badet i svette, forfulgt av mareritt der gutten med det grumsete blikket kastet seg over Penélope med et insekts kalde og likeglade råskap.

Noen ettermiddager når Jacinta kom for å hente Jorge, kom han litt for sent, og hun pratet da med Julián. Også han var blitt glad i denne kvinnen med det harde ansiktsuttrykket og følte

større tillit til henne enn til seg selv. Når et problem eller en skygge
tårnet seg opp over livet hans, var snart hun og Miquel Moliner
de første, og iblant de siste, som fikk vite det. En gang fortalte
Julián henne at han hadde truffet moren og don Ricardo Aldaya i
fontenegården, der de sto og pratet sammen mens de ventet på at
elevene skulle komme ut. Det så ut som don Ricardo stortrivdes
sammen med Sophie, og Julián følte en viss innestengt harme,
for han kjente til industriherrens ry som en stor donjuan og hans
grådige appetitt på kvinnekjønnets herligheter uten å skjele til
kår eller klasse, og som bare hans dyrebare hustru syntes immun
mot.

– Jeg snakket akkurat med din mor om hvor godt du liker deg
på den nye skolen.

Da don Ricardo skiltes fra dem, blunket han til dem og gikk
sin vei med en buldrende latter. Moren var taus på hele hjem-
veien, åpenbart krenket av de bemerkningene don Ricardo Aldaya
hadde kommet med.

Det var ikke bare Sophie som så med mistro på at Julian knyt-
tet stadig sterkere bånd til familien Aldaya og lot de gamle ven-
nene i gaten og sin egen familie i stikken. Mens moren reagerte
med bedrøvelse og taushet, viste hattemakeren harme og bitter-
het. Den opprinnelige begeistringen over å kunne utvide kunde-
kretsen til Barcelona-fiffens elite hadde fort fortatt seg. Han så
omtrent ikke noe til sin sønn mer, og snart måtte han engasjere
Quimet, en gutt i gaten og gammel venn av Julián, som medhjel-
per og lærling i butikken. Antoni Fortuny var en mann som bare
klarte å snakke åpent om hatter. Han sperret følelsene sine inne i
sjelens fangehull i måneder helt til de var blitt ubotelig forgiftet.
For hver dag som gikk, ble han mer sur og irritabel. Han syntes
alt var galt, fra den stakkars Quimets bestrebelser, idet han la
hele sjelen sin i å lære håndverket, til hans kone Sophies fam-
lende forsøk på å glatte over den åpenbare glemselen som Julián
hadde dømt dem til.

– Sønnen din tror han er noe fordi disse kaksene holder ham
som en sirkusape, sa han mørkt, forgiftet av bitterhet.

Så en dag, da det snart var tre år siden don Ricardo Aldayas
første besøk i hatteforretningen til Fortuny og sønner, overlot
hattemakeren til Quimet å passe butikken og sa at han skulle
være tilbake ved tolvtiden. Frank og freidig troppet han opp på

kontoret som Aldayas konsortium hadde i Paseo de Gracia, og ba om å få snakke med don Ricardo.

– Og hvem har jeg den ære å melde? spurte en lakei med hovmodig mine.

– Hans personlige hattemaker.

Don Ricardo tok imot ham, en smule overrasket, men velvillig innstilt, i den tro at Fortuny kanskje var kommet med en regning. Småkjøpmenn forsto seg jo ikke på den protokollen som gjaldt for pengeanliggender.

– Hva kan jeg så gjøre for Dem, min gode Fortunato?

Uten omsvøp ga Antoni Fortuny seg så til å forklare at han var meget skuffet hva sønnen Julián angikk.

– Min sønn, don Ricardo, er ikke den De tror. Snarere tvert imot, han er en uvitende gutt, doven og uten talent for annet enn den innbilskheten som moren har fått inn i hodet på ham. Han vil aldri drive det til noen ting. Han mangler ærgjerrighet, karakter. De kjenner ham ikke, og han kan være meget dyktig når det gjelder å innsmigre seg hos fremmede, for å få dem til å tro at han har greie på alt, mens han ikke vet noen verdens ting. Han er en middelmådighet. Men jeg kjenner ham bedre en noen, og jeg syntes nesten at jeg måtte advare Dem.

Don Ricardo hadde lyttet til dette foredraget i taushet, nesten uten å blunke.

– Var det alt, Fortunato?

Industriherren bøyde seg nå frem og trykket på en knapp på skrivebordet, og om litt gikk døren opp, og inn kom den samme sekretæren som hadde tatt imot ham.

– Min venn Fortunato skulle til å gå, Balcells, opplyste han. – Vær så vennlig å følge ham til døren.

Industriherrens iskalde tone falt ikke i hattemakerens smak.

– Med forlov, don Ricardo: Det er Fortuny, ikke Fortunato.

– Det får så være. De er en meget trist mann, Fortuny. Jeg ville være Dem takknemlig om De ikke kom hit mer.

Da Fortuny igjen sto ute på gaten, følte han seg mer alene enn noensinne, overbevist om at alle var imot ham. Bare noen dager senere begynte de fornemme kundene som han hadde fått takket være sin forbindelse med Aldaya, å sende beskjeder der de annullerte bestillinger og gjorde opp regningene. Det varte ikke mange ukene før han måtte avskjedige Quimet fordi det ikke var arbeid til begge i butikken. Men gutten dugde da heller ikke til *noe, når det kom til stykket. Han var doven og middelmådig, som alle andre.*

Det var på den tiden folk i strøket begynte å bemerke seg imellom at señor Fortuny virket eldre, bitrere, ensommere. Han snakket omtrent ikke med noen mer og satt i time etter time innestengt i butikken sin, uten noe å ta seg til, og så folk gå forbi på den andre siden av disken med en følelse av forakt og, på samme tid, lengsel. Så sa han til seg selv at motene skiftet, at unge mennesker ikke gikk med hatt lenger, og at de som gjorde det, foretrakk å gå til andre etablissementer der man solgte dem ferdige i nummerstørrelse, med mer aktuelle fasonger og mye billigere. Hatteforretningen Fortuny og sønner sank langsomt ned i en dvale av stillhet og skygge.

– Dere venter bare på at jeg skal dø, sa han til seg selv. – Og kanskje skal dere få det som dere vil.

Han visste det ikke selv, men han hadde allerede for lenge siden begynt å dø.

Etter det opptrinnet gikk Julián fullt og helt opp i familien Aldayas verden, i Penélope og den eneste fremtiden han kunne forestille seg. Slik forløp nærmere to år på slakk line, i et liv levd i smug. Zacarías hadde på sett og vis advart om det for lenge siden. Skyggene bredte seg rundt ham, og snart skulle de stramme grepet. Det første tegnet kom en dag i april 1918. Jorge Aldaya fylte atten år, og don Ricardo, som opptrådte som den store patriarken, hadde bestemt seg for å organisere (eller rettere sagt, hadde gitt ordre om å organisere) en storslagen fødselsdagsfeiring som sønnen ikke ønsket seg, og som han selv, under foregivende av uoppsettelige forretninger, ikke kunne være til stede ved, idet han skulle til den blå suiten på Hotel Colón for å møte en deilig dame som var ledig på torget og nettopp var kommet fra Sankt Petersburg. Huset i Avenida del Tibidabo ble forvandlet til et sirkustelt for anledningen: hundrevis av lykter, vimpler og boder stilt opp i parken for å oppfylle gjestenes ønsker.

Nesten alle Jorge Aldayas skolekamerater fra San Gabriel var invitert. Etter forslag fra Julián hadde Jorge også bedt Francisco Javier Fumero. Miquel Moliner påpekte at portnersønnen ville føle seg utenfor i denne narraktige og pompøse atmosfæren med alle de fornemme unge mennene. Francisco Javier tok imot innbydelsen, men han måtte ha ant noe i den retning Miquel Moliner spådde, for det ble til at han avslo tilbudet. Da doña Yvonne,

hans mor, fikk vite at sønnen aktet å si nei til en invitasjon til
Aldayas praktvilla, holdt hun på å lugge av ham håret. Hva var
dette om ikke et tegn på at hun snart skulle få adgang til de finere
sirkler? Det neste skritt kunne bare være en invitasjon til te og
kaker sammen med señora Aldaya og andre damer av uvisnelig
fornemhet. Dermed tok doña Yvonne sparepengene hun hadde
knepet inn på lønnen til sin mann, og gikk til anskaffelse av en
dress med matrossnitt til sin sønn.

Francisco Javier var da allerede blitt sytten år, og den blå
dressen med korte bukser så avgjort tilpasset doña Yvonnes fine
fornemmelser, tok seg grotesk og fornedrende ut på ham. Etter
påtrykk fra moren sa Francisco Javier ja og brukte en uke på
å skjære ut en brevåpner som han hadde tenkt å forære Jorge.
På selve dagen pukket doña Yvonne på å følge sønnen til døren
hos Aldaya. Hun ville kjenne lukten av kongelighet og nyte det
herlige synet av sønnen som skred inn gjennom de dørene som
snart skulle åpne seg for henne. Da Francisco Javier skulle til å
ta på seg det karikaturaktige matrosantrekket, oppdaget han at
det var for lite. Yvonne bestemte seg da på stående fot for å legge
det ut. De kom for sent. Imens hadde Julián benyttet anlednin-
gen og stukket av fra festen, siden det var så mye ståk og don
Ricardo ikke var til stede, for akkurat da nøt han sannsynligvis
det beste den slaviske rasen hadde å by på og feiret dagen på sin
egen måte. Penélope og han hadde satt hverandre stevne i bib-
lioteket, der det ikke var noen fare for at de skulle støte på noen
av det gode selskaps opplyste og utsøkte medlemmer. Julián og
Penélope hadde det så travelt med å sluke hverandres lepper at
de ikke så det vanvittige paret som nærmet seg huset. Francisco
Javier, utstaffert som matros til sin første kommunion og blod-
rød i toppen av ydmykelse, ble nesten slept bortover av doña
Yvonne, som for anledningen hadde bestemt seg for å børste
støvet av en vidbremmet hatt sammen med en kjole med folder
og girlandere som fikk henne til å ligne en godtebod, eller som
Miquel Moliner sa det da han fikk se henne på lang avstand: en
bisonokse forkledd som Madame Recamier. To medlemmer av
tjenerstaben ventet i døren. De virket ikke særlig imponert over
gjestene. Doña Yvonne opplyste at hennes sønn, don Francisco
Javier Fumero de Sotoceballos, gjorde sin entré. De to tjenerne
svarte hånlig at det navnet ikke lød kjent. Yvonne ble rasende,
men bevarte den fine fruens sinnsro da hun oppfordret sønnen

til å vise frem innbydelsen. Men dessverre, da de skulle legge ut dressen, var kortet blitt liggende igjen på sybordet til doña Yvonne.

Francisco Javier prøvde å forklare disse omstendighetene, men han stotret, og de to tjenernes latter bidro ikke til å oppklare misforståelsen. De ble anmodet om å dra dit pepperen gror. Doña Yvonne flammet av raseri og kunngjorde at de ikke visste hvem de holdt for narr. Tjenerne svarte at jobben som skurekone allerede var besatt. Fra vinduet på rommet sitt så Jacinta at Francisco Javier allerede var på vei bort da han plutselig stanset opp. Gutten snudde seg, og over alt oppstyret der moren skrek seg hes mot de arrogante tjenerne, så han dem. Julián kysset Penélope i bibliotekvinduet. De kysset hverandre med en heftighet som viste at de tilhørte hverandre, uten å ense resten av verden.

Dagen etter, i det store frikvarteret, dukket Francisco Javier plutselig opp. Nyheten om gårsdagens skandale hadde allerede spredt seg blant elevene, og latteren lot ikke vente på seg, ei heller spørsmålene om hva han hadde gjort med matrosdressen sin. Latteren fikk en brå slutt da elevene oppdaget at gutten hadde farens børse i hånden. Stillheten senket seg, og mange trakk seg unna. Bare kretsen til Aldaya, Moliner, Fernando og Julián snudde seg og ble stående og stirre på gutten uten å skjønne noe. Uten et ord løftet Francisco Javier riflen og siktet. Vitnene sa siden at det verken var sinne eller raseri i ansiktet hans. Francisco Javier oppviste den samme automatiske likegyldigheten som når han ryddet og stelte i parken. Den første kulen streifet hodet til Julián. Den andre ville ha gått gjennom strupen på ham hvis ikke Miquel Moliner hadde kastet seg over portnersønnen og revet til seg børsa. Julián Carax hadde stått målløs, lamslått, og betraktet denne scenen. Alle trodde at skuddene var rettet mot Jorge Aldaya som hevn for den ydmykelsen han hadde vært utsatt for kvelden før. Først senere, da sivilgarden hadde vært og hentet gutten og portnerparet nærmest ble sparket ut av boligen, gikk Miquel Moliner bort til Julián og sa, uten stolthet, at han hadde reddet livet hans. Julián kunne ikke ane at dette livet, eller den delen som han ønsket å leve av det, allerede nærmet seg slutten.

Det var det siste året på San Gabriel for Julián og kameratene. I større eller mindre grad gjorde alle rede for planene sine for det neste året, eller planene som deres respektive familier hadde lagt for dem. Jorge Aldaya visste allerede at faren skulle sende

*ham til England for å studere, og Miquel Moliner regnet det
som en selvfølge at han skulle begynne på Barcelona universitet.
Fernando Ramos hadde mer enn én gang nevnt at han kanskje
skulle begynne på jesuittenes presteskole, og lærerne var enige
om at i hans spesielle situasjon var dette det mest fremsynte. Hva
Francisco Javier Fumero angikk, visste de ikke noe mer enn at
gutten, etter don Ricardo Aldayas mellomkomst, var tatt inn på
en forbedringsanstalt langt oppe i Valle de Arán, der det ventet
ham en lang vinter. Nå som Julián så kameratene sine under-
veis med et mål for øye, spurte han seg selv hva som skulle skje
med ham. Hans drømmer og litterære ambisjoner virket fjernere
og mer ufarbare enn noensinne. Han lengtet bare etter å være
sammen med Penélope.*

*Mens han lurte på hva det skulle bli til med ham, la de andre
planer for ham. Don Ricardo Aldaya la alt til rette for at han
skulle overta en stilling i firmaet, slik at han kunne få en inn-
føring i driften. Hattemakeren hadde for sin del kommet frem
til at hvis sønnen ikke ønsket å drive familieforretningen videre,
kunne han bare glemme å flotte seg på hans bekostning. Med
det for øye hadde han i all hemmelighet tatt de nødvendige skritt
for å få sendt Julián i det militære, der noen års kaserneliv skulle
kurere ham for stormannsgalskapen. Julián var intetanende om
disse planene, og da han omsider fikk kjennskap til hva den ene
og den andre hadde stelt i stand for ham, viste det seg å være
for sent. Bare Penélope opptok tankene hans, og den simulerte
avstanden og de stjålne møtene han slo seg til tåls med før i tiden,
var ikke lenger nok. Han krevde å få treffe henne oftere, løp
stadig større risiko for at forholdet til den unge piken kunne bli
avslørt. Jacinta gjorde hva hun kunne for å dekke dem: Hun løy
så det rant av henne, spekulerte ut hemmelige møter og pønsket
ut tusen og ett knep for at de skulle få noen øyeblikk alene. Selv
hun skjønte at det ikke var tilstrekkelig, at hvert øyeblikk Pené-
lope og Julián tilbrakte sammen, knyttet dem tettere sammen.
Barnepiken hadde allerede i lengre tid lært seg å skjelne begjærets
trass og overmot i blikkene deres: en blind vilje til å bli avslørt,
til at hemmeligheten skulle bli en offentlig skandale, så de ikke
lenger behøvde å gjemme seg bort i kroker og kott for å kunne
elske hverandre forsiktig og famlende. Noen ganger når Jacinta
kom inn for å bre over Penélope, gråt piken sine modige tårer og
tilsto at hun bare ønsket å rømme med Julián, ta det første det*

*beste toget og stikke av til et sted der ingen kjente dem. Jacinta,
som husket hva det var for slags verden som lå utenfor gitter-
porten til Aldayas staselige villa, skalv av gru og fikk henne fra
det. Penélope var en føyelig sjel, og den redselen hun så i Jacintas
ansikt, la en demper på henne. Med Julián var det noe annet.*

*Den siste våren på San Gabriel oppdaget Julián med bekym-
ring at don Ricardo og hans mor Sophie møttes noen ganger i
all hemmelighet. Til å begynne med fryktet han at industriherren
hadde kommet til at Sophie var en fristende erobring som han
kunne ta med i samlingen sin, men han skjønte snart at disse
møtene, som alltid fant sted på kafeer i sentrum og holdt seg
strengt innenfor sømmelighetens rammer, aldri gikk lenger enn
til samtaler. Sophie holdt disse møtene hemmelige. Da Julián om-
sider bestemte seg for å gå til don Ricardo og spørre ham rett ut
hva som foregikk mellom ham og moren, måtte industriherren
le.*

*– Det er visst ingenting som går deg hus forbi, Julián? Men
jeg hadde jo tenkt å snakke med deg om det. Din mor og jeg
kommer sammen for å drøfte din fremtid. Hun oppsøkte meg
for noen uker siden, bekymret fordi din far hadde planer om å
sende deg i det militære til neste år. Din mor ønsker, som rime-
lig kan være, bare det beste for deg, og kom til meg for å høre
om vi to sammen kunne gjøre noe. Ingen grunn til bekymring,
don Ricardo Aldaya gir deg sitt æresord på at du ikke skal bli
kanonføde. Din mor og jeg har store planer for deg. Stol på oss.*

*Julián skulle gjerne stolt på ham, men don Ricardo innga alt
annet enn tillit. Da han rådførte seg med Miquel Moliner, var
gutten enig med Julián.*

*– Hvis det du ønsker, er å rømme med Penélope, trøste og
bære, da er det penger du har bruk for.*

Penger var noe Julián ikke hadde.

*– Det lar seg ordne, mente Miquel, – det er det man har rike
venner til.*

*Slik gikk det til at Miquel og Julián sammen begynte å planlegge
kjæresteparets flukt. Reisens mål skulle, etter Moliners forslag,
være Paris. Moliner mente at når noen hadde satt seg fore å bli
en bohemkunstner som sultet og led, kunne ingenting måle seg
med Paris. Penélope kunne litt fransk, og det var Juliáns annet
språk takket være morens undervisning.*

– Dessuten er Paris stort nok til at man kan stikke seg bort,

men samtidig lite nok til at man kan finne arbeidsmuligheter, mente Miquel.

Vennen skrapte sammen en liten formue idet han tok sine egne sparepenger gjennom mange år og la dem sammen med det han greide å lokke ut av faren med de mest vidløftige påskudd. Bare Miquel visste hvor de skulle hen.

– Jeg akter å bli stum i samme øyeblikk som dere går på det toget.

Samme ettermiddag, etter at Julián hadde finpusset detaljene med Moliner, dro han rett til Avenida del Tibidabo for å sette Penélope inn i planen.

– Det jeg skal si deg, får du ikke fortelle til noen. Ikke et menneske. Ikke engang Jacinta, begynte Julián.

Den unge piken hørte målløs og trollbundet på ham. Moliners plan var prikkfri. Miquel skulle kjøpe billettene under falskt navn og la en ukjent person gå og hente dem i billettluken på stasjonen. Hvis politiet slumpet til å finne ham, kunne han bare gi dem en beskrivelse av en person som ikke ville ligne på Julián. Julián og Penélope skulle møtes på toget. Det skulle ikke bli noen venting på perrongen, for å unngå at noen så dem. Flukten skulle skje en søndag ved tolvtiden. Julián skulle for egen regning dra til Francia-stasjonen. Der skulle Miquel vente med billettene og pengene.

Det som ville bli mest vrient, var alt som vedrørte Penélope. Hun måtte narre Jacinta og be henne finne på et påskudd for å ta henne med til messen klokken elleve og følge henne hjem igjen. Underveis skulle Penélope spørre om hun ikke kunne få treffe Julián og love å være tilbake før familien kom hjem. Penélope skulle benytte anledningen og dra rett til stasjonen. Begge visste at om hun fortalte sannheten, ville Jacinta ikke la dem reise. Hun var for glad i dem.

– Det er en perfekt plan, Miquel, hadde Julián sagt da han lyttet til den strategien vennen hadde lagt opp.

Miquel ristet bedrøvet på hodet.

– Bortsett fra én liten detalj. At dere kommer til å gjøre mange mennesker vondt når dere reiser bort for alltid.

Julián hadde nikket og tenkt på sin mor og Jacinta. Det streifet ham ikke at Miquel Moliner tenkte på seg selv.

Det vanskeligste var å overbevise Penélope om nødvendigheten av å la Jacinta sveve i uvitenhet om planen. Bare Miquel skulle vite sannheten. Toget gikk klokken ett. Når man ble oppmerksom på at Penélope var borte, ville de allerede være over grensen. Vel fremme i Paris skulle de ta inn på et hospits som mann og kone under falskt navn. Så skulle de sende et brev til Miquel Moliner stilet til familiene sine og bekjenne sin kjærlighet, si at det var bra med dem, at de var glad i dem, gi beskjed om at de hadde giftet seg i kirken og be om deres tilgivelse og forståelse. Miquel Moliner skulle legge brevet i en annen konvolutt for at ingen skulle se poststempelet i Paris, og så skulle han sørge for å få det sendt fra et sted i nærheten.

– Når? spurte Penélope.

– Om seks dager, sa Julián. – Nå til søndag.

Miquel mente at for ikke å vekke mistanke var det best at Julián ikke besøkte Penélope de dagene som var igjen til flukten. De måtte komme overens og ikke se hverandre igjen før de møttes på toget til Paris. Seks dager uten å se henne, uten å røre henne, ville bli uendelig lange. De beseglet pakten, et hemmelig ekteskap, med et kyss.

Det var da Julián tok med seg Penélope til Jacintas soveværelse i fjerde etasje. I den etasjen lå bare tjenerskapets rom, og Julián ville tro at ingen kunne finne dem der. De kledde av seg med glød, raseri og lengsel, klorte hverandre til blods og lot seg oppsluke i ordløsheten. De lærte seg kroppene utenat og begravde de seks dagene de skulle være borte fra hverandre, i spytt og svette. Julián trengte inn i henne med ubendig villskap og naglet henne til gulvplankene. Penélope tok imot ham med åpne øyne, slo bena rundt kroppen hans, med leppene halvåpne av brennende lengsel. Det var ikke snev av skjørhet eller barnaktighet i blikket hennes, i den varme kroppen hennes som tigde om mer. Så, fremdeles med ansiktet presset mot underlivet hennes og hendene på de hvite brystene som fremdeles skalv, skjønte Julián at de måtte skilles. Han hadde så vidt satt seg opp da døren til rommet gikk sakte opp, og silhuetten av en kvinne kom til syne på terskelen. Et sekund trodde Julián at det var Jacinta, men han skjønte straks at det var señora Aldaya, som stirret forhekset på dem i et anfall av fascinasjon og vemmelse. Det eneste hun klarte å stotre frem, var: «Hvor er Jacinta?» Dermed snudde hun seg bort og gikk uten et ord, mens Penélope krøp sammen på gulvet i stum pine, og Julián følte at verden raste sammen rundt ham.

– Gå nå, Julián. Gå før far kommer.

271

– Men …
– Gå.

Julián nikket.

– Hva som enn skjer, på søndag venter jeg deg på det toget. Penélope greide å få frem et tynt smil.

– Jeg skal være der. Gå nå. Vær så snill …

Hun var fremdeles naken da han gikk fra henne og smøg seg ned baktrappen til vognskjulene og derfra ut i den kaldeste natten han kunne huske.

De dagene som fulgte, var de verste. Julián hadde ligget våken hele natten og ventet at don Ricardos leiemordere skulle dukke opp for å ta ham. Ikke engang søvnen oppsøkte ham. Dagen etter, på San Gabriel, kunne han ikke merke noen forandring i Jorge Aldayas måte å være på. Julián, som var martret av angst, betrodde Miquel Moliner hva som var skjedd. Miquel ristet stumt på hodet, med sin sedvanlige flegma.

– Du er gal, Julián, men det er ikke noe nytt. Det rare er at det ikke har vært stor oppstandelse hos Aldayas. Men ved nærmere ettertanke er det ikke så overraskende. Hvis det var som du sier, at det var señora Aldaya som oppdaget dere, er det godt mulig at selv ikke hun vet hva hun skal gjøre ennå. Jeg har hatt tre samtaler med henne i mitt liv, og av dem har jeg trukket to slutninger: én, señora Aldaya har forstand som en tolvåring; to, hun lider av en kronisk narsissisme som gjør det umulig for henne å forstå noe som ikke er akkurat det hun ønsker å se eller tro, især det som har med henne selv å gjøre.

– Spar meg for diagnosen, Miquel.

– Det jeg vil ha sagt, er at hun sannsynligvis fremdeles tenker på hva hun skal si, hvordan, når og til hvem. Først må hun tenke over konsekvensene for seg selv: den potensielle skandalen, ektemannens raseri … Alt annet, våger jeg å anta, er henne knekkende likegyldig.

– Så du tror ikke hun kommer til å si noe?

– Hun venter kanskje et par dager. Men jeg tror ikke hun er i stand til å holde på en slik hemmelighet bak sin manns rygg. Hva blir det til med fluktplanene? Står de ved lag?

– Mer enn noen gang.

– Det gleder meg å høre. For nå vil jeg tro at det ikke lenger er noen vei tilbake.

Dagene den uken gikk som en langtrukken dødskamp. Julián

gikk hver dag på skolen med uvissheten hakk i hæl. Han lot timene gå og lot som om han var til stede, var knapt i stand til å veksle et blikk med Miquel Moliner, som begynte å bli like bekymret som ham eller vel så det. Han opptrådte like høflig som alltid. Jacinta hadde ikke vist seg siden for å hente Jorge. Sjåføren til don Ricardo kom selv hver ettermiddag. Julián trodde han skulle dø, ønsket nesten at det skulle skje det som måtte skje, at denne ventetiden skulle ta slutt. Torsdag ettermiddag etter skoletid begynte Julián å lure på om skjebnen sto på hans side. Señora Aldaya hadde ikke sagt noe, kanskje av skamfølelse, av dumhet eller av en hvilken som helst av de grunnene som Miquel kunne få øye på. Det betydde ikke stort. Det eneste som telte, var at hun holdt på hemmeligheten til søndag. Den natten fikk han sove for første gang på flere dager.

Da han kom på skolen fredag morgen, ventet fader Romanones på ham i porten.

– Julián, jeg må snakke med deg.

– Gjerne det, fader.

– Jeg har alltid visst at denne dagen skulle komme, og jeg må tilstå at det gleder meg at det er jeg som skal gi deg nyheten.

– Hvilken nyhet, fader?

Julián Carax var ikke lenger elev på San Gabriel. Han nærvær på skolen i klasseværelsene og tilmed i parken, var strengt forbudt. Hans utstyr, lærebøker og samtlige eiendeler ble overtatt av skolen.

– Den tekniske betegnelsen er øyeblikkelig utvisning, oppsummerte fader Romanones.

– Tør jeg spørre om grunnen?

– Jeg kan tenke meg et helt dusin, men jeg er sikker på at du selv kan velge den mest passende. Ha en god dag, Carax. Lykke til i livet. Du kommer til å trenge det.

Tredve meter unna, i fontenegården, sto det en flokk elever og iakttok ham. Noen lo og vinket adjø til ham. Andre betraktet ham med forundring og medfølelse. Det var bare én som smilte bedrøvet: hans venn Miquel Moliner, som nøyde seg med å nikke og stumt mumle noen ord som Julián trodde han kunne lese i luften: «Vi sees på søndag.»

Da Julián kom hjem til Ronda de San Antonio, så han at don Ricardo Aldayas Mercedes Benz sto parkert utenfor hatteforretningen. Han stanset på hjørnet og ventet. Om litt kom don

Ricardo ut fra farens forretning og satte seg inn i bilen. Julián gjemte seg i en port til den var forsvunnet i retning av Plaza Universidad. Først da skyndte han seg opp trappen hjemme. Der ventet hans mor Sophie på ham, tårekvalt.

– Hva har du gjort, Julián? mumlet hun uten raseri.

– Tilgi meg, mor …

Sophie slo armene rundt sønnen sin og klemte ham hardt. Hun hadde tapt seg og virket eldre, som om alle hadde gått sammen om å berøve henne livet og ungdommen. «Jeg mer enn noen annen,» tenkte Julián.

– Hør godt etter nå, Julián. Din far og don Ricardo Aldaya har ordnet med alt slik at du blir sendt i det militære om noen dager. Aldaya har gode forbindelser … Du må bort, Julián. Du må dra et sted der ingen av de to kan finne deg …

Julián syntes han så en skygge i morens blikk som fortærte henne innenfra.

– Er det noe mer, mor? Noe du ikke har fortalt meg?

Sophie så på ham med skjelvende lepper.

– Du må bort herfra. Vi må begge reise herfra for alltid.

Julián klemte henne hardt og hvisket i øret henne:

– Du må ikke bekymre deg for meg, mor. Du må ikke bekymre deg.

Hele lørdagen satt Julián innelåst på rommet sitt, mellom bøkene og tegneblokkene sine. Hattemakeren var gått ned i butikken nesten i grålysningen og kom ikke opp igjen før langt utpå morgenkvisten. «Han har ikke engang mot til å si meg det ansikt til ansikt,» tenkte Julián. Den natten, med øynene sløret av tårer, tok han farvel med årene han hadde tilbrakt i det mørke, kalde rommet, mens han fortapte seg i drømmer som han nå visste aldri skulle gå i oppfyllelse. Grytidlig søndag morgen, utstyrt med bare en veske med litt klær og noen bøker, kysset han pannen til Sophie, som lå og sov sammenkrøpet under ullteppene i spisestuen, og gikk sin vei. Gatene lå svøpt i blåskimrende tåkedis, og det funklet i kobber over hustakene i gamlebyen. Han gikk sakte, sa adjø til hver port, hvert hjørne, og undret på om det som ble sagt om tidens felle, var sant, at han en dag bare ville være i stand til å huske det gode, at han ville glemme ensomheten som så mange ganger hadde plaget ham i disse gatene.

Francia-stasjonen var øde, perrongene lå oppskåret i blanke striper som glødet i demringslyset og sank hen i tåken. Julián

274

satte seg på en benk under hvelvingen og fant frem boken sin. Han lot timene gå, oppslukt av ordenes trolldom, skiftet ham og navn, følte seg som en annen. Han ble revet med av drømmene til personer i et skyggerike, og tenkte at han nå ikke hadde noe annet skjul eller tilfluktssted. Han skjønte allerede at Penélope ikke ville komme til stevnemøtet. Han visste at han skulle gå på toget uten annet selskap enn minnene. Da Miquel Moliner på slaget tolv dukket opp på stasjonen og leverte billetten og alle pengene han hadde kunnet skrape sammen, slo vennene taust armene rundt hverandre. Julián hadde aldri sett Miquel Moliner gråte. Klokken beleiret dem, telte de flyktige minuttene.

– Det er ennå ikke for sent, mumlet Miquel med blikket rettet mot inngangen til stasjonen.

Klokken fem på ett kalte stasjonssjefen for siste gang på passasjerene til Paris. Toget hadde allerede begynt å rulle langs perrongen da Julián snudde seg for å ta farvel med vennen. Miquel Moliner sto og stirret på ham fra perrongen, med hendene dypt nede i lommene.

– Skriv, sa han.

– Jeg skriver så snart jeg er fremme, svarte Julián.

– Nei. Ikke til meg. Skriv bøker. Ikke brev. Skriv dem for meg. For Penélope.

Julián nikket, og først da gikk det opp for ham hvor sårt han kom til å savne vennen.

– Og ta vare på drømmene dine, sa Miquel. – Du vet aldri når du kan få bruk for dem.

– Alltid, mumlet Julián, men larmen fra toget hadde allerede tatt ordene fra dem.

– Penélope fortalte meg hva som var skjedd den natten som fruen hadde overrumplet dem på soverommet mitt. Dagen etter tilkalte fruen meg og spurte hva jeg visste om Julián. Ingenting, sa jeg, at han er en kjekk gutt, venn av Jorge … Hun ga meg beskjed om å holde Penélope inne på rommet sitt til hun ga henne lov til å komme ut. Don Ricardo var i Madrid og ville ikke komme tilbake før fredag. Straks han var hjemme, fortalte fruen ham hva som var skjedd. Jeg var selv til stede. Don Ricardo sprang opp av lenestolen og ga fruen en ørefik så hun gikk rett i gulvet. Så brølte han som en gal og ba henne gjenta det hun hadde sagt. Fruen var stiv av skrekk. Hun hadde aldri sett husbonden slik.

Aldri. Det var som om han var besatt av alle djevler. Rød av raseri stormet han opp på soveværelset til Penélope og dro henne etter håret ut av sengen. Jeg ville holde ham igjen, men han sparket meg vekk. Samme kveld sendte de bud på huslegen for at han skulle undersøke Penélope. Da legen var ferdig, snakket han med don Ricardo. De låste Penélope inne på rommet, og fruen ba meg pakke sakene mine.

De lot meg ikke få se Penélope, heller ikke si farvel til henne. Don Ricardo truet med å melde meg til politiet hvis jeg fortalte noen om det som var skjedd. De sparket meg ut samme kveld, uten at jeg hadde noe sted å gjøre av meg, etter atten års uavbrutt tjeneste i huset. To dager senere, på en pensjonat i Calle Muntaner, fikk jeg besøk av Miquel Moliner, som opplyste at Julián hadde reist til Paris. Han ville at jeg skulle fortelle hva som var skjedd med Penélope, og finne ut hvorfor hun ikke var kommet til stasjonen som avtalt. I flere uker gikk jeg tilbake til huset og tryglet om å få besøke Penélope, men de lot meg ikke slippe innenfor porten. Noen ganger stilte jeg meg opp på det andre hjørnet hele dager i strekk og håpet å få se dem komme ut. Jeg så henne aldri. Hun var ikke ute av huset. Senere varslet señor Aldaya politiet, og ved hjelp av noen høyt plasserte venner fikk han meg tvangsinnlagt på Horta sinnssykehus, idet han hevdet at ingen kjente meg og at jeg var en sinnssyk person som rekte omkring og lurte på familien og barna hans. Der ble jeg i to år, innesperret som et dyr. Det første jeg gjorde da jeg slapp ut, var å oppsøke huset i Avenida del Tibidabo for å se Penélope.

– Fikk du sett henne? spurte Fermín.

– Huset var stengt, til salgs. Det bodde ingen der. De sa at familien Aldaya hadde reist til Argentina. Jeg skrev til den adressen de hadde oppgitt. Brevene kom uåpnet i retur …

– Hva skjedde med Penélope? Vet De det?

Jacinta ristet på hodet og sank sammen.

– Jeg så henne aldri mer.

Den gamle damen jamret seg og tok til tårene. Fermín la armene rundt henne og vugget henne. Kroppen hennes hadde skrumpet inn til en småpikes størrelse, og ved siden av henne virket Fermín som en kjempe. Tusen spørsmål kvernet i hodet mitt, men vennen min gjorde et tegn til meg som klart tilkjennega at samtalen var slutt. Jeg så at han kastet et blikk rundt i det skitne og kalde hullet der Jacinta Coronado henslepte sine siste timer.

– Kom igjen, Daniel. Vi går. Av sted med deg.

Jeg gjorde som han sa. På veien ut snudde jeg meg et øyeblikk og så at Fermín la seg på kne foran den gamle damen og kysset henne på pannen. Hun smilte et tannløst smil.

– Si meg, Jacinta, hørte jeg Fermín si. – De liker Sugus, ikke sant?

På vår ferd mot utgangen støtte vi på den egentlige begravelsesagenten og to apelignende medhjelpere, utrustet med en furukiste, tau og flere flak med gamle lakener, uvisst til hvilket bruk. Følget omga seg med en illevarslende eim av formalin og billig kølnervann og hadde en gjennomskinnelig hud som ramme rundt gustne og hundeaktige smil. Fermín nøyde seg med å peke mot cellen der den avdøde ventet, og ga seg så til å velsigne trioen, som gjengjeldte denne gesten og korset seg ærbødig.

– Gå i fred, mumlet Fermín og slepte meg med mot utgangen, der en nonne med en oljelampe i hånden lot oss gå med et gravdystert og fordømmende blikk.

Da vi vel var ute av bygningen, virket den skumle sjakten av stein og skygge som Calle Moncada er, som herlighetens og håpets dal. Ved siden av meg trakk Fermín pusten dypt, lettet, og jeg skjønte at jeg ikke var den eneste som var glad over å forlate denne mørkets basar. Historien som Jacinta hadde fortalt, knuget bevisstheten mer enn noen av oss ville være ved.

– Du, Daniel, skulle vi ta oss et par skinkekroketter og noe skummende her i Xampañet for å bli kvitt den vonde smaken i munnen?

– Det hadde ikke vært meg imot, nei.

– Skal du ikke treffe det pikebarnet i dag?

– I morgen.

– Du er meg en fin skurk. Gjør deg kostbar, hva? Man lærer fort …

Vi hadde ikke tatt så mye som ti skritt i retning av det støyende vertshuset, som lå bare noen få nummer nede i gaten, da tre spøkelsesaktige silhuetter trådte frem fra skyggene og sperret veien for oss. De to bøllene stilte seg bak oss, så tett på at jeg kunne kjenne pusten deres i nakken. Den tredje, noe mindre, men uendelig mye nifsere, stilte seg midt i veien for oss. Han hadde den samme gabardinfrakken, og det sleipe smilet så ut som det fløt utenfor munnvikene av bare fryd.

– Ser man det! Hvem er det vi har her? Forsyne meg er det ikke min gamle venn, mannen med de tusen ansikter, sa inspektør Fumero.

Jeg syntes jeg hørte alle ben i kroppen til Fermín skrangle av skrekk ved dette synet. All hans veltalenhet ble redusert til et kvalt klynk. De to bøllene, som formodentlig var to betjenter fra kriminalpolitiet, hadde imens tatt tak i nakken og det høyre håndleddet vårt, klar til å vri armen rundt på oss hvis vi gjorde mine til å røre på oss.

– Jeg ser på det overraskede uttrykket ditt at du trodde jeg hadde mistet sporet for lenge siden? Du hadde vel ikke trodd at en tørrskit som du kunne kravle deg opp av rennesteinen og utgi deg for å være en anstendig borger, hva? Visst er du skrullete, men det får da være grenser. Dessuten har jeg hørt at du stikker neseborene dine, som i ditt tilfelle er mange, i en bråte med ting du ikke har noe med. Et dårlig tegn ... Hva er det for noe svineri du bedriver hos disse nonnene? Du står vel ikke i med noen av dem? Hva tar de for det nå?

– Jeg respekterer andres rumper, inspektør, især hvis de har gått i kloster. Dersom De la vinn på det samme, ville De kanskje spare en smule på penicillinet og bli bedre i magen.

Fumero slo opp en ilter, nedrig latter.

– Sånn skal det være. Baller som på en okse. Jeg sier det bare, hadde alle kjeltringer vært som deg, ville jobben min ha vært en fest. Si meg, hva er det du kaller deg nå for tiden, din vesle dritt? Gary Cooper? Så, få høre hvorfor du stikker nesegrevet ditt inn her på Santa Lucía aldershjem, så lar jeg deg kanskje gå med bare et par små klyp. Så, ut med språket. Hva har dere her å gjøre?

– En privatsak. Vi har vært og besøkt en slektning.

– Ja visst, horemora di. Du skjønner at jeg er i godt humør i dag, for ellers ville jeg ha tatt deg med på politistasjonen og gitt deg en ny omgang med loddelampen. Kom igjen, vær snill gutt og fortell sannheten til din venn inspektør Fumero, hva i helvete gjør du og vennen din her? Vær litt samarbeidsvillig, for faen, så sparer du meg for jobben med å gi nytt tryne til den jyplingen du har fått deg som mesen.

– Krummer De et hår på ham, sverger jeg at ...

– Jøss, nå skremte du meg, det må jeg si. Jeg driter i buksene.

Fermín svelget tungt og så ut som han samlet alt det motet som sivet ut gjennom porene.

– Det skulle vel ikke være de matrosbuksene som Deres ærverdige mor tok på Dem, den høyvelbårne vaskekjerringa? Det ville vært synd, for jeg har hørt at den modellen satt som et skudd.

Inspektør Fumero bleknet og blikket hans ble tømt for ethvert uttrykk.

– Hva var det du sa, ditt krek?

– Jeg sa man skulle tro De hadde arvet smaken og sjarmen til doña Yvonne Sotoceballos, sosietetsdamen ...

Fermín var ingen korpulent mann, og det første knyttneveslaget var nok til at han gikk rett i bakken. Han lå fremdeles i en tull i den dammen han hadde landet i, da Fumero lot det hagle med spark i magen, korsryggen og ansiktet. Jeg kom ut av tellingen ved det femte. Fermín mistet pusten og evnen til å røre så mye som en finger eller skjerme seg mot slagene et øyeblikk senere. De to politibetjentene som holdt meg, lo av høflighet eller plikt og holdt meg i et jerngrep.

– Ikke legg deg oppi det, hvisket en av dem. – Jeg er lite lysten på å brekke armen din.

Jeg prøvde forgjeves å slite meg løs, og mens jeg sprellet, fikk jeg et glimt av ansiktet til betjenten som hadde snakket til meg. Jeg kjente ham straks igjen. Det var mannen med gabardinfrakken og avisen i baren på Plaza de Sarriá for noen dager siden, den samme mannen som hadde fulgt etter oss på bussen og ledd av vitsene til Fermín.

– Vet du hva, det jævligste jeg vet, er folk som graver i dritt og i fortida, brølte Fumero og gikk rundt Fermín. – Det som har vært, skal du la ligge i fred, skjønner du det? Og det gjelder både for deg og den dusten av en venn du har. Følg godt med og ta lærdom av det, gutt, for neste gang er det din tur.

Jeg sto og så hvordan inspektør Fumero maltrakterte Fermín med spark på spark i det skrå lyset fra en gatelykt. Mens alt dette pågikk, var jeg ute av stand til å åpne munnen. Jeg husker den dumpe, uhyggelige lyden av sparkene som nådeløst rammet vennen min. Det gjør vondt fremdeles. Jeg nøyde meg med å gi meg over til det beleilige grepet til betjentene, skalv og felte feige tårer i taushet.

Da Fumero ikke lenger gadd å husere med den døde vekten, åpnet han gabardinfrakken, dro ned glidelåsen og satte i gang å pisse på Fermín. Vennen min rørte seg ikke, avtegnet seg bare som en bylt med gamle klær i en søledam. Mens Fumero lot det stå til med den saftige og dampende spruten ut over Fermín, fortsatte jeg bare å stå der ute av stand til å åpne munnen. Da inspektøren var ferdig, lukket han buksesmekken og stakk det svette, pesende ansiktet sitt opp i mitt. En av betjentene rakte ham et lommetørkle som han tørket ansiktet og halsen med. Fumero kom enda nærmere, til ansiktet hans bare var noen centimeter fra mitt, og boret blikket i meg.

– Du gjorde deg ikke fortjent til denne omgangen, gutt. Det er det som er problemet med vennen din: Han satser alltid på feil side. Neste gang skal han skikkelig til pers, som aldri før, og jeg er sikker på at det vil være din skyld.

Jeg trodde han skulle fike til meg da, at turen var kommet til meg. Av en eller annen grunn frydet jeg meg over det. Jeg ønsket å tro at slagene ville råde bot på skammen over at jeg ikke hadde maktet å lee på en finger for å hjelpe Fermín når det eneste han hadde gjort, som alltid, var å prøve å beskytte meg.

Men det falt ikke noe slag. Bare de hånlige øynenes piskesnert. Fumero nøyde seg med å klappe meg på kinnet.

– Ta det helt med ro. Jeg skitner ikke til hendene mine på kujoner.

De to politimennene lo av vitsen, mer avslappet nå som de så at skuespillet var over. Deres trang til å komme seg bort fra scenen var påtagelig. De lo godt mens de ble borte i skyggene. Da jeg omsider kom Fermín til unnsetning, strevde han forgjeves med å sette seg opp og finne de tennene han hadde mistet i sølevannet. Han blødde fra munnen, nesen, ørene og øyelokkene. Da han så meg i god behold, fikk han frem et tilløp til et smil, og jeg trodde han skulle dø der og da. Jeg la meg på kne ved siden av ham og holdt ham i armene. Den første tanken som slo meg, var at han veide mindre enn Bea.

– Herregud, Fermín, jeg må få deg på sykehuset med det samme.

Fermín ristet energisk på hodet.

– Ta meg med til henne.

– Til hvem, Fermín?

– Til Bernarda. Hvis jeg skal krepere, vil jeg at det skal bli i hennes armer.

32

Den kvelden vendte jeg tilbake til leiligheten ved Plaza Real der jeg hadde sverget at jeg aldri mer skulle sette mine ben. Et par gjester som hadde vært vitne til mishandlingen fra døren på Xampañet, sa de godt kunne hjelpe meg å få Fermín bort til drosjeholdeplassen i Calle Princesa, mens en servitør slo det nummeret jeg hadde oppgitt, og varslet om at vi skulle komme. Taxituren virket uendelig lang. Fermín hadde besvimt før vi startet. Jeg holdt ham i armene og trykket ham inntil meg og prøvde å gi ham litt varme. Jeg kunne kjenne hvordan det varme blodet ble sugd opp av klærne mine. Jeg hvisket i øret hans, sa at vi snart var fremme, at det ikke var så farlig. Stemmen min skalv. Sjåføren kastet stjålne blikk på meg i speilet.

– Hør her, jeg vil ikke ha noe trøbbel, hva? Hvis han der dør, så er det rett ut.

– Få opp farten og ti stille.

Da vi kom til Calle Fernando, sto Gustavo Barceló og Bernarda allerede og ventet i døren sammen med doktor Soldevila. Da Bernarda fikk se oss tilsølt av blod og skitt, satte hun i å skrike i et anfall av panikk. Legen tok fort pulsen på Fermín og forsikret at pasienten levde. Sammen greide vi fire å få Fermín opp trappene og bære ham inn på rommet til Bernarda, der en sykepleierske som legen hadde hatt med seg, allerede var i gang med å gjøre alt klart. Så snart pasienten var lagt på sengen, begynte sykepleiersken å kle av ham. Doktor Soldevila forlangte at vi skulle forlate rommet og la dem ordne opp. Han smelte døren igjen rett i fleisen på oss med et fyndig «han overlever».

Ute i gangen gråt Bernarda utrøstelig og jamret at når hun endelig hadde funnet en god mann, kom Gud og tok ham fra henne med slag og spark. Don Barceló tok henne i armene og fikk henne med ut på kjøkkenet, der han ga seg til å helle brandy i henne til det stakkars mennesket knapt kunne stå på bena. Så snart ordene til hushjelpen begynte å bli ubegripelige, skjenket bokhandleren i et glass til seg selv og svelget det i én slurk.

– Jeg beklager. Jeg visste ikke hvor jeg skulle gå …, begynte jeg.

– Bare rolig. Det var helt riktig av deg. Soldevila er Barcelonas beste traumatolog, sa han uten å henvende seg til noen bestemt.

– Takk, mumlet jeg.

Barceló sukket og skjenket i en drøy skvett brandy til meg i et glass. Jeg avslo tilbudet, som gikk videre til Bernarda, og det forsvant over leppene hennes som ved trolldom.

– Vær så vennlig å ta en dusj og få på deg noe rent, sa Barceló. – Hvis du kommer hjem igjen i en sånn forfatning, vil din far dø av skrekk.

– Det behøves ikke … det går bra med meg, sa jeg.

– Så hold opp med å skjelve. Av sted med deg, du kan bruke mitt bad, for der er det varmtvannsbereder. Du kan veien. I mellomtiden skal jeg ringe til faren din og si at, tja, jeg vet ikke hva jeg skal si. Noe finner jeg vel på.

Jeg nikket.

– Du kan fremdeles føle deg som hjemme her, Daniel, sa Barceló idet jeg gikk bortover gangen. – Du har vært savnet.

Jeg klarte å finne badet til Gustavo Barceló, men ikke lysbryteren. Ved nærmere ettertanke, sa jeg til meg selv, så foretrekker jeg å dusje i mørke. Jeg tok av meg klærne, som var innklint med blod og søle, og kom meg opp i det kongelige badekaret til Gustavo Barceló. Et perleskimrende mørke sivet inn gjennom vinduet som vendte mot den indre gården, og jeg kunne ane konturene av rommet og de emaljerte flisene på gulvet og veggene. Vannet strømmet på kokhett og med et trykk som, sammenlignet med vårt beskjedne bad i Calle Santa Ana, forekom meg å være et luksushotell verdig, et sted der jeg aldri hadde satt mine ben. Jeg ble stående urørlig i flere minutter under de dampende vannstrålene.

Gjenlyden av slagene som falt over Fermín, hamret fremdeles i ørene mine. Jeg fikk ikke Fumeros ord ut av hodet, heller ikke ansiktet til den politimannen som hadde holdt meg fast, sannsynligvis for å beskytte meg. Om litt merket jeg at vannet begynte å bli kaldere, så jeg antok at jeg hadde brukt opp det som var på varmtvannsbereder. Jeg tynte den siste dråpen av lunkent vann og stengte kranen. Dampen sto opp fra huden min som silketråder. Gjennom dusjforhenget skjelnet jeg en urørlig silhuett foran døren. Det tomme blikket skinte som hos en katt.

– Du kan trygt komme frem, Daniel. Tross alle mine ugjerninger kan jeg fremdeles ikke se deg.

– Hei, Clara.

Hun rakte meg et rent håndkle. Jeg strakte frem armen og tok det. Jeg tullet meg inn i det med en skolepikes bluferdighet, og selv i det dampende halvmørket kunne jeg se at Clara smilte da hun fornemmet hva jeg gjorde.

– Jeg hørte ikke at du kom.

– Jeg banket ikke på. Hvorfor dusjer du i mørket?

– Hvordan kan du vite at lyset ikke er på?

– Surret i lyspæren, sa hun. – Du kom aldri tilbake for å si farvel.

Joda, jeg kom tilbake, tenkte jeg, men du hadde det så travelt med noe. Ordene døde på leppene mine, den fjerne bitterheten og gremmelsen virket med ett så tåpelig.

– Jeg vet det. Beklager.

Jeg kom ut av dusjen og stilte meg på filtmatten. Glorien av damp glødet som sølvskimrende prikker, lyset fra takvinduet kastet et hvitt slør over ansiktet til Clara. Hun hadde ikke forandret seg en tøddel fra det jeg husket. Fire års fravær hadde nesten ikke vært til noen nytte.

– Stemmen din er forandret, sa hun. – Er du også forandret, Daniel?

– Jeg er like dum som jeg alltid har vært, hvis det er det du lurer på.

Og feigere, sa jeg til meg selv. Hun hadde beholdt det samme nedslåtte smilet, som pinte meg selv her i halvmørket. Hun rakte frem hånden, og som den dagen for åtte år siden i biblioteket på Ateneo, forsto jeg straks hva hun ville. Jeg styrte hånden hennes mot det våte ansiktet og følte at fingrene hennes oppdaget meg på nytt, mens leppene hennes tegnet stumme ord.

– Det var aldri meningen å gjøre deg vondt, Daniel. Tilgi meg.

Jeg tok hånden hennes og kysset den i mørket.

– Det er du som skal tilgi meg.

Enhver ansats til melodrama gikk i knas da Bernarda stakk hodet inn av døren, og til tross for at hun var så å si døddrukken, oppdaget hun at jeg var naken, dryppende våt, med hånden til Clara mot leppene og lyset slukket.

– For Guds skyld, Daniel, at du ikke skammer deg. Du milde skaper! Det er visst noen som aldri lærer ...

Bernarda slo forskrekket retrett, og jeg satte min lit til at når virkningen av brandyen fortok seg, ville minnet om det hun hadde sett, bli strøket ut av hennes sinn som et bruddstykke av en drøm. Clara trakk seg noen skritt tilbake og rakte meg klærne hun hadde under venstre arm.

– Onkel kom med denne dressen til deg. Den er fra den gang han var ung. Han sier at du har vokst kolossalt, og at den vil passe bra nå. Jeg går nå, så du får kledd på deg. Jeg skulle ikke ha kommet inn uten å banke på.

Jeg tok imot klesskiftet hun rakte meg, og begynte å trekke på meg undertøyet, varmt og velduftende, den rosa bomullsskjorten, sokkene, vesten, buksene og jakken. Speilet viste en dørselger, avkledd smilet. Da jeg kom tilbake til kjøkkenet, var doktor Soldevila som snarest kommet ut av rommet der han tok seg av Fermín, for å opplyse de forsamlede om tilstanden.

– Akkurat nå er det verste over, kunngjorde han. – Det er ingen grunn til bekymring. Den slags ser alltid verre ut enn det er. Deres venn har brukket venstre arm og har to brukne ribben, har mistet tre tenner og har mangfoldige blåmerker, flenger og kvestelser, men heldigvis er det ingen indre blødninger og heller ingen symptomer på hjerneskade. De sammenbrettede avisene som pasienten hadde under klærne for lettere å holde varmen og for å fremheve korpulensen, som han kaller det, virket som en rustning som dempet slagene. For litt siden, da han var ved bevissthet i noen minutter, ba pasienten meg si at han føler seg som en yngling på tyve, at han gjerne ville ha et rundstykke med blodpølse og mør hvitløk, en sjokoladeplate og sitronkarameller av merket Sugus. I prinsippet er det ingenting i veien for det, selv om jeg nok tror at det for øyeblikket er bedre å begynne med litt saft, yoghurt og kanskje noe kokt ris. Dessuten, som et vitnesbyrd om hvor kry og åndsnærværende han er, ba pasienten meg fortelle at da sykepleiersken Amparito sydde noen sting på benet hans, fikk han en ereksjon som en påle.

– Han er jo et ekte mannfolk, mumlet Bernarda unnskyldende.

– Når kan vi få se ham? spurte jeg.

– Det er ikke verdt nå. Kanskje utpå morgenkvisten. Litt hvile vil gjøre ham godt, og allerede i morgen ville jeg gjerne hatt ham med til Del Mar sykehus for å ta et encefalogram, bare for sikkerhets skyld, men jeg tror nok ikke det er noen fare, señor Romero de Torres vil være som ny igjen om noen dager. Etter merkene og arrene på kroppen å dømme har denne mannen stått over verre kriser og har to i seg til å overleve. Hvis dere trenger en kopi av legeerklæringen for å gå til anmeldelse av forholdet ...

– Det blir ikke nødvendig, avbrøt jeg ham.

– Unge mann, husk på at dette kunne ha blitt meget alvorlig. Politiet bør varsles umiddelbart.

Barceló iakttok meg oppmerksomt. Jeg møtte blikket hans, og han nikket.

– Den slags formaliteter får vi ta når den tid kommer, doktor, ikke tenk mer på det, sa Barceló. – Nå er hovedsaken å se til at pasientens tilstand er god. Jeg skal selv besørge den tiltrengte anmeldelsen i morgen tidlig. Selv øvrigheten har rett til litt nattero og fred.

Det var åpenbart at legen ikke så med blide øyne på mitt forslag om å holde hendelsen skjult for politiet, men da han konstaterte at Barceló ville ta hånd om saken, trakk han på skuldrene og gikk tilbake til værelset for å fortsette behandlingen. Barceló gjorde tegn til meg at jeg skulle bli med ham inn på arbeidsværelset. Bernarda stønnet på tabluretten sin, helt i brandyen og forskrekkelsens vold.

– Bernarda, du får finne på noe så lenge. Sett over litt kaffe. God og sterk.

– Ja vel, det skal bli.

Jeg fulgte med Barceló til arbeidsværelset, en hule nedsenket i tåker av piperøyk som hang mellom søylene av bøker og papirer. Gjenklangen av Claras piano kom strømmende mot oss uten takt og rytme. Timene til mester Neri hadde åpenbart ikke hjulpet stort, iallfall ikke på det musikalske plan. Bokhandleren gjorde tegn til meg at jeg skulle sette meg, og ga seg til å stoppe pipen.

– Jeg har ringt til din far og sagt at Fermín har vært ute for et lite uhell og at du har tatt ham med hit.

– Slukte han det?

– Jeg tror ikke det.

– Nåh.

Bokhandleren tente pipen, lente seg tilbake i lenestolen bak skrivebordet og gikk velbehagelig opp i den mefistofeliske forestillingen. I den andre enden av leiligheten skjendet Clara Debussy. Barceló himlet med øynene.

– Hva skjedde med musikklæreren? spurte jeg.

– Jeg avskjediget ham. Misbruk av lærerstillingen.

– Nåh.

– Er det sikkert at du ikke også har fått juling? Du holder deg mye til enstavelsesord. Som guttunge var du mye mer snakkesalig.

Døren til arbeidsværelset gikk opp, og Bernarda kom inn med et brett med to dampende kopper og en sukkerskål. Da jeg så hvordan hun gikk, var jeg redd for at jeg skulle havne midt i veien for et regn av skåldhet kaffe.

– Unnskyld. Skulle det være en liten skvett brandy i kaffen?

– Jeg tror nesten at flasken med Lepanto har gjort seg fortjent til å hvile resten av natten, Bernarda. Og du også. Gå bare og legg deg. Daniel og jeg holder oss våkne her om det skulle være noe. Siden Fermín er på soveværelset ditt, kan du bruke mitt rom.

– Nei, ikke tale om.

– Det er en ordre. Ingen protester, takk. Jeg vil se deg sove om fem minutter.

– Men …

– Bernarda, du setter julegratialet på spill.

– Som De vil, señor Barceló. Men da sover jeg altså oppå sengeteppet. Skulle bare mangle.

Barceló ventet formelt på at Bernarda skulle trekke seg tilbake. Han forsynte seg med syv sukkerbiter og ga seg til å røre i koppen med teskjeen, og det trådte frem et katteaktig smil mellom tunge skyer av hollandsk tobakk.

– Der kan du se. Jeg må bestyre dette huset med hård hånd.

– Ja, du er det rene uhyret, don Gustavo.

– Og du litt for glatt, Daniel. Men si meg, nå som ingen hører oss. Hvorfor er det ingen god idé å varsle politiet om det som hendte?

– Fordi de vet det fra før.

– Mener du …?

Jeg nikket.

– Hva er det dere har rotet dere opp i, om jeg tør spørre?

Jeg sukket.

– Noe jeg kan være til hjelp med?

Jeg hevet blikket. Barceló smilte til meg uten spor av listighet, og den ironiske fasaden var for en gangs skyld stilt i bero.

– Alt dette skulle vel ikke av en eller annen grunn ha noe å

286

gjøre med den boken av Carax som du ikke ville selge til meg da du burde ha gjort det?

Han så straks hvor overrumplet jeg ble.

– Jeg kunne hjelpe dere, tilbød han seg. – Jeg har nok av det dere mangler: penger og sunt vett.

– Tro meg, don Gustavo, jeg har viklet mange nok inn i denne historien som det er.

– En fra eller til, da. Kom nå, i all fortrolighet. Forestill deg at jeg er din skriftefar.

– Jeg har ikke skriftet på mange år.

– Det ser man på deg.

33

Gustavo Barceló hadde en ettertenksom og salomonisk måte å lytte på, som en lege eller en pavelig nuntius. Han iakttok meg med foldede hender som i bønn, tett oppunder haken, og med albuene på skrivebordet, blunket omtrent ikke, nikket bare her og der som om han oppdaget symptomer eller små forsyndelser i fortellingens strøm, og bygde opp sitt eget skjønn vedrørende hendelsene etter hvert som jeg serverte ham dem på et fat. Hver gang jeg stanset opp, hevet bokhandleren brynene spørrende og gjorde en bevegelse med høyre hånd som tegn på at jeg skulle fortsette å utlegge denne historiens galimatias, som syntes å more ham enormt. Noen ganger merket han seg ting med løftet hånd, eller hevet blikket mot uendeligheten, som om han ville overveie implikasjonene av det jeg fortalte. De fleste gangene slikket han seg om munnen med et sardonisk smil som jeg ikke kunne unngå å tilskrive min troskyldighet eller de ubehjelpelige gjetningene.

– Hvis du synes dette er for dumt, kan jeg holde opp.

– Tvert imot. Å tale er for tåper, å tie er for kujoner, å lytte er for vismenn.

– Hvem har sagt det? Seneca?

– Nei. Señor Braulio Recolons, som bestyrer en slakterforretning i Calle Aviñón og har et viden kjent håndlag både med pølsevarer og innfallsrike aforismer. Fortsett, er du snill. Du snakket om den kvikke jentungen …

– Bea. Men det er min egen sak og har ikke noe med alt det andre å gjøre.

Barceló lo lavt. Jeg skulle til å gå videre i fortellingen om mine gjenvordigheter da doktor Soldevila stakk hodet inn av døren til arbeidsværelset med en trett mine og prustet tungt.

– Unnskyld, men jeg hadde tenkt å gå nå. Pasienten har det bra, og er, om nå den metaforen holder, full av energi. Denne mannen vil følge oss alle til graven. Han påstår faktisk at de smertestillende midlene har steget ham til hodet, og at han er giret helt opp. Han nekter å hvile og forlanger å få snakke med señor Daniel om saker av en natur han ikke ville opplyse meg om, og hevdet at han ikke har noen tro på den hippokratiske ed, eller hypokritisk som han sier.

– Da går jeg rett inn til ham. Og De må ha den stakkars Fermín unnskyldt. Det han sier, er sikkert en konsekvens av påkjenningene han har vært utsatt for.

– Kanskje, men jeg vil heller ikke se helt bort fra skamløsheten, for det er uråd å få ham til å holde opp med å klype sykepleiersken i baken og deklamere vers som utbroderer hvor faste og veldreide lår hun har.

Vi fulgte legen og sykepleiersken hans til døren og takket dem overstrømmende for alt de hadde gjort. Da vi kom inn på soveværelset, oppdaget vi at Bernarda likevel hadde trosset Barcelós ordrer og lagt seg i sengen ved siden av Fermín, der skrekken, brandyen og trettheten endelig hadde fått henne til å falle i søvn. Fermín holdt henne blidt i armene og strøk henne over håret, pakket inn i bandasjer, plaster og armbind. Ansiktet var så fullt av skrammer og blåmerker at det var vondt å se, og frem fra det raget kjempenesen helskinnet, to ører som relémaster og øyne som en motfallen mus. Det tannløse smilet var skjemmet av flenger, men uttrykte triumf, og han tok imot oss med løftet høyre hånd og V-tegnet.

– Hvordan er det med deg, Fermín? spurte jeg.

– Tyve år yngre, sa han lavt for ikke å vekke Bernarda.

– Ikke prøv deg, det synes på deg at du føler deg skitt, Fermín. Litt av en støkk. Er du sikker på at det står bra til? Går det ikke rundt i hodet på deg? Hører du stemmer?

– Nå som du nevner det, synes jeg noen ganger jeg hører en skurrende og urytmisk mumling, som om en apekatt prøvde å spille piano.

Barceló rynket brynene. Clara fortsatte å hamre på tangentene i det fjerne.

– Ingen fare, Daniel. Jeg har fått verre juling enn som så. Den der Fumero kan ikke engang klistre et frimerke.

– Jaså, så den som har gitt Dem nytt ansikt, er selveste inspektør Fumero, sa Barceló. – Jeg skjønner at dere beveger dere i de høyere sirkler.

– Jeg var ikke kommet så langt som til den delen av historien ennå, sa jeg.

Fermín sendte meg et forskrekket blikk.

– Helt rolig, Fermín. Daniel bringer meg à jour vedrørende det lystspillet dere holder på med. Jeg må innrømme at det er uhyre interessant. Og De, Fermín, hvordan ligger det an med Dem og skriftestolen? Jeg gjør oppmerksom på at jeg har gått to år på presteskole.

– Jeg ville ha trodd at det var minst tre, don Gustavo.

– Alt går tapt, og det begynner gjerne med skammen. Den første gangen De kommer i mitt hus, havner De i seng med hushjelpen.

– Se på henne, stakkars liten, engelen min. Men De skal vite at jeg har de hederligste hensikter, don Gustavo.

– Deres hensikter får bli en sak mellom Dem og Bernarda, som er godt og vel myndig. Men få høre nå. Hva er det for smørje dere har rotet dere opp i?

– Hva har du fortalt ham, Daniel?

– Vi er kommet til annen akt, inn fra venstre, *la femme fatale*, opplyste Barceló.

– Nuria Monfort? spurte Fermín.

Barceló slikket seg frydefullt om munnen.

– Vil det si at det er mer enn én? Dette er jo den rene bortførelsen fra seraiet.

– Jeg må be Dem senke stemmen, for min forlovede er til stede her.

– Bare rolig, Deres forlovede har en halv flaske Lepanto i blodet. Vi kunne ikke vekke henne om vi så hadde brukt kanoner. Be nå Daniel fortelle meg resten. Tre hoder tenker bedre enn to, især hvis det tredje er mitt.

Fermín gjorde mine til å trekke på skuldrene mellom bandasjer og armbind.

– Jeg skal ikke motsette meg det, Daniel. Du får bestemme.

Jeg hadde nå avfunnet meg med å ha don Gustavo Barceló med om bord, så jeg fortsatte beretningen til jeg kom til det punktet der Fumero og karene hans overrumplet oss i Calle Moncada, for bare noen timer siden. Da det ikke var mer å fortelle, reiste Barceló seg og travet grublende frem og tilbake i rommet. Fermín og jeg fulgte ham vaktsomt med blikket. Bernarda snorket som en ungstut.

290

– Veslejenta, mumlet Fermín henført.

– Det er flere ting som springer i øynene, sa bokhandleren omsider. – Etter alt å dømme er inspektør Fumero delaktig i denne historien til langt opp over ørene, men hvordan og hvorfor går over min forstand. På den ene siden er det denne kvinnen …

– Nuria Monfort.

– Så har vi det der med at Julián Carax vendte tilbake til Barcelona for så å bli myrdet på gaten etter en måned da man ikke vet noe om ham. Det er åpenbart at jentungen lyver så det renner av henne, til og med når det gjelder tiden.

– Det samme har jeg sagt til ham fra første stund, sa Fermín. – Saken er vel den at her er det mye ungdommelig ildfullhet og lite blikk for helheten.

– Nei, hør hvem som sier det: den hellige Johannes av korset.

– Stopp! Nå skal vi ta det helt med ro og holde oss til kjensgjerningene. Det er noe i det Daniel har fortalt, som forekom meg meget eiendommelig, enda rarere enn resten, og det ikke på grunn av det føljetongaktige i alle forviklingene, men på grunn av en vesentlig og tilsynelatende banal detalj, la Barceló til.

– Gi oss det blendende klarsyn, don Gustavo.

– Saken er som følger: Det der med at faren til Carax nektet å ta liket i øyesyn under foregivende av at han ikke hadde noen sønn. Meget merkelig etter min oppfatning. Nesten naturstridig. Det finnes ikke den far i verden som gjør slikt. Det spiller ingen rolle hvor ondt blod det kan ha vært mellom dem. Det er rart med døden: Den vekker føleriet i alle mennesker. Stilt overfor kisten ser vi alle bare det gode eller det vi helst vil se.

– Hvor har De det store sitatet fra, don Gustavo? kom det fra Fermín. – Har De noe imot at jeg innlemmer det i mitt repertoar?

– Det finnes alltid unntak, innvendte jeg. – For alt vi vet, var señor Fortuny en smule sær av seg.

– Det eneste vi vet om ham, er tredjehånds sladder, sa Barceló. – Når alle rotter seg sammen om å skildre noen som et uhyre, ett av to: Enten var han en helgen, eller de holder kjeft om mye som virkelig teller.

– Saken er vel den at hattemakeren har vunnet Deres gunst fordi han ikke bet fra seg, sa Fermín.

– Med all respekt for håndverket, når den angivelige skurkaktigheten ikke bygger på annet enn vitnemål fra portnersken i gården, er min første innskytelse å se mistroisk på det.

– Skulle vi følge den reguladetrien, kan vi ikke være sikre på noen ting. Det eneste vi vet er, som De sier, tredjehånds, for ikke å si fjerdehånds. Med portnersker eller ikke.

– Stol ikke på den som stoler på alle, lød Barcelós randbemerkning.

– For et helaftens repertoar De har, don Gustavo, skrøt Fermín. – Kulturperler en gros. Gid det var jeg som hadde Deres avklarede syn.

– Det eneste som er virkelig klart i alt dette, er at dere trenger min hjelp, logistisk og sannsynligvis pekuniært, hvis dere skal finne ut av denne smørja før inspektør Fumero reserverer en suite til dere i tukthuset San Sebas. Fermín, jeg formoder at De holder med meg i det?

– Jeg gjør alt på Daniels befaling. Hvis han befaler, agerer jeg gjerne Jesusbarnet.

– Daniel, hva sier du?

– Dere får det siste ord. Hva foreslår De?

– Min plan er som følger: Så snart Fermín er kommet på bena igjen, avlegger du, Daniel, tilfeldigvis en visitt hos señora Nuria Monfort og legger kortene på bordet. Du lar henne forstå at du vet at hun har løyet og skjuler noe for deg, mye eller lite, vi får se.

– Hvorfor det? spurte jeg.

– For å se hvordan hun reagerer. Hun kommer selvsagt ikke til å si noe. Eller hun vil lyve om igjen. Hovedsaken er å spidde henne med noen banderillaer, og her passer det med en analogi fra tyrefektningsarenaen, for å se hvor tyren fører oss hen, eller i dette tilfellet, kvigekalven. Og her er det De kommer inn i bildet, Fermín. Mens Daniel henger bjellen på katten, stiller De Dem diskré opp og overvåker den mistenkelige damen og venter på at hun skal bite på kroken. Når hun gjør det, følger De etter.

– De formoder at hun vil gå et sted, protesterte jeg.

– Du lite troende! Det gjør hun. Før eller siden. Og noe sier meg at i dette tilfellet vil det bli mer før enn siden.

– Og hva har så De tenkt å gjøre i mellomtiden, doktor Freud? spurte jeg.

– Det er min sak, og når den tid kommer, skal du få vite det. Og være meg takknemlig.

Jeg søkte støtte i Fermíns blikk, men den stakkars mannen hadde sovnet med armene rundt Bernarda etter hvert som Barceló fremførte sin seierssikre tale. Fermín hadde skakket på hodet, og sikkelet rant ned på brystet fra et salig smil. Bernarda ga fra seg noen dype og hule snorkelyder.

– Får inderlig håpe det går bra denne gangen, mumlet Barceló.

– Fermín er en flott fyr, forsikret jeg.

– Han må nesten være det, for jeg tror ikke det er med sitt utseende han har erobret henne. Kom, så går vi.

Vi slukket lyset og trakk oss stille ut av rommet, lukket døren etter oss og overlot de to turtelduene til sin tunge døs. Det forekom meg at det første pust av daggry listet seg inn av vinduene i galleriet i enden av korridoren.

– Sett at jeg sier nei, sa jeg lavt. – Og ber Dem glemme det.

Barceló smilte.

– Du er for sent ute, Daniel. Du skulle ha solgt den boken til meg for mange år siden, da du hadde anledningen.

Jeg kom hjem i grålysningen, drassende på den absurde lånedressen og vrakrestene av en endeløs natt gjennom våte og skarlagenskimrende gater. Jeg fant far sovende i lenestolen i spisestuen med et pledd over knærne og yndlingsboken sin oppslått i hendene, et eksemplar av *Candide* av Voltaire, som han leste om igjen et par ganger i året, de par gangene jeg hørte ham le hjertelig. Jeg sto taus og så på ham. Han hadde grått, tynt hår, og huden i ansiktet hadde begynt å miste fastheten rundt kinnbena. Jeg betraktet mannen som jeg en gang hadde forestilt meg sterk, nesten uovervinnelig, og så at han var skrøpelig, beseiret uten selv å vite det. Ja, kanskje var vi begge beseiret. Jeg bøyde meg frem for å dekke ham til med det pleddet han i mange år hadde lovt å skjenke til en veldedig organisasjon, og kysset ham på pannen som om jeg ville beskytte ham mot de usynlige trådene som dro ham bort fra meg, fra den trange leiligheten og minnene mine, som om jeg trodde at jeg med det kysset kunne narre tiden og overbevise ham om at han måtte dra videre, komme tilbake en annen dag, i et annet liv.

34

Jeg satt nesten hele morgenen og drømte i våken tilstand i bakværelset, og mante frem bilder av Bea. Jeg tegnet den nakne huden hennes under hendene mine og syntes igjen jeg kjente pusten hennes med dens duft av søtt brød. Jeg overrasket meg selv med å huske alle folder i kroppen hennes med kartografisk nøyaktighet, glansen i spyttet mitt på leppene hennes og på den stripen av blonde, nesten gjennomsiktige hår som gikk nedover magen hennes, og som min venn Fermín, i et av sine improviserte foredrag om den kjødelige logistikken, hadde omtalt som «veien til Jerez».

Jeg kikket på klokken for ørtende gang og konstaterte med gru at det ennå var mange timer igjen til jeg kunne se – og røre – Bea på nytt. Jeg prøvde å ordne månedens kvitteringer, men lyden av papirbunkene minnet meg om lyden av undertøyet som gled over de bleke hoftene og lårene til doña Beatriz Aguilar, søsteren til min nære barndomsvenn.

– Daniel, du er helt borte vekk. Er det noe som bekymrer deg? Er det Fermín? spurte far.

Jeg nikket skamfull. Min beste venn hadde fått knekt flere ribben for å redde mitt skinn noen timer tidligere, og min første tanke gjaldt hekten på en behå.

– Snakk om solen …

Jeg så opp, og der sto han. Fermín Romero de Torres, den gode gamle i sinn og skinn, i sin fineste dress og skakk og skeiv som en stake kom han inn av døren med sitt seierssikre smil og en frisk nellik i knapphullet.

– Hva har du her å gjøre, stakkars jævel? Skulle ikke du holde deg i ro?

– Roen får holde seg selv. Jeg er en handlingens mann. Og er ikke jeg her, får ikke dere solgt så mye som en katekisme.

Fermín blåste i legens råd og var fast bestemt på å tiltre stillingen igjen. Huden var gulnet og spettet av blåmerker, han haltet stygt og beveget seg som en ødelagt filledukke.

– Nå går du rett i seng, Fermín, for Guds skyld, sa far skrekkslagen.

– Ikke tale om. Statistikken beviser det: Det er flere som dør i sengen enn i skyttergraven.

Alle våre protester møtte døve ører. Om litt ga far bare opp, for det var noe i den stakkars Fermíns blikk som vitnet om at selv om det verket i alle ben og helt inn i sjelen, så var utsikten til å ligge alene i rommet på pensjonatet enda verre.

– Ja vel, men ser jeg deg løfte noe som er mer enn en blyant, skal du få med meg å gjøre.

– Til tjeneste. De har mitt ord på at jeg ikke skal oppløfte så mye som et lite pip.

Fermín gikk på med krum hals, fikk på seg den blå frakken, hentet en klut og en flaske sprit og slo seg ned bak disken for å pusse permen og ryggen på de femten brukte eksemplarene vi samme morgen hadde fått av en tittel det var stor etterspørsel etter, nemlig *Den trekantede hatt, sivilgardens historie i aleksandrinske vers*, av student Fulgencio Capón, en pur ung forfatter som hele landets kritikerstand hadde hevet til skyene. Mens han holdt på med restaureringen, kastet han stadig stjålne blikk og blunket som den navnkundige haltefanden.

– Ørene dine er røde som tomater, Daniel.

– Det kommer vel av at jeg må høre på alt våset ditt.

– Eller feberen som herjer i deg. Når skal du treffe pikebarnet?

– Det har du ikke noe med.

– Det var da fælt. Skyr du allerede litt hett krydder? Husk at det er uovertruffent når det gjelder å vide ut blodårene.

– Ryk og reis.

Ettermiddagen ble treg og begredelig, som det hadde vært i det siste. En kunde som var dyppet i grått, fra gabardinfrakken til stemmen, kom inn og spurte om vi hadde en bok av Zorrilla, overbevist om at det var en krønike om eventyrene til en blottende ung prostituert i habsburgernes Madrid. Far visste ikke hva han skulle si, men Fermín kom ham til unnsetning, høflig til en forandring.

– De blander sammen, min gode mann. Zorrilla er en dramatiker. De ville kanskje være interessert i Don Juan. Der er det mange damehistorier, og dessuten står hovedpersonen i med en nonne.

– Jeg tar den.

Det skumret allerede da metroen satte meg av nederst i Avenida del Tibidabo. Silhuetten av den blå trikken kunne skjelnes mellom foldene i en fiolett tåke, på vei bort. Jeg bestemte meg for ikke å vente til den kom tilbake, og fortsatte til fots mens det mørknet. Om litt øynet jeg silhuetten av «Tåkeengelen». Jeg fant frem nøkkelen som Bea hadde gitt meg, og åpnet den lille døren som var skåret ut i gitterporten. Jeg gikk videre inn på området og lot døren stå litt på klem, tilsynelatende låst, for at Bea skulle slippe uhindret inn. Jeg hadde en baktanke med å komme for tidlig. Jeg visste at Bea ikke ville være der før om minst en halvtime eller tre kvarter. Jeg ville oppleve huset alene, utforske det før Bea kom og gjorde det til sitt. Jeg stanset et øyeblikk og betraktet fontenen og hånden til engelen som steg opp av det skarlagenrøde vannet. Den anklagende pekefingeren virket hvass som en kniv. Jeg gikk bort til kanten av bassenget. Det utmeislede ansiktet, uten blikk eller sjel, dirret under overflaten.

Jeg gikk opp trappen som førte til inngangen. Hoveddøren sto noen centimeter på gløtt. Jeg kjente et stikk av bekymring, for jeg trodde jeg hadde stengt den da jeg gikk derfra den kvelden. Jeg undersøkte låsen, som ikke så ut til å være brutt opp, og tenkte at da hadde jeg vel glemt å lukke. Jeg skjøv den varsomt opp, og kjente pusten fra huset stryke meg over ansiktet, en eim av brent tre, fukt og døde blomster. Jeg tok opp fyrstikkesken jeg hadde utstyrt meg med før jeg gikk fra bokhandelen, og satte meg på kne for å tenne det første av lysene som Bea hadde satt igjen. En kobberfarget boble ble tent i hendene mine og blottstilte de dansende konturene av murvegger med strimer av fuktige tåredråper, nedraste tak og dører som var gått av hengslene.

Jeg bega meg videre til det neste lyset og tente det. Langsomt, nesten som et ritual, fulgte jeg sporet av lys som Bea hadde etterlatt seg, og tente dem etter tur, og mante dermed frem en ravgul glorie av lys som svevde i luften som et spindelvev fanget mellom kapper av ugjennomtrengelig bekmørke. Ferden endte ved peisen i biblioteket, foran pleddene som ennå lå på gulvet, med et dryss av aske på. Der satte jeg meg, vendt mot resten av salen. Jeg hadde ventet stillhet, men huset åndet tusen lyder. Det knirket i tre, det suste i vinden over taksteinene, tusen og én raslende lyder mellom murene, under gulvet, lyder som forflyttet seg bak veggene.

Det må ha gått nesten en halvtime da jeg merket at kulden og halvmørket begynte å gjøre meg søvnig. Jeg kom meg på bena og begynte å skritte rundt i rommet for å få varmen i meg. Det var bare rester igjen av en kubbe i peisen, og jeg tenkte at når Bea omsider kom, ville temperaturen innendørs ha sunket såpass at jeg kunne la meg inspirere til noen øyeblikks renhet og kyskhet og viske ut de febervillelsene jeg hadde gått og båret på i flere dager. Nå som jeg hadde funnet et praktisk mål uten den samme luftige poetiske flukten som betraktningene over tidens herjing innga, tok jeg et av stearinlysene og begynte å utforske huset på jakt etter noe brennbart som ville gjøre det beboelig her igjen, både rommet og de to pleddene som nå lå og hutret foran peisen uten spor av de hete minnene som jeg hadde om dem.

Mitt ringe kjennskap til viktoriansk litteratur tilsa at det mest fornuftige var å påbegynne letingen i kjelleren, der kjøkkenet ganske sikkert hadde ligget sammen med en enorm kullbinge. Det var det jeg hadde i sinne da jeg brukte nesten fem minutter på å lokalisere en dør eller trapp som førte ned i kjelleren. Jeg valgte en dør av utskåret tre helt i enden av en gang. Det var utsøkt snekkerhåndverk med relieffer i form av engler og skilderier og et stort kors i midten. Lukkeanordningen var anbrakt i midten av døren, under korset. Jeg prøvde uten hell å bende den opp. Mekanismen hadde sannsynligvis låst seg eller hadde simpelthen rustet opp. Den eneste måten å komme seg gjennom denne døren på, ville være å bryte den opp med en brekkstang, eller slå den inn med øks, og de alternativene avviste jeg fort. Jeg undersøkte døren i skjæret fra lyset og tenkte at den ledet tanken hen på en sarkofag snarere enn en dør. Jeg undret meg på hva som kunne skjule seg på den andre siden.

Et grundigere blikk på de utskårne englene på døren gjorde at jeg mistet lysten på å finne det ut, så jeg gikk derfra. Jeg skulle til å gi opp hele letingen etter en atkomst til kjelleren da jeg nesten tilfeldig kom over en liten dør i den andre enden av gangen, noe jeg først hadde tatt for et kosteskap eller bøttekott. Jeg kjente på dørhåndtaket, og det ga straks etter. På den andre siden skjelnet jeg en trapp som stupte bratt ned i et basseng av mørke. En heftig stank av rå jord slo meg i ansiktet. Omgitt av denne stanken, som det var noe forunderlig kjent ved, og med blikket senket mot brønnen av mørke foran meg, ble jeg overrumplet av et bilde jeg hadde gått og båret på siden barndommen, begravd mellom angstens forheng.

En regnværsettermiddag i østskråningen på Montjuïc kirkegård, med blikket vendt mot havet gjennom en skog av vanvittige mausoleer, en skog av kors og gravstøtter der det var hugd ut dødningansikter og ansiktene til barn uten lepper eller blikk, med en stank av død, var silhuettene av omkring tyve voksne som jeg bare greide å huske som regnvåte svarte dresser, og min fars hånd som holdt min så altfor hardt, som om han på den måten ville få gråten sin til å stilne, mens prestens hule ord falt i den marmorgraven der tre ansiktsløse gravere skjøv på en grå sarkofag, som regnet fløt over som smeltet voks, og der jeg syntes jeg hørte min mors stemme, en stemme som kalte på meg og tryglet meg om å befri henne fra dette fengsel av stein og bekmørke, mens jeg ikke gjorde annet enn å skjelve og hviske til far at han ikke måtte klemme hånden min så hardt, at det gjorde vondt, og den lukten av fersk jord, en jord av regn og aske, slukte alt, en lukt av død og tomhet.

Jeg åpnet øynene og gikk ned trinnene nesten i blinde, for skjæret fra stearinlyset maktet bare å stjele noen centimeter fra mørket. Da jeg kom ned, holdt jeg lyset høyt i været og så meg omkring. Jeg kunne ikke se noe kjøkken eller noe veggskap fullt av tørr ved. Foran meg åpnet det seg en smal gang som endte i en halvsirkelformet sal der det ruvet en silhuett med ansiktet furet av blodtårer og to svarte, bunnløse øyne, med armene foldet ut som vinger og en slange av pigger som raget frem fra tinningene. Etter en stund fikk jeg summet meg såpass at jeg skjønte at det jeg sto overfor, var bildet av en Kristus skåret ut i tre på veggen i et kapell. Jeg gikk et par meter frem og skimtet et spøkelsesaktig bilde. Et dusin nakne kvinnekropper lå dynget opp i en krok i det gamle kapellet. Jeg merket meg at de manglet armer og hode, og at de sto på en trefot. Hver av dem hadde sin særegne utforming, og jeg hadde ingen vanskeligheter med å ane konturen av kvinner i forskjellige aldrer og kroppsbygninger. På magen sto det noen ord skrevet med kullstift. «Isabel. Eugenia. Penélope.»

For en gangs skyld sto min viktorianske lektyre meg bi, og jeg skjønte at det jeg så, var ruinen av en skikk som nå var gått av bruk, et ekko fra en tid da velhavende familier hadde prøvedukker formet etter familiemedlemmene, og benyttet dem når de skulle lage klær og annet utstyr. Tross kristusfigurens strenge og truende blikk kunne jeg ikke motstå fristelsen til å strekke frem hånden og stryke den over figuren som bar navnet Penélope Aldaya.

I det samme syntes jeg at jeg hørte skritt i etasjen over. Jeg tenkte det var Bea som var kommet, og at hun måtte fly omkring i huset og lete etter meg. Jeg syntes det var en lettelse å forlate kapellet og satte igjen kurs for trappen. Jeg skulle akkurat til å gå opp da jeg merket at det i den motsatte enden av gangen var en stor fyrkjele og et sentralvarmeanlegg i tilsynelatende god stand som stakk av fra resten av kjelleren. Jeg kom til å tenke på at Bea hadde sagt noe om at eiendomsmegleren som hadde prøvd å selge den staselige villaen i årevis, hadde foretatt noen utbedringer med det siktemål å lokke til seg potensielle kjøpere, men uten hell. Jeg gikk bort for å se nærmere på installasjonen, og konstaterte at det dreide seg om et radiatorsystem som fikk tilførsel fra en liten fyrkjele. Foran føttene mine sto det flere kullbøtter, biter med presset tremasse og noen bokser med noe jeg antok var parafin. Jeg åpnet fyrkjelen og gransket den innvendig. Alt lot til å være i orden. At jeg skulle få den greia til å fungere etter så mange år, virket ganske håpløst, men det hindret meg ikke i å fylle kjelen med kull og tre og skvette over skikkelig med parafin. Mens jeg gjorde det, syntes jeg at jeg hørte det knake i gammelt treverk, og et øyeblikk så jeg meg tilbake. Synet av de blodige piggene som holdt på å løsne fra treet, overveldet meg, og i halvmørket fryktet jeg at denne kristusfiguren skulle tre frem for meg på bare et par skritts avstand og stille et ulveglis til skue.

Jeg stakk stearinlyset borttil, og straks fenget fyrkjelen med et blaff som utløste en metallisk buldring. Jeg lukket luken og trakk meg et par skritt unna, stadig mindre sikker på om det jeg foretok meg, var velfundert. Det virket som om trekken i fyrkjelen ikke var god, og jeg bestemte meg for å gå tilbake til første etasje for å se om det fikk noen praktiske følger. Jeg gikk opp trappen og tilbake til den store salen, der jeg håpet å finne Bea, men jeg så ikke snurten av henne. Jeg antok at det nå hadde gått en times tid siden jeg kom, og min bekymring for at gjenstanden for mitt grumsete begjær aldri skulle dukke opp, begynte å få et anstrøk av smertelig sannsynlighet. For å dempe uroen bestemte jeg meg for å videreføre min innsats som fyrbøter og gikk for å se etter radiatorer som kunne bekrefte om min gjenoppliving av fyrkjelen hadde vært en suksess. Alle jeg kom over, sto steilt imot min brennende lengsel, kalde som istapper. I et lite rom på bare fire–fem kvadratmeter, et badeværelse, som jeg antok lå rett over fyrkjelen, kunne jeg merke en viss varme. Jeg la meg på kne og konstaterte fornøyd at gulvflisene var lunkne. Det var slik Bea fant meg, sammenkrøket på gulvet, i ferd med å klappe flisene på badet som en annen idiot, med et fjollete smil som et fløytespillende esel i ansiktet.

Når jeg retter blikket bakover og forsøker å rekonstruere den nattens hendelser i den staselige villaen, kommer jeg ikke på noen annen unnskyldning som kan rettferdiggjøre oppførselen min enn å si at når man er atten år og mangler raffinement og større erfaring, kan et gammelt bad godt gjøre nytten som paradis. Det tok meg bare et par minutter å overbevise Bea om at vi burde ta med oss pleddene fra stuen og stenge oss inne på det knøttlille rommet uten annet selskap enn to stearinlys og noen museale baderomslampetter. Mitt fremste argument, det klimatologiske, gjorde snart inntrykk på Bea, for den lille varmen som strømmet fra flisene, fikk henne til å skyve fra seg sin første frykt for at det vanvittige påfunnet mitt skulle sette fyr på huset. Så, i det rødlige halvlyset, mens jeg kledde av henne med skjelvende fingrer, smilte hun og søkte meg med blikket og ga klart til kjenne at den gang og alltid ville det være slik at hva jeg enn kunne komme på, så hadde hun kommet på det før.

Jeg husker at hun satt med ryggen til den stengte døren, med armene hengende ned langs siden og håndflatene åpnet mot meg. Jeg husker at hun holdt ansiktet opp, utfordrende, mens jeg kjærtegnet halsen hennes med fingertuppene. Jeg husker hvordan hun tok hendene mine og la dem på brystene sine, og hvordan øynene og leppene hennes skalv da jeg tok brystvortene hennes mellom fingrene og kløp trollbundet i dem, hvordan hun skled ned mot gulvet mens jeg søkte meg frem til underlivet hennes med leppene, og de hvite lårene hennes tok imot meg.

– Hadde du gjort dette før, Daniel?
– I drømme.
– Jeg mener alvor.

– Nei. Enn du?

– Nei. Ikke engang med Clara Barceló?

Jeg lo, sannsynligvis av meg selv.

– Hva vet du om Clara Barceló?

– Ingenting.

– Jeg enda mindre, sa jeg.

– Det tror jeg ikke noe på.

Jeg bøyde meg over henne og så henne inn i øynene.

– Dette er noe jeg aldri hadde gjort med noen.

Bea smilte. Hånden min forsvant mellom lårene hennes, og jeg kastet meg frem for å finne leppene hennes, overbevist som jeg var om at kannibalisme var den høyeste inkarnasjon av visdom.

– Daniel, sa Bea med tynn stemme.

– Ja? spurte jeg.

Svaret nådde aldri leppene hennes. Plutselig vislet en tunge av kald luft under døren, og i det endeløse sekundet før vinden slukket lysene, møttes blikkene våre, og vi følte at stundens blendverk gikk i knas. Det tok oss bare et øyeblikk å skjønne at det var noen på den andre siden av døren. Jeg så redselen avtegne seg i ansiktet til Bea, og et sekund senere dekket mørket oss. Slaget på døren kom etterpå. Brutalt, som om en jernneve hadde hamret på døren og nesten revet den av hengslene.

Jeg merket at Beas kropp bykset i mørket, og slo armene rundt henne. Vi trakk oss lengst inn i rommet like før det andre slaget falt mot døren og slynget den med uhyggelig kraft mot veggen. Bea skrek og krøp inntil meg. Et øyeblikk kunne jeg bare se det blå mørket som snodde seg fra gangen og slangene av røyk fra de sluknede lysene som steg til værs i en spiral. Dørkarmen tegnet skyggekjefter, og jeg syntes jeg så en skarpskåret silhuett tre frem på mørkets terskel.

Jeg stakk hodet ut i gangen og fryktet, eller kanskje ønsket, at jeg bare skulle møte en fremmed person, en omstreifer som hadde dristet seg inn i det falleferdige huset for å søke ly for en barsk natt. Men det var ingen der, bare de blå tungene som vinduene sendte ut. Sammenkrøpet og skjelvende i en krok hvisket Bea navnet mitt.

– Det er ingen her, sa jeg. – Kanskje var det et vindstøt.

– Vinden slår ikke neven i dører, Daniel. La oss komme oss bort herfra.

Jeg gikk tilbake til badet og plukket opp klærne våre.

– Her, kle på deg. Vi får ta en kikk.

– Det er best å gå med det samme.

– Snart. Jeg vil bare forsikre meg om noe.

Vi kledde på oss, fort og i blinde. Etter bare noen sekunder kunne vi se pusten vår avtegne seg i luften. Jeg tok opp et av lysene fra gulvet og tente det igjen. En kald trekk snek seg gjennom huset, som om noen hadde åpnet dører og vinduer.

– Ser du? Det er vinden.

Bea nøyde seg med å riste stumt på hodet. Vi gikk tilbake til den store stuen og skjermet flammen med hendene. Bea fulgte tett etter meg, nesten uten å puste.

– Hva er det vi ser etter, Daniel?

– Det tar bare et minutt.

– Nei, la oss komme oss bort herfra.

– Ja vel.

Vi snudde og bega oss mot utgangen, og det var da jeg merket det. Den store døren av utskåret tre i enden av gangen, den jeg forgjeves hadde prøvd å få opp for et par timer siden, sto på gløtt.

– Hva er det? spurte Bea.

– Vent her.

– Daniel, vær så snill …

Jeg gikk inn i korridoren og holdt lyset som skalv i det kalde vindpustet. Bea sukket og fulgte motstrebende etter meg. Jeg stanset foran døren og kunne skjelne noen marmortrinn som førte ned i det svarte mørket. Jeg tok et skritt ned i trappen. Bea sto som forstenet på terskelen, med lyset i hånden.

– Vær så snill, Daniel, la oss komme oss bort herfra …

Jeg tok skritt for skritt til jeg var helt nede. Den spøkelsesaktige glorien rundt lyset klorte frem omrisset av et rektangulært rom med nakne steinvegger dekket av krusifikser. Kulden som hersket i dette rommet, tok pusten fra meg. Rett frem kunne jeg skjelne en marmorplate, og på den, oppstilt tett inntil hverandre, syntes jeg at jeg så to like gjenstander, men i forskjellig størrelse, hvite. De gjenspeilte den dirrende flammen med større intensitet enn resten av rommet, og jeg forestilte meg at det måtte være emaljert tre. Jeg tok et skritt lenger frem, og først da forsto jeg det. De to gjenstandene var hvite kister. Den ene var ikke mer enn tre håndsbredder. Det gikk et kuldegufs nedover nakken på meg. Det var sarkofagen til et barn. Jeg befant meg i et gravkammer.

Uten å tenke over hva jeg gjorde, gikk jeg bort til marmor-platen, så nær at jeg hadde kunnet strekke frem hånden og ta på den. Først da la jeg merke til at det var skåret ut navn og et kors på begge kistene. Støvet, et teppe av aske, skjulte dem. Jeg la hånden på den ene, den største av dem. Langsomt, nesten i transe, uten å gi meg tid til å tenke over hva jeg gjorde, feide jeg bort asken som dekket kistelokket. Det var bare så vidt leselig i det rødlige mørket fra lysene.

✝

PENÉLOPE ALDAYA
1902–1919

Jeg ble stående lamslått. Noe eller noen beveget seg i mørket. Jeg følte at den kalde luften strøk over huden, og først da trakk jeg meg noen skritt tilbake.

– Ut herfra, mumlet stemmen fra skyggene.

Jeg kjente den igjen øyeblikkelig. Laín Coubert. Djevelens stemme.

Jeg stormet opp trappen, og da jeg vel var oppe i første eta-sje, grep jeg Bea i armen og trakk henne med meg i full fart mot utgangen. Vi hadde mistet lyset og løp i blinde. Bea var forskrek-ket og skjønte ikke hva jeg plutselig var blitt så skremt av. Hun hadde ikke sett noe. Hun hadde ikke hørt noe. Jeg ga meg ikke tid til å forklare. Jeg ventet at noe når som helst skulle springe frem fra skyggene og sperre veien for oss, men ytterdøren ventet oss i enden av gangen, og dørsprekkene kastet et rektangel av lys inn i rommet.

– Den er låst, mumlet Bea.

Jeg rotet i lommene etter nøkkelen, så kastet jeg et blikk til-bake, og i brøkdelen av et sekund var jeg sikker på at to lysende prikker langsomt nærmet seg oss fra enden av gangen. Øyne. Fing-rene mine fant nøkkelen. Jeg stakk den desperat i låsen, åpnet og skjøv Bea bryskt ut. Hun må ha lest redselen i stemmen min, for hun skyndte seg gjennom parken på vei mot porten, og stanset ikke før vi begge sto andpustne og våte av kaldsvette på fortauet i Avenida del Tibidabo.

– Hva skjedde der nede, Daniel? Var det noen der?

– Nei.

– Du ble blek.

– Jeg bare er blek. Kom, vi går.

– Og nøkkelen?

Jeg hadde latt den stå igjen innvendig, stukket i låsen. Jeg følte ingen trang til å gå tilbake etter den.

– Jeg tror jeg mistet den på veien ut. Vi får se etter den en annen dag.

Vi gikk fort nedover avenyen, skrådde over på det andre fortauet og saktnet ikke på farten før vi var nærmere hundre meter fra huset, og silhuetten knapt var synlig i natten. Først da oppdaget jeg at hånden min fremdeles var dekket av aske, og jeg priste meg lykkelig for nattens teppe av skygger som hindret Bea i å se de redselstårene som trillet nedover kinnene mine.

Vi gikk nedover Calle Balmes til Plaza Núñez de Arce, der vi fant en enslig taxi. Vi kjørte nedover Balmes til Consejo de Ciento, nesten uten å si et ord. Bea tok hånden min, og et par ganger merket jeg at hun iakttok meg med glassaktig, ugjennomtrengelig blikk. Jeg bøyde meg bort og kysset henne, men hun skilte ikke leppene.

– Når ser jeg deg igjen?

– Jeg ringer deg i morgen eller overmorgen, sa hun.

– Lover du det?

Hun nikket.

– Du kan ringe hjem til meg eller til bokhandelen. Det er samme nummer. Du har det, ikke sant?

Hun nikket igjen. Jeg ba sjåføren stanse et øyeblikk på hjørnet av Muntaner og Diputación. Jeg tilbød meg å følge Bea til porten, men hun ville ikke det og gikk fra meg uten å la meg kysse henne igjen, jeg fikk ikke engang røre ved hånden hennes. Hun la på sprang, og jeg så etter henne fra taxien. Lyset var tent i Aguilars leilighet, og jeg kunne tydelig se min venn Tomás stirre på meg fra vinduet på rommet sitt, der vi hadde vært sammen så mange ettermiddager, pratet og spilt sjakk. Jeg vinket og tvang frem et smil som han sannsynligvis ikke kunne se. Han gjengjeldte ikke hilsenen. Silhuetten sto urørlig, tett inntil ruten, og så kaldt på meg. Noen sekunder senere trakk han seg tilbake, og det ble mørkt i vinduene. Han hadde ventet på oss, tenkte jeg.

35

Da jeg kom hjem, fant jeg restene av et middagsmåltid til to på bordet. Far hadde trukket seg tilbake, og jeg spekulerte på om han kanskje hadde mannet seg opp til å invitere Merceditas på middag den kvelden. Jeg listet meg inn på værelset mitt uten å tenne lyset. Straks jeg satte meg på kanten av madrassen, merket jeg at det var noen i rommet, utstrakt i halvmørket på sengen som en avdød med hendene i kors over brystet. Jeg fikk et isnende sting i magen, men kjente fort igjen snorkelydene og profilen på den makeløse nesen. Jeg tente nattlampen og fant Fermín Romero de Torres hensunket i et salig smil, alt mens han kom med vellystige små klynk på sengeteppet. Da han fikk øye på meg, virket han overrasket. Han hadde øyensynlig ventet seg et annet selskap. Han gned seg i øynene og så seg omkring idet han tok samtlige forhold i mer nøktern betraktning.

– Jeg håper jeg ikke skremte deg. Bernarda sier at når jeg sover, ligner jeg den spanske Boris Karloff.

– Hva gjør du i min seng, Fermín?

Han lukket øynene halvt igjen med et lengselsfullt uttrykk.

– Drømte om Carole Lombard. Vi var i Tanger, i et tyrkerbad, og jeg smurte hele henne inn i en olje av den sorten man selger for små barnerumper. Har du noen gang smurt inn en dame med olje, fra øverst til nederst, samvittighetsfullt?

– Fermín, klokken er halv ett om natten, og jeg er dødstrett.

– Unnskyld meg, Daniel. Men det var din far som pukket på at jeg skulle komme opp og spise, og så ble jeg helt tummelumsk, for storfekjøtt virker som narkotika på meg. Din far foreslo at jeg skulle legge meg nedpå litt, og påsto at det ikke ville gjøre deg noe …

– Det gjør det ikke heller, Fermín. Jeg ble bare så overrasket. Bli bare liggende og vend tilbake til Carole Lombard, som sikkert venter på deg. Og bre over deg, for det er et hundevær ute, og du risikerer å pådra deg noe. Jeg går ut i spisestuen, jeg.

Fermín samtykte spakt. Det var gått betennelse i skrammene i ansiktet, og med to dagers skjeggstubb og det tynne, pistrete håret minnet hodet om en moden nedfallsfrukt. Jeg tok et ullteppe fra kommoden og rakte et annet til Fermín. Så slukket jeg lyset og gikk ut i spisestuen, der fars yndlingsstol ventet meg. Jeg tullet meg inn i teppet og krøp sammen som best jeg kunne, overbevist om at jeg ikke ville få blund på øynene. Bildet av to hvite kister i mørket blødde fremdeles i mitt indre. Jeg lukket øynene og satte alt inn på å viske ut synet. I stedet manet jeg frem synet av Bea naken på ullteppene i skjæret fra stearinlysene på badet. Idet jeg ga meg hen til disse lykksalige tankene, var det som om jeg hørte det fjerne bruset fra havet, og jeg begynte å lure på om søvnen hadde overmannet meg uten at jeg selv visste det. Kanskje seilte jeg av sted med kurs for Tanger. Om litt skjønte jeg at det var Fermíns snorking, og i neste sekund sluknet verden. Ikke i hele mitt liv har jeg sovet bedre og dypere enn den natten.

Om morgenen høljet det ned, gatene sto under vann og regnet pisket rasende mot vinduene. Telefonen ringte klokken halv åtte. Jeg spratt opp av stolen og tok av røret med hjertet i halsen. Fermín i slåbrok og tøfler og far med kaffekjelen i hånden vekslet det blikket som begynte å bli en vane.

– Bea? hvisket jeg i røret, med ryggen til dem.

Jeg syntes jeg hørte et sukk på tråden.

– Bea, er det deg?

Jeg fikk ikke noe svar, og noen sekunder senere ble forbindelsen brutt. Jeg ble stående og stirre på telefonen et helt minutt og håpet på at den skulle ringe igjen.

– De ringer igjen, Daniel. Kom og spis frokost nå, sa far.

Hun ringer nok senere, sa jeg til meg selv. Noen må ha overrumplet henne. Det kunne ikke være lett å snike seg utenom señor Aguilars portforbud. Det var ingen grunn til uro. Med denne og andre unnskyldninger slepte jeg meg bort til bordet for å late som om jeg holdt far og Fermín med selskap under frokosten. Kanskje skyldtes det regnet, men maten hadde mistet all smak.

Det regnet hele morgenen, og en stund etter at vi hadde åpnet bokhandelen, gikk lyset i hele kvartalet, og det kom ikke igjen før ved tolvtiden.

– Det var bare det som manglet, sukket far.

Klokken tre begynte de første takdryppene. Fermín tilbød seg å gå opp til Merceditas og be om å få låne noen bøtter, tallerkener eller en hvilken som helst konkav beholder til slikt bruk. Far forbød ham det på det strengeste. Regnskyllet ga seg ikke. For å holde angsten i sjakk fortalte jeg Fermín hva som var skjedd kvelden før, men holdt for meg selv det jeg hadde sett i krypten. Fermín lyttet fascinert, men til tross for at han maste hull i hodet på meg, nektet jeg å gi noen beskrivelse av konsistensen, teksturen og plasseringen på brystene til Bea. Hele dagen regnet bort.

Da vi hadde spist middag den kvelden, under foregivende av å skulle strekke litt på bena, lot jeg far sitte hjemme og lese, mens jeg bega meg av sted til Bea. Da jeg kom dit, stanset jeg på hjørnet og stirret på vinduene i leiligheten og lurte på hva jeg egentlig drev med. Spionere, snike, dumme meg ut var noen av uttrykkene som streifet meg. Men like blottet for verdighet som for egnet yttertøy i den isnende kulden søkte jeg ly for vinden i et portrom på den andre siden av gaten, og der ble jeg stående en halvtimes tid og speide mot vinduene og se silhuettene av señor Aguilar og hans kone gå forbi. Bea var ikke å se.

Det var nærmere midnatt da jeg kom hjem, skjelvende av kulde og med vekten av hele verden på skuldrene. Hun ringer nok i morgen, gjentok jeg tusen ganger mens jeg prøvde å få sove. Bea ringte ikke dagen etter. Ikke dagen etter der igjen heller. Ikke hele den uken, den lengste og siste i mitt liv.

Om syv dager skulle jeg være død.

36

Bare en som ikke har mer enn en uke igjen å leve, er i stand til å kaste bort tiden slik jeg gjorde de dagene. Jeg gjorde ikke annet enn å vokte telefonen og pine meg selv, så til de grader fanget av min egen blindhet at jeg knapt var i stand til å ane det som skjebnen allerede tok for gitt. Ved tolvtiden mandag tok jeg meg en tur bort til historisk-filosofisk fakultet på Plaza Universidad i den hensikt å treffe Bea. Jeg visste at hun overhodet ikke ville sette pris på at jeg dukket opp der og at noen kunne se oss sammen i all offentlighet, men jeg ville heller trosse hennes raseri enn å leve videre med uvissheten.

Jeg gikk innom kontoret og spurte etter professor Velázquez' aula og stilte meg opp og ventet på at studentene skulle komme ut. Jeg ventet i tyve minutter før dørene gikk opp, og jeg så det arrogante og fint meislede ansiktet til professor Velázquez komme forbi, som alltid omringet av den lille kretsen av beundrerinner. Det gikk fem minutter, og jeg hadde fremdeles ikke sett snurten av Bea. Jeg bestemte meg for å gå bort til døren og kikke inn. Tre jenter som så ut som sogneskoleelever, satt der og pratet og utvekslet notater og betroelser. Den som så ut til å være lederen i den lille menigheten, ble oppmerksom på meg og avbrøt enetalen sin for å bore et inkvisitorisk blikk i meg.

– Unnskyld, jeg ser etter Beatriz Aguilar. Vet dere om det er denne klassen hun går i?

Jentene vekslet et giftig blikk og gikk i gang med å ta et røntgenfotografi av meg.

– Er du forloveden hennes? spurte den ene. – Fenriken?

Jeg nøyde meg med å sende dem et tomt smil som de oppfattet som en bekreftelse. Den eneste som besvarte smilet, var den tredje piken, fryktsomt og med bortvendt blikk. De to andre kom utfordrende nærmere.

– Jeg hadde tenkt meg deg annerledes, sa hun som så ut til å føre kommandoen.

– Og uniformen? spurte nestkommanderende mistroisk.

– Jeg har perm. Vet dere om hun har gått?

– Beatriz har ikke fulgt forelesningene i dag, opplyste sjefen med en utfordrende mine.

– Ikke det?

– Nei, stadfestet hun og skiltet med all sin tvil og mistro. – Hvis du er forloveden hennes, burde du ha visst det.

– Jeg er forloveden hennes, ikke noen sivilgardist.

– Nei, kom så går vi, han der er bare en dustemikkel, konkluderte anføreren.

Begge strøk rett forbi meg og sendte meg et skrått blikk mens de trakk litt på smilebåndet for å uttrykke sin avsky. Den tredje sakket litt akterut og stanset et øyeblikk før hun gikk, og da hun hadde forsikret seg om at de andre ikke så henne, hvisket hun til meg:

– Beatriz var ikke her på fredag heller.

– Vet du hvorfor?

– Du er ikke forloveden hennes, er du vel?

– Nei. Bare en venn.

– Jeg tror hun er syk.

– Syk?

– Det sa en av jentene som ringte hjem til henne. Nå må jeg gå.

Før jeg fikk takket henne for hjelpen, hadde hun skyndt seg etter de to andre, som sendte henne drepende øyekast mens de ventet på den andre kanten av skolegården.

– Daniel, det har vel hendt noe, da. En grandtante som er død, en papegøye som har fått struma, en forkjølelse fordi hun har gått så mye med rumpa bar ... Gud vet hva. Stikk i strid med hva du tror så fullt og fast, så kretser ikke universet rundt de lystene du har mellom bena. Det er andre faktorer som virker inn på menneskehetens utvikling.

– Tror du kanskje ikke jeg vet det? Skulle tro du ikke kjente meg, Fermín.

– Kjære deg, hvis det hadde behaget Gud å gi meg bredere hofter, kunne jeg til og med ha født deg, så godt kjenner jeg deg. Hør på meg nå. Rykk deg ut av tankene og trekk litt frisk luft. Venting er rust på sjelen.

– Så du synes bare jeg virker latterlig?

– Nei. Men du bekymrer meg. Jeg vet godt at i din alder inn-biller man seg at slike ting betyr all verden, men det får være visse grenser. I kveld skal du og jeg ta oss en tur på byen og stikke innom et lokale i Calle Platería som visstnok gjør furore. Jeg har hørt at de skal ha noen nordiske jenter der som kommer rett fra Ciudad Real og er til å få bakoversveis av. Jeg spanderer.

– Hva tror du Bernarda sier til det?

– Jentene er til deg. Jeg har tenkt å vente i salongen og lese et blad og kikke litt på moroa bare, for jeg har latt meg omvende til monogamiet, om ikke in mentis så i det minste de facto.

– Du skal ha takk for det, Fermín, men …

– En attenåring som avslår et slikt tilbud, har ikke sine sansers fulle bruk. Noe må gjøres og det på flekken.

Han rotet i lommene og rakte meg noen mynter. Jeg spurte meg selv om dette var de gullmyntene han hadde tenkt å bruke for å finansiere besøket i det overdådige haremet med små nymfer rett fra Mesetaen.

– Det der holder ikke engang til en godnattklem, Fermín.

– Du er en av dem som ramler ned fra et tre og aldri når bak-ken. Tror du virkelig at jeg har tenkt å ta deg med på horehus og sende deg stappfull av gonoré hjem til din far, som er den mest syndfri mann jeg har kjent? Det der med jentungene var bare noe jeg sa for å se om du reagerte, ved å henvende meg til den eneste delen av din person som ser ut til å være i vigør. Dette er for at du skal gå bort til telefonen på hjørnet og ringe til kjæresten din med en viss grad av fortrolighet.

– Bea har sagt uttrykkelig at jeg ikke må ringe.

– Hun sa også at hun skulle ringe på fredag. Nå er det man-dag. Der kan du selv se. En ting er å tro på kvinnene, noe annet å tro på det de sier.

Jeg lot meg overbevise av de argumentene og smatt ut av butikken og bort til telefonkiosken på hjørnet og slo nummeret til Aguilar. Ved femte ringesignal var det noen som tok av røret i den andre enden og lyttet stumt, uten å svare. Det gikk fem evige sekunder.

– Bea? hvisket jeg. – Er det deg?

Stemmen som svarte meg, falt som et hammerslag i magen.

– Jævla svin, jeg sverger at jeg skal banke sjelen ut av skrotten på deg.

310

Tonen var hard som stål av rent og tilbakeholdt raseri. Kald og sindig. Det er det som skremmer meg mest. Jeg kunne se for meg señor Aguilar der han sto med telefonen hjemme i stuen, den samme jeg hadde brukt mange ganger for å ringe til far og si at jeg kom sent hjem etter å ha tilbrakt ettermiddagen sammen med Tomás. Jeg ble stående og lytte til pusten til Beas far, stum, og lurte på om han hadde kjent igjen stemmen min.

– Jeg ser at du ikke har såpass til baller at du tør si noe, ditt krek. En hvilken som helst dritt er i stand til å gjøre det du har gjort, men et mannfolk ville i det minste hatt mot til å vise seg åpent. Jeg ville ha dødd av skam om jeg visste at en jentunge på sytten år var bedre utstyrt i så måte enn meg, for hun har ikke villet si hvem du er og kommer ikke til å si det heller. Jeg kjenner henne. Og siden du ikke har mage til å vise deg åpent for Beatriz, skal hun få unngjelde for det du har gjort.

Da jeg la på røret, skalv jeg på hendene. Jeg var meg ikke bevisst hva jeg hadde gjort før jeg forlot kiosken og slepte meg tilbake til bokhandelen. Jeg hadde ikke tenkt over at oppringningen bare ville forverre situasjonen Bea befant seg i. Det eneste som hadde opptatt meg, var å bevare anonymiteten og skjule ansiktet, og dermed hadde jeg slått hånden av både dem jeg sa jeg elsket og dem jeg nøyde meg med å utnytte. Det hadde jeg gjort allerede da inspektør Fumero banket opp Fermín. Jeg hadde gjort det på nytt da jeg overlot Bea til sin skjebne. Jeg ville gjøre det om igjen så snart omstendighetene ga meg en anledning. Jeg ble stående ute på gaten i ti minutter og prøvde å roe meg før jeg gikk inn igjen. Jeg burde kanskje ringe om igjen og fortelle señor Aguilar at jo, det var jeg, at jeg var helt vill etter datteren hans, og det var det. Om han så ønsket å trekke i majoruniformen sin og komme og slå meg helseløs, så ham om det.

Jeg var allerede på vei inn i bokhandelen da jeg merket at det sto noen og holdt øye med meg i et portrom på den andre siden av gaten. Først trodde jeg det var don Federico, urmakeren, men etter et raskt øyekast fastslo jeg at det var en som var høyere og mer robust bygd. Jeg stanset såpass at jeg fikk gjengjeldt blikket hans, og til min forbauselse nikket han, som om han ville hilse på meg og tilkjennegi at det absolutt ikke gjorde ham noe at jeg hadde lagt merke til ham. Lyset fra en gatelykt falt på ansiktet hans i profil. Det var noe kjent ved trekkene. Han tok et skritt frem, kneppet gabardinfrakken helt igjen, smilte til meg og blandet seg med de andre fotgjengerne i retning av Ramblas. Da skjønte jeg at det var den politibetjenten som hadde holdt meg mens inspektør Fumero angrep Fermín. Idet jeg kom inn igjen, så Fermín opp og sendte meg et nysgjerrig blikk.

– Hva er det for et oppsyn å ha?

– Fermín, jeg tror vi har et problem.

Samme kveld satte vi i verk den planen vi hadde pønsket ut sammen med don Gustavo Barceló for flere dager siden, med stort innhold av intriger og smått med konsistens.

– Først må vi forsikre oss om at du har rett og at vi er under politiovervåking. Nå skal vi først, som om ingenting var, ta oss en tur bortom Els Quatre Gats for å se om fyren står der på lur fremdeles. Men ikke et knyst til din far om dette, for da kommer han bare til å få nyregrus.

– Hva mener du jeg skal si, da? Han har for lengst skjønt at det er ugler i mosen.

– Si at du skal ut på bærtur.

– Og hvorfor skal vi akkurat på Els Quatre Gats?

– Fordi det er der de har de beste fleskepølserundstykkene i fem kilometers omkrets, og et eller annet sted må vi jo prate. Vær nå ingen gledesdreper og gjør som jeg sier, Daniel.

Jeg hilste enhver aktivitet velkommen så sant den holdt meg borte fra mine egne tanker, så jeg fulgte lydig med, og et par minutter senere var jeg alt på vei ut etter å ha lovt far å være tilbake til kvelds. Fermín ventet på hjørnet av Puerta del Ángel. Straks jeg kom bort til ham, gjorde han tegn til meg med øyebrynene at jeg skulle begynne å gå.

– Vi har klapperslangen omtrent tyve meter bak. Ikke snu deg.

– Den samme som sist?

– Jeg tror ikke det, om han da ikke har krympet i det fuktige værlaget. Denne er mer bondsk av seg. Stiller med et sportsblad som er seks dager gammelt. Fumero rekrutterer visst lærlinger i Cotolengo.

Da vi kom til Els Quatre Gats, slo vår mann seg inkognito ned ved et bord et par meter fra vårt og lot som om han for ørtende gang leste om igjen hva som var skjedd i forrige ukes ligarunde. Hvert tyvende sekund kastet han skråblikk på oss.

– Stakkars mann, se som han svetter, sa Fermín og ristet på hodet. – Jeg synes du virker litt distré, Daniel. Har du snakket med jenta eller?

312

– Faren tok telefonen.

– Og dere hadde en hjertelig og vennskapelig samtale?

– Snarere en enetale.

– Jeg skjønner. Kan jeg slutte meg til at du ikke kaller ham pappa ennå?

– Han sa ordrett at han skulle banke sjelen ut av skrotten på meg.

– Det må ha vært en stilistisk vri.

I det samme sto servitørens silhuett og hang over oss. Fermín bestilte mat for et helt regiment og gned seg forventningsfullt i hendene.

– Og du skal ikke ha noe, Daniel?

Jeg ristet på hodet. Da servitøren kom tilbake med to brett fulle av tapas, rundstykker og diverse øl, ga Fermín ham en stor mynt og sa han kunne beholde resten.

– Unge mann, ser du den fyren ved vindusbordet, han som går kledd som Pepito Grillo og har nesen stukket ned i avisen, som et annet kremmerhus?

Servitøren nikket medsammensvorent.

– Kunne du gjøre meg en tjeneste? Si til ham at det er beskjed fra inspektør Fumero, nemlig at han sporenstreks skal gå til Boquería-markedet og kjøpe for hundre pesetas kokte kikerter og komme på politistasjonen med dem umiddelbart (i taxi om nødvendig), eller at han får gjøre seg klar til å legge frem testikkelpungen på et fat. Skal jeg gjenta det?

– Det behøves ikke. Hundre pesetas kokte kikerter eller pungen.

Fermín rakte ham en mynt til.

– Gud velsigne deg.

Servitøren nikket ærbødig og gikk bort til bordet der forfølgeren vår satt. Da han fikk beskjeden, ble han lang i masken. Han ble sittende i femten sekunder ved bordet og kjempet med uutgrunnelige krefter, så travet han ut på gaten. Fermín gadd ikke engang å blunke. Under andre omstendigheter ville jeg ha frydet meg over opptrinnet, men den kvelden greide jeg ikke å skyve fra meg tanken på Bea.

– Daniel, kom deg ned på jorda, for vi har mye ugjort å diskutere. I morgen den dag skal du besøke Nuria Monfort, sånn som vi sa.

– Og hva skal jeg si når jeg kommer dit?

– Du kommer nok på noe. Planen er å gjøre det som señor Barceló sa så treffende. Du sier rett ut at du vet at hun løy svikefullt om Carax, at hennes formentlige mann Miquel Moliner ikke er i fengsel som hun påstår, at du har funnet ut at hun er den lumske figuren som har hentet korrespondansen til familien Fortuny-Carax' gamle leilighet ved å bruke en postboks som står ført opp på et advokatkontor som ikke eksisterer ... bare si det som skal til og som kan tjene til å sette fyr under føttene på henne. Alt sammen melodramatisk og med bibelsk oppsyn. Så gjør du en dramatisk sorti og lar henne ligge i bløt i mistenksomhetens safter en stund.

– Og imens ...

– Imens skal jeg stå klar til å følge etter henne, hvilket jeg akter å gjøre under anvendelse av de mest avanserte kamuflasjeteknikker.

– Det går aldri bra, Fermín.

– Du lite troende. Få høre nå, hva kan faren til jenta ha sagt siden du er blitt sånn? Er det på grunn av trusselen? Ikke bry deg om ham. Få høre da, hva sa den hissigproppen?

Jeg svarte uten å tenke meg om.

– Sannheten.

– Sannheten ifølge Sankt Daniel Martyr?

– Bare le hvis du vil. Jeg har bare godt av det.

– Jeg ler ikke, Daniel. Jeg synes bare det er så fælt å se deg i et så selvpiskende humør. Noen hver skulle tro at det var botsskjorten neste. Du har da ikke gjort noe galt. Det er jammen nok av bødler her i livet om man ikke skal opptre som dobbeltgjenger og spille Torquemada med seg selv.

– Snakker du av erfaring?

Fermín trakk på skuldrene.

– Du har aldri fortalt hvordan du råket ut for Fumero, påpekte jeg.

– Vil du høre en historie med moral?

– Bare hvis du har lyst til å fortelle.

Fermín skjenket i et glass vin til seg og tømte det i én slurk.

– Amen, sa han til seg selv. – Det jeg kan fortelle om Fumero, er allment kjent. Den første gangen jeg hørte om ham, var den fremtidige inspektøren revolvermann i anarkistforbundet FAIs tjeneste. Han hadde bygd seg opp litt av et ry fordi han ikke eide frykt eller skrupler. For ham var det nok å få oppgitt et navn, så kverket han ham med et skudd rett i ansiktet på åpen gate ved høylys dag. Den slags talenter verdsettes i urolige tider. Det han heller ikke hadde, var troskap eller fast overbevisning. For ham var det knekkende likegyldig hvilken sak han tjente så lenge denne saken hjalp ham å klatre oppover rangstigen. Det finnes tonnevis av sånt pakk her i verden, men det er få som har Fumeros evner. Etter anarkistene gikk han over til å tjene kommunistene, og derfra til fascistene er ikke skrittet langt. Han spionerte og solgte informasjon fra den ene siden til den andre, og tok imot penger fra alle. Jeg hadde hatt ham i kikkerten i lengre tid. På den tiden arbeidet jeg for det katalanske regionstyret. Noen ganger forvekslet de meg med den stygge broren til Companys, og det var jeg mektig stolt av.

– Hva gjorde du?

– Litt av hvert. I våre dagers serier kalles det spionasje, men når det er krig, er vi alle spioner. En del av jobben min var å holde meg à jour med sånne som Fumero. Det er de som er de farligste. De er som slanger, uten farge eller samvittighet. I krigstid skyter de opp overalt. I fredstid tar de på seg masken. Men de er der fortsatt. I tusentall. Saken er at jeg før eller senere fant ut hva han drev med. Mer sent enn tidlig, får jeg vel si. Barcelona falt i løpet av bare noen dager, og dermed var alt snudd opp ned. Jeg ble en jaget forbryter, og mine overordnede ble tvunget til å gjemme seg som rotter. Fumero sto naturligvis i spissen for «opprenskingen». Det ble skutt på åpen gate, eller det skjedde i Montjuïc-borgen. Meg pågrep de i havnen da jeg prøvde å skaffe billetter på en gresk lastebåt, for å sende noen av sjefene mine til Frankrike. De tok meg med til Montjuïc og holdt meg innesperret i to døgn i en bekende mørk celle, uten vann og lufting. Da jeg igjen fikk se lys, var det flammen på en loddelampe. Fumero og en fyr som bare snakket tysk, hengte meg med hodet ned etter bena. Tyskeren fikk først av meg klærne med loddelampen, ved å brenne dem opp. Jeg fikk inntrykk av at han hadde lang trening. Da jeg hang der splitter naken med alle hår på kroppen svidd, sa Fumero at hvis jeg ikke fortalte hvor mine overordnede hadde gjemt seg, skulle moroa begynne for alvor. Jeg er ingen tapper mann, Daniel. Det har jeg aldri vært, men det lille motet jeg hadde, brukte jeg til å be ham dra faen i vold. Fumero ga et tegn, og tyskeren ga meg en sprøyte med jeg vet ikke hva i låret og ventet i noen minutter. Så, mens Fumero røykte og fulgte smilende med, begynte han å svi meg samvittighetsfullt med loddelampen. Du har selv sett merkene ...

Jeg nikket. Fermín snakket med rolig stemme, uten tegn til sinnsopprør.

– Disse merkene er ikke det verste. De verste er de jeg har inni meg. Jeg holdt ut en time under loddelampen, eller kanskje det bare var et minutt. Jeg vet ikke. Men det endte med at jeg oppga fornavn, etternavn, til og med skjortestørrelsen til alle mine overordnede, til og med dem som ikke var det. De slengte meg fra seg i et smug i Pueblo Seco, naken og med svidd hud. En godhjertet kvinne tok meg inn i huset til seg og pleiet meg i to måneder. Kommunistene hadde skutt mannen og de to sønnene hennes i døren. Hun visste ikke hvorfor. Da jeg greide å stå oppreist og gå ut, fikk jeg høre at alle mine overordnede var blitt arrestert og henrettet bare noen timer etter at jeg hadde forrådt dem.

– Fermín, hvis du helst ikke vil fortelle meg dette …

– Nei, nei, det er like godt at du får høre det og vite hvem det er du satser pengene dine på. Da jeg dro hjem igjen, fikk jeg beskjed om at huset mitt var ekspropriert av myndighetene sammen med alle mine eiendeler. Jeg var blitt tigger uten å vite om det selv. Jeg prøvde å få meg jobb. Jeg fikk avslag. Det eneste jeg kunne skaffe meg, var en flaske vin fra fat for noen usle slanter. Det er en snikende gift som tærer innvollene som syre, men jeg satte min lit til at den før eller siden ville virke. Jeg sa til meg selv at jeg fikk dra tilbake til Cuba, til mulattpiken min, en dag. De arresterte meg da jeg prøvde å komme meg om bord i en lastebåt til Havanna. Jeg har glemt hvor lenge jeg satt i fengsel. Etter det første året begynner man å miste alt, også forstanden. Da jeg slapp ut, levde jeg på gaten, der du fant meg en evighet senere. Det var mange som meg, folk som hadde sittet inne eller fått amnesti sammen. De heldige hadde noen der ute, noen eller noe de kunne vende tilbake til. Vi andre sluttet oss til hæren av samfunnets stebarn. Når du først har fått medlemskort i den klubben, vil du alltid høre til der. Flesteparten av oss var bare ute om natten, når verden ikke ser oss. Jeg ble kjent med mange sånne som meg. Det var sjelden jeg fikk se dem igjen. Livet på gaten er kort. Folk ser på deg med avsky, selv når de gir deg en almisse, men det er ingenting mot den vemmelsen man føler for seg selv. Det er som å leve fanget i et omvandrende lik, en som blir sulten, som stinker og holder stand mot døden. En gang iblant kom Fumero og karene hans og arresterte meg og anklaget meg for et vanvittig tyveri, eller for å lokke småjenter utenfor nonneskolene. En måned til i tukthuset, en omgang juling på åpen gate igjen. Jeg skjønte aldri hva som var meningen med disse farsene. Politiet fant det etter alt å dømme tjenlig å ha et antall mistenkelige som de kunne slå kloa i når det ble behov for det. Under et av disse møtene med Fumero, som nå var en respektabel mann og høyt på strå, spurte jeg hvorfor han ikke hadde drept meg som de andre. Han lo og sa at det fantes ting som var verre enn døden. Han drepte aldri en angiver, sa han. Han lot ham råtne i levende live.

– Fermín, du er ingen angiver. Alle ville ha gjort som deg om de var deg. Du er min beste venn.

– Jeg fortjener ikke ditt vennskap, Daniel. Du og din far har reddet livet mitt, livet mitt tilhører dere. Det jeg kan gjøre for dere, gjør jeg gjerne. Den dagen du plukket meg opp på gaten, ble Fermín Romero de Torres født på nytt.

– Det er ikke ditt virkelige navn, er det vel?

Fermín ristet på hodet.

– Det var noe jeg så på en plakat på Plaza de las Arenas. Den andre er begravet. Den mannen som tidligere levde i de knoklene, er død, Daniel. Noen ganger vender han tilbake, i mareritts form. Men du har lært meg å bli en annen mann og har gitt meg en grunn til å leve igjen, nemlig min Bernarda.

– Fermín …

– Ikke si noe, Daniel. Bare tilgi meg hvis du kan.

Uten å si et ord slo jeg armene rundt ham og lot ham gråte. Folk kastet skrå blikk på oss, og jeg sendte dem lynende øyekast tilbake. Snart bestemte de seg for å overse oss. Så, mens jeg fulgte Fermín tilbake til pensjonatet, fikk han stemmens bruk igjen.

– Det jeg har fortalt deg i dag … jeg må be om at Bernarda …

– Ikke til Bernarda eller noen annen. Ikke et ord, Fermín.

Vi skiltes med et håndtrykk.

37

Den natten ble jeg liggende våken, utstrakt på sengen med lyset på, og stirret på den strålende Montblanc-pennen min som jeg ikke hadde skrevet noe mer med på mange år, og som begynte å bli til det beste par hansker som noensinne er blitt gitt til en enarmet mann. Mer enn én gang følte jeg meg fristet til å gå hjem til Aguilar, og i mangel av noe bedre uttrykk, overgi meg, men etter å ha grublet mye frem og tilbake, tenkte jeg at om jeg kom brasende inn i fedrenehjemmet til Bea utpå morgenkvisten, ville det neppe gjøre situasjonen bedre for henne. Ved daggry hjalp trettheten og adspredtheten meg med å finne tilbake til min viden kjente egoisme, og det varte ikke lenge før jeg klarte å overbevise meg selv om at det beste var å la alt flyte sin jevne gang, for med tiden ville elven vaske bort blodet.

Formiddagen gikk uten at det skjedde stort i bokhandelen, og jeg utnyttet den omstendigheten til å døse oppreist, med samme eleganse og balanse som en flamingo, etter fars mening. Midt på dagen gjorde jeg som jeg hadde avtalt med Fermín kvelden før, lot som om jeg skulle gå en tur, og Fermín påsto at han hadde time på poliklinikken for å få fjernet noen sting. Så vidt jeg med mitt klarsyn kunne forstå, slukte far begge skrønene med hud og hår. Tanken på å lyve systematisk for far begynte å forsure humøret mitt, og det hadde jeg da også gjort klart for Fermín utpå formiddagen en gang da far gikk ut et lite ærend.

– Daniel, et far-sønn-forhold er basert på tusener av velmente små løgner. De hellige tre konger, tannfeen, går det så går det etc. Dette er bare én til. Du skal ikke føle deg skyldig.

Da tiden var inne, løy jeg igjen og bega meg hjem til Nuria Monfort, hvis berøring og duft hadde preget seg inn i hukommelsens loftetasje. Plaza de San Felipe Neri var blitt inntatt av en flokk duer som hadde satt seg til å hvile på brolegningen. Jeg hadde håpet jeg skulle finne Nuria Monfort i selskap med boken sin, men plassen lå folketom. Jeg skrådde over brolegningen under spent overvåking av flere titalls duer, og kastet et blikk rundt meg mens jeg forgjeves speidet etter Fermín, som hadde kamuflert seg som Gud vet hva, for han hadde nektet å røpe hvilke knep han hadde tenkt å bruke. Jeg gikk inn i oppgangen og fastslo at navnet Miquel Moliner fremdeles sto på postkassen. Jeg spurte meg selv om det skulle bli det første hullet i historien som jeg skulle påpeke for Nuria Monfort. Mens jeg gikk opp den mørke trappen, ønsket jeg nesten at hun ikke skulle være hjemme. Ingen har så mye medfølelse med en svindler som en som er av samme ulla. Da jeg kom opp på avsatsen i fjerde, stanset jeg og samlet alt mitt mot og pønsket ut en unnskyldning som kunne forklare dette besøket. Radioen til nabofruen buldret fremdeles på den andre siden av avsatsen, denne gangen var det en spørrekonkurranse om religionskunnskaper med tittelen «El santo al cielo» (Har det på tungen), som holdt lytterne i hele Spania i ulidelig spenning hver tirsdag ved tolvtiden.

Og nå, for femogtyve pesetas, si meg en ting, Bartolomé, i hvilken skikkelse viser den onde seg for de lærde i tabernakelet i lignelsen om erkeengelen og det lille tomsingen i Josvas bok: a) en geitekilling, b) en vannkrukkehandler, eller c) en akrobat med en apekatt.

Idet applausen braket løs blant publikum i Radio Nacionals studio, stilte jeg meg resolutt foran døren til Nuria Monfort og trykket på ringeknappen i flere sekunder. Jeg hørte ekkoet dø hen i det indre av leiligheten og trakk et lettelsens sukk. Jeg skulle akkurat til å gå da jeg hørte skrittene nærme seg døren, og åpningen i kikkhullet lyste opp som en tåre av lys. Jeg smilte. Jeg hørte nøkkelen bli dreid rundt i låsen, og trakk pusten dypt.

38

– Daniel, mumlet hun med smilet i motlys.

Den blå røyken fra sigaretten tilslørte ansiktet. Leppene skinte mørkt karminrødt, fuktig, og blødde spor på filteret som hun holdt mellom pekefinger og ringfinger. Det er noen som husker ting og andre som drømmer dem. For meg hadde Nuria Monfort samme beskaffenhet og troverdighet som en luftspeiling: Man setter ikke noe spørsmålstegn ved dets sannferdighet, man følger det bare til det forsvinner eller ødelegger deg. Jeg fulgte etter henne inn i den trange stuen der hun hadde skrivebordet, bøkene og samlingen med blyanter som var lagt utover som et slumpetreff av symmetri.

– Jeg trodde aldri jeg skulle få se deg igjen.

– Synd jeg måtte skuffe deg.

Hun satte seg på stolen ved skrivebordet, la bena over kors og lente seg bakover. Jeg rev blikket løs fra halsen hennes og konsentrerte meg om en fuktflekk på veggen. Jeg gikk bort til vinduet og kastet et fort blikk ut på plassen. Fermín var ikke å se. Jeg kunne høre Nuria Monfort puste bak meg, fornemme blikket hennes. Jeg snakket uten å vende blikket bort fra vinduet.

– For noen dager siden brakte en god venn av meg på det rene at eiendomsforvalteren som har ansvaret for den gamle leiligheten til familien Fortuny-Carax, hadde sendt korrespondansen til en postboks som sto i navnet til et advokatkontor som etter alt å dømme ikke eksisterer. Den samme vennen fant ut at den som hadde hentet posten som kom til denne boksen i en årrekke, hadde benyttet ditt navn, señora Monfort …

– Hold opp.

Jeg snudde meg og så at hun var i ferd med å trekke seg tilbake i skyggene.

– Du dømmer meg uten å kjenne meg, sa hun.

– Hjelp meg å bli kjent med deg, da, sa jeg.

– Hvem har du fortalt dette til? Hvem flere vet om det du sa?

– Flere enn man skulle tro. Politiet har skygget meg i lengre tid.

– Fumero?

Jeg nikket. Jeg syntes jeg så at hun skalv på hendene.

– Du vet ikke hva du har gjort, Daniel.

– Fortell meg det, du, svarte jeg med en hardhjertethet jeg ikke følte.

– Du tror at bare fordi du snublet over en bok, har du rett til å trenge inn i livet til folk du ikke kjenner, ting du ikke kan forstå og som ikke vedkommer deg.

– De vedkommer meg nå, enten du liker det eller ei.

– Du vet ikke hva du sier.

– Jeg har vært hjemme hos Aldayas. Jeg vet at Jorge Aldaya gjemmer seg der. Jeg vet at det var han som myrdet Carax.

Hun så lenge på meg og veide sine ord.

– Vet Fumero det?

– Det vet jeg ikke.

– Det skulle du visst. Skygget Fumero deg hit?

Raseriet som ulmet i øynene hennes, brant meg. Jeg var kommet inn i rollen som anklager og dommer, men for hvert minutt som gikk, følte jeg meg som den skyldige.

– Jeg tror ikke det. Visste du det? Du visste at det var Aldaya som myrdet Julián og at han gjemmer seg i det huset ... hvorfor sa du det ikke til meg?

Hun smilte bittert.

– Du skjønner visst ingenting, du?

– Jeg skjønner at du løy for å forsvare mannen som myrdet den du kaller din venn, som har dekket over denne forbrytelsen i årevis, en mann som ikke har noe annet i hodet enn å slette hvert spor etter livet til Julián Carax, en mann som brenner bøkene hans. Jeg skjønner at du løy om din mann, som ikke er i fengsel, og som åpenbart ikke er her heller. Det er det jeg skjønner.

Nuria Monfort ristet sakte på hodet.

– Gå din vei, Daniel. Bort fra dette huset og kom aldri tilbake. Du har gjort nok som det er.

Jeg trakk meg tilbake til døren og lot henne bli igjen i spisestuen. Jeg stanset på halvveien og gikk tilbake. Nuria Monfort satt på gulvet, inntil veggen. Alt det kunstferdige i hennes fremtoning hadde smuldret bort.

*

Jeg skrådde over Plaza de San Felipe Neri og feide bakken med blikket. Jeg slepte med meg smerten jeg hadde fanget opp fra leppene til denne kvinnen, en smerte jeg nå følte meg medskyldig i og medvirkende til, men uten helt å forstå hvordan eller hvorfor. «Du vet ikke hva du har gjort, Daniel.» Jeg ville bare bort derfra. Idet jeg kom forbi kirken, enset jeg knapt den magre og stornesede presten som velsignet meg så omstendelig i portalen, med en messebok og en rosenkrans i hendene.

39

Jeg kom tilbake til bokhandelen nesten tre kvarter for sent. Da far så meg, rynket han pannen misbilligende og kikket på klokken.

– Det var på tide. Du vet jo at jeg skal treffe en kunde i San Cugat, og så lar du meg stå her alene.

– Fermín, da? Er han ikke tilbake ennå?

Far ristet på hodet, oppjaget som alltid når han var i dårlig humør.

– Det er forresten brev til deg. Jeg la det ved siden av kassen.

– Pappa, unnskyld, men ...

Han gjorde en håndbevegelse som tegn på at jeg kunne spare meg unnskyldningene, utstyrte seg med frakk og hatt og forsvant ut av døren uten å si adjø. Kjente jeg ham rett, ville ergrelsen ha fortatt seg før han kom til stasjonen. Det som forundret meg, var at Fermín ikke var kommet. Jeg hadde sett ham utstaffert som falsk prest på Plaza de San Felipe Neri, der han ventet på at Nuria Monfort skulle komme farende ut og føre ham til intrigens store hemmelighet. Min tro på det opplegget var blitt til aske, og jeg forestilte meg at hvis Nuria Monfort faktisk kom ut, ville Fermín bare skygge henne til apoteket eller bakeriet. En nydelig plan! Jeg gikk bort til kassen for å kaste et blikk på brevet far hadde nevnt. Konvolutten var hvit og rektangulær, som en gravstein, og i stedet for krusifiks hadde den et brevhode som smadret det lille jeg hadde igjen av livsmot for resten av dagen.

BARCELONA MILITÆRKOMMANDO
REKRUTTERINGSKONTORET

– Halleluja, mumlet jeg.

Jeg visste hva det inneholdt uten å åpne konvolutten, men jeg gjorde det likevel for å velte meg i sølen. Brevet var kortfattet, to avsnitt med den prosaen som ligger og kaver et sted mellom oppflammende kunngjøring og operettearie som er så typisk for den militære brevsjangeren. Man meddelte at innen to måneder skulle jeg, Daniel Sempere Martín, ha den ære og stolthet å slutte opp om den helligste og mest oppbyggelige plikt livet hadde å by den keltiberiske mann: tjene fedrelandet og bære det nasjonale korstogs uniform til forsvar for Vestens åndelige beholdning. Jeg satte min lit til at i det minste Fermín kunne finne snerten i denne affæren, slik at vi kunne le en stund av hans versjon i verseform fra *Den frimurer-jødiske sammensvergelsens fall*. To måneder. Åtte uker. Seksti dager. Jeg kunne alltids dele opp tiden i sekunder og dermed få frem et kilometerlangt tall. Jeg hadde fem millioner hundre og fireogåtti tusen sekunders frihet. Don Federico, som ifølge far var i stand til å lage en Volkswagen, kunne kanskje lage en klokke med skivebremser til meg. Noen kunne kanskje forklare hvordan jeg skulle innrette meg for ikke å miste Bea for bestandig. Da jeg hørte bjellen i døren, trodde jeg det var Fermín som endelig kom tilbake, overbevist som jeg var om at vår detektivinnsats ikke engang holdt til en dårlig vits.

– Ser man det! Arvingen vokter borgen som seg hør og bør, selv om han virker litt lang i masken. Frem med smilet, gutt, skulle tro du var en av Netols nikkedukker, sa Gustavo Barceló, som flottet seg med kamelhårsfrakk og elfenbensstokk som han ikke hadde bruk for, og som han svingte som en kardinalsmitra.

– Er ikke din far til stede, Daniel?

– Beklager, don Gustavo. Han skulle treffe en kunde, og jeg tror neppe han kommer tilbake før ...

– Flott. For det er ikke ham jeg ville snakke med, og det jeg har å si deg, er det ikke verdt han får høre.

Han blunket til meg, trakk av seg hanskene og så seg misbilligende om i butikken.

– Og vår kollega Fermín? Er han her noe sted?

– Savnet i kamp.

– Jeg formoder at han satser alle sine talenter på å rede ut Carax-saken.

– Med liv og sjel. Sist jeg så ham, var han kledd i prestekjole og delte ut velsignelser til kreti og pleti.

– Jaha ... Det er min skyld, som egget dere til det. Litt av et tidspunkt å slenge med kjeften.

– De virker en smule bekymret. Har det hendt noe?

– Ikke akkurat. Det vil si jo, på sett og vis.

– Hva var det De ville si meg, don Gustavo?

Bokhandleren smilte blidt. Den sedvanlige hovmodige minen og salongarrogansen hadde slått retrett. I stedet syntes jeg at jeg kunne fornemme et visst alvor, en snev av forsiktighet og ikke så rent lite bekymring.

– I dag morges stiftet jeg bekjentskap med don Manuel Gutiérrez Fonseca, niogfemti år gammel, ungkar og ansatt ved det kommunale likhuset i Barcelona siden 1924. Tredve års tjeneste på mørkets terskel. Talemåten er hans, ikke min. Don Manuel er en herre av den gamle skolen, høflig, elskverdig, tjenstvillig. Han har bodd på en hybel i Calle de la Ceniza i femten år, og den deler han med tolv papegøyer som har lært å nynne sørgemarsjen. Han har abonnement på galleriet i Liceo. Han liker Verdi og Donizetti. Han sa at i hans jobb er det viktigste å følge reglementet. Reglementet har forutsett alle eventualiteter, særlig i de tilfellene da man ikke vet hva man skal gjøre. For femten år siden åpnet Manuel en lerretssekk som politiet hadde kommet med, og møtte sin beste barndomsvenn. Resten av liket kom i en sekk for seg. Don Manuel bet tennene sammen og fulgte reglementet.

– Skal det være en kopp kaffe, don Gustavo? De er blitt helt gul i ansiktet.

– Takk, gjerne.

Jeg gikk etter termosen og gjorde i stand en kopp med åtte sukkerbiter. Han drakk alt i én slurk.

– Bedre nå?

– Det kommer seg. Som sagt, don Manuel var på vakt den dagen de kom med Julián Carax til likskue i september 1936. Don Manuel husket naturligvis ikke navnet, men en kikk i arkivene, og en donasjon på hundre pesetas til pensjonsfondet hans, frisket betydelig på hukommelsen. Er du med?

Jeg nikket, nesten i transe.

– Don Manuel husker detaljene fra den dagen, for etter hva han sa, var dette en av de få gangene han satte reglementet til side. Politiet påsto at liket var blitt funnet i et smug i Raval like før daggry. Det ankom til likhuset utpå formiddagen en gang. Det eneste det hadde på seg, var en bok og et pass som identifiserte det som Julián Fortuny Carax, hjemmehørende i Barcelona, født i 1900. Passet hadde et stempel fra grensen ved La Junquera, og det viste at Carax var kommet til landet for en måned siden. Dødsårsaken var tilsynelatende et skuddsår. Don Manuel er ikke lege, men med tiden har han lært seg repertoaret. Etter hans skjønn var skuddet, rett over hjertet, blitt avfyrt på kloss hold. Takket være passet kunne man oppspore señor Fortuny, Carax' far, som samme kveld kom til likhuset for å identifisere den døde.

– Så langt er alt i nøye overensstemmelse med det Nuria Monfort fortalte.

Barceló nikket.

– Det stemmer. Det Nuria Monfort ikke sa, er at han, min venn don Manuel, fikk en mistanke om at politiet ikke hadde større interesse av saken, og konstaterte at boken man hadde funnet i lommen til liket, hadde den avdødes navn, og da bestemte han seg for å ta initiativet og ringte til forlaget samme kveld, mens de ventet på at señor Fortuny skulle komme, for å opplyse om hva som var skjedd.

– Nuria Monfort sa at den ansatte ved likhuset ringte til forlaget tre dager etter, da liket allerede var begravd i en fellesgrav.

– Etter hva don Manuel sier, ringte han samme dag som liket kom inn. Han hevder at han snakket med en frøken som takket for at han hadde ringt. Don Manuel sier at han ble ganske sjokkert over måten den unge damen tok det på. Med hans egne ord, «det var som om hun alt visste det».

– Hvordan forholdt det seg med señor Fortuny? Er det sant at han nektet å se på sønnen sin?

– Det er det jeg stusset mest over. Don Manuel forklarer at i kveldingen kom det en liten, skjelvende mann sammen med et par politibetjenter. Det var señor Fortuny. Ifølge ham er dette det eneste man aldri venner seg til, det øyeblikket da de pårørende kommer for å identifisere liket til en av sine kjære. Don Manuel sier at det er en sterk opplevelse som han ikke unner noe menneske. Det verste, ifølge ham, er når den døde er et ungt menneske og det er foreldrene, eller en som nettopp er blitt gift med vedkommende, som må identifisere ham. Don Manuel husker godt señor Fortuny. Han sier at da han kom til likhuset, kunne han omtrent ikke holde seg oppreist, at han gråt som et barn, og at de to politimennene måtte holde ham i hver sin arm og støtte ham. Hele tiden jamret han: «Hva har de gjort med min sønn, hva har de gjort med min sønn?»

– Fikk han sett liket?

– Don Manuel fortalte at han var på nippet til å foreslå for betjentene at de skulle hoppe over den formaliteten. Det er den eneste gangen det har streifet ham å sette spørsmålstegn ved reglementet. Liket var i en dårlig forfatning. Det hadde sannsynligvis ligget i over et døgn da det kom til likhuset, ikke fra daggry som politiet påsto. Manuel var redd for at den gamle mannen ville knekke sammen når han fikk se det. Señor Fortuny gjorde ikke annet enn å si at det ikke kunne være sant, at hans Julián ikke kunne være død ... Så trakk don Manuel bort svetteduken som dekket liket, og de to betjentene spurte formelt om dette var hans sønn Julián.

– Og så?

– Señor Fortuny ble stum og stirret på liket i nesten et minutt. Så snudde han seg og gikk.

– Gikk han?

– I all hast.

– Og politiet? Stanset de ham ikke? Var de ikke der for å identifisere liket?

Barceló smilte underfundig.

– Teoretisk, ja. Men don Manuel husker at det var en til i rommet, en tredje politimann som var kommet inn i all stillhet mens betjentene forberedte señor Fortuny, og han hadde bivånet opptrinnet uten å si noe, støttet til veggen med en sigarett i munnviken. Don Manuel husker det, for da han sa at ifølge reglementet var det uttrykkelig forbudt å røyke i likhuset, gjorde en av betjentene tegn til ham at han skulle tie stille. Så snart señor Fortuny var gått, kom den tredje politimannen, ifølge don Manuel, bort og kastet et blikk på liket og spyttet det i ansiktet. Så tok han passet og ga beskjed om at liket skulle sendes til Can Tunis og begraves i en fellesgrav samme morgen.

– Det virker meningsløst.

– Det samme mente don Manuel. Især fordi det stred mot reglementet. «Vi vet jo ikke hvem mannen er engang,» sa han. Politimennene sa ingenting. Don Manuel irettesatte dem forarget: «Eller vet dere det altfor godt? For at han har vært død i minst et døgn, det er noe alle kan se.» Don Manuel påberopte seg helt klart reglementet, og han var alt annet enn dum. Da den tredje politimannen hørte protestene hans, kom han, ifølge ham, bort og så ham stivt inn i øynene og spurte om det fristet ham å slå følge med avdøde på hans siste ferd. Don Manuel fortalte at han var blitt skrekkslagen, at den mannen hadde et sinnssykt blikk, og at han ikke tvilte et øyeblikk på at han mente alvor. Han mumlet at han bare prøvde å følge reglementet, at ingen visste hvem den mannen var, og at man følgelig ikke kunne begrave ham. «Denne mannen er den jeg sier at han er,» svarte politimannen. Så tok han journalkortet og undertegnet det, og regnet saken som ute av verden. Don Manuel sier at den underskriften kommer han aldri til å glemme, for under krigen og i lang tid etter skulle han støte på det på flere titalls journalkort og dødsattester som kom fra han visste ikke hvor, og som ingen var i stand til å identifisere ...

– Inspektør Francisco Javier Fumero ...

– Hovedpolitistasjonens stolthet og bastion. Vet du hva dette innebærer, Daniel?

– At vi har slått i blinde fra første stund.

Barceló tok hatten og stokken og ristet på hodet mens han gikk mot døren.

– Nei, at det er fra nå av det vil bli slått.

40

Den ettermiddagen gjorde jeg ikke annet enn å våke over det skrekkelige brevet som kunngjorde min innlemmelse i soldatenes rekker, og ventet på livstegn fra Fermín. Det var allerede en halvtime etter stengetid, og Fermín befant seg fremdeles på ukjent oppholdssted. Jeg grep etter telefonen og slo nummeret til pensjonatet i Calle Joaquín Costa. Doña Encarna tok den og svarte med anis-sløret stemme at hun ikke hadde sett noe til Fermín siden morgenen.

– Hvis han ikke er her innen en halvtime, får han spise kald middag, dette er tross alt ikke Ritz. Det kan vel ikke ha tilstøtt ham noe?

– Ta det helt rolig, doña Encarna. Han skulle gå et ærend og må ha blitt heftet av noe. Men i alle fall, om De skulle se noe til ham før De legger Dem, ville jeg være Dem dypt takknemlig om De ba ham ringe til meg. Daniel Sempere, naboen til Deres venninne Merceditas.

– Alt i orden, men la det være sagt, klokken halv ni køyer jeg.

Deretter ringte jeg hjem til Barceló i håp om at Fermín kunne ha stukket innom der for å tømme spiskammeret til Bernarda eller velte henne over ende på strykeværelset. Det hadde ikke streifet meg at Clara kunne ta telefonen.

– Daniel, det må jeg si var en overraskelse.

Samme her, tenkte jeg. Etter en porsjon utenomsnakk som var en gymnaslærer Anacleto verdig, kom jeg inn på formålet med oppringningen, men var nøye med å tillegge det bare en flyktig betydning.

– Nei, Fermín har ikke vist seg her i hele dag. Og Bernarda har vært sammen med meg i hele ettermiddag. Hun ville med andre ord ha visst det. Vi har forresten pratet om deg.

– Det var da et kjedelig samtaleemne.

– Bernarda sier at du er blitt så kjekk, et skikkelig mannfolk.

329

– Jeg tar masse vitaminer.

En lang pause.

– Daniel, tror du vi kan bli venner igjen en dag? Hvor mange år skal det gå før du tilgir meg?

– Venner er vi vel, Clara, og jeg har ingenting å tilgi deg. Det vet du godt.

– Onkel sier at du fremdeles spør og graver om Julián Carax. Du kunne vel stikke innom og ta en kopp te og fortelle meg siste nytt. Dessuten har jeg ting å fortelle deg.

– En av dagene, det lover jeg.

– Jeg skal gifte meg, Daniel.

Jeg ble stående og stirre på røret. Jeg fikk inntrykk av at føttene mine sank ned i gulvet, eller at skjelettet mitt krympet flere centimeter.

– Daniel, er du der?

– Ja.

– Det kom overraskende.

Jeg svelget spytt med samme konsistens som armert betong.

– Nei. Det overraskende er at du ikke har giftet deg før. Friere må du ha hatt nok av. Hvem er den lykkelige?

– Du kjenner ham ikke. Han heter Jacobo. Det er en venn av Gustavo. Han har en høy stilling i Banco de España. Vi ble kjent på en konsert i operaen som min onkel hadde arrangert. Jacobo er så begeistret for opera. Han er eldre enn meg, men vi er meget gode venner, og det er det som teller, ikke sant?

Ondsinnetheten brant i munnen på meg, men jeg bet meg i tungen. Den smakte giftig.

– Jo visst … Ja, ja, ikke noe å gjøre ved det, gratulerer.

– Du tilgir meg aldri, gjør du vel? For deg vil jeg alltid være den troløse Clara Barceló.

– For meg vil du alltid være Clara Barceló, punktum. Det vet du også.

Det ble stille igjen, en av de pausene som setter lumske grå hår i hodet på en.

– Enn du, Daniel? Fermín sier at du har en kjempesøt kjæreste.

– Jeg må legge på nå, Clara, det kommer en kunde. Jeg ringer en dag denne uken, så avtaler vi en ettermiddag. Gratulerer enda en gang.

Jeg la på røret og sukket.

Far kom tilbake fra møtet med kunden, så nedslått ut og var

lite lysten på å snakke. Han gjorde i stand middagen mens jeg dekket på, spurte knapt etter Fermín eller hvordan det hadde gått i bokhandelen den dagen. Vi spiste med blikket senket mot tallerkenen og forskanset oss i nyhetsbabbelet i radioen. Far hadde omtrent ikke rørt maten. Han nøyde seg med å røre med skjeen i den utvannede, smakløse suppen, som om han lette etter gull på bunnen.

– Du har ikke smakt en matbit, sa jeg.

Far trakk på skuldrene. Radioen fortsatte å pepre oss med vrøvl. Far reiste seg og slo den av.

– Hva sto det i brevet fra det militære? spurte han omsider.

– Jeg skal melde meg til tjeneste om to måneder.

Det blikket han sendte meg, gjorde ham visst ti år eldre.

– Barceló sier han har forbindelser slik at jeg kan bli overført til militærkommandoen i Barcelona etter rekruttskolen. Jeg kan kanskje sove hjemme, antydet jeg.

Far svarte med et anemisk blikk. Det ble til slutt så sårt å møte blikket hans at jeg reiste meg for å rydde av bordet. Far ble sittende med flakkende blikk og hendene foldet under haken. Jeg skulle akkurat til å ta oppvasken da jeg hørte klaprende skritt i trappen. Faste, travle steg som smalt illevarslende i gulvet. Jeg så opp og vekslet et blikk med far. Skrittene stanset på vår avsats. Far rettet seg bekymret opp. Et sekund senere lød det flere salg på døren og en tordnende, morsk og vagt kjent stemme ropte.

– Politi! Lukk opp!

Tusen kniver hugg til i tankene mine. En ny omgang med slag fikk døren til å vakle. Far gikk bort til terskelen og løftet opp gitteret foran kikkhullet.

– Hva vil dere på denne tiden av døgnet?

– Enten får De opp den døren, eller så sparker vi den inn, señor Sempere. La meg slippe å gjenta det.

Jeg dro kjensel på stemmen til Fumero, og et kaldt gufs feide over meg. Far sendte meg et spørrende blikk. Jeg nikket. Med et tilbaketrengt sukk åpnet han døren. Silhuetten til Fumero og de to obligatoriske følgesvennene hans avtegnet seg i det gullige lysskjæret på avsatsen. Grå gabardinfrakker som kom slepende på askegrå nikkedukker.

– Hvor er han? brølte Fumero, slengte til side far med en brutal neve og trengte seg inn i spisestuen.

Far gjorde mine til å ville holde ham igjen, men en av betjentene som ga inspektøren ryggdekning, hugg tak i armen hans og presset ham opp mot veggen og holdt ham der så iskaldt og effektivt som en maskin som er vant til å utføre den oppgaven. Det var den samme fyren som hadde fulgt etter Fermín og meg, den samme som hadde holdt meg mens Fumero maltrakterte vennen min utenfor Santa Lucía aldershjem, den samme som hadde overvåket meg for et par kvelder siden. Han sendte meg et tomt, uutgrunnelig blikk. Jeg møtte Fumero med oppvisning av all den sinnsro jeg maktet å foregi. Inspektøren hadde blodskutte øyne. Et ferskt kloremerke gikk over det venstre kinnet, kantet av størknet blod.

– Hvor er han?

– Hvem?

Fumero slo blikket ned og ristet på hodet, mumlet et eller annet for seg selv. Da han løftet hodet igjen, hadde han en hundeaktig geip om kjeften og en revolver i hånden. Fumero slo med skjeftet etter krukken med visne blomster på bordet. Krukken gikk i knas så vannet og stilkene føyk ut over duken. Jeg kunne ikke hindre at det grøsset i meg. Far brølte i salongen, i de to betjentenes faste grep. Jeg kunne knapt skjelne ordene. Alt jeg var i stand til å oppfatte, var det iskalde presset av revolverløpet som ble klemt mot kinnet mitt, og lukten av krutt.

– Meg skal du faen ikke kødde med, din drittunge, ellers blir faren din nødt til å tørke opp hjernegrøten din fra gulvet. Hører du hva jeg sier?

Jeg nikket skjelvende. Fumero presset løpet hardt mot kinnbenet mitt. Jeg kjente at det skar seg inn i huden, men torde ikke så mye som å blunke.

– Det er siste gang jeg spør. Hvor er han?

Jeg så meg selv gjenspeilt i de svarte pupillene til inspektøren, som trakk seg sakte sammen samtidig som han spente hanen med tommelfingeren.

– Ikke her. Jeg har ikke sett ham siden i tolvtiden. Det er sant.

Fumero ble stående urørlig i nesten et halvt minutt, rotet i ansiktet mitt med revolveren og slikket seg om munnen.

– Lerma, kommanderte han. – Se deg om litt.

En av betjentene skyndte seg å ransake leiligheten. Far bakset forgjeves med den tredje politimannen.

– Skulle du ha løyet og vi finner ham her i huset, sverger jeg på at jeg brekker begge beina på faren din, hvisket Fumero.

– Far vet ingenting om dette. La ham være.

332

– Du har ingen anelse om hva du leker deg med. Men når det gjelder den der vennen din, så er det slutt på leken. Verken dommere eller sykehus eller juling. Denne gangen skal jeg personlig sørge for å få ham ut av omløp. Og det kommer til å fryde meg, bare så du vet det. Jeg akter å ta min tid. Det kan du si til ham hvis du ser ham. For jeg skal finne ham, om han så har gjemt seg under steinene. Og du har neste nummer i rekken.

Politibetjent Lerma kom inn i spisestuen igjen og vekslet et blikk med Fumero, en mild nektelse. Fumero slapp taket i hanen og trakk revolveren bort.

– Synd, sa Fumero.

– Hva lyder anklagen på? Hvorfor leter De etter ham?

Fumero snudde ryggen til meg og gikk bort til de to betjentene, som etter et tegn fra ham slapp taket i far.

– De skal komme til å huske dette, spyttet far.

Fumeros blikk falt på ham. Instinktivt trakk far seg et skritt tilbake. Jeg ble redd for at inspektørens besøk bare så vidt hadde begynt, men plutselig ristet Fumero på hodet, lo lavt og forlot leiligheten uten noe om og men. Lerma fulgte etter ham. Den tredje politimannen, min evige vaktpost, ble stående et øyeblikk på dørstokken. Han så taust på meg, som om han hadde tenkt å si meg noe.

– Palacios! brølte Fumero, og stemmen hans ble forvrengt av ekkoet i oppgangen.

Palacios slo blikket ned og forsvant ut av døren. Jeg gikk ut på oppsatsen. Kniver av lys stakk frem fra de halvåpne dørene til flere naboer, og de forskremte ansiktene deres kikket ut i halvmørket. De tre mørke silhuettene til politimennene forsvant nedover trappene, og den iltre klapringen trakk seg tilbake som en forgiftet tidevannsbølge og etterlot seg skrekk og bekmørke.

Det var vel omkring midnatt da vi hørte nye slag på døren, svakere denne gangen, nesten fryktsomme. Far, som brukte vannstoffperoksid og stelte med bloduttredelsene etter Fumeros revolver, stivnet til. Blikkene våre møttes. Det lød tre nye slag.

Et øyeblikk trodde jeg det var Fermín, som kanskje hadde gjemt seg i en mørk krok i trappen og blitt vitne til hele opptrinnet.

– Hvem der? spurte far.

– Don Anacleto, señor Sempere.

Far sukket. Vi åpnet døren og fikk se gymnaslæreren, blekere enn noensinne.

– Don Anacleto, hva er det? Er De dårlig? spurte far og slapp ham inn.

Læreren hadde en sammenbrettet avis i hånden. Han nøyde seg med å rekke oss den med gru i blikket. Papiret var ennå lunkent, trykksverten fersk.

– Det er morgenutgaven, mumlet don Anacleto. – Side seks.

Det første jeg la merke til, var de to fotografiene som understøttet overskriften. Det første viste en Fermín som var noe fyldigere i kropp og hår, kanskje femten–tyve år yngre. Det andre forestilte en kvinne med lukkede øyne og marmorhud. Det tok noen sekunder før jeg kjente henne igjen, for jeg hadde vent meg til å se henne i halvmørke.

TIGGER DREPER KVINNE I FULLT DAGSLYS

Barcelona/telegrambyråer (Redaksjon)

Politiet leter etter tiggeren som i ettermiddag stakk i hjel Nuria Monfort Masdedeu, syvogtredve år gammel og bosatt i Barcelona.

Forbrytelsen skjedde i ettermiddag i bydelen San Gervasio, der offeret ble overfalt av tiggeren uten åpenbar grunn, og ifølge opplysninger fra hovedpolitistasjonen hadde tiggeren fulgt etter henne av årsaker som ennå ikke er avklart.

Drapsmannen, Antonio José Gutiérrez Alcayete, enogfemti år gammel og opprinnelig fra Villa Inmunda i provinsen Cáceres, en kjent ugjerningsmann med en lang forhistorie av psykiatriske lidelser, rømte fra Modelo-fengselet for seks år siden og har siden klart å flykte fra myndighetene ved å anta nye identiteter. I gjerningsøyeblikket bar han prestekjole. Han er bevæpnet, og politiet betegner ham som uhyre farlig. Det er ennå ukjent om offeret og drapsmannen kjente hverandre, eller hva som kan ha vært motivet for forbrytelsen, selv om kilder ved hovedpolitistasjonen antyder at alt peker i retning av førstnevnte hypotese. Offeret fikk seks knivstikk i magen, halsen og brystet. Overfallet, som fant sted i nærheten av en skole, ble bevitnet av flere elever, som varslet lærerstaben ved skolen, som i sin tur ringte etter politi og ambulanse. Ifølge politiets rapport var de sårene offeret ble tilføyd, dødelige. Kvinnen var død da hun kom frem til Hospital Clínico de Barcelona klokken 18.15.

41

Vi hørte ikke noe fra Fermín hele den dagen. Far insisterte på å åpne bokhandelen som en hvilken som helst annen dag, og oppvise en normal og uskyldig fasade. Politiet hadde postert en betjent utenfor trappen og en annen som holdt vakt på Plaza Santa Ana, oppstilt i kirkeporten som en nyslått helgen. Vi så ham skjelve av kulde i striregnet som hadde satt inn ved daggry, den dampende pusten ble stadig mer gjennomskinnelig, hendene dypt begravd i frakkelommene. Mer enn én nabo kom forbi og kastet skrå blikk inn gjennom butikkvinduet, men ikke en eneste kunde dristet seg inn.

– Ryktet må ha spredt seg allerede, sa jeg.

Far nøyde seg med å nikke. Han hadde ikke sagt et ord til meg på hele formiddagen, hadde bare ytret seg med fakter. Siden der det sto om drapet på Nuria Monfort, lå oppslått på disken. Hvert tyvende minutt var han borte og leste den på nytt med et uutgrunnelig uttrykk i ansiktet. Han gikk og demmet opp raseriet inni seg hele dagen, hermetisk.

– Hvor mange ganger du enn leser den nyheten, så blir den ikke sann, sa jeg.

Far hevet blikket og så strengt på meg.

– Kjente du denne personen? Nuria Monfort?

– Jeg har snakket med henne et par ganger, sa jeg.

Ansiktet til Nuria Monfort lammet tankene mine. Min egen mangel på oppriktighet gjorde meg kvalm. Ennå ble jeg forfulgt av duften hennes, av leppenes berøring, bildet av det prydelige skrivebordet og det triste og kloke blikket hennes.

– Et par ganger.

– Hva skulle det være godt for å snakke med henne? Hva hadde hun med deg å gjøre?

– Hun var en gammel venninne av Julián Carax. Jeg oppsøkte henne for å spørre om hun husket Carax. Det var alt. Hun var datteren til Isaac, vaktmannen. Det var han som ga meg adressen.

– Kjente Fermín henne?

– Nei.

– Hvordan kan du være sikker på det?

– Hvordan kan du tvile på ham og feste lit til de skrønene der? Det eneste Fermín visste om denne kvinnen, var det jeg hadde fortalt ham.

– Og det var derfor han fulgte etter henne?

– Ja.

– Fordi du hadde bedt ham om det.

Jeg tidde. Far sukket.

– Du forstår ikke, pappa.

– Klart jeg ikke gjør. Jeg forstår meg ikke på deg eller på Fermín eller …

– Pappa, ut fra det vi vet om Fermín, er det som står der en umulighet.

– Hva vet vi om Fermín, da? For å ta det første først, det viser seg at vi ikke kjente hans virkelige navn.

– Du tar feil av ham.

– Nei, Daniel. Det er du som tar feil, og det i mange ting. Hvem har bedt deg om å snuse i andre menneskers liv?

– Det står meg fritt å snakke med hvem jeg vil.

– Da kan du vel også stille deg fritt til konsekvensene?

– Vil du dermed ha sagt at jeg er ansvarlig for denne kvinnens død?

– Denne kvinnen, som du kaller henne, hadde fornavn og etternavn, og du kjente henne.

– Du behøver ikke å minne meg om det, svarte jeg med tårer i øynene.

Far så bedrøvet på meg og ristet på hodet.

– Du milde skaper, jeg tør ikke tenke på hvordan den stakkars Isaac må ha det, mumlet far for seg selv.

– Det er ikke min skyld at hun er død, sa jeg med tynn stemme, for jeg tenkte at hvis jeg gjentok det tilstrekkelig mange ganger, ville han begynne å tro det.

Far trakk seg tilbake til bakværelset og ristet stille på hodet.

– Du vet vel selv hva du er ansvarlig for eller ikke, Daniel. Noen ganger vet jeg ikke lenger hvem du er.

336

Jeg tok frakken og stakk ut i regnværet, ut på gaten der ingen kjente meg eller kunne lese i mitt indre.

Jeg ga meg hen til det kalde regnet, uten mål og med. Jeg gikk med nedslått blikk, slepte med meg bildet av Nuria Monfort, livløs, utstrakt på en kald marmorplate, med kroppen full av knivstikk. For hvert skritt jeg tok, ble byen mer utvisket rundt meg. Ved krysset i Calle Fontanella stanset jeg ikke opp for å se på trafikklyset. Da jeg kjente vinden slå meg i ansiktet, snudde jeg meg mot en vegg av metall og lys som styrtet seg frem mot meg i vill fart. I siste sekund var det noen bak meg som rev meg unna den banen bussen fulgte. Jeg så det glitrende skroget bare et par centimeter fra ansiktet mitt, den visse død som passerte revy på et tiendedels sekund. Da det gikk opp for meg hva som var skjedd, hadde mannen som hadde reddet livet mitt, allerede forsvunnet på fotgjengerovergangen, jeg så bare silhuetten av en grå gabardinfrakk. Jeg ble stående som naglet fast, uten å puste. I regnværets luftspeilinger kunne jeg se at redningsmannen hadde stanset på den andre siden av gaten og betraktet meg i regnet. Det var den tredje politimannen, Palacios. En mur av trafikk fløt mellom oss, og da jeg så over dit igjen, var politibetjent Palacios ikke der mer.

Jeg tok veien hjem til Bea, orket ikke å vente mer. Jeg følte en trang til å huske det lille gode som fantes i meg, det hun hadde gitt meg. Jeg stormet opp trappen i full fart og stanset utenfor døren til Aguilar, nesten andpusten. Jeg grep dørhammeren og banket hardt tre ganger. Mens jeg ventet, skjøt jeg hjertet opp i livet og ble meg bevisst hvordan jeg så ut: våt til skinnet. Jeg strøk håret bort fra pannen og sa til meg selv at gjort var gjort. Hvis señor Aguilar dukket opp, klar til å brekke armer og ben på meg, så la gå, jo før jo heller. Jeg banket igjen, og om litt hørte jeg skritt som nærmet seg døren. Kikkhullet åpnet seg på gløtt. Et mørkt og mistroisk blikk betraktet meg.

– Hvem er det?

Jeg kjente igjen stemmen til Cecilia, en av jentene i familien Aguilars tjeneste.

– Det er Daniel Sempere, Cecilia.

Kikkhullet ble lukket, og etter noen sekunder begynte konserten med låser og slåer som blokkerte inngangen til leiligheten. Den store døren åpnet seg langsomt, og Cecilia tok imot meg med hette på hodet og i uniform, med et stearinlys i en stake. Jeg skjønte på det forskrekkede uttrykket hennes at jeg måtte se ut som en dødning.

– Hei, Cecilia. Er Bea hjemme?

Hun så uforstående på meg. I husets protokoll var mitt nærvær, som i det siste hadde vært mer og mer tilfeldig, noe som utelukkende ble satt i forbindelse med Tomás, den gamle klassekameraten min.

– Señorita Beatriz er ikke inne …

– Har hun gått ut?

Cecilia, som ikke var annet enn en forskrekkelse ikledd et forkle, nikket.

– Vet du når hun kommer hjem?

Piken trakk på skuldrene.

– Hun ble med herskapet til legen for et par timer siden.

– Til legen? Er hun syk?

– Det vet jeg ikke.

– Hvilken lege gikk hun til?

– Neimen om jeg vet.

Jeg fant ut at jeg ikke kunne plage den stakkars piken mer. Det at Beas foreldre ikke var hjemme, åpnet nye veier jeg kunne utforske.

– Enn Tomás, er han hjemme?

– Ja, kom inn, så skal jeg melde Dem.

Jeg gikk inn i forstuen og ventet. Før i tiden ville jeg ha gått rett inn på rommet til vennen min, men det var så lenge siden sist jeg hadde vært der at jeg følte meg som en fremmed. Cecilia forsvant bortover gangen omsluttet av en aura av lys, og lot meg stå igjen i mørket. Jeg syntes jeg hørte stemmen til Tomás i det fjerne, og deretter skritt som nærmet seg. Jeg klekket på stående fot ut et påskudd jeg kunne bruke for det overraskende besøket. Den skikkelsen som dukket opp på terskelen til forstuen, var igjen hushjelpen. Cecila sendte meg et beskjemmet blikk, og smilet mitt falt sammen som en våt klut.

– Unge Tomás sier at han har det meget travelt og ikke kan ta imot Dem.

– Sa De hvem jeg er? Daniel Sempere?

– Ja. Han sa jeg skulle be Dem gå.

Jeg kjente et kaldt sug i magen og gispet etter luft.

– Jeg beklager, sa Cecilia.

Jeg nikket og visste ikke hva jeg skulle si. Piken åpnet døren i det som jeg i så lang tid hadde betraktet som mitt annet hjem.

– Vil De ha en paraply?

– Nei takk, Cecilia.

– Jeg beklager, Daniel, gjentok piken.

Jeg smilte kraftløst.

– Ikke tenk på det, Cecilia.

Døren gikk igjen og stengte meg ute i mørket. Jeg ble stående der en liten stund, så slepte jeg meg ned trappene. Regnet pøste ned, ubønnhørlig. Jeg gikk videre bortover gaten. Idet jeg skulle svinge rundt hjørnet, stanset jeg og snudde meg et øyeblikk. Jeg så opp mot familien Aguilars leilighet. Silhuetten til min gamle venn Tomás avtegnet seg i vinduet på rommet sitt. Han sto urørlig og så etter meg. Jeg vinket til ham. Han gjengjeldte ikke hilsenen. Etter bare noen sekunder trakk han seg inn i rommet. Jeg ventet i nesten fem minutter i håp om at han skulle dukke opp igjen, men forgjeves. Regnet flådde bort tårene mine, og jeg gikk videre i deres selskap.

42

På veien tilbake til bokhandelen kom jeg forbi Capitol kino, der to malere på et stillas så slukkøret på at den plakaten som ikke hadde rukket å bli tørr, løste seg opp i regnskyllet. Det stoiske bildet av vaktposten som hadde tatt oppstilling utenfor bokhandelen, kunne skjelnes på lang avstand. Da jeg nærmet meg urmaker Federico Flaviás forretning, merket jeg at han sto i døren og stirret ut i høljregnet. I ansiktet hans kunne jeg fremdeles se arrene etter oppholdet på politistasjonen. Han hadde på seg en ulastelig grå ulldress og holdt en sigarett som han ikke hadde tatt seg bryet med å tenne. Jeg vinket til ham, og han smilte.

– Hva har du imot paraplyer, Daniel?

– Kan det tenkes noe finere enn regn, Federico?

– Lungebetennelse. Stig på, jeg har fikset det du ba meg om.

Jeg stirret uforstående på ham. Don Federico så ufravendt på meg, med smilet i behold. Jeg nøyde meg med å nikke og fulgte etter ham inn i den fantastiske basaren hans. Straks vi var inne, rakte han meg en liten papirpose.

– Bare gå igjen nå, for den nikkedukken som overvåker bokhandelen, slipper oss ikke med blikket.

Jeg gløttet ned i posen. Den inneholdt en liten bok med skinnbind. En messebok. Den messeboken Fermín hadde holdt i hendene den siste gangen jeg så ham. Don Federico dyttet meg ut på gaten igjen og lukket munnen på meg ved å nikke alvorstungt. Straks jeg var ute på gaten, satte han igjen opp et smilende ansikt og hevet stemmen.

– Og husk nå på at du ikke trekker den opp for stramt, for da ryker bare fjæren igjen, ikke sant?

– Vær trygg, don Federico, og takk.

Jeg gikk derfra med en knute i magen som strammet seg mer og mer for hvert skritt jeg nærmet meg den sivilkledde politimannen som overvåket bokhandelen. Idet jeg passerte ham, hilste jeg med den samme hånden som holdt posen don Federico hadde gitt meg. Mannen kikket på meg med sløv interesse. Jeg kom meg inn i bokhandelen igjen. Far sto fremdeles bak disken, som om han ikke hadde rørt på seg siden jeg gikk. Han så bedrøvet på meg.

– Du, Daniel, angående det i sted …

– Ikke tenk på det. Du hadde rett …

– Du skjelver jo …

Jeg nikket vagt og så etter ham da han gikk for å hente termosen. Jeg benyttet anledningen til å stikke inn på det lille toalettet for å ta en kikk på messeboken. Beskjeden fra Fermín skled ut og flagret gjennom luften som en sommerfugl. Beskjeden var skrevet på et nesten gjennomsiktig flak sigarettpapir med ørliten skrift som jeg måtte holde opp mot lyset for å kunne tyde.

Kjære Daniel:
Du må ikke tro ett ord av det som står i avisene om drapet på Nuria Monfort. Som vanlig er det blank løgn. Jeg er i god behold på et trygt skjulested. Ikke prøv å finne meg eller sende beskjeder. Ødelegg dette brevet straks du har lest det. Du behøver ikke å spise det, det holder at du brenner det eller river det i stykker. Jeg tar kontakt med deg ved hjelp av min kløkt, godt hjulpet av innforstått tredje part. Jeg ber deg bringe denne beskjeden videre, i kode og full diskresjon, til min elskede. Selv foretar du deg ingenting. Din venn, den tredje mann.

FrdT

Jeg skulle akkurat til å lese det om igjen da noen banket på døren til det lille avtredet.

– Får jeg komme inn? spurte en ukjent stemme.

Hjertet gjorde et hopp i brystet mitt. Jeg kom ikke på noe annet å gjøre enn å krølle sigarettpapiret sammen i en tull og stappe den i munnen. Jeg trakk i snoren og passet på å svelge papirkulen mens det buldret i rørene og cisternen. Det smakte voks og Sugus-drops. Idet jeg åpnet døren, møtte jeg slangesmilet til den politibetjenten som for bare noen sekunder siden hadde holdt vakt foran bokhandelen.

– Unnskyld meg. Jeg vet ikke om det er fordi jeg har hørt det regne i hele dag, men jeg måtte altså pisse, for ikke å si andre ting …

– Skulle bare mangle, sa jeg og slapp ham inn. – Stig på.

– Takker.

Betjenten, som i skjæret fra lyspæren så ut som en liten røys-katt, mønstret meg fra topp til tå. De plirende kloakkøynene hans falt på messeboken i hendene mine.

– Med meg er det sånn at hvis jeg ikke har noe å lese, er det kul i havet, påpekte jeg.

– Samme her. Og så sier de at spanjolen ikke leser. Får jeg låne den?

– På cisternen der ligger den siste Kritikerprisen, sa jeg fort. – Slår aldri feil.

Jeg gikk min vei uten å miste sinnsroen og sluttet meg til far, som akkurat gjorde i stand en kopp kaffe med melk.

– Hva var det for en? spurte jeg.

– Han sverget at han skulle på dass. Hva skulle jeg gjøre?

– Latt ham stå der ute til krampa tok ham.

Far rynket pannen.

– Hvis du ikke har noe imot det, stikker jeg opp en tur.

– Klart det. Ta på deg tørre klær, ellers får du lungebetennelse.

Det var kaldt og stille der oppe. Jeg gikk rett inn på rommet mitt og gløttet ut av vinduet. Den andre vakten sto der ute i døren til Santa Ana-kirken. Jeg tok av meg de dyvåte klærne og trakk i en grov pyjamas og en slåbrok som hadde tilhørt beste-far. Jeg la meg i sengen uten å bry meg med å tenne lyset og ga meg hen til halvmørket og lyden av regnet mot rutene. Jeg lukket øynene og prøvde å mane frem bildet, berøringen og lukten av Bea. Natten før hadde jeg ikke fått blund på øynene, og snart ble jeg overmannet av utmattelsen. I drømmene mine red den hettekledde silhuetten av den dampende Døden over Barcelona, et gjenferdsaktig glimt som svevde over tårn og hustak og i sine svarte tråder holdt hundrevis av små hvite likkister som i sitt kjølvann etterlot et spor av svarte blomster, og på kronbladene, skrevet med blod, sto navnet Nuria Monfort.

Jeg våknet idet en grå demring trengte inn gjennom de duggete rutene. Jeg kledde meg for kulden og fikk på meg et par skafte-støvler, listet meg ut i gangen og gikk nesten famlende gjennom leiligheten. Så smøg jeg meg ut på gaten. Kioskene på Ramblas viste allerede lysene sine i det fjerne. Jeg kom meg bort til den som seilte borte ved munningen av Calle Tallers, og kjøpte dagens første utgave, som fremdeles luktet lunken trykksverte. Jeg fór kjapt igjennom sidene til jeg fant seksjonen for nekrologer. Navnet Nuria Monfort lå rett ut under et trykt kors, og jeg merket at blikket skalv. Jeg gikk derfra med avisen sammenbrettet under armen og søkte meg til mørke. Begravelsen var samme ettermiddag klokken fire på Montjuïc kirkegård. Jeg tok en omvei hjem. Far lå fremdeles og sov, og jeg gikk inn på rommet mitt. Jeg satte meg ved skrivebordet og tok min Meisterstück-penn opp av etuiet. Jeg fant frem et blankt ark og ønsket inderlig at pennen skulle føre meg av sted. I min hånd hadde pennen ingenting å si. Forgjeves anropte jeg de ordene jeg ville tilby Nuria Monfort, men var ute av stand til å skrive eller føle noe annet enn den uforklarlige redselen over hennes fravær, vissheten om at hun var tapt, rykket opp med rot. Jeg visste at hun en dag skulle vende tilbake til meg, måneder eller år senere, at jeg alltid ville bære minnet om henne med i den lette berøringen av en fremmed, i bilder som ikke tilhørte meg, uten å vite om jeg var verdig alt dette. Du går bort i skygger, tenkte jeg. Som du levde.

43

Like før tre om ettermiddagen gikk jeg på bussen i Paseo de Colón for å kjøre til Montjuïc kirkegård. Gjennom ruten kunne jeg se skogen av master og vimpler som flagret i havnebassenget. Bussen, som var nesten tom, kjørte rundt Montjuïc og inn på veien som førte oppover mot inngangen til byens store kirkegård. Jeg var den siste passasjeren.

– Når går den siste bussen? spurte jeg sjåføren før jeg steg av.

– Halv fem.

Sjåføren satte meg av utenfor porten til området. En sypress-allé raget frem fra tåken. Selv derfra, ved foten av høyden, kunne man skjelne de dødes uendelige by som hadde klatret oppover skråningen til den passerte toppen. Avenyer av graver, promenader av gravstøtter, smug av mausoleer, tårn kronet av flammende engler og skoger av gravmæler som fulgte på hverandre, om og om igjen. De dødes by var en grav av palasser, et benhus av monumentale mausoleer voktet av hærer av smuldrende stein som sank ned i gjørme. Jeg trakk pusten dypt og bega meg inn i labyrinten. Mor lå begravd hundre meter fra den stien som var kantet av endeløse gallerier av død og trøsteshøshet. For hvert skritt jeg tok, kunne jeg kjenne kulden, tomheten og vreden på dette stedet, stillhetens gru, ansikter fanget i gamle portretter som ikke hadde annet selskap enn vokslys og døde blomster. Etter en stund øynet jeg i det fjerne gasslyktene som var tent rundt graven. Silhuettene av et halvt dusin mennesker sto oppstilt mot den askegrå himmelen. Jeg satte opp farten og stanset der hvor prestens ord nådde meg.

Kisten, en ukunstlet furukasse, ble senket i sølen. To gravere passet på, støttet til spadene. Jeg så granskende på de fremmøtte. Gamle Isaac, vokteren i De glemte bøkers kirkegård, var ikke kommet i sin datters begravelse. Jeg kjente igjen nabokonen tvers over trappeavsatsen. Hun gråt og ristet på hodet, mens en mann med en forhutlet fremtoning klappet henne trøstende på skulderen. Hennes mann, antok jeg. Ved siden av dem sto det en kvinne i førtiårsalderen, kledd i grått med en blomsterbukett i hånden. Hun gråt stille, vendte blikket bort fra graven og knep leppene sammen. Jeg hadde aldri sett henne før. Litt for seg selv, kledd i mørk gabardinfrakk og med hatten i hendene bak på ryggen, sto politimannen som hadde reddet livet mitt dagen før. Palacios. Han hevet blikket og iakttok meg uten å blunke i noen sekunder. Prestens blinde ord, blottet for mening, var det eneste som skilte oss fra den grufulle stillheten. Jeg betraktet kisten, som var tilsølt med leire. Jeg forestilte meg henne som lå der inne, og jeg tenkte ikke over at jeg gråt før den ukjente damen i grått kom bort og rakte meg en av blomstene i buketten sin. Jeg ble stående der til gruppen spredte seg, og på et tegn fra presten begynte graverne på jobben sin, i skjæret fra lyktene. Jeg puttet blomsten i frakkelommen og gikk, ute av stand til å si det farvel som jeg var kommet for å si.

Det begynte å skumre da jeg kom til kirkegårdsporten, og jeg antok at den siste bussen alt var gått. Jeg innstilte meg på en lang spasertur i skyggen av nekropolen, og tok fatt på veien langs havnen tilbake til Barcelona. En svart bil sto parkert rundt tyve meter lenger fremme med lysene på. En silhuett røykte en sigarett der inne. Da jeg kom nærmere, åpnet Palacios døren på passasjersiden og gjorde tegn til meg at jeg skulle sette meg inn.

– Stig på, så kjører jeg deg hjem. På denne tiden finner du verken busser eller drosjer her oppe.

Jeg nølte et øyeblikk.

– Jeg foretrekker å gå.

– Ikke tull. Stig på.

Han snakket med den stålharde stemmen til en som er vant til å kommandere og til at folk adlyder uten å mukke.

– Er du snill, la han til.

Jeg satte meg inn i bilen, og politimannen startet motoren.

– Enrique Palacios, sa han og rakte meg hånden.

Jeg trykket den ikke.

– Hvis De setter meg av i Colón, holder det.

Bilen bråstartet. Vi kom oss ut på veien og kjørte et godt stykke uten å åpne munnen.

– Jeg vil du skal vite at jeg beklager dypt det der med señora Monfort.

I hans munn lød de ordene som en slibrighet, en fornærmelse.

– Takk for at De reddet livet mitt her om dagen, men jeg må få lov å si at jeg driter i hva De føler, señor Enrique Palacios.

– Jeg er ikke det du tror, Daniel. Jeg vil gjerne hjelpe deg.

– Hvis De håper jeg skal fortelle Dem hvor Fermín er, kan De sette meg av med det samme …

– Jeg gir blanke i hvor den vennen din er. Jeg er ikke på jobb nå.

Jeg sa ingenting.

– Du stoler ikke på meg, og det sier jeg ingenting på. Men hør nå i alle fall på meg. Dette har gått for vidt. Det var ingen grunn til at denne kvinnen skulle dø. Jeg ber deg om å la saken gå sin gang og glemme denne mannen, Carax, for alltid.

– De snakker som om det som skjer, er underlagt min vilje. Jeg er bare tilskuer. Forestillingen er det De og Deres foresatte som setter opp.

– Jeg har fått nok av begravelser, Daniel. Jeg vil helst slippe å gå i din.

– Like greit det, for De er ikke invitert.

– Jeg mener alvor.

– Jeg også. Vær så snill å stanse og sette meg av her.

– Om to minutter er vi fremme i Colón.

– Det er det samme. Det lukter lik i denne bilen, akkurat som av Dem. La meg gå av.

Palacios saktnet farten og stanset på veikanten. Jeg steg ut av døren og smelte igjen døren, og unngikk å møte blikket hans. Jeg ventet på at han skulle kjøre, men politimannen fikk seg liksom ikke til å starte på nytt. Jeg snudde meg og så at han sveivet ned ruten. Jeg syntes jeg kunne lese oppriktighet, til og med sorg, i ansiktet hans, men nektet å tro på det.

– Nuria Monfort døde i mine armer, Daniel, sa han. – Jeg tror at hennes siste ord var en hilsen til deg.

– Hva sa hun? spurte jeg, med en stemme som kulden snørte sammen. – Nevnte hun navnet mitt?

– Hun snakket over seg, men jeg tror det var deg hun siktet til. Hun sa noe om at det finnes verre fengsler enn ordene. Så, før hun døde, ba hun meg si til deg at du skulle gi slipp på henne.

Jeg så uforstående på ham.

– At jeg skulle gi slipp på hvem?

– En viss Penélope. Jeg forestilte meg at det var kjæresten din.

Palacios slo blikket ned og kjørte videre med skumringen. Jeg ble stående og se etter baklyktene som ble borte i det blå og skarlagenrøde mørket, og skjønte ingenting. Så bega jeg meg i retning av Paseo de Colón og gjentok Nuria Monforts siste ord uten å finne noen mening i dem. Da jeg kom til Plaza del Portal de la Paz, stanset jeg og så mot havnen med bryggen der sightseeingbåtene la til. Jeg satte meg på trinnene som fortsatte ned i det grumsete vannet, på det samme stedet der jeg en natt i en fjern fortid hadde sett Laín Coubert, mannen uten ansikt, for første gang.

– Det finnes verre fengsler enn ordene, mumlet jeg.

Først da skjønte jeg at hilsenen fra Nuria Monfort ikke var ment for meg. Det var ikke jeg som burde gi slipp på Penélope. Hennes siste ord hadde ikke vært rettet til en fremmed, men til mannen hun hadde elsket i stillhet i femten år: Julián Carax.

44

Jeg kom til Plaza de San Felipe Neri da natten falt på. Benken der jeg hadde fått øye på Nuria Monfort for første gang, sto ved foten av en lykt, tom, og follekniver hadde tatovert navnet på kjærester, skjellsord og løfter. Jeg hevet blikket mot vinduene hjemme hos Nuria Monfort i fjerde etasje og skjelnet et kobberrødt, flakkende gjenskjær. Et stearinlys.

Jeg gikk inn i det mørke portrommets grotte og fortsatte famlende opp trappen. Jeg skalv på hendene da jeg kom til avsatsen i fjerde etasje. Et knivblad av rødlig lys skar seg frem under karmen i dørgløtten. Jeg la hånden på klinken og sto der urørlig og lyttet. Jeg syntes jeg hørte et sus, et gispende åndedrett der innefra. Et øyeblikk tenkte jeg at hvis jeg åpnet den døren, ville jeg få se at hun ventet på meg der inne på den andre siden, at hun satt borte ved balkongen og røykte med bena trukket oppunder seg og støttet mot veggen, ankret til det stedet der jeg hadde gått fra henne. Varsomt, for ikke å bry henne, skjøv jeg opp døren og gikk inn. Forhengene til balkongen bølget inn i stuen. Silhuetten satt ved vinduet, ansiktet ble visket ut av motlyset, ubevegelig, med et tent alterlys mellom hendene. En perle av lys gled over huden, skinnende som fersk kvae, for så å falle ned i fanget. Isaac Monfort snudde seg med ansiktet furet av tårer.

– Jeg så deg ikke i begravelsen, sa jeg.

Han ristet stumt på hodet og tørket øynene med jakkeslaget.

– Nuria var ikke der, mumlet han om litt. – De døde kommer aldri i sin egen begravelse.

Han så seg fort omkring, som om han dermed ville antyde at datteren var der i stuen, satt sammen med oss i halvmørket og hørte på hva vi sa.

– Visste du at jeg aldri har vært i dette huset? spurte han. – Hver gang vi møttes, var det Nuria som kom til meg. «Det er lettere for deg, far,» sa hun. «Hvorfor skal du gå opp trappene?» Jeg sa bestandig: «Nei vel, hvis du ikke inviterer meg, skal jeg ikke komme», og hun svarte: «Det er ikke nødvendig å invitere deg hjem til meg, far, det er fremmede man inviterer. Du kan komme når du vil.» På over femten år gikk jeg ikke og besøkte henne en eneste gang. Jeg sa alltid at hun hadde valgt seg et dårlig strøk. Lite lys. En gammel gård. Hun bare nikket. Som når jeg sa at hun hadde valgt seg et dårlig liv. Lite fremtid. En mann uten jobb eller inntekt. Det er merkelig hvordan vi dømmer våre medmennesker og ikke tenker over det ynkelige i vår egen forakt før de blir borte for oss, før de blir tatt fra oss. De blir tatt fra oss fordi de aldri har vært våre ...

Den gamle mannens stemme, blottet for sitt ironiske slør, hadde sprunget lekk og lød nesten like gammel som blikket hans.

– Nuria holdt meget av deg, Isaac. Det skal du ikke tvile på et øyeblikk. Så vidt jeg kunne forstå, følte hun seg også avholdt av deg, improviserte jeg.

Gamle Isaac ristet på hodet igjen. Han smilte, men tårene dryppet uten stopp, stumme.

– Hun holdt kanskje av meg på sin måte, slik jeg holdt av henne på min. Men vi kjente ikke hverandre. Kanskje fordi jeg aldri lot henne få kjenne meg, eller aldri tok et skritt for å bli kjent med henne. Vi levde livet som to fremmede som har sett hverandre hver dag og hilser av høflighet. Jeg tror at hun kanskje døde uten å tilgi meg.

– Isaac, jeg forsikrer at ...

– Daniel, du er ung og gjør så godt du kan, men selv om jeg har drukket og ikke vet hva jeg sier, så har du ennå ikke lært å lyve såpass godt at du kan narre en gammel mann med et hjerte som er blitt en pøl av bedrøvelse.

Jeg slo blikket ned.

– Politiet sier at mannen som drepte henne, er en venn av deg, fremholdt Isaac.

– Politiet lyver.

Isaac nikket.

– Jeg vet det.

– Jeg forsikrer deg om at ...

– Det er ikke nødvendig, Daniel. Jeg vet at du snakker sant, sa Isaac og trakk en konvolutt frem fra frakkelommen.

– Dagen før hun døde, kom hun på besøk til meg, som hun pleide å gjøre for mange år siden. Jeg husker at vi pleide å gå og

349

spise på en kafé i Calle Guardia, dit jeg hadde tatt henne med da hun var liten. Vi snakket alltid om bøker, gamle bøker. Hun fortalte ting fra jobben noen ganger, småsaker, ting man forteller til en fremmed på bussen ... En gang sa hun at hun følte at hun hadde vært en skuffelse for meg. Jeg spurte hvor hun hadde fått den absurde tanken fra. «Fra øynene dine, far, fra øynene dine,» sa hun. Ikke en eneste gang streifet det meg at jeg kanskje hadde vært en enda større skuffelse for henne. Noen ganger tror vi at andre mennesker er lodd i lotteriet, at de er der for å gjøre våre absurde drømmer til virkelighet.

– Isaac, med respekt å melde, du har drukket som en svamp og vet ikke hva du sier.

– Vin gjør vismannen til en dåre, og dåren til vismann. Jeg vet nok til å forstå at min egen datter aldri stolte på meg. Hun stolte mer på deg, Daniel, og hun hadde bare sett deg et par ganger.

– Jeg forsikrer deg at du tar feil.

– Den siste gangen vi møttes, hadde hun med seg denne konvolutten til meg. Hun var meget urolig, bekymret for noe hun ikke ville fortelle meg. Hun ba meg ta vare på denne konvolutten, og hvis det skjedde noe, skulle jeg gi den til deg.

– Hvis det skjedde noe?

– Det var det hun sa. Hun virket så oppskaket at jeg foreslo at vi skulle gå til politiet, at hva det enn var som var problemet, så skulle vi finne ut av det. Da sa hun at politiet var det aller siste stedet hun kunne gå. Jeg ba henne røpe hva det dreide seg om, men hun sa hun måtte gå, og fikk meg til å love å gi denne konvolutten til deg dersom hun ikke kom og hentet den igjen om et par dager. Hun sa at jeg ikke fikk åpne den.

Isaac rakte meg konvolutten. Den var åpen.

– Jeg løy, som alltid, sa han.

Jeg så granskende på konvolutten. Den inneholdt en bunke håndskrevne ark.

– Har du lest dem? spurte jeg.

Den gamle mannen nikket langsomt.

– Hva står det der?

Den gamle så opp. Leppene skalv. Det var som om han var blitt hundre år eldre siden sist vi møttes.

– Det er den historien du lette etter, Daniel. Historien til en kvinne jeg aldri lærte å kjenne, selv om hun bar mitt navn og mitt blod. Nå tilhører den deg.

Jeg puttet konvolutten i frakkelommen.

– Jeg må be deg la meg bli alene her med henne, om du ikke har noe imot det. For en stund siden, mens jeg leste disse sidene, var det som om jeg fant henne igjen. Hvor mye jeg enn anstrenger meg, makter jeg bare å huske henne slik hun var som småpike. Som liten var hun meget fåmælt. Hun så tankefullt på allting, hun lo aldri. Det hun likte best, var eventyr. Alltid ba hun meg om å lese eventyr, og jeg tror aldri det har vært noen unge som lærte å lese så tidlig. Hun sa hun ville bli forfatter og redigere leksika og historiske og filosofiske avhandlinger. Moren sa at alt det der var min skyld, at Nuria forgudet meg, og da hun trodde at hennes far bare likte bøker, ville hun skrive bøker for at hennes far skulle like henne.

– Isaac, jeg synes ikke det er noen god idé at du skal være alene i natt. Kunne du ikke bli med meg? Du blir hjemme hos meg i natt, så du kan holde far med selskap.

Isaac ristet igjen på hodet.

– Jeg har en del å gjøre, Daniel. Bare gå hjem, du, og les disse sidene. De tilhører deg.

Den gamle mannen vendte blikket bort, og jeg gikk mot døren. Jeg sto på dørstokken da Isaacs stemme ropte på meg, bare som en hvisking.

– Daniel?

– Ja.

– Du må være meget forsiktig.

Da jeg kom ut på gaten, var det som om bekmørket slepte seg langs brosteinene og tråkket i hælene på meg. Jeg satte opp farten og slo ikke av på takten før jeg kom opp i leiligheten i Santa Ana. Idet jeg kom inn, så jeg at far hadde søkt tilflukt i lenestolen med en oppslått bok i fanget. Det var et fotoalbum. Da han fikk se meg, satte han seg opp med et uttrykk som om det var falt en bør fra hans skuldrer.

– Jeg begynte å bli bekymret, sa han. – Hvordan var det i begravelsen?

Jeg trakk på skuldrene, og far nikket alvorlig og regnet det temaet som avsluttet.

– Jeg har stelt i stand litt mat til deg. Hvis du vil, kan jeg varme den opp og …

– Takk, men jeg er ikke sulten. Jeg har tatt meg en matbit ute.

Han så meg inn i øynene og nikket igjen. Han snudde seg og

begynte å rydde bort tallerkenene han hadde satt på bordet. Det var da, uten helt å vite hvorfor, at jeg gikk bort og slo armene rundt ham. Jeg merket at far ble overrasket og klemte meg igjen.

– Daniel, går det bra med deg?

Jeg trykket far tett inntil meg.

– Jeg elsker deg, mumlet jeg.

Klokkene ringte i katedralen da jeg begynte å lese Nuria Monforts manuskript. Den lille og ryddige håndskriften minnet meg om det prydelige skrivebordet hennes, som om hun i ordene hadde søkt freden og tryggheten som livet ikke hadde unt henne.

NURIA MONFORT
GJENFERDS ERINDRINGER
1933–1955

1

Det gis ingen ny sjanse, annet enn til angeren. Julián Carax og jeg lærte hverandre å kjenne høsten 1933. På den tiden arbeidet jeg for forleggeren Josep Cabestany. Señor Cabestany hadde oppdaget ham i 1927 under en reise til Paris med tanke på «oppsøkende forlagsvirksomhet». Julián forsørget seg ved å spille piano i et lokale med lettlivede piker om ettermiddagene og skrev om nettene. Damen som eide lokalet, en viss Irene Marceau, hadde forbindelser med flesteparten av forleggerne i Paris, og takket være hennes bønner, gunstbevisninger og trusler om indiskresjon hadde Julián Carax klart å få utgitt flere romaner på forskjellige forlag med begredelige kommersielle resultater. Cabestany hadde sikret seg eneretten til å utgi Carax' verk i Spania og Sør-Amerika til spottpris, og det innbefattet oversettelsen av originalene fra fransk til spansk, som forfatteren selv sto for. Han regnet med å kunne selge rundt tre tusen eksemplarer av hver tittel, men de to første som ble utgitt i Spania, ble en dundrende fiasko: Det ble knapt solgt mer enn hundre eksemplarer av hver. Tross de dårlige resultatene mottok vi hvert år et nytt manuskript fra Julián, som Cabestany antok uten innvendinger, idet han anførte at han følte seg forpliktet overfor forfatteren, at ikke alt dreide seg om fortjeneste, og at han måtte gjøre noe for å fremme god litteratur.

En dag spurte jeg nysgjerrig hvorfor han fortsatte å utgi romaner av Julián Carax og tape penger på standhaftigheten. Som svar gikk Cabestany bare bort til bokhyllen, tok ut et eksemplar av en bok av Julián og oppfordret meg til å lese den. Det gjorde jeg. Fjorten dager senere hadde jeg lest alle sammen. Denne gangen var spørsmålet mitt hvordan det var mulig at vi solgte så få eksemplarer av disse romanene.

– Det vet jeg ikke, sa Cabestany. – Men vi gir oss ikke.

Jeg opplevde det som en edel og beundringsverdig gestus som ikke stemte med det kremmeraktige bildet jeg hadde dannet meg av señor Cabestany. Kanskje jeg hadde tatt feil av ham. Julián Carax' skikkelse gjorde meg mer og mer nysgjerrig. Alt som hadde med ham å gjøre, var hyllet i et mystisk slør. Minst et par ganger i måneden ringte det noen og spurte etter adressen til Julián Carax. Jeg merket fort at det alltid var den samme personen, som identifiserte seg med forskjellige navn. Jeg nøyde meg med å si det som sto på omslagene til bøkene, nemlig at Julián Carax bodde i Paris. Med tiden sluttet mannen å ringe. For alle tilfellers skyld hadde jeg fjernet adressen til Carax fra forlagets arkiver. Jeg var den eneste som skrev til ham, og jeg kunne den utenat.

Flere måneder senere kom jeg tilfeldigvis over regnskapsarkene som trykkeriet sendte til señor Cabestany. Da jeg kastet et blikk på dem, oppdaget jeg at alle opplagene av Julián Carax' bøker i sin helhet var bekostet av en person uten tilknytning til forlaget, og som jeg aldri hadde hørt snakk om: Miquel Moliner. Ikke bare det: Omkostningene for trykking og distribusjon var betydelig lavere enn det beløpet som ble fakturert señor Moliner. Tallene løy ikke: Forlaget tjente penger på å trykke bøker som havnet direkte på et eller annet lager. Jeg hadde ikke mot til å forhøre meg nærmere om Cabestanys finansielle indiskresjoner. Jeg var redd for å miste jobben. Det jeg imidlertid gjorde, var å notere meg adressen som vi sendte Miquel Moliners regninger til, en herskapelig villa i Calle Puertaferrisa. Jeg hadde hatt den adressen i flere måneder før jeg fikk meg til å oppsøke den. Til slutt ble samvittighetens røst sterkest, og jeg troppet opp i huset i den hensikt å fortelle at Cabestany svindlet ham. Han smilte og sa at han visste det.

– Enhver gjør det han egner seg best til.

Jeg spurte om det var han som hadde ringt så mange ganger for å få adressen til Carax. Han sa nei, og med en mørk mine sa han strengt at jeg ikke måtte gi den adressen til noen. Aldri.

Miquel Moliner var en gåtefull mann. Han bodde alene i et grottelignende palé som nesten lå i ruiner, en del av arven etter faren, en industriherre som hadde tjent seg rik på våpenproduksjon, og – ble det sagt – på å ivre for nye kriger. Miquel levde aldeles ikke luksuriøst, snarere som en munk, og gikk inn for å ødsle bort de pengene han mente var tilsølt med blod, på å restaurere museer, katedraler, skoler, biblioteker, sykehus, og sikre seg at bøkene til hans ungdomsvenn, Julián Carax, ble utgitt i fødebyen.

– Penger har jeg nok av, og jeg savner venner som Julián, sa han som eneste forklaring.

Han hadde så å si ingen kontakt med søsknene sine eller resten av familien, som han omtalte som fremmede. Han var ikke gift, og det var sjelden han beveget seg utenfor huset, der han selv bare la beslag på toppetasjen. Der hadde han innrettet kontor, og der arbeidet han febrilsk med å skrive artikler og spalter til forskjellige aviser og tidsskrifter i Madrid og Barcelona, oversette tekniske tekster fra tysk og fransk, foreta stilistiske rettelser i leksika og skolebøker ... Miquel Moliner led av sykelig arbeidsomhet, og selv om han respekterte og til og med misunte lediggang hos andre mennesker, skydde han den som pesten. Han skrøt overhodet ikke av sin arbeidsmoral, men spøkte med den tvangsmessige produktiviteten sin og beskrev den som en liten form for feighet.

– Så lenge man arbeider, ser man ikke livet i øynene.

Vi ble gode venner nesten uten å tenke over det. Vi hadde mye til felles, kanskje for mye. Miquel snakket med meg om bøker, om sin elskede doktor Freud, om musikk, men først og fremst om sin gamle venn Julián. Vi traff hverandre nesten hver uke. Miquel fortalte historier fra den tiden Julián gikk på San Gabriel-skolen. Han hadde en samling gamle fotografier, og fortellinger skrevet av den unge Julián. Miquel forgudet Julián, og gjennom hans ord og minner lærte jeg å oppdage ham, å dikte opp et bilde av ham i hans fravær. Et år etter at vi ble kjent med hverandre, tilsto Miquel Moliner at han var forelsket i meg. Jeg ville ikke såre ham, men heller ikke narre ham. Det var umulig å narre Miquel. Jeg sa at jeg satte stor pris på ham, at han var blitt til min beste venn, men jeg var ikke forelsket i ham. Miquel sa at han visste det fra før.

– Du er forelsket i Julián, bare at du ikke vet det ennå.

I august 1933 skrev Julián og sa at han var nesten ferdig med manuskriptet til en ny roman som skulle hete *Katedraltyven*. Cabestany hadde noen kontrakter med Gallimard som skulle vært fornyet i september. I flere uker hadde han vært ute av stand til å røre seg på grunn av et anfall av gikt, og som lønn for oppofrende arbeidsinnsats bestemte han at jeg skulle få reise til Frankrike for ham og forhandle om de nye kontraktene, og samtidig kunne jeg besøke Julián Carax og hente det nye verket. Jeg skrev til Julián og spurte om han kunne anbefale et beskjedent hotell til en overkommelig pris. Julián svarte at jeg kunne få bo hos ham, i en beskjeden leilighet i bydelen St. Germain, og heller bruke hotellpengene på andre utgifter. Dagen før jeg reiste, besøkte jeg Miquel for å spørre om han hadde noen hilsen til Julián. Han nølte en god stund, så svarte han nei.

Den første gangen jeg så Julián personlig, var på Austerlitz-stasjonen. Høsten var kommet overrumplende til Paris, og stasjonen lå nedsenket i tåke. Jeg ble stående og vente på perrongen mens passasjerene satte kurs for utgangen. Snart ble jeg alene og så en mann i svart frakk stå ved inngangen til perrongen og betrakte meg i røyken fra en sigarett. Underveis hadde jeg flere ganger spurt meg selv hvordan jeg skulle kjenne igjen Julián. Fotografiene jeg hadde sett i samlingen til Miquel Moliner, var minst tretten–fjorten år gamle. Jeg lot blikket gå frem og tilbake på perrongen. Det var ingen andre der enn den personen og meg. Jeg la merke til at mannen betraktet meg med en viss nysgjerrig-het, han ventet kanskje på en annen person som lignet meg. Det kunne ikke være ham. Ifølge mine opplysninger var Julián den gang toogtredve år, og denne mannen virket eldre. Han hadde gråsprengt hår og et trist og trett uttrykk i ansiktet. For blek og for tynn, eller kanskje var det bare tåken og trettheten etter reisen. Jeg hadde lært å forestille meg Julián som en ungdom. Jeg gikk forsiktig bort til den ukjente mannen og så ham inn i øynene.

– Julián?

Den fremmede smilte og nikket. Julián Carax hadde verdens skjønneste smil. Det var det eneste som var igjen av ham.

Julián bodde i en loftsleilighet i bydelen St. Germain. Leilig-heten besto av bare to rom: en stue med et knøttlite kjøkken som vendte mot en balkong med gelender, der man kunne se tårnene på Notre-Dame stige frem bak en jungel av hustak og tåke, og et soveværelse uten vinduer, med en enkeltseng. Badet lå i enden av gangen i etasjen under, og det delte han med de andre som bodde der. Hele boligen var mindre enn kontoret til señor Cabestany. Julián hadde gjort grundig rent og stelt alt i stand for å ta imot meg på en enkel og sømmelig måte. Jeg lot som jeg var henrykt over huset, som ennå luktet desinfeksjonsmidler og voks som Julián hadde brukt med mer iherdighet enn håndlag. Lakenene i sengen så flunkende nye ut. Jeg innbiller meg at de hadde et mønster med drager og borger. Barnelakener. Julián unnskyldte

seg og sa han hadde fått dem til spesialpris, men at de var av
førsteklasses kvalitet. De som ikke hadde mønster, kostet det
dobbelte, fremholdt han, og var kjedeligere.

I stuen var det et skrivebord av gammelt tre, og det sto slik
at man hadde utsikt mot tårnene på katedralen. På det sto det
en Underwood-maskin som han hadde kjøpt for forskuddet fra
Cabestany, og to stabler med ark, det ene med blanke ark, det
andre tettskrevet på begge sider. Julián delte leiligheten med en
diger hvit katt som het Kurtz. Kattedyret lå ved sin eiers føtter og
betraktet meg mistroisk mens den slikket klørne sine. Jeg telte to
stoler, en kleshenger og ikke stort mer. Resten var bøker. Murer
med bøker dekket veggene fra gulv til tak, i to lag. Mens jeg tok
stedet i øyesyn, sukket Julián.

– Det er et hotell to kvartaler herfra. Rent, overkommelig og
respektabelt. Jeg tillot meg å bestille et værelse ...

Jeg hadde mine tvil, men var redd for å fornærme ham.

– Jeg vil få det fantastisk her, under forutsetning av at jeg ikke
er til bry for deg eller Kurtz.

Kurtz og Julián vekslet blikk. Julián ristet på hodet, katten
hermet etter ham. Jeg hadde ikke lagt merke til hvor like de var
hverandre. Julián ville absolutt overlate soveværelset til meg. Han
påsto at han omtrent ikke sov selv, og at han ville innrette seg i
stuen med en feltseng han hadde fått låne av naboen, monsieur
Darcieu, en gammel tryllekunstner som leste linjene i hånden på
unge frøkner mot et kyss. Den første natten sov jeg i ett strekk,
så sliten var jeg etter reisen. Jeg våknet ved daggry og oppdaget
at Julián var gått ut. Kurtz sov på sin herres skrivemaskin. Han
snorket som en grand danois. Jeg gikk bort til skrivebordet og
fikk se manuskriptet til den nye romanen jeg skulle hente.

Katedraltyven

På første side sto det, som i alle de andre romanene til Julián, en
håndskrevet dedikasjon:

Til P

Jeg følte meg fristet til å begynne å lese. Jeg skulle akkurat til å ta
det andre arket da jeg merket at Kurtz kastet skrå blikk på meg.
Jeg gjorde slik jeg hadde sett Julián gjøre: ristet på hodet. Katten

gjorde det samme, og jeg la arkene fra meg. Om litt kom Julián inn med nybakt brød, en termos med kaffe og fersk ost. Vi spiste frokost på balkongen. Julián snakket i ett kjør, men unnvek blikket mitt. I grålysningen så han ut som et tidlig eldet barn. Han hadde barbert seg og tatt på seg det jeg antok var hans eneste anstendige klesdrakt, en kremfarget bomullsdress som var slitt, men elegant. Jeg hørte på ham mens han fortalte om Notre-Dames mysterier, om en påstått spøkelseslekter som gikk opp og ned på Seine om nettene og samlet opp sjelene til de fortvilte elskende som hadde begått selvmord ved å kaste seg i det iskalde vannet, om tusen og én trolldommer som han diktet opp underveis bare for at jeg ikke skulle få slippe til med spørsmål. Jeg satt og så på ham i taushet, nikket, søkte etter den mannen som hadde skrevet bøkene jeg kunne nesten utenat, så mange ganger hadde jeg lest dem, den gutten som Miquel Moliner hadde beskrevet så mange ganger.

– Hvor mange dager blir du i Paris? spurte han.

Mine gjøremål hos Gallimard ville ta et par dager, antok jeg. Første møte var avtalt om ettermiddagen. Jeg sa jeg hadde tenkt å ta meg et par dager ekstra for å gjøre meg kjent med byen før jeg reiste tilbake til Barcelona.

– Paris krever mer enn to dager, sa Julián. – Den er ikke mottagelig for fornuft.

– Jeg har ikke mer tid på meg, Julián. Señor Cabestany er en meget raus arbeidsgiver, men det er grenser for alt.

– Cabestany er rå til å utnytte folk, men selv han vet at det ikke går an å se Paris på to dager, ikke på to måneder, ikke to år heller.

– Jeg kan ikke bli i Paris i to år, Julián.

Julián så langt på meg i taushet, så smilte han.

– Hvorfor ikke? Hvem er det som venter på deg?

Formalitetene med Gallimard og høflighetsvisittene hos en del forleggere som Cabestany hadde kontrakter med, tok tre hele dager, akkurat som beregnet. Julián hadde sett seg ut en veiviser og beskytter til meg, en gutt som het Hervé og var snaut tretten år og kunne byen ut og inn. Hervé fulgte meg fra dør til dør, passet på å opplyse om hvilke kafeer jeg burde spise i, hvilke jeg burde holde meg unna, hvilke utsikter jeg burde få med meg. Han ventet på meg i timevis utenfor kontordørene til forleggerne uten å miste smilet, og uten å ta imot drikkepenger. Hervé snakket et gebrokkent, festlig spansk som han blandet med anstrøk av italiensk og portugisisk.

– Signore Carax, han haver alt meg betalat med megen generøsitet for mine ydelser …

Jeg sluttet meg til at Hervé var det farløse barnet til en av damene på Irene Marceaus etablissement, og at han bodde på loftet hos henne. Julián hadde lært ham å lese og skrive og spille piano. Om søndagene tok han ham med i teater eller på konsert. Hervé forgudet Julián og var tydeligvis rede til å gjøre hva som helst for ham, som å vise meg veien helt til verdens ende om på-krevet. Den tredje dagen vår sammen spurte han om jeg var kjæresten til signore Carax. Jeg sa nei, bare en venninne på besøk. Han virket skuffet.

Julián satt oppe nesten hver eneste natt, ved skrivebordet med Kurtz på fanget, og leste igjennom sidene eller bare stirret ut på tårnene på katedralen i det fjerne. En natt da heller ikke jeg fikk sove på grunn av lyden av regnet som strøk over taket, gikk jeg ut i stuen. Vi så på hverandre uten å si noe, og Julián bød på en røyk. Vi så taust på regnet en lang stund. Så, da det holdt opp å regne, spurte jeg hvem P var.

– Penélope, svarte han.

Jeg ba ham fortelle om henne, om de tretten årenes eksil i Paris. Lavmælt, i halvmørket, fortalte Julián at Penélope var den eneste kvinnen han hadde elsket.

En vinternatt i 1921 fant Irene Marceau Julián Carax, som flakket om i gatene ute av stand til å huske hva han het, og som kastet opp blod. Han hadde bare småpenger på seg og noen sammen-brettede, håndskrevne ark. Irene leste dem og trodde hun hadde støtt på en berømt forfatter, sanseløst beruset, og at kanskje en sjenerøs forlegger ville belønne henne rikelig når han kom til sans og samling igjen. Det var iallfall hennes versjon, men Julián visste at hun hadde reddet livet hans av medlidenhet. Han bodde et halvt år på et kvistværelse i Irenes bordell, mens han kom til krefter igjen. Legene gjorde Irene oppmerksom på at hvis denne personen forgiftet seg igjen, fraskrev de seg ethvert ansvar. Han hadde ødelagt magen og leveren, og resten av sine levedager måtte han leve på melk, fersk ost og fint brød. Da Julián fikk igjen talens bruk, spurte Irene hvem han var.

– Ingen, svarte Julián.

– Ingen lever på min bekostning. Hva kan du?

Julián sa at han kunne spille piano.

– Bevis det for meg.

Julián satte seg ved pianoet i salongen, og foran et nysgjerrig publikum på femten unge luddere i bare undertøyet, spilte han en nokturne av Chopin. Alle klappet unntatt Irene, som sa at det der var musikk for de døde, og at den butikken de drev, var for de levende. Julián spilte en ragtime og et par stykker av Offenbach.

– Det var bedre.

Den nye jobben innbrakte ham lønn, tak over hodet og et varmt måltid om dagen.

I Paris overlevde han takket være Irene Marceaus velgjørenhet, og hun var også det eneste mennesket som oppmuntret ham til å fortsette å skrive. Hun likte de romantiske romanene og helgen- og martyrbiografiene, som hun ble helt oppslukt av. Etter hennes mening var problemet med Julián at han hadde et forgiftet hjerte, og at han av den grunn bare kunne skrive disse historiene om redsler og mørke. Tross alle forbehold var Irene den som hadde funnet en forlegger til Julián, så han fikk gitt ut de første roma- nene, det var hun som hadde skaffet ham den loftsleiligheten der han gjemte seg bort for verden, det var hun som ga ham klær og fikk ham med ut i solen og luften, det var hun som kjøpte bøker til ham og fikk ham til å følge henne til messe om søndagene og deretter på en spasertur i Tuileriene. Irene Marceau holdt ham i live uten å kreve noe annet til gjengjeld enn hans vennskap og løftet om at han skulle fortsette å skrive. Med tiden tillot Irene ham å ta med en og annen av jentene med opp på loftet, om det så bare var for at de skulle sove med armene rundt hverandre. Irene spøkte med at de var nesten like ensomme som ham, og det eneste de ønsket seg, var litt ømhet.

– Min nabo, monsieur Darcieu, regner meg som verdens heldigste mann.

Jeg spurte hvorfor han aldri hadde reist tilbake til Barcelona for å se etter Penélope. Han sank ned i en langvarig taushet, og da jeg fant ansiktet hans i mørket, så jeg at det var furet av tårer. Uten å vite hva jeg gjorde, falt jeg på kne ved siden av ham og klemte ham. Vi ble sittende slik, tett omslynget, til daggryet kom sigende over oss. Jeg vet ikke lenger hvem som kysset hvem først, heller ikke om det betyr noe fra eller til. Jeg vet at jeg fant leppene hans og lot meg kjærtegne uten å tenke over at jeg også gråt og ikke skjønte hvorfor. Den morgenen, og alle de som fulgte i de to ukene jeg var hos Julián, elsket vi med hverandre på gulvet, alltid uten et ord. Så satt vi på en kafé eller spaserte gatelangs, og jeg så ham inn i øynene og visste uten å spørre ham at han fremdeles elsket Penélope. Jeg husker at jeg i de dagene lærte å hate den piken på sytten år (for meg var Penélope alltid sytten år), som jeg aldri hadde kjent, og som jeg begynte å drømme om. Jeg fant på tusen og én unnskyldninger for å telegrafere til Cabestany og forlenge oppholdet. Jeg bekymret meg ikke for at jeg kunne miste jobben eller den grå tilværelsen jeg hadde forlatt i Barcelona. Mange ganger har jeg spurt meg selv om jeg kom til Paris med et så tomt liv at jeg falt i armene til Julián som jentene til Irene Marceau, som tennerskjærende tigde om litt ømhet. Jeg vet bare at de fjorten dagene jeg tilbrakte sammen med Julián, var det eneste øyeblikket i mitt liv da jeg for en gangs skyld følte at jeg var meg selv, da jeg forsto med de uforklarlige tingenes absurde klarhet at jeg aldri kunne elske noen annen mann slik jeg elsket Julián, om jeg så tilbrakte resten av mine levedager med å forsøke det.

En dag ble Julián liggende og sove i armene mine, helt utmattet. Kvelden før, idet vi gikk forbi utstillingsvinduet til et lånekontor, hadde han stanset og vist meg en fyllepenn som hadde ligget utstilt i mange år, og som ifølge pantelåneren hadde tilhørt Victor Hugo. Julián hadde aldri hatt råd til å kjøpe den, men han gikk og så på den hver dag. Jeg kledde forsiktig på meg og gikk ned til forretningen. Pennen kostet en formue, som jeg ikke hadde, men innehaveren sa han kunne ta imot en sjekk i pesetas på hvilken som helst spansk bank som hadde kontor i Paris. Før mor døde, hadde hun lovt at hun skulle spare i mange år for å kunne kjøpe en brudekjole til meg. Victor Hugos penn strøk av gårde med sløret mitt, og selv om jeg visste at det var galskap, hadde jeg aldri brukt penger med større glede. Da jeg kom ut av forretningen med det eventyrlige etuiet, merket jeg at en kvinne fulgte etter meg. Det var en meget elegant dame med sølvgrått hår og de blåeste øyne jeg noen gang har sett. Hun kom bort til meg og presenterte seg. Det var Irene Marceau, hun som hadde tatt Julián under sine beskyttende vinger. Min veiviser Hervé hadde fortalt henne om meg. Hun ville bare hilse på meg og spørre om jeg var den kvinnen som Julián hadde ventet på i alle disse årene. Jeg behøvde ikke å svare. Irene nøyde seg med å nikke og kysse meg på kinnet. Jeg så henne gå videre bortover gaten, og da visste jeg at Julián aldri skulle bli min, at jeg hadde mistet ham før det begynte. Jeg gikk tilbake til loftsleiligheten med pennen i etuiet, gjemt i vesken. Julián hadde våknet og ventet på meg. Jeg kledde av meg uten å si noe, og vi elsket for siste gang. Da han spurte hvorfor jeg gråt, sa jeg at det var lykketårer. Senere, da Julián gikk ned etter noe å spise, pakket jeg og la etuiet med pennen på skrivemaskinen. Jeg puttet manuskriptet til romanen i kofferten og gikk derfra før Julián kom tilbake. På trappeavsatsen møtte jeg monsieur Darcieu, den gamle tryllekunstneren som leste i hånden til jentene mot et kyss. Han tok den venstre hånden min og så bedrøvet på den.

– *Vous avez poison au coeur, mademoiselle.*

Da jeg ville betale det han hadde til gode av meg, ristet han blidt på hodet, og det var han som kysset min hånd.

Jeg dro til Austerlitz-stasjonen og rakk akkurat tolvtoget til Barcelona. Konduktøren som solgte billetten til meg, lurte på om det gikk bra med meg. Jeg nikket og lukket kupédøren. Toget gikk allerede da jeg kikket ut av vinduet og så silhuetten til Julián på perrongen, akkurat der jeg hadde sett ham første gang. Jeg lukket øynene og åpnet dem ikke igjen før toget hadde lagt bak seg stasjonen og den forheksede byen som jeg aldri kunne vende tilbake til. Jeg kom til Barcelona utpå morgensiden dagen etter. Den dagen fylte jeg fireogtyve år, vel vitende om at den beste delen av mitt liv lå bak meg.

2

Etter hjemkomsten til Barcelona lot jeg det gå en stund før jeg igjen besøkte Miquel Moliner. Jeg måtte få Julián ut av hodet, og jeg skjønte at hvis Miquel spurte etter ham, ville jeg ikke vite hva jeg skulle si. Da vi møttes igjen, behøvde jeg ikke å si noe. Miquel så meg inn i øynene og nøyde seg med å nikke. Han virket tynnere enn før jeg reiste til Paris, ansiktet var nesten sykelig blekt, og jeg tenkte at det skyldtes alt arbeidet han var nedlesset i. Han innrømmet at han slet med økonomiske vanskeligheter. Han hadde brukt opp nesten alle pengene han hadde arvet, på filantropiske donasjoner, og nå forsøkte søsknenes advokater å få kastet ham ut av huset under henvisning til en klausul i testamentet til gamle Moliner som spesifiserte at Miquel bare hadde bruksrett til stedet under forutsetning av at han holdt det i god stand og kunne godtgjøre den fornødne betalingsevne til å ta vare på eiendommen. I motsatt fall skulle den staselige villaen i Puertaferrisa overdras til de andre søsknene.

– Allerede før sin død ante det far at jeg ville bruke opp pengene hans på alt det han hatet her i livet, til siste slant.

Inntektene som spaltist og oversetter strakk overhodet ikke til for å holde seg med en slik bopel.

– Det er ikke så vanskelig å tjene penger sånn i sin alminnelighet, klaget han. – Det som er vanskelig, er å tjene dem ved å gjøre noe som det er umaken verdt å bruke livet til.

Jeg hadde ham mistenkt for å ha begynt å drikke i smug. Noen ganger skalv han på hendene. Jeg besøkte ham hver søndag og truet ham til å gå ut en tur og komme seg bort fra arbeidsbordet og leksikaene. Jeg visste at han syntes det var sårt å se meg. Han oppførte seg som om han ikke husket at han hadde fridd til meg og jeg hadde svart nei, men noen ganger grep jeg ham i å betrakte meg med lengsel og begjær, med nederlagsdømt blikk. Min eneste unnskyldning for å utsette ham for slik grusomhet, var rent egoistisk: Bare Miquel kjente sannheten om Julián og Penélope Aldaya.

I løpet av de månedene jeg var borte fra Julián, var Penélope Aldaya blitt til et spøkelse som slukte søvnen og all min tanke-virksomhet. Jeg husket fremdeles det skuffede uttrykket i Irene Marceaus ansikt da hun konstaterte at jeg ikke var den kvinnen Julián ventet på. Penélope Aldaya, den fraværende og svikefulle, var en altfor mektig fiende for meg. Fordi hun var usynlig, ble hun i min innbilning fullkommen, et lys i hvis skygge jeg gikk meg vill, uverdig, vulgær, håndgripelig. Jeg hadde aldri trodd det var mulig å hate slik, og uten selv å ville det, en som jeg ikke engang kjente, som jeg ikke hadde sett en eneste gang. Jeg trodde vel at om jeg møtte henne ansikt til ansikt, om jeg fikk konstatert at hun var av kjøtt og blod, ville trolldommen heves og Julían bli fri igjen. Og jeg med ham. Jeg ville tro at det var et spørsmål om tid, om tålmodighet. Før eller senere ville Miquel fortelle meg sannheten. Og sannheten ville gjøre meg fri.

En dag, mens vi var ute og spaserte i klostergangen i kate-dralen, lot Miquel meg igjen forstå at han var interessert i meg. Jeg kikket på ham og så en ensom mann, en mann som hadde latt alt håp fare. Jeg visste hva jeg gjorde da jeg tok ham med hjem og lot meg forføre av ham. Jeg visste at jeg bedro ham, og han visste det også, men han hadde ikke noe annet i verden. Slik gikk det til at vi ble elskere, av fortvilelse. Jeg så i øynene hans det jeg så gjerne skulle ha sett i Juliáns. Jeg følte at når jeg ga meg hen til ham, hevnet jeg meg på Julián og Penélope og alt det som ikke ble meg forunt. Miquel, som var syk av begjær og ensomhet, visste at vår kjærlighet var en farse, og likevel kunne han ikke la meg gå. Han drakk mer for hver dag som gikk, og mange ganger kunne han knapt ta meg. Da spøkte han bittert og sa at vi når alt kom til alt, var blitt til et eksemplarisk ektepar på rekordtid. Vi gjorde hverandre vondt, av forbitrelse og feighet. En kveld, da det nesten var gått et år siden jeg kom tilbake fra Paris, ba jeg ham fortelle meg sannheten om Penélope. Miquel hadde drukket og ble brutal, som jeg aldri hadde sett ham før. I fullt raseri skjelte han meg ut og beskyldte meg for ikke å ha elsket ham noensinne, for å være som et hvilket som helst ludder. Han spjæret klærne av meg, og da han ville ta meg med vold, la jeg meg ned og bød meg frem uten motstand, i stille gråt. Miquel falt sammen og tryglet meg om å tilgi ham. Hvor gjerne skulle jeg ikke ha elsket ham og ikke Julián, kunnet velge å bli ved hans side. Men jeg kunne det ikke. Vi lå med armene rundt hverandre i mørket, og jeg ba ham om tilgivelse for det vonde jeg hadde gjort mot ham. Så sa han at hvis det virkelig var det jeg ønsket, skulle han fortelle meg sannheten om Penélope Aldaya. Også der hadde jeg tatt feil.

Den søndagen i 1919 da Miquel Moliner hadde dradd av sted til Francia-stasjonen for å overrekke billetten til Paris og si adjø til sin venn Julián, hadde han visst at Penélope ikke ville komme som avtalt. Han visste at to dager før, da don Ricardo Aldaya kom tilbake fra Madrid, hadde hans kone tilstått at hun hadde overrumplet Julián og datteren Penélope på rommet til barnepiken Jacinta. Jorge Aldaya hadde røpet for Miquel hva som var skjedd dagen før, og fått ham til å sverge at han aldri skulle fortelle det til noen. Jorge forklarte at don Ricardo hadde eksplodert av raseri da han fikk høre det, at han hadde skreket som en gal og stormet til rommet til Penélope, som hadde hørt farens brøl og låst seg inne og grått av redsel. Don Ricardo hadde sparket inn døren og funnet Penélope på kne, skjelvende, mens hun tryglet om tilgivelse. Don Ricardo hadde da gitt henne en ørefik så hun gikk rett i gulvet. Ikke engang Jorge kunne få seg til å gjenta ordene don Ricardo hadde vrengt ut av seg, frådende av raseri. Alle familiens medlemmer og tjenerstaben hadde ventet nedenunder, skrekkslagne, og ikke visst hva de skulle gjøre. Jorge hadde gjemt seg på rommet sitt i mørke, men selv dit nådde don Ricardos skrik. Jacinta ble avskjediget samme dag. Don Ricardo nedlot seg ikke engang til å se henne. Han ga tjenerne ordre om å sette henne på porten og truet dem med at de ville lide samme skjebne hvis noen av dem hadde noen som helst kontakt med henne.

Da don Ricardo kom ned i biblioteket, var det allerede midnatt. Han hadde låst Penélope inne på det rommet som hadde vært Jacintas, og ga streng beskjed om at ingen fikk gå opp og se til henne, verken medlemmene av tjenerstaben eller familien. Fra rommet sitt kunne Jorge høre foreldrene snakke sammen i etasjen under. Legen kom grytidlig om morgenen. Señora Aldaya viste ham opp på soveværelset der de hadde sperret Penélope inne, og ventet utenfor døren mens legen undersøkte henne. Da legen kom ut igjen, nøyde han seg med å nikke og ta imot betalingen. Jorge hørte don Ricardo si til ham at hvis han sa et ord til noen om det han hadde sett der, skulle han personlig sørge for å ødelegge hans gode navn og rykte og hindre ham i å utøve legeyrket mer. Selv Jorge skjønte hva det innebar.

Jorge innrømmet at han var meget bekymret for Penélope og Julián. Aldri før hadde han sett faren besatt av et slikt raseri. Selv med tanke på hvordan de elskende hadde forbrutt seg, fattet han ikke rekkevidden av dette raseriet. Det må stikke noe mer under, sa han, noe mer. Don Ricardo hadde allerede gitt ordre om at Julián skulle utvises fra San Gabriel, og hadde satt seg i forbindelse med guttens far, hattemakeren, for å få sendt ham i det militære øyeblikkelig. Da Miquel fikk vite det, bestemte han at han ikke kunne si sannheten til Julián. Hvis han avslørte at don Ricardo Aldaya holdt Penélope innesperret, og at hun bar deres barn under sitt hjerte, ville Julián aldri ta det toget til Paris. Han visste at om vennen ble værende i Barcelona, ville det bety slutten for ham. Han besluttet derfor å føre ham bak lyset og la ham reise til Paris uten å vite hva som var skjedd, la ham tro at Penélope ville komme etter før eller siden. Da han sa farvel til Julián på Francia-stasjonen den dagen, ville han helst tro at ikke alt var tapt.

Flere dager senere, da det ble kjent at Julián var forsvunnet, var helvete løs. Don Ricardo Aldaya var så rasende at fråden sto om munnen på ham. Han fikk halve politistyrken til å ettersøke rømlingen for å pågripe ham, uten hell. Så anklaget han hatte-makeren for å ha sabotert planen de hadde lagt sammen, og truet ham med den totale ruin. Hattemakeren, som ikke skjønte noen ting, anklaget i sin tur sin kone Sophie for å ha pønsket ut planene for den nederdrektige sønnens flukt og truet med å sette henne på porten for godt. Det hadde ikke streifet noen at det var Miquel Moliner som hadde tenkt ut hele opplegget. Ingen andre enn Jorge Aldaya, som hadde oppsøkt ham fjorten dager senere. Han oste ikke lenger av den redselen og bekymringen som hadde hatt ham i sitt kvelende grep noen dager tidligere. Dette var en annen Jorge Aldaya, voksen og berøvet sin uskyld. Hva det enn hadde vært som lå bak don Ricardos vrede, så hadde Jorge brakt det på det rene. Motivet for dette besøket var kortfattet: Han visste, sa han, at det var han som hadde hjulpet Julián med å rømme. Han meddelte at de ikke lenger var venner, at han ikke ville se ham mer, og truet med å drepe ham hvis han fortalte noen om det han hadde røpet for fjorten dager siden.

Noen uker senere mottok Miquel et brev under falskt navn som Julián hadde sendt fra Paris, der han oppga adressen og opplyste at det sto bra til og at han savnet ham og lurte på hvordan det sto til med moren og med Penélope. Han vedla et brev stilet til Penélope for at Miquel skulle sende det videre fra Barcelona, det første blant alle dem Penélope aldri skulle få lese. Miquel lot det klokelig gå noen måneder. Han skrev hver uke til Julián og fortalte bare det han fant tilrådelig, hvilket var nesten ingenting. Julián snakket på sin side om Paris, om hvor vanskelig alt viste seg å være, om hvor ensom og fortvilet han følte seg. Miquel sendte ham penger, bøker og vennskap. Med hvert brev sendte Julián alltid enda et skriv til Penélope. Miquel sendte dem fra forskjellige postkontorer, enda han visste at det var forgjeves. I brevene fortsatte Julián å spørre etter Penélope. Miquel kunne ikke fortelle ham noen ting. Han hadde hørt fra Jacinta at Penélope ikke hadde vært utenfor huset i Avenida del Tibidabo siden faren hadde sperret henne inne på rommet i fjerde etasje.

En kveld hadde Jorge Aldaya dukket frem fra skyggene to kvartaler hjemmefra og stilt seg i veien for ham. «Er du kommet for å drepe meg?» spurte Miquel. Jorge opplyste at han var kommet for å gjøre ham og vennen Julián en tjeneste. Han overrakte ham et brev og sa at han burde formidle det videre til Julián, hvor han enn hadde gjemt seg bort. «Det er til alles beste,» fastslo han. Konvolutten inneholdt et ark som var håndskrevet av Penélope Aldaya.

Kjære Julián,
Jeg skriver for å opplyse at jeg snart skal gifte meg, og ber deg om ikke å skrive til meg mer, å glemme meg og begynne livet på nytt. Jeg bærer ikke nag til deg, men jeg ville ikke være oppriktig om jeg ikke bekjente at jeg aldri har elsket deg og aldri kan elske deg. Jeg ønsker deg alt godt, hvor du enn befinner deg.

Penélope

Miquel leste brevet om og om igjen. Håndskriften var ikke til å ta feil av, men han trodde ikke et øyeblikk at Penélope hadde skrevet det brevet av egen fri vilje. «Hvor du enn befinner deg ...» Penélope visste utmerket godt hvor Julián var: i Paris, der han ventet på henne. Hvis hun nå lot som om hun ikke visste hvor han oppholdt seg, resonnerte Miquel, var det for å beskytte ham. Av samme grunn kunne ikke Miquel fatte hva som hadde fått henne til å skrive disse linjene. Hvilke flere trusler kunne don Ricardo Aldaya la henge over hodet hennes enn det at han holdt henne innesperret på det rommet som en annen straffange? Mer enn noen annen visste Penélope at dette brevet utgjorde et forgiftet dolkestøt i hjertet på Julían: en ung mann på nitten år, bortkommen i en fjern og fiendtlig by, sveket av alle, som med nød og neppe kunne overleve med et fåfengt håp om å få se henne igjen. Hva var det hun ville beskytte ham mot når hun skjøv ham fra seg på den måten? Etter å ha tenkt lenge frem og tilbake kom Miquel frem til at han ikke ville sende brevet. Ikke før han hadde brakt årsaken på det rene. Uten noen god grunn skulle det ikke bli hans hånd som stakk den kniven i vennens hjerte.

Noen dager senere fikk han høre at don Ricardo Aldaya var blitt lei av å se Jacinta Coronado stå og speide som en annen skiltvakt utenfor døren til huset og tigge nyheter om Penélope, og derfor hadde gjort bruk av sine mange mektige forbindelser og sørget for å få datterens barnepike innesperret på Horta sinnssykehus. Da Miquel Moliner ville besøke henne, ble han nektet tillatelse. Jacinta Coronado skulle tilbringe de tre første månedene i en celle uten kontakt med utenverdenen. Etter tre måneder i stillhet og mørke, forklarte en av legene, en ung og smilende fyr, var pasienten garantert blitt føyelig. Miquel fulgte en plutselig innskytelse og bestemte seg for å oppsøke pensjonatet der Jacinta hadde bodd i månedene etter at hun ble avskjediget. Da han sa hvem han var, husket vertinnen at hun hadde lagt igjen en beskjed i hans navn, og at hun skyldte for tre uker. Han gjorde opp for henne, selv om han tvilte på om gjelden var reell, og fikk med seg beskjeden, der barnepiken hevdet at det var kommet til hennes kunnskap at en av hushjelpene, Laura, var blitt oppsagt da det ble kjent at hun i smug hadde sendt et brev til Julián, skrevet av Penélope. Miquel trakk den slutning at den eneste adressen Penélope kunne sende et brev til, fra sitt fangenskap, måtte være til Juliáns foreldre i Ronda de San Antonio, i den tro at de i sin tur sørget for at det ble videresendt til sønnen i Paris.

Han bestemte seg da for å oppsøke Sophie Carax for å få fatt i det brevet og sende det til Julián. Da han kom hjem til familien Fortuny, fikk Miquel seg en illevarslende overraskelse: Sophie Carax bodde ikke der lenger. Hun hadde forlatt sin mann for flere dager siden, slik lød iallfall ryktene som gikk i oppgangen. Miquel forsøkte da å få en samtale med hattemakeren, som satt innestengt i butikken hele dagen lang og våndet seg av raseri og ydmykelse. Miquel gjorde det klart at han var kommet for å hente et brev som skulle ha kommet adressert til hans sønn Julián for noen dager siden.

– Jeg har ingen sønn, var det han fikk til svar.

Miquel Moliner gikk derfra uten å ha fått vite at dette brevet var havnet hos portnersken i bygningen, og at du, Daniel, mange år senere skulle finne det og lese de ordene Penélope hadde sendt, denne gangen ord fra hjertet, til Julián, og som han aldri skulle motta.

Da han forlot hatteforretningen til Fortuny, var det en nabofrue i oppgangen, en som sa hun het Viçenteta, som kom bort og spurte om han så etter Sophie. Miquel nikket.

– Jeg er en venn av Julián.

Viçenteta opplyste at Sophie levde i meget usle kår på et pensjonat i et smug bak hovedpostkontoret mens hun ventet på båten som skulle bringe henne over til Amerika. Miquel oppsøkte denne adressen, en smal og trist trapp der det verken var lys eller luft. Øverst oppe i den støvete spiralen av skjeve trinn fant Miquel Sophie Carax i et rom i femte etasje, i en pøl av fukt og skygge. Juliáns mor satt foran vinduet på en ussel briks der det fremdeles lå to lukkede kofferter som likkister som rommet hennes toogtyve år i Barcelona.

Da Sophie fikk lese det brevet Penélope hadde skrevet under på og Jorge Aldaya hadde levert til Miquel, gråt hun av raseri.

– Hun vet det, mumlet hun. – Stakkars liten, hun vet det ...

– Vet hva? spurte Miquel.

– Det er min skyld, sa Sophie. – Det er min skyld.

Miquel holdt hendene hennes uten å forstå hva hun mente. Sophie fikk seg ikke til å møte blikket hans.

– Penélope og Julián er søsken, hvisket hun.

3

Mange år før Sophie Carax ble Antoni Fortunys slavinne, hadde hun vært en kvinne som livberget seg på sitt talent. Hun var bare nitten år da hun kom til Barcelona fordi hun var blitt lovt en stilling som det aldri ble noe av. Før hennes far døde, hadde han skaffet henne referanser slik at hun skulle få ansettelse hos Benarens, et velstående handelshus, en familie som opprinnelig kom fra Alsace, men nå var bosatt i Barcelona.

– Ved min død, hadde han sagt inntrengende, – skal du henvende deg til dem, for de vil ta imot deg som en datter.

Den varme velkomsten hun fikk, var en del av problemet. Monsieur Benarens hadde bestemt seg for å ta imot henne med armer, og kjønnskjertler, som begge var vidåpne og for fulle seil. Madame Benarens, som i og for seg syntes synd på henne for ulykken som hadde rammet henne, ga henne hundre pesetas og satte henne på porten.

– Du har livet foran deg, mens jeg bare har denne elendige og liderlige mannen.

En musikkskole i Calle Diputación ga henne en stilling som privatlærer i piano og solfeggio. Den gang var det god tone at velsituerte familiers døtre fikk opplæring i selskapelige ferdigheter, og disse var ispedd litt salongmusikk, der polonesen var mindre farlig enn konversasjon eller tvilsom lektyre. Dermed tok Sophie Carax fatt på den nye rutinen, å besøke slottslignende villaer der hushjelper i stivede uniformer viste henne inn i musikkværelser, der industriaristokratiets fiendtligsinnede barn ventet på henne for å drive gjøn med aksenten hennes, sjenansen hennes, det at hun var en simpel tjener, en notelinje fra eller til. Med tiden lærte hun å konsentrere seg om den ynkelige tiendedelen av elevene som hevet seg over en tilværelse som parfymerte utysker, og glemme resten.

Omtrent på den tiden var det at Sophie ble kjent med en ung

hattemaker (det var det han titulerte seg selv, med all stolthet som fulgte med håndverket), ved navn Antoni Fortuny, som virket oppsatt på å gjøre kur til henne, koste hva det ville. Antoni Fortuny, som Sophie følte et hjertelig vennskap for, men ikke noe mer, drøyde ikke lenge med å fri til henne, et tilbud som Sophie avslo et dusin ganger i måneden. Hver gang de skilte lag, følte Sophie seg viss på at hun aldri skulle se ham mer, for hun ønsket ikke å såre ham. Men hattemakeren var upåvirkelig av ethvert avslag, så han gjorde nye fremstøt, inviterte henne på dans, på en spasertur, eller et lite måltid med kjeks og sjokolade i Calle Canuda. Sophie, som var alene i Barcelona, fant det vanskelig å stå for hans begeistring, hans selskap og hans hengivenhet. Det var nok å kaste et blikk på Antoni Fortuny, så visste hun at hun aldri kunne elske ham. Ikke slik hun drømte om å elske noen en dag. Men hun syntes det var vanskelig å avstå fra det bildet av seg selv som hun så i hattemakerens forheksede øyne. Bare i dem så hun den Sophie hun skulle ønske at hun var.

Altså, av lengsel eller svakhet, Sophie fortsatte å leke med den forlibte hattemakeren og tenkte at han en dag ville bli kjent med en annen pike som var mer villig, og at han da ville slå inn på mer utbytterike veier. Imens var det nok for henne å føle seg ettertraktet og verdsatt, som et botemiddel mot ensomheten og lengselen etter alt det hun hadde måttet forlate. Hun møtte Antoni om søndagene, etter messen. Resten av uken ga hun musikkundervisning. Yndlingseleven var en pike med betydelig talent, Ana Valls, datter av en rik tekstilfabrikant som hadde bygd opp sin formue fra ingenting, takket være enorme anstrengelser og oppofrelser, hovedsakelig andres. Ana ytret ønske om å bli en stor komponist, og for Sophie spilte hun små stykker der hun imiterte motiver av Grieg og Schumann, ikke uten en viss begavelse. Señor Valls, som var overbevist om at kvinner var ute av stand til stelle med annet enn hullete strømper og vattepper, så likevel med blide øyne på at datteren ble dyktig til å traktere klaviaturet, for han hadde planer om å gifte henne bort til en arving med et godt navn, og han visste at raffinerte mennesker hadde sans for besynderlige ferdigheter hos gifteferdige piker, i tillegg til den føyeligheten og overdådige fruktbarheten som gjerne følger med ungdommen når den springer ut i fullt flor.

Det var hjemme hos Valls at Sophie ble kjent med en av de største velgjørerne og finansielle bakmennene til señor Valls: don

Ricardo Aldaya, arvingen til imperiet Aldaya, som allerede den gang var det store hvite håpet til det katalanske plutokratiet på slutten av århundret. Ricardo Aldaya hadde noen måneder tidligere giftet seg med en forblindende skjønnhet med et navn som ikke lot seg uttale, attributter som onde tunger anså for sanne, for det het seg at ikke engang hennes ferske brudgom så noen som helst skjønnhet i henne eller gjorde seg umak med å uttale navnet hennes. Det hadde vært et ekteskap mellom familier og banker, ikke noen romantiske barnestreker, sa señor Valls, som hadde det helt klart for seg at det som foregikk i sengen var én ting, de harde realiteter noe annet.

Straks Sophie hadde vekslet ett blikk med don Ricardo, visste hun at hun var fortapt for alltid. Aldaya hadde ulveøyne, sultne og skarpe, og de banet seg vei og visste hvor de skulle sette inn det dødelige bittet. Aldaya kysset hånden hennes langsomt og kjærtegnet knokene hennes med leppene. Alt det hattemakeren utstrålte av vennlighet og begeistring, åndet don Ricardo av grusomhet og kraft. Rovdyrsmilet hans gjorde det klart at han var i stand til å lese tankene og lystene hennes, og han lo av dem. Det Sophie følte for ham, var den anemiske forakten som vekkes i oss av de tingene vi begjærer mest uten selv å vite det. Hun sa til seg selv at hun ikke skulle se ham mer, at om det ble nødvendig, skulle hun slutte å undervise yndlingseleven sin, om hun på den måten kunne unngå å treffe Ricardo Aldaya igjen. Det var ingenting i hennes liv som hadde vært mer skremmende enn å fornemme dette dyret under huden, vite at dette rovdyret var ute etter henne, kledd i gallaantrekk av fineste lin. Alle disse tankene jaget gjennom henne på noen sekunder, mens hun pønsket ut en plump unnskyldning for å trekke seg tilbake, mens señor Valls så bestyrtet på henne, Aldaya gapskrattet, og lille Ana ble så mismodig, for hun hadde mer forstand på mennesker enn på musikk og skjønte at lærerinnen var redningsløst fortapt.

En uke senere, utenfor døren til musikkskolen i Calle Diputación, støtte Sophie på don Ricardo Aldaya, som sto og ventet på henne, tok seg en røyk og kikket i en avis så lenge. De vekslet et blikk, og uten at et ord ble sagt, tok han henne med til et hus to kvartaler unna. Det var en ny gård der det ennå ikke hadde flyttet inn noen. De gikk opp i annen etasje. Don Ricardo åpnet døren og trådte til side for henne. Sophie gikk rett inn i leiligheten, en labyrint av ganger og korridorer, med nakne vegger og usynlige tak. Det fantes verken møbler eller bilder eller lamper eller gjenstander av noe slag som kunne gi stedet likhetstrekk med en bolig. Don Ricardo Aldaya lukket døren, og de to så på hverandre.

– Jeg har ikke gjort annet enn å tenke på deg hele uken. Si at du ikke har gjort det samme, så skal jeg la deg gå og du slipper å se mer til meg, sa Ricardo.

Sophie ristet på hodet.

Historien med deres hemmelige møter varte i seksognitti dager. De møttes utpå ettermiddagen, alltid i den tomme leiligheten på hjørnet av Calle Diputación og Rambla de Cataluña. Tirsdager og torsdager, klokken tre. Stevnemøtene varte aldri mer enn en time. Noen ganger ble Sophie igjen alene etter at Aldaya var gått, gråtende og skjelvende i et hjørne av soveværelset. Så, når søndagen kom, speidet Sophie desperat i hattemakerens øyne etter spor av den kvinnen som var i ferd med å forsvinne, og lengtet heftig etter hengivenheten og bedraget. Hattemakeren så ikke merkene i huden hennes, ikke skrammene og brannsårene rundt om på hele kroppen. Hattemakeren så ikke fortvilelsen i smilet hennes, i føyeligheten. Hattemakeren så ingenting. Kanskje var det derfor hun tok imot hans løfte om ekteskap. Hun hadde allerede en forutanelse om at hun bar Aldayas sønn under sitt hjerte, men var redd for å si det til ham, nesten like redd som hun var for å miste ham. Atter en gang var det Aldaya som så ting i henne som Sophie var ute av stand til å røpe. Han ga henne fem hundre pesetas, en adresse i Calle Platería og ordre om å kvitte seg med barnet. Da Sophie nektet, ga Ricardo Aldaya henne noen ørefiker så hun blødde fra ørene, og truet med å få henne drept hvis hun våget å nevne noe om møtene deres eller påstå at barnet var hans. Da hun fortalte hattemakeren at noen kjeltringer hadde overfalt henne på Plaza del Pino, trodde han det. Da hun sa at hun ville bli hans kone, trodde han det. Til bryllupet var det noen som ved en feiltagelse sendte en stor begravelseskrans til kirken. Alle lo nervøst av blomsterhandlerens forvirring. Alle unntatt Sophie, som utmerket godt visste at don Ricardo Aldaya fremdeles husket henne på hennes bryllupsdag.

4

Sophie Carax hadde aldri trodd at hun flere år senere skulle få se Ricardo igjen (nå som en mann i moden alder, i teten for familie-imperiet, far til to), ei heller at Aldaya skulle komme tilbake for å bli kjent med sønnen som han hadde ønsket å utradere for fem hundre pesetas.

– Det er kanskje det at jeg begynner å bli gammel, var den forklaringen han ga, – men jeg ønsker altså å bli kjent med denne gutten og gi ham de mulighetene her i livet som en sønn med mitt blod i årene har fortjent. Han hadde ikke streifet meg med en tanke i alle disse årene, og merkelig nok, nå er jeg ute av stand til å tenke på noe annet.

Ricardo Aldaya var kommet til at han ikke så seg selv i sin førstefødte, Jorge. Gutten var svak, tilbakeholden, blottet for farens åndsnærværelse. Han manglet alt unntatt etternavnet. En dag hadde don Ricardo våknet i sengen til en hushjelp og følt at kroppen begynte å eldes, at Gud hadde tatt all eleganse fra den. Han fikk panikk og stormet bort for å se seg selv naken i speilet, og følte at det løy for ham. Den mannen var ikke ham.

Han fikk straks lyst til å treffe igjen den mannen som var tatt fra ham. I mange år hadde han visst om hattemakersønnen. Han hadde heller ikke glemt Sophie, på sin måte. Don Ricardo Aldaya glemte aldri noe. Da den tid kom, bestemte han seg for å lære gutten å kjenne. Det var første gang på femten år han støtte på noen som ikke var redd for ham, som våget å trosse ham og til og med drev gjøn med ham. I ham dro han kjensel på frimo-digheten, den stillfarende ærgjerrigheten som dårer ikke ser, men som fortærer et menneske innenfra. Gud hadde gitt ham hans ungdom tilbake. Sophie, som ikke var annet enn et ekko av den kvinnen han husket, hadde ikke krefter til å stille seg mellom dem. Hattemakeren var bare en klovn, en ful og bitter tølper hvis medvirkning han regnet med å kunne kjøpe. Han bestemte seg for å rykke Julián opp fra denne verdenen der han ikke fikk puste for bare middelmådighet og fattigdom, for å slå dørene opp til sitt finansparadis. Han skulle få sin utdannelse ved San Gabriel, han skulle nyte godt av alle sin klasses privilegier og føres inn på de veier som hans far hadde valgt for ham. Don Ricardo ønsket en etterfølger som var ham verdig. Jorge kom alltid til å leve i skyggen av sine privilegier, med puter under armene, men likevel stadig mislykkes. Penélope, den deilige Penélope, var kvinne og derfor en skatt, ikke skattmester. Julián, som hadde en dikters sjel, og følgelig også en drapsmanns, forente disse egenskapene. Det var bare et spørsmål om tid. Don Ricardo anslo at han om ti år ville ha meislet ut seg selv i denne gutten. Aldri i all den tiden Julian tilbrakte sammen med familien Aldaya, som en av dem (til og med som den utkårne), falt det ham inn å tenke at Julián ikke ønsket seg noen ting av ham, annet enn Penélope. Det streifet ham ikke et øyeblikk at Julián innerst inne foraktet ham og hele denne farsen, som for ham ikke var annet enn et påskudd for å få være i nærheten av Penélope. For å kunne eie henne helt og fullt.

Da hans kone kom og fortalte at hun hadde kommet over Julián og Penélope nakne i en situasjon som ikke var til å ta feil av, sto med ett hele hans univers i flammer. Forferdelsen og sviket, det unevnelige raseriet over å ha blitt forhånet i det han holdt aller mest hellig, ført bak lyset i sitt eget spill, ydmyket og dolket av den han hadde lært å forgude som seg selv, slo ned i ham med slik villskap at ingen kunne fatte hvor til de grader sønderknust han var. Da legen kom for å undersøke Penélope og bekreftet at piken var blitt deflorert og at hun sannsynligvis var gravid, smeltet don Ricardo Aldayas sjel til det blinde hatets tykke og seige væske. Han så sin egen hånd i Juliáns hånd, hånden som hadde stukket kniven i det aller dypeste av hans hjerte. Han visste det ikke ennå, men den dagen han befalte at Penélope skulle låses inne på soveværelset i fjerde etasje, var den dagen han begynte å dø. Alt det han foretok seg fra da av, var ikke annet enn selvødeleggelsens dødsralling.

I samråd med hattemakeren, som han hadde følt slik forakt for, pønsket han ut hvordan han skulle la Julián forsvinne fra scenen, bli sendt i det militære, der han skulle gi ordre om at hans død måtte bli erklært som en ulykke. Han nektet alle, både leger og tjenere og familiemedlemmer, bortsett fra seg selv og konen, å se Penélope i de månedene da piken satt som fange i dette værelset som luktet død og sykdom. Allerede den gang hadde kompanjongene hans i stillhet trukket tilbake sin støtte og manøvrert bak hans rygg for å fravriste ham makten, ved å ta i bruk den formuen han hadde skaffet dem. Allerede den gang smuldret Aldayas imperium bort i stillhet, i hemmelige sammenkomster og korridormøter i Madrid og i bankene i Genève. Julián hadde, som han burde ha gjettet, kommet seg unna. Innerst inne følte han seg stolt av gutten, selv om han ønsket ham død. Han ville ha gjort det samme om han hadde vært i hans sted. Noen måtte unngjelde i hans sted.

Penélope Aldaya nedkom med et barn som kom dødfødt til verden den 26. september 1919. Hvis en lege hadde fått undersøke henne, ville han ha fastslått at barnet hadde svevd i livsfare i flere dager og at det var nødvendig å gripe inn med keisersnitt. Hvis en lege hadde vært til stede, ville han kanskje ha kunnet stanse blødningen som tok Penélopes liv, mens hun hylte og skrek og klorte på den låste døren, mens faren på den andre siden gråt stille og moren bare stirret på ham, storøyd og skjelvende. Hvis en lege hadde vært til stede, ville han ha anklaget don Ricardo Aldaya for drap, for det fantes ikke noe ord som kunne beskrive det synet som ble sperret inne i den blodige og mørke cellen. Men det var ingen der, og da de endelig åpnet døren og fant Penélope død i en pøl av sitt eget blod, med armene rundt et blårødt og glinsende barn, fikk ingen frem et ord. De to likene ble begravd i krypten i kjelleren, uten seremonier eller vitner. Lakenene og levningene ble kastet i fyrkjelen, og rommet forseglet med en mur av brostein.

Da Jorge Aldaya, beruset av skyld og skam, røpet for Miquel Moliner hva som var skjedd, bestemte han seg for å la Julián få tilsendt det brevet Penélope hadde undertegnet, der hun erklærte at hun ikke elsket ham og ba ham om å glemme henne, samtidig som hun kunngjorde et oppdiktet giftermål. Han mente det var bedre at Julián trodde på den løgnen og begynte livet på nytt i skyggen av et svik, fremfor å servere sannheten for ham. To år senere, da señora Aldaya avgikk ved døden, var det noen som mente det skyldtes det forheksede huset, men hennes sønn Jorge visste at det som hadde drept henne, var ilden som fortærte henne innvendig, Penélopes skrik og hennes desperate slag på døren som fortsatte å hamre inni henne uten stans. Allerede den gang hadde ulykken rammet familien, og Aldayas formue raste sammen som sandslott i den mest rabiate griskhetens, hevnens og den ustoppelige historiens tidevannsbølge. Sekretærer og kasserere pønsket ut flukten til Argentina, der de kunne komme i gang med en ny, mer beskjeden forretning. Det eneste som betydde noe, var å skape avstand. Avstand til gjenferdene som flakket om i gangene i det herskapelige huset, de som alltid hadde flakket om der.

De dro av sted en grytidlig morgen i 1926 i den svarteste anonymitet, reiste under falskt navn om bord i den båten som skulle bringe dem over Atlanteren til havnen i La Plata. Jorge og faren delte lugar. Gamle Aldaya, stinkende av sykdom og død, kunne knapt holde seg oppreist. Legene som han ikke hadde latt besøke Penélope, fryktet ham for mye til å si ham sannheten, men han visste at døden var gått om bord sammen med dem, og at den kroppen Gud hadde begynt å ta fra ham den morgenen da han bestemte seg for å oppsøke sin sønn Julián, var i ferd med å bukke under. Under overfarten satt han på dekk, skjelvende under pleddene, og stirret ut over havets endeløse tomhet, vel vitende om at han aldri skulle få se land. Noen ganger satt han i akterstevnen og betraktet flokken med haier som hadde fulgt etter båten fra like etter at de var innom Tenerife. Han hørte en av offiserene si at det illevarslende følget var alminnelig når man seilte over Atlanteren. Dyrene levde av skyllene som ble kastet over bord. Men don Ricardo Aldaya trodde ikke på det. Han var overbevist om at de demonene fulgte etter ham. «Dere venter på meg,» tenkte han og så i dem Guds sanne ansikt. Det var da han fikk sin sønn Jorge, som han så mange ganger hadde foraktet og som han nå var pent nødt til å sette sin lit til, til å sverge på at han skulle oppfylle hans siste vilje.

– Du skal finne Julián Carax og drepe ham. Sverg på det.

I grålysningen to dager før ankomsten til Buenos Aires våknet Jorge og konstaterte at farens køye var tom. Han gikk opp for å se etter ham på dekket, som var oversprøytet av tåke og havsalt, øde. Han fant farens slåbrok liggende i akterstevnen, fremdeles varm. Båtens kjølvann ble borte i en skog av skarlagenrød dis, og havet blødde i skimrende ro. Da så han at flokken med haier ikke lenger fulgte etter dem, og at en dans av ryggfinner gikk rundt i ring i det fjerne. Under resten av overfarten så ingen av passasjerene noe til pigghaiene, og da Jorge Aldaya steg i land i Buenos Aires og tolleren spurte om han reiste alene, nøyde han seg med å nikke. Han hadde allerede i lang tid reist alene.

5

Ti år etter at Jorge Aldaya, eller det menneskevraket han var blitt til, steg i land i Buenos Aires, vendte han tilbake til Barcelona. Motgangen som hadde begynt å tære på familien Aldaya i den gamle verden, hadde bare forverret seg i Argentina. Der hadde Jorge vært nødt til å gjøre front mot både verden og den hendøende arven etter Ricardo Aldaya helt alene, en kamp som han aldri kunne utkjempe med samme våpen og selvsikkerhet som faren. Han var kommet til Buenos Aires med tomt hjerte og sjelen ormstukket av skrupler. Amerika, skulle han siden si som unnskyldning eller gravskrift, er et blendverk, et kontinent for røvere og åtselgribber, og han var blitt oppdradd med tanke på det gamle Europas privilegier og meningsløse snerperi, et kadaver som holdt seg oppe i kraft av sin egen treghet. I løpet av få år hadde han mistet alt. Det begynte med hans gode navn og rykte og endte med gullklokken som han hadde fått av faren til sin første kommunion. Takket være den fikk han råd til returbilletten. Den mannen som kom tilbake til Spania, var nærmest en tigger, en sekk av bitterhet og nederlag som bare hadde minner om at alt det han følte, var blitt fratatt ham og om hatet til den han mente var skyld i hans ruin: Julián Carax.

Fremdeles lå minnet om det løftet han hadde gitt sin far og ulmet i ham. Så snart han kom til Barcelona, snuste han seg frem til sporene etter Julián og oppdaget da at Carax, akkurat som ham, etter alt å dømme hadde forsvunnet fra et Barcelona som ikke lenger var det han hadde forlatt da han reiste for ti år siden. Det var da han møtte igjen en gammel kjenning fra ungdommen, som et skjebnens storsinnede og velberegnede slumpetreff. Etter å ha gjort seg bemerket i forbedringsanstalter og statlige fengsler hadde Francisco Javier Fumero begynt i det militære, der han arbeidet seg opp til løytnants rang. Det var mange som spådde ham en fremtid som general, men en grumsete skandale som aldri ble oppklart, skulle føre til at han ble utstøtt fra hæren. Allerede den gang overgikk hans ry langt hans rang og beføyelser. Det ble sagt mangt om ham, men man fryktet ham enda mer. Francisco Javier Fumero, den fryktsomme og håndfalne gutten som pleide å feie vissent løv i skolegården på San Gabriel, var nå en drapsmann. Det gikk rykter om at Fumero likviderte kjente personer mot penger, at han gjorde det av med politiske skikkelser etter bestilling fra diverse lyssky elementer, og at han var døden i egen høye person.

Aldaya og han kjente hverandre straks igjen i den disige luften på kafé Novedades. Aldaya var syk, tæret av en underlig feber som han mente skyldtes insektene i de amerikanske skogene. «Der borte er selv myggen noe faenskap,» klaget han. Fumero hørte på ham med en blanding av fascinasjon og vemmelse. Han følte stor aktelse for mygg og insekter i sin alminnelighet. Han beundret deres disiplin, deres standhaftighet og deres organisasjon. Hos dem fantes det ikke noen dovenskap, uærbødighet, sodomi eller degenerasjon. De artene han hadde mest sans for, var edderkoppdyrene, med deres selsomme kunst når det gjaldt å spinne en felle der de deretter med uendelig tålmodighet ventet på sitt bytte, som før eller siden bukket under, enten av dumhet eller av ørkesløshet. Etter hans oppfatning hadde det sivile samfunn mye å lære av insektene. Aldaya var et klart tilfelle av moralsk og fysisk forfall. Han var blitt påfallende eldet, og det var tydelig at han forsømte seg selv, at det ikke var spenst i musklene hans. Han holdt på å brekke seg.

– Javier, det er elendig med meg, tryglet Aldaya. – Kunne du gi meg en håndsrekning for noen dager?

Fumero ble nysgjerrig og bestemte seg for å ta med seg Jorge Aldaya hjem. Han bodde i en mørk leilighet i Raval, i Calle Cadena, sammen med en mengde insekter som han hadde liggende på apotekerflasker, og et halvt dusin bøker. Fumero avskydde bøker like mye som han forgudet insekter, men disse var ingen alminnelige bind: Det var romanene til Julián Carax, som var kommet ut på forlaget Cabestany. Fumero betalte damene som bodde i leiligheten vis-à-vis – en duo bestående av mor og datter som lot seg stikke og brenne med en sigarett når det var smått med kunder, især på slutten av måneden – for at de skulle ta seg av Aldaya mens han selv var på jobb. Han hadde ingen interesse av å se ham dø. Ikke ennå.

381

Francisco Javier Fumero var blitt tatt inn i kriminalpolitiet, der det alltid var jobb til kvalifiserte folk som var villige til ta de ubehageligste sakene, de som måtte løses med diskresjon, slik at respektable folk kunne leve videre i illusjonene sine. Noe slikt var det løytnant Durán hadde sagt, en mann med hang til dypsindige floskler, som han arbeidet under da han begynte i politiet.

– Det å være politi er ingen jobb, det er et kall, kunngjorde Durán. – Spania har bruk for mer baller og mindre preik.

Dessverre skulle det ikke vare lenge før løytnant Durán mistet livet i en oppsiktsvekkende ulykke som skjedde under en razzia i Barceloneta.

I tummelen under et basketak med noen anarkister hadde Durán kastet seg fem etasjer ned i en lyssjakt og blitt knust til en nellik av innvoller. Alle var enige om at Spania hadde mistet en stor mann, en hedersmann med fremtidsvyer, en tenker som ikke fryktet handling. Fumero overtok stolt etter ham, i vissheten om at han hadde gjort rett i å dytte ham, all den stund Durán var rent for gammel til jobben. Gamle folk – akkurat som krøplinger, sigøynere og homser – gjorde Fumero kvalm, med eller uten spenst i musklene. Noen ganger tok Gud feil. Det var ethvert hederlig menneskes plikt å rette opp slike små forsømmelser og sørge for å holde verden presentabel.

Noen uker etter dette møtet på kafé Novedades i mars 1932 begynte Jorge Aldaya å føle seg bedre og åpnet sitt hjerte for Fumero. Han ba om unnskyldning for at han hadde behandlet ham så dårlig i ungdommen, og med tårer i øynene fortalte han hele historien sin uten å utelate noe. Fumero lyttet taus, nikket, sugde til seg alt. Mens han gjorde det, spurte han seg selv om han burde drepe Aldaya der og da, eller vente litt. Han spurte seg selv om han ville være så svak at knivbladet knapt kunne rive en lunken dødskamp ut av den illeluktende skrotten som var blitt så dvask av all ledigangen. Han bestemte seg for å vente litt med viviseksjonen. Han undret seg over hele denne historien, særlig det som angikk Julián Carax.

Takket være opplysninger han hadde innhentet i forlaget Cabestany, visste han at Carax bodde i Paris, men Paris var en meget stor by, og det var etter alt å dømme ingen i forlaget som hadde den nøyaktige adressen. Ingen andre enn en kvinne som het Monfort, og som nektet å røpe den. Fumero hadde fulgt etter henne et par ganger når hun gikk fra forlaget, uten at hun merket det. Han hadde til og med sittet på trikken bare en halv meter fra henne. Kvinner la aldri merke til ham, og hvis de gjorde det, vendte de blikket bort og lot som om de ikke hadde sett ham. En kveld, etter at Fumero hadde fulgt etter henne til porten der hun bodde på Plaza del Pino, hadde han gått hjem og masturbert som besatt mens han forestilte seg at han lot kniven synke inn i kroppen til denne kvinnen, to–tre centimeter for hvert stikk, langsomt og metodisk, mens han så henne inn i øynene. Da ville hun kanskje formå seg til å gi ham adressen til Carax og behandle ham med den respekt en politioffiser har krav på.

Julián var den eneste Fumero hadde satt seg fore å drepe uten å få det til. Kanskje fordi han hadde vært den første, og med tiden lærer man. Da han hørte det navnet igjen, satte han opp det smilet som han skremte damene ved siden av med, uten å blunke, mens han langsomt lot tungen gli over overleppen. Han husket fremdeles hvordan Carax hadde kysset Penélope Aldaya i den herskapelige villaen i Avenida del Tibidabo. Hans Penélope. Hans kjærlighet hadde vært ren, sann, tenkte Fumero, som den man ser på kino. Fumero var svært glad i kino og gikk minst to ganger i uken. Det hadde vært på kino at Fumero hadde forstått at Penélope hadde vært hans livs kjærlighet. Resten, især moren, hadde bare vært horer. Mens han hørte de siste bitene av Aldayas fortelling, bestemte han at han likevel ikke skulle drepe ham. Faktisk frydet han seg over at skjebnen hadde ført dem sammen. Han så et herlig syn, akkurat som i de filmene han elsket så høyt: Aldaya skulle servere de andre for ham på et fat. Før eller siden skulle alle havne i hans garn.

6

Vinteren 1934 lyktes det endelig søsknene Moliner å få kastet Miquel ut av herskapsboligen i Puertaferrisa, som den dag i dag står tom og til nedfalls. Det eneste de ønsket, var å se ham på gaten, ribbet for det lille han hadde i behold, bøkene og den friheten og avsondretheten som virket så støtende og fikk hatet til å flamme i dem. Han ville ikke si noe til meg og kom heller ikke til meg og ba om hjelp. At han nærmest var brakt til tiggerstaven, var noe jeg ikke fikk vite før jeg oppsøkte det som hadde vært hjemmet hans og støtte på søsknenes leiesvenner, som var i full gang med å sette opp en fortegnelse over eiendommen og avhende de få gjenstandene som hadde tilhørt ham. Miquel hadde i flere netter sovet på et pensjonat i Calle Canuda, en skummel og fuktig rønne som hadde farge og lukt som et benhus. Da jeg så rommet han var henvist til, en slags likkiste uten vinduer og med en fengselsbriks, fikk jeg Miquel med hjem til meg. Han gjorde ikke annet enn å hoste og så helt nedkjørt ut. Han hevdet selv at det var en forkjølelse som ikke ville gi seg, bare noe småtteri som snart ville slippe taket og gå sin vei av bare kjedsomhet. Fjorten dager senere var han verre.

Ettersom han alltid gikk kledd i svart, tok det en stund før jeg skjønte at flekkene på ermene var blod. Jeg tilkalte lege, og det første han gjorde da han hadde undersøkt ham, var å spørre hvorfor jeg hadde ventet så lenge med å sende bud på ham. Miquel hadde tuberkulose. Nå var han syk og ruinert og levde bare på minner og samvittighetskvaler. Han var den snilleste og sarteste mann jeg hadde kjent, min eneste venn. Vi giftet oss en februarmorgen på et dommerkontor. Bryllupsreisen ble bare en tur med taubanen til Tibidabo, der vi var oppe og nøt utsikten over Barcelona fra terrassene i parken, en tåkesløret miniatyr. Vi sa ikke til noen at vi hadde giftet oss, verken Cabestany, min far eller hans familie, som regnet ham for død. Jeg skrev imidlertid et brev til Julián og fortalte ham det, men sendte det aldri. Det var et hemmelig ekteskap. Flere måneder etter bryllupet ringte det en fyr på døren og sa han het Jorge Aldaya. Han var stygt medtatt og ansiktet var badet i svette til tross for kulden som hadde bitt seg fast i alt, selv i steinene. Nå møttes de igjen etter over ti år, og Aldaya smilte bittert og sa: «Vi er fordømte, alle sammen, Miquel. Du, Julián, Fumero og jeg.» Han påsto at motivet for besøket var et forsøk på forsoning med hans gamle venn Miquel, i tillit til at han nå også ville hjelpe ham å kontakte Julián Carax, for han hadde en meget viktig beskjed til ham fra sin avdøde far, don Ricardo Aldaya. Miquel hevdet at han ikke visste hvor Carax befant seg.

– Det er mange år siden vi mistet kontakten, løy han. – Sist jeg hørte fra ham, bodde han i Italia.

Aldaya hadde ventet seg det svaret.

– Du skuffer meg, Miquel. Jeg stolte på at tiden og motgangen hadde gjort deg klokere.

– Det finnes skuffelser som er til heder for dem som inspirerer til dem.

Aldaya, som var så liten, rakittisk og i ferd med å løse seg opp i klumper av ren galle, lo.

– Fumero sender dere sine mest oppriktige gratulasjoner i anledning av bryllupet, sa han på vei til døren.

De ordene fikk blodet til å fryse til is i årene mine. Miquel ville ikke si noe, men den natten, mens jeg lå med armene rundt ham og vi begge lot som vi søkte en utenkelig søvn, skjønte jeg at Aldaya hadde hatt rett. Vi var fordømte.

Det gikk flere måneder uten at vi hørte noe mer fra Julián eller Aldaya. Miquel sendte fremdeles noen bidrag til pressen i Barcelona og Madrid. Han satt ved skrivemaskinen og arbeidet ustanselig, og det som kom ut av det, var det han kalte fjolleri og føde for trikkelesere. Jeg hadde beholdt jobben i Cabestany forlag, kanskje fordi det bare var slik jeg kunne føle meg nærmere Julián. Han hadde skrevet et kort brev til meg der han opplyste at han arbeidet på en ny roman med tittelen *Vindens skygge*, og han hadde godt håp om å bli ferdig med den om et par måneder. Brevet nevnte ikke med et ord det som var skjedd i Paris. Tonen var kaldere og fjernere enn noensinne. Mine forsøk på å hate ham var forgjeves. Jeg begynte å lure på om Julián ikke var et menneske, men en sykdom.

Miquel tok ikke feil når det gjaldt følelsene mine. Han skjenket meg sin kjærlighet og hengivenhet uten å forlange noe til gjengjeld, foruten mitt selskap og kanskje min diskresjon. Jeg hørte aldri en irettesettelse eller beklagelse fra hans munn. Med tiden begynte jeg å føle en uendelig ømhet for ham, ut over vennskapet som hadde ført oss sammen og medlidenheten som senere hadde fordømt oss. Miquel hadde åpnet en sparekonto i mitt navn, og der satte han inn nesten alle inntektene han fikk av å skrive i avisene. Han sa aldri nei til å skrive en artikkel, en kritikk eller en liten notis. Han skrev under tre pseudonymer, både fjorten og seksten timer i døgnet. Når jeg spurte hvorfor han arbeidet så mye, nøyde han seg med å smile, eller sa at om han ikke gjorde noe, ville han kjede seg. Det forekom ikke bedrag oss imellom, ikke engang uten ord. Miquel visste at han snart skulle dø, at sykdommen krafset grådig til seg av hans måneder.

– Du må love at om noe skulle skje, så tar du disse pengene og gifter deg om igjen, at du får barn og glemmer oss, meg først av alle.

– Hvem skulle jeg gifte meg med, da, Miquel? Ikke tøys.

Noen ganger grep jeg ham i å se på meg borte fra et hjørne, med et blidt smil som om bare det å betrakte meg var hans største skatt. Hver ettermiddag kom han og møtte meg utenfor forlaget, den eneste stunden på dagen han koblet av. Jeg så at han gikk krumbøyd, at han hostet og prøvde å gi inntrykk av en styrke som løste seg opp i skyggene. Vi tok oss en matbit eller kikket i butikkvinduene i Calle Fernando, så gikk vi hjem igjen, der han fortsatte å arbeide til over midnatt. Han velsignet stumt hvert minutt vi fikk være sammen, og hver natt sovnet han med armene rundt meg, og jeg måtte skjule tårene som presset på av raseri over at jeg hadde vært ute av stand til å elske denne mannen slik han elsket meg, ute av stand til å gi ham det jeg hadde lagt for Juliáns føtter uten å få noe igjen for det. Mange netter sverget jeg på at jeg skulle glemme Julián, at jeg skulle bruke resten av livet på å gjøre denne stakkars mannen lykkelig og gi ham tilbake om så bare noen smuler av det han hadde gitt meg. Jeg hadde vært elskerinnen til Julián i fjorten dager, men jeg skulle være konen til Miquel resten av livet. Hvis disse sidene en dag kommer deg i hende og du dømmer meg, slik jeg har gjort mens jeg skrev dem og så meg i dette forbannelsenes og samvittighetskvalenes speil, så skal du huske meg slik, Daniel.

Manuskriptet til Juliáns siste roman kom i slutten av 1935. Jeg vet ikke om det skyldtes forbitrelse eller frykt, men jeg lot den gå i trykken uten engang å lese den. Miquels siste sparepenger hadde allerede for flere måneder siden finansiert utgivelsen på forskudd. Cabestany, som allerede da slet med helsen, ga ellers en god dag i alt annet. Samme uke kom legen som pleide å se til Miquel, oppom til meg på forlaget og var meget bekymret. Han forklarte at hvis ikke Miquel satte ned arbeidstempoet og sørget for å hvile, var det lille han kunne gjøre for å holde tæringen i sjakk, fullstendig bortkastet.

– Han skulle ha vært på fjellet, ikke i Barcelona, hvor han må puste i skyer av lut og kullstøv. Ikke er han en katt med ni liv heller, likesom jeg ikke er noen barnepike. De må få ham til å ta til vettet. Meg hører han ikke på.

Jeg tok meg fri midt på dagen og dro hjem for å snakke med ham. Før jeg åpnet døren til leiligheten, hørte jeg stemmer der inne. Miquel diskuterte med en eller annen. Først trodde jeg det var noen fra avisen, men så syntes jeg at jeg hørte navnet Julián i samtalen. Jeg hørte skritt som nærmet seg døren og løp og gjemte meg på trappeavsatsen til loftet. Derfra så jeg et skimt av gjesten.

En svartkledd mann med ansiktstrekk der likegyldigheten var meislet inn og smale lepper som et åpent arr. Øynene var svarte og uttrykksløse, øyne som bek. Før han forsvant ned trappen, stanset han og så opp i halvmørket. Jeg lente meg inntil veggen og holdt pusten. Gjesten ble stående der et øyeblikk, som om han kjente lukten av meg, og slikket seg om munnen med et rovdyrsmil. Jeg ventet til fottrinnene hans var stilnet helt av før jeg forlot skjulestedet og gikk inn. Det hang en lukt av kamfer i luften. Miquel satt ved vinduet med hendene hengende langs siden av stolen. Leppene bevret. Jeg spurte hvem den mannen var og hva han ville.

– Det var Fumero. Han kom med nytt om Julián.

– Hva vet han om Julián?

Miquel så på meg, mer nedbrutt enn noensinne.

– Julián skal gifte seg.

Nyheten gjorde meg målløs. Jeg dumpet ned på en stol, og Miquel grep hendene mine. Han snakket med anstrengt, sliten stemme. Før jeg fikk frem et ord, ga Miquel meg et sammendrag av det Fumero hadde redegjort for og hva man kunne tenke seg i den forbindelse. Fumero hadde benyttet sine kontakter med politiet i Paris for å oppspore Julián Carax og holde et øye med ham. Miquel antok at det kunne ha skjedd for flere måneder, kanskje år siden. Det som bekymret ham, var ikke at Fumero hadde funnet Carax, for det hadde bare vært et tidsspørsmål, men det at han hadde bestemt seg for å avsløre det nå, sammen med den besynderlige nyheten om et usannsynlig giftermål. Bryllupet skulle, så vidt man visste, stå tidlig på sommeren 1936. Om bruden visste man ikke annet enn navnet, som i dette tilfellet var mer enn tilstrekkelig: Irene Marceau, vertinnen på det etablissementet der Julián hadde arbeidet som pianist i årevis.

– Det skjønner jeg ikke, mumlet jeg. – Skulle Julián gifte seg med velgjøreren sin?

– Akkurat. Det er ikke noe bryllup. Det er en kontrakt.

Irene Marceau var femogtyve–tredve år eldre enn Julián. Miquel hadde en mistanke om at Irene hadde bestemt seg for å inngå dette ekteskapet bare for at arven skulle gå til ham, slik at hans fremtid dermed var sikret.

– Men hun hjelper ham jo allerede. Hun har alltid hjulpet ham.

– Hun skjønner kanskje at hun ikke kommer til å være der bestandig, foreslo Miquel.

Ekkoet av de ordene gikk for sterkt inn på oss. Jeg kastet meg på kne ved siden av ham og slo armene rundt ham. Jeg bet meg i leppene for at han ikke skulle se at jeg gråt.

– Julián elsker ikke denne kvinnen, Nuria, sa han, for han trodde det var derfor jeg var så sønderknust.

Jeg så opp og møtte smilet til Miquel, et gammelt og klokt barns smil.

– Hva har Fumero tenkt å oppnå ved å trekke frem denne saken akkurat nå?

Det varte ikke lenge før vi fant det ut. Noen dager senere troppet en gjenferdsaktig og utsultet Jorge Aldaya opp hos oss, flammende av vrede og raseri. Fumero hadde fortalt ham at Julián Carax skulle gifte seg med en rik kvinne i en seremoni med så mye pomp og prakt at det hørte føljetongenes verden til. Aldaya hadde i flere dager gått og gremmet seg ved tanken på mannen som hadde forvoldt all hans ulykke, hadde sett ham for seg kledd i flitterstas, mens han veltet seg i en formue som han selv hadde sett forsvinne. Fumero hadde ikke fortalt ham at Irene Marceau, som ganske riktig satt ganske godt i det, var innehaversken av et bordell, ikke en prinsesse i et wienereventyr. Han hadde ikke fortalt at bruden var tredve år eldre enn Carax, og at det hele ikke var så mye et bryllup som en barmhjertighetsgjerning mot en mann som var uten utkomme og på bar bakke. Han hadde ikke fortalt når eller hvor bryllupet skulle stå. Han hadde nøyd seg med å så frøene til en fantasi som tæret på det lille som feberen ikke hadde ødelagt i den inntørkede og stinkende kroppen.

– Fumero har løyet for deg, Jorge, sa Miquel.

– Og du, alle løgnhalsers konge, våger å anklage din neste! ropte Aldaya.

Det var ikke nødvendig for Aldaya å røpe tankene sine, for så skinnmager som han var, kunne man lese dem i det kadaveraktige ansiktet hans som ord under det gustne skinnet. Miquel så klart for seg hvilket spill Fumero bedrev. Det var jo han som hadde lært ham å spille sjakk på San Gabriel, den gang for over tyve år siden. Fumero hadde lagt opp til samme strategi som en kneler og hadde tålmodighet på linje med de udødelige. Miquel sendte et brev til Julián og advarte ham.

Da Fumero mente at tiden var inne, tok han Aldaya til side og forgiftet hans hjerte med bittert nag og sa at Julián skulle gifte seg om tre dager. Ettersom han var politioffiser, fremholdt han, kunne han ikke involvere seg i en slik sak. Aldaya kunne derimot som sivilperson dra til Paris og sørge for at det bryllupet aldri ble noe av. Hvordan? må en febrilsk Aldaya ha spurt, forkullet av uforsonlig hat. Ved å utfordre ham til duell på selve bryllupsdagen. Fumero gikk så langt at han skaffet våpenet som Jorge var overbevist om at han skulle bruke til å gjennomhulle det gallefylte hjertet som hadde ruinert Aldayas familiedynasti. Rapporten fra politiet skulle senere opplyse at det våpenet som ble funnet ved føttene hans, var defekt, og at det aldri hadde kunnet gjøre noe annet enn det det gjorde: eksplodere i ansiktet på ham. Det visste Fumero allerede da han overrakte det i et futteral på perrongen på Francia-stasjonen. Han visste utmerket godt at feberen, dumheten og det blinde raseriet ville hindre ham i å drepe Julián Carax i en søvndrukken duell på kirkegården Père Lachaise. Og skulle det falle seg slik at han greide å samle krefter og åndsevner til å gjøre det, ville det våpenet han bar, gjøre det av med ham. Det var ikke Carax som skulle dø i den duellen, men Aldaya. Hans meningsløse tilværelse, hans kropp og sjel som allerede var gått i stå, men som Fumero tålmodig hadde tillatt å vegetere, skulle på den måten oppfylle sin funksjon.

Fumero visste også at Julián aldri ville gå med på å stille opp mot sin gamle kamerat, døende og redusert til noe så begredelig. Derfor ga han også Aldaya klare instrukser om hvordan han skulle gå til verks. Han skulle vedgå at brevet som Penélope hadde skrevet for flere år siden, der hun opplyste at hun skulle gifte seg og ba ham om å glemme henne, var narreri. Han skulle avsløre at det var han selv, Jorge Aldaya, som hadde tvunget søsteren til å nedtegne den remsen av løgner mens hun gråt av fortvilelse og utropte sin udødelige kjærlighet til Julián for alle vinder. Han skulle si at hun hadde ventet på ham, med sønderbrutt sjel og blødende hjerte, siden den gang, døden nær av gremmelse. Det skulle være nok. Det skulle være nok til at Carax trykket på avtrekkeren og skjøt ansiktet hans i filler. Det skulle være nok til at han glemte bryllupsplanene og ikke kunne huse noen annen tanke enn at han måtte tilbake til Barcelona og finne tilbake til Penélope og et liv som var ødslet bort. Og i Barcelona, det store spindelvevet som han hadde gjort til sitt eget, skulle Fumero vente på ham.

7

Julián Carax krysset den franske grensen bare noen dager før borgerkrigen brøt ut. Den første og eneste utgaven av *Vindens skygge* var kommet fra trykkeriet et par uker før, på vei mot forgjengernes grå anonymitet og usynlighet. Miquel kunne da knapt arbeide mer, og selv om han satte seg foran skrivemaskinen i to–tre timer hver dag, var han så svak og feberhet at han ikke kunne få ett ord ned på papiret. Han hadde mistet flere av de faste spaltene fordi han var for sent ute med leveringen. Andre aviser var redde for å trykke artiklene hans etter å ha mottatt flere anonyme trusler. Han hadde bare beholdt én daglig spalte i Diario de Barcelona, og den signerte han *Adrián Maltés*. Krigens spøkelse kunne allerede spores i luften. Landet stinket av redsel. Uten noe å ta seg til, og altfor svak til å beklage seg, pleide Miquel å gå ned på plassen eller bort til Avenida de la Catedral, og alltid hadde han da med seg en av bøkene til Julián, som om den var en amulett. Sist legen hadde veid ham, var han ikke så mye som seksti kilo. Vi hørte nyheten om oppstanden i Marokko i radioen, og bare noen måneder senere kom en kamerat fra Miquels avis opp til oss og fortalte at Cansino, redaksjonssjefen, var blitt drept med et nakkeskudd på kafé Canaletas for to timer siden. Ingen våget å hente liket, som lå der fremdeles, og tegnet et spindelvev av blod på fortauet.

De korte, men intense første dagenes terror lot ikke vente på seg. General Godeds tropper rykket inn på La Diagonal og Paseo de Gracia og gikk i retning av sentrum, der det ble åpnet ild. Det var en søndag, og mange barcelonesere var fremdeles ute og gikk og trodde de kunne tilbringe dagen på et lite spisested i Carretera de Las Planas. Men krigens svarteste dager i Barcelona lå fremdeles to år unna. Like etter at skuddvekslingen var begynt, overga general Godeds styrker seg, ved et mirakel eller på grunn av dårlig informasjon mellom dem som hadde kommandoen.

Det kunne se ut som om regjeringen til Lluís Companys hadde gjenvunnet kontrollen, men det som egentlig var skjedd, hadde mye større rekkevidde og skulle begynne å avtegne seg klarere i ukene som fulgte.

Barcelona var kommet på de anarkistiske syndikatenes hender. Etter flere dagers uroligheter og gatekamper gikk det endelig rykter om at de fire opprørsgeneralene var blitt henrettet i Montjuïc-borgen like etter kapitulasjonen. En venn av Miquel, en britisk journalist som var til stede, sa at eksekusjonspelotongen besto av syv mann, men at dusinvis av militssoldater i siste sekund hadde sluttet seg til moroa. Da de åpnet ild, fikk kroppene så mange kuler i seg at de falt sammen i ugjenkjennelige biter, og da man la dem i kistene, var de nærmest i flytende form. Noen ønsket å tro at det var slutten på konflikten, at de fascistiske troppene aldri ville komme til Barcelona, og at opprøret ville dø ut på veien. Men det var bare en forsmak.

Vi fikk vite at Julián var i Barcelona samme dag som Goded overga seg, da vi fikk et brev fra Irene Marceau, som fortalte at Julián hadde drept Jorge Aldaya i en duell på kirkegården Père Lachaise. Allerede før Aldaya utåndet, hadde en anonym telefon-oppringning varslet politiet om det som var skjedd. Julián måtte flykte fra Paris øyeblikkelig, forfulgt av politiet som ville arrestere ham for drap. Vi var ikke i tvil om hvem som sto bak den oppringningen. Vi ventet spent på å høre fra Julián for å varsle ham om faren som lurte, og beskytte ham mot en felle som var enda verre enn den Fumero hadde satt opp, nemlig at han skulle få vite sannheten. Tre dager senere hadde Julián fremdeles ikke gitt livstegn fra seg. Miquel ville ikke dele sine bekymringer med meg, men jeg visste utmerket godt hva han tenkte på. Julián var kommet tilbake på grunn av Penélope, ikke oss.

– Hva vil skje når han får vite sannheten? spurte jeg.

– Vi får sørge for at det ikke skjer, svarte Miquel.

Det første han ville få brakt på det rene, var at familien Aldaya var sporløst forsvunnet. Han ville ikke finne mange steder der han kunne begynne å lete etter Penélope. Vi satte opp en liste over de stedene og la ut på en rundtur. Den staselige villaen i Avenida del Tibidabo var nå ikke mer enn en forlatt eiendom, avsperret med kjettinger og tett eføy. En blomsterhandler som solgte roser og nelliker på det motsatte hjørnet, sa at han bare kunne huske ett menneske som hadde nærmet seg huset i det siste, men det var en eldre mann, nesten en olding, og litt halt.

– Den mannen var ikke god. Jeg ville selge ham en nellik til knapphullet, og han ba meg dra til helvete og sa det var krig og ingen tid for blomster.

Han hadde ikke sett noen andre. Miquel kjøpte noen visne roser av ham, og for alle tilfellers skyld ga han ham telefonnummeret til redaksjonen i Diario de Barcelona, så han kunne gi beskjed om noen som kunne ligne Carax, skulle dukke opp der. Vårt neste stoppested var San Gabriel, der Miquel møtte igjen Fernando Ramos, den gamle skolekameraten.

Fernando underviste nå i latin og gresk og gikk i ordensdrakt. Da han så Miquel i en så elendig forfatning, sank hjertet i livet på ham. Han sa at han ikke hadde fått noe besøk av Julián, men lovte å ta kontakt om det skjedde og prøve å holde på ham. Fumero hadde vært der før oss, tilsto han skremt. Nå kalte han seg inspektør Fumero og hadde sagt at i krigstider var det best å passe seg litt.

– Mange mennesker kom til å dø med det første, og uniformer, de være seg presters eller soldaters, stoppet ikke kulene ...

Fernando Ramos innrømmet at det ikke var klart hvilket korps eller hvilken gruppe Fumero tilhørte, og han var iallfall ikke den som formastet seg til å spørre. Det er umulig for meg å beskrive de første krigsdagene i Barcelona, Daniel. Det var som om luften var forgiftet av frykt og hat. Alle blikk var fulle av mistro, og gatene luktet av en stillhet som kjentes i magen. Hver dag, hver time gikk det nye rykter og sladderhistorier. Jeg husker en kveld jeg var på vei hjem, og Miquel og jeg tok Ramblas nedover. Gaten øde, ikke en sjel å se. Miquel så på fasadene, ansiktene som var skjult mellom sprossene i vindusskoddene og speidet ut i skyggene, og sa at man kunne føle at knivene ble slipt bak murene.

Dagen etter oppsøkte vi Fortuny hatteforretning uten stort håp om å finne Julián der. En nabo i oppgangen sa at hattemakeren var skrekkslagen etter de siste dagenes bruduljer og hadde stengt seg inne i butikken. Hvor mye vi enn banket på, ville han ikke lukke opp for oss. Den ettermiddagen hadde det vært skyting bare et kvartal unna, og blodpølene var ennå ferske i Ronda de San Antonio, der et hestekadaver fremdeles lå slengt på brolegningen, overlatt til herreløse hunder som satte tennene i det og rev opp magen på det, mens noen unger sto og kikket og kastet stein etter dem. Det eneste vi oppnådde, var et glimt av det forskremte ansiktet hans bak gitteret i døren. Vi sa at vi så etter hans sønn Julián. Hattemakeren svarte at sønnen var død og at vi skulle ha oss bort, ellers ringte han etter politiet. Vi gikk motløse vår vei.

I dagevis trålet vi kafeer og forretninger og spurte etter Julián. Vi forhørte oss på hoteller og pensjonater, på jernbanestasjoner, i banker der han kunne ha vært for å veksle penger ... ingen kunne huske en mann som passet til beskrivelsen av Julián. Vi fryktet at han kanskje hadde falt i Fumeros klør, og Miquel klarte å få en av kollegene i avisen, som hadde forbindelser på politistasjonen, til å undersøke om Julián var satt i fengsel. Det var ingenting som tydet på det. Det var gått fjorten dager, og Julián var som sunket i jorden.

Miquel sov omtrent aldri, ventet bare på å høre nytt om vennen. Sent en ettermiddag var Miquel på vei hjem fra den daglige spaserturen med en flaske portvin, verken mer eller mindre. Den hadde han fått forærende i avisen, sa han, fordi redaksjonssekretæren hadde gitt beskjed om at de ikke kunne trykke spalten hans mer.

– De vil ikke ha noe bråk, og jeg forstår dem.

– Hva skal du gjøre, da?

– Drikke meg full i første omgang.

Miquel drakk snaut et halvt glass, men jeg helte i meg nesten hele flasken uten å tenke over det og på tom mage. Det var nesten midnatt da jeg ble overmannet av en uutholdelig døs og ramlet over ende på sofaen. Jeg drømte at Miquel kysset meg på pannen og bredte over meg en stola. Da jeg våknet, kjente jeg grusomme stikk av smerte i hodet og visste at det var forspillet til en forferdelig bakrus. Jeg så meg forarget om etter Miquel for å spørre hvordan han hadde kunnet finne på å skjenke meg så full, men skjønte fort at jeg var alene i leiligheten. Jeg gikk bort til skrivebordet og så at det var en beskjed på skrivemaskinen, der han sa at jeg ikke måtte bli urolig og vente på ham der. Han hadde gått ut for å se etter Julián og skulle snart ha ham med seg hjem. Han sluttet med å si at han elsket meg. Lappen falt ut av hendene mine. I det samme oppdaget jeg at Miquel før han gikk, hadde ryddet bort tingene sine fra skrivebordet, som om han ikke hadde tenkt å bruke dem mer, og jeg skjønte at jeg aldri mer skulle få se ham.

8

Den ettermiddagen hadde blomsterhandleren ringt til redaksjonen i Diario de Barcelona og lagt igjen en beskjed til Miquel: Han hadde sett den mannen vi hadde beskrevet luske rundt huset som et annet spøkelse. Det var allerede over midnatt da Miquel kom til nummer 32 i Avenida del Tibidabo, et skummelt og ødslig dalsøkk herjet av månespyd som trengte gjennom skogholtet. Til tross for at det var sytten år siden sist han så ham, kjente Miquel igjen Julián på den lette, nesten katteaktige gangen. Silhuetten smøg seg gjennom halvmørket i parken, like ved fontenen. Julián hadde hoppet over hagemuren og sneket seg innpå huset som et hvileløst dyr. Miquel kunne ha ropt på ham derfra, men ville helst ikke påkalle mulige vitners oppmerksomhet. Han hadde inntrykk av at stjålne blikk speidet mot avenyen fra de mørke vinduene i nabohusene. Han gikk rundt muren til baksiden av eiendommen, den som vendte mot de gamle tennisbanene og vognskjulene. Han skjelnet hakkene i steinen som Julián hadde brukt som trapp, og de løse flisene på muren. Han heiste seg andpusten opp og kjente dype sting i brystet og en snert av blindhet i blikket. Han la seg rett ut på muren med skjelvende hender og ropte hviskende på Julián. Silhuetten som travet rundt fontenen, ble stående urørlig og gled i ett med de andre statuene. Miquel kunne se glansen i et par øyne som var festet på ham. Han lurte på om Julián ville kjenne ham igjen etter sytten år og en sykdom som hadde tatt fra ham alt, til og med pusten. Silhuetten kom sakte nærmere og svingte en gjenstand i høyre hånd, skinnende og avlang. Et glass.

– Julian …, mumlet Miquel.

Skikkelsen bråstanset. Miquel hørte glasset falle i grusen. Juliáns ansikt trådte frem fra det svarte mørket. Fjorten dagers skjegg dekket ansiktstrekkene, som var blitt skarpere.

– Miquel?

Ute av stand til å hoppe over på den andre siden, eller bare å komme seg ut på gaten igjen, rakte Miquel frem hånden. Julián heiste seg opp på muren, tok vennens neve i et fast grep og la håndflaten på ansiktet hans. De så taust på hverandre, lenge, fornemmet sårene som livet hadde skåret inn i den andre.

– Vi må bort herfra, Julián. Fumero leter etter deg. Det der med Aldaya var en felle.

– Jeg vet det, mumlet Carax uten tonefall eller klang i stemmen.

– Huset er låst. Det har ikke bodd noen her på mange år, la Miquel til. – Kom, hjelp meg ned, og så kommer vi oss vekk herfra.

Carax klatret igjen opp på muren. Idet han grep fatt i Miquel med begge hender, følte han hvordan vennens kropp var tæret bort under de altfor romslige klærne. Det fantes omtrent ikke kjøtt eller muskler. Da Carax hadde kommet seg over, tok han Miquel under skuldrene og nesten bar ham med hele hans vekt gjennom mørket bortover Calle Román Macaya.

– Hva er det med deg? mumlet Carax.

– Det er ingenting. Bare litt feber. Jeg er på bedringens vei alt.

Miquel utsondret allerede lukten av sykdommen, og Julián spurte ikke mer. De fortsatte nedover León XIII til Paseo de San Gervasio, der de skimtet lysene i en kafé. De slo seg ned ved et bord innerst inne, langt borte fra inngangen og vinduene. Et par stamgjester gikk sammen om å tilsløre bardisken med en siga- rett og duren fra radioen. Servitøren, en mann med voksfarget hud og blikket korsfestet i gulvet, tok imot bestillingen. Lunken brandy, kaffe og det de hadde igjen av spiselige ting.

Miquel smakte ikke en matbit. Carax var tilsynelatende umet- telig og spiste for dem begge. De to vennene så på hverandre i det klebrige lyset på kafeen, og lot seg rive med av tidens trolldom. Sist de hadde sett hverandre ansikt til ansikt, hadde de vært halv- parten så gamle. De hadde sagt farvel som gutter, og nå sendte livet dem tilbake, den ene som flyktning, den andre som døende. Begge spurte seg selv om det hadde vært kortene som livet hadde gitt dem, eller om det hadde vært måten de spilte dem på.

– Jeg har aldri takket deg for alt du har gjort for meg i disse årene, Miquel.

– Ikke begynn nå. Jeg gjorde det jeg måtte og ville. Det er ingenting å takke for.

– Hvordan har Nuria det?

– Som da du forlot henne.

Carax slo blikket ned.

– Vi giftet oss for flere måneder siden. Jeg vet ikke om hun har skrevet og fortalt deg det?

Carax' lepper stivnet, og han ristet sakte på hodet.

– Du har ikke rett til å bebreide henne, Julián.

– Jeg vet det. Jeg har ikke rett til noe.

– Hvorfor gikk du ikke til oss, Julián?

– Jeg ville ikke blande dere inn i dette.

– Det er ikke lenger i din hånd. Hvor har du vært disse dagene? Vi trodde du var sunket i jorden.

– Nesten. Jeg har vært hjemme. Hos far.

Miquel så forbløffet på ham. Julián fortalte nå hvordan han, da han kom til Barcelona og ikke visste hvor han skulle gjøre av seg, hadde begitt seg til huset der han var vokst opp, og fryktet at det ikke lenger var noen der. Hatteforretningen besto fremdeles, den var åpen, og en eldgammel mann, uten hår og uten ild i blikket, satt og hang bak disken. Han hadde ikke villet gå inn, heller ikke la ham vite at han var tilbake, men Antoni Fortuny hadde hevet blikket og sett på den fremmede som sto på den andre siden av vinduet. Blikkene deres hadde møttes, og Julián, som helst ville ha lagt på sprang, var blitt stående lamslått. Han så at det dannet seg tårer i ansiktet til hattemakeren, som slepte seg bort til døren og kom stumt ut på gaten. Uten et ord geleidet han sønnen inn i butikken, rullet ned gitteret, og straks utenverdenen var utestengt, slo han armene rundt ham, skalv over hele kroppen og gråt hylende tårer.

Senere fortalte hattemakeren at politiet hadde vært der og spurt etter ham for to dager siden. En viss Fumero, en illgjeten mann som etter sigende for bare en måned siden hadde stått på lønningslisten til general Godeds slaktere, og nå utga seg for å være en venn av anarkistene, hadde sagt at Carax var underveis til Barcelona, at han hadde myrdet Jorge Aldaya med kaldt blod i Paris, og at han var ettersøkt for flere andre forbrytelser som Fumero ramset opp, men hattemakeren ikke gadd å høre på. Fumero stolte på at om den fortapte sønn ved en fjern og usannsynlig tilfeldighet skulle vise seg der, ville hattemakeren vennligst gjøre sin borgerplikt og melde fra. Fortuny hadde sagt at man selvsagt kunne stole på ham. Han syntes det var fælt at en slange som Fumero regnet det som opplagt at han var så tarvelig, men straks politiets uhellssvangre følge hadde forlatt butikken, bega hattemakeren seg til kapellet i katedralen der han var blitt kjent med Sophie, for å be helgenen om å styre sønnens skritt tilbake til hjemmet før det var for sent. Da Julián så oppsøkte faren, advarte hattemakeren ham mot farene som truet.

– Hva det enn er som har ført deg til Barcelona, gutten min, la meg gjøre det for deg mens du gjemmer deg her hjemme. Rommet ditt er som da du forlot det, og det er ditt så lenge du måtte trenge det.

Julián tilsto at han var kommet tilbake for å finne Penélope Aldaya. Hattemakeren sverget på at han skulle finne henne, og når de igjen var sammen, skulle han hjelpe dem å flykte til et trygt sted, langt borte fra Fumero, fra fortiden, fra alt.

I flere dager hadde Julián gjemt seg i leiligheten i Ronda de San Antonio mens hattemakeren dro byen rundt og lette etter Penélope. Han tilbrakte dagene i det gamle rommet sitt, som var seg selv likt, akkurat som faren hadde lovt, selv om alt nå virket så mye mindre, som om husene og tingene, eller kanskje det bare var livet, hadde skrumpet med tiden. Mange av de gamle skriveheftene hans var der fremdeles, blyanter som han husket han hadde spisset den uken han reiste til Paris, bøker som ventet på å bli lest, rene gutteklær i skapene. Hattemakeren fortalte at Sophie hadde forlatt ham like etter at han flyktet, og selv om han ikke hadde hørt noe fra henne på mange år, hadde hun endelig skrevet til ham fra Caracas, der hun en stund hadde bodd sammen med en annen mann. De brevvekslet regelmessig, «og snakket alltid om deg,» betrodde hattemakeren ham, «for du er det eneste som forener oss.» Da han ytret de ordene, fikk Julián inntrykk av at hattemakeren hadde ventet med å forelske seg i sin kone til etter at han hadde mistet henne.

– Man elsker bare virkelig én gang i livet, Julián, selv om man ikke tenker over det.

Hattemakeren, som tilsynelatende var fanget i et kappløp med tiden for å gjøre godt igjen et helt livs motgang, var ikke i tvil om at Penélope var den kjærligheten som bare hadde én stasjon i sønnens liv, og uten å tenke over det trodde han at om han hjalp ham å få den tilbake, ville han kanskje også selv få tilbake noe av det han hadde mistet, den tomheten som herjet huden og knoklene med en forbannelses villskap.

Tross standhaftig innsats, og til sin store fortvilelse, brakte hattemakeren fort på det rene at det ikke var spor etter Penélope Aldaya eller familien hennes i hele Barcelona. Hattemakeren var en mann av ringe herkomst og hadde vært nødt til å arbeide hele livet for å holde det gående, og hadde derfor alltid tvilt på pengenes og avstamningens udødelighet. Femten års ruin og elendighet hadde vært nok til å utslette palassene, fabrikkene og sporene av store slekter fra jordens overflate. Når han nevnte etternavnet Aldaya, kjente noen igjen klangen i ordet, men nesten ingen husket hva det betydde. Den dagen Miquel Moliner og Nuria Monfort oppsøkte hatteforretningen og spurte etter Julián, hadde hattemakeren vært sikker på at de var et par snushaner som Fumero hadde sendt ut. Ingen skulle få tatt fra ham sønnen igjen. Denne gangen kunne den allmektige Gud stige ned fra himmelen, den samme Gud som et helt liv hadde overhørt hans inderlige bønner, og han ville selv gladelig rive øynene ut på ham om han våget å rive Julián bort fra hans skipbrudne liv enda en gang.

Hattemakeren var den mannen som blomsterhandleren husket at han hadde sett for noen dager siden mens han lusket rundt huset i Avenida del Tibidabo. Det blomsterhandleren tolket som onde hensikter, var ikke annet enn den faste viljen til dem som heller sent enn aldri har funnet et mål i livet og forfølger det med den villskap som skriver seg fra den tid som er spilt forgjeves. Beklageligvis ville Herren ikke lytte til hattemakerens bønner denne siste gangen, og han hadde allerede overskredet fortvilelsens terskel da han skjønte at han ikke kunne finne det han søkte, redningen for sin sønn, for seg selv, i sporet etter en pike som ingen lenger husket og ingen visste noe om. Hvor mange tapte sjeler trenger du, Herre, for å mette din appetitt? spurte hattemakeren. Gud, i sin uendelige stumhet, stirret på ham uten å blunke.

– Jeg finner henne ikke, Julián … Jeg sverger at …

– Ikke ta det så tungt, far. Dette er noe jeg må gjøre selv. Du har allerede hjulpet meg så godt du kan.

Den natten hadde Julián endelig begitt seg ut på gaten, fast bestemt på å finne spor etter Penélope.

Miquel lyttet til det vennen hadde å fortelle, og var i villrede om hvorvidt det her var snakk om et mirakel eller en forbannelse. Det falt ham ikke inn å tenke på servitøren, som var gått bort til telefonen og mumlet noe bak ryggen deres, heller ikke at han etterpå kastet stadige skrå blikk mot døren, pusset glassene med påfallende nidkjærhet i et lokale der skitten brutalt hadde oppkastet seg til ubestridt herre, mens Julián gjorde rede for det som var skjedd da han kom til Barcelona. Det falt ham ikke inn at Fumero kunne ha vært på denne kafeen allerede, på flere titalls kafeer som denne, på et steinkasts avstand fra Aldayas herskapsbolig, og straks Carax satte sine ben i en av dem, var det bare et spørsmål om sekunder før det ble tatt en telefon. Da politibilen stanset utenfor kafeen og servitøren trakk seg tilbake til kjøkkenet, følte Miquel den kalde og opphøyede ro som følger med det skjebnebestemte. Carax leste blikket hans, og begge snudde seg samtidig. Tre grå gabardinfrakkers gjenferdsaktige omriss flagret bak vinduene. Tre ansikter som spyttet damp på ruten. Ingen av dem var Fumero. Åtselgribbene kom før ham.

– La oss komme oss vekk herfra, Julian ...

– Det er ingen steder å gå, sa Carax med en sinnsro som fikk vennen til å betrakte ham inngående.

I det samme fikk han se revolveren i Juliáns hånd, og den kalde beredskapen i blikket. Bjellen over døren skar seg inn i mumlingen fra radioen. Miquel rev pistolen ut av hendene på Carax og så stivt på ham.

– Gi meg papirene dine, Julián.

De tre politimennene lot som de skulle sette seg ved bardisken. Den ene kastet et skrått blikk på dem. De to andre rotet i innerlommene.

– Papirene dine, Julián. Nå.

Carax ristet stumt på hodet.

– Jeg har en måned igjen, to om jeg er heldig. En av oss må komme oss ut herfra, Julián. Du har flere poeng enn meg. Jeg vet ikke om du vil finne Penélope. Men Nuria venter på deg.

– Nuria er din kone.

– Husk overenskomsten vår. Når jeg dør, skal alt mitt bli ditt ...

– ... unntatt drømmene.

De smilte til hverandre for siste gang. Julián rakte ham passet sitt. Miquel la det sammen med det eksemplaret av *Vindens skygge*, som han hadde hatt i frakkelommen siden den dagen han mottok det.

– Vi sees, mumlet Julián.

– Det har ingen hast. Jeg venter på deg.

Akkurat idet de tre politimennene snudde seg mot dem, reiste Miquel seg fra bordet og gikk mot dem. Først så de bare en blek og skjelvende dødssyk mann som smilte til dem mens blodet piplet frem fra de de smale, livløse munnvikene. Da de oppdaget revolveren i den høyre hånden hans, var Miquel allerede bare tre meter fra dem. Den ene ville skrike, men det første skuddet rev løs underkjeven hans. Kroppen sank livløs på kne foran Miquel. De to andre politimennene hadde allerede trukket våpnene sine. Det andre skuddet gikk gjennom magen på ham som så eldst ut. Kulen kløvde ryggsøylen i to og spyttet en håndfull innvoller mot bardisken. Miquel rakk ikke å avfyre det tredje skuddet. Den gjenværende politimannen hadde ham allerede på kornet. Han følte våpenet mot ribbena, over hjertet, og det stålgrå blikket lyste av panikk.

– Helt rolig nå, ditt svin, ellers blåser jeg hull i deg.

Miquel smilte og løftet sakte revolveren mot ansiktet på politimannen. Han kunne ikke være mer enn femogtyve år, og leppene skalv.

– Hils Fumero så mye fra Carax og si at jeg husker matrosforkledningen hans.

Han følte ingen smerte eller ild. Det var som et dumpt hammerslag som rev med seg tingenes lyd og farge og kastet ham mot glassdøren. Idet han braste gjennom den og merket at en isnende kulde steg opp gjennom strupen og lyset drev bort som støv i vinden, vendte Miquel Moliner for siste gang blikket og så sin venn Julián løpe nedover gaten. Han var seksogtredve år, mer enn han hadde ventet å få leve. Før han sank sammen på fortauet der blodige glasskår lå strødd, var han død.

9

Den natten, mens Julián ble borte i natten, kom det en varevogn uten skilt ilende, tilkalt av mannen som hadde myrdet Miquel. Jeg fikk aldri brakt på det rene hva han het, og jeg tror heller ikke han visste hvem han hadde myrdet. I likhet med alle kriger, private eller i stor målestokk, var dette et spill med marionetter. To menn lempet de døde betjentenes kropper inn i bilen og foreslo samtidig for bartenderen at han skulle glemme det som var skjedd, for ellers kunne han få alvorlige problemer. Du skal aldri undervurdere den evnen til glemsel som utvikles under kriger, Daniel. Miquels lik ble slengt ut i et trangt smug i Raval tolv timer senere, for at hans død ikke skulle kunne settes i forbindelse med de to betjentenes. Da kroppen omsider kom til likhuset, hadde den vært død i to dager. Miquel hadde lagt igjen alle papirene sine hjemme før han gikk. Det eneste funskjonærene på likhuset fant, var et pass i Julián Carax' navn, nesten ukjennelig, og et eksemplar av Vindens skygge. Politiet kom til at den avdøde var Carax. Passet oppga at hans bopel fremdeles var Fortunys leilighet i Ronda de San Antonio.

Imens var nyheten kommet Fumero for øre, og han gikk innom likhuset for å ta et siste farvel med Julián. Der møtte han hattemakeren, som politiet hadde henvendt seg til for å få identifisert liket. Señor Fortuny, som ikke hadde sett noe til Julián på to dager, fryktet det verste. Da han kjente igjen liket til den som for snaut en uke siden hadde banket på hos ham og spurt etter Julián (og som han hadde tatt for å være en av Fumeros snushaner), satte han i skingrende skrik og gikk sin vei. Politiet antok at denne reaksjonen var et tegn på gjenkjennelse. Fumero, som hadde vært vitne til opptrinnet, gikk bort til liket og gransket det i taushet. Han hadde ikke sett Julián Carax på sytten år. Da han kjente igjen Miquel Moliner, nøyde han seg med å smile og undertegnet den rettsmedisinske rapporten som stadfestet at dette liket tilhørte Julián Carax, og ga ordre om at det umiddelbart skulle bringes til en fellesgrav på Montjuïc.

I lange tider spurte jeg meg selv hvorfor Fumero hadde opptrådt slik. Men det var ikke annet enn Fumeros form for logikk. Da Miquel døde med Juliáns identitet, hadde han ufrivillig gitt ham det perfekte alibi. Fra det øyeblikk av eksisterte Julián Carax ikke. Det fantes ingen juridiske bånd som gjorde det mulig å knytte Fumero til den mannen som han regnet med at han før eller siden skulle finne og myrde. Det var krig, og svært få ville utbe seg en forklaring på dødsfallet til en person som ikke engang hadde noe navn. I to dager gikk jeg hjemme og ventet på Miquel eller Julián, og trodde at jeg skulle bli gal. Den tredje dagen, en mandag, gikk jeg igjen på jobben i forlaget. Señor Cabestany hadde ligget på sykehuset i en uke, og skulle ikke komme på kontoret mer. Hans eldste sønn, Álvaro, hadde overtatt ledelsen av firmaet. Jeg sa ingenting til noen. Jeg hadde ingen.

Den morgenen ble jeg oppringt i forlaget av en som arbeidet i likhuset, Manuel Gutiérrez Fonseca. Señor Gutiérrez Fonseca opplyste at liket til en viss Julián Carax var brakt inn til likhuset, og da han sammenlignet passet til avdøde med navnet på forfatteren av boken han hadde på seg da han ble brakt dit, hadde han fattet mistanke, ikke om klare uregelmessigheter, men dog om et unnfallende forhold til reglementet fra politiets side, og hadde følt det som en moralsk plikt å ringe til forlaget for å gi beskjed om det inntrufne. Da jeg hørte dette, trodde jeg at jeg skulle dø. Det første jeg tenkte på, var at det kunne være en felle Fumero hadde stilt opp. Señor Gutiérrez Fonseca uttrykte seg i en samvittighetsfull funksjonærs prydelige vendinger, men det var også noe mer som skinte igjennom i stemmen, noe som ikke engang han selv hadde kunnet forklare. Jeg hadde tatt telefonen på señor Cabestanys kontor. Gudskjelov at Álvaro var ute til lunsj, så jeg var alene, i motsatt fall ville det ha vært vanskelig å forklare tårene og skjelvingen på hånden som holdt telefonen. Gutiérrez Fonseca sa at han hadde funnet det riktig å opplyse oss om det som var skjedd.

Jeg takket ham for at han hadde ringt, med den falskt formelle tonen som er så typisk for samtaler som foregår i koder. Straks jeg hadde lagt på røret, låste jeg døren til kontoret og bet meg i knokene for ikke å skrike. Jeg vasket ansiktet og dro rett hjem, la bare igjen en beskjed til Álvaro om at jeg var syk og skulle komme på jobben før tiden morgenen etter for å bli à jour med korrespondansen. Jeg måtte gjøre en kraftanstrengelse for ikke å løpe bortover gaten, for å spasere med samme anonyme og grå langsomhet som alle andre som ikke bærer på noen hemmelighet. Idet jeg stakk nøkkelen i døren til leiligheten, merket jeg at låsen var blitt sprengt. Jeg var lamslått. Dørklinken ble dreid rundt innefra. Jeg spurte meg selv om jeg skulle dø slik, i en mørk trapp og uten å få vite hva som var skjedd med Miquel. Døren gikk opp, og jeg møtte det mørke blikket til Julián Carax. Gud forlate min skyld, men i det øyeblikket kjentes det som om jeg fikk livet tilbake, og jeg takket min skaper for at han ga meg Julián tilbake i stedet for Miquel.

Vi smeltet sammen i et uendelig favntak, men da jeg søkte leppene hans, trakk Julián seg tilbake og slo blikket ned. Jeg låste døren, tok Julián i hånden og leide ham inn på soveværelset. Der la vi oss på sengen med armene stumt omkring hverandre. Det led mot kveld, og skyggene i leiligheten glødet purpurfarget. Det lød spredte skudd i det fjerne, som alle kvelder etter at krigen brøt ut. Julián gråt på brystet mitt, og jeg følte at jeg ble overmannet av en utmattelse som unndro seg alle ord. Senere, da mørket hadde senket seg, møttes leppene våre, og i ly av det uoppsettelige mørket slengte vi av oss de klærne som stinket av redsel og død. Jeg ville minnes Miquel, men disse hendenes ild over underlivet rev med seg all skam og sorg. Jeg ville bare fortape meg i dem og ikke vende tilbake, enda jeg visste at når det grydde av dag og vi lå der slitne og kanskje syke av forakt, ville vi ikke kunne se hverandre i øynene uten å spørre oss selv om hvem vi var blitt forvandlet til.

10

Jeg våknet av morgenregnets tromming. Sengen tom, værelset inntatt av et grått mørke.

Jeg så at Julián satt foran det som hadde vært Miquels skrivebord, og kjærtegnet tastene på skrivemaskinen hans. Han hevet blikket og sendte meg det lune, fjerne smilet som sa meg at han aldri ville bli min. Jeg følte trang til å spytte ut sannheten, til å såre ham. Det hadde vært så lett. Røpe at Penélope var død. At han levde på et bedrag. At jeg nå var alt han hadde i verden.

– Jeg skulle aldri ha kommet tilbake til Barcelona, mumlet han og ristet på hodet.

Jeg kastet meg på kne ved siden av ham.

– Det du søker, er ikke her, Julián. La oss reise bort. Vi to. Langt herfra. Mens det ennå er tid.

Julián så lenge på meg, uten å blunke.

– Du vet noe du ikke har fortalt, ikke sant? spurte han.

Jeg ristet på hodet og svelget tungt. Julián nøyde seg med å nikke.

– I natt skal jeg dra dit igjen.

– Julián, du må ikke …

– Jeg må vite sikkert.

– Da blir jeg med.

– Nei.

– Sist jeg ble her og ventet, mistet jeg Miquel. Hvis du går, går jeg.

– Dette har ikke du noe med, Nuria. Det er noe som bare vedkommer meg.

Jeg lurte på om han virkelig ikke var klar over hvor dypt de ordene såret meg, eller om det knapt betydde noe for ham.

– Det tror du, det.

Han ville stryke meg over kinnet, men jeg skjøv hånden hans bort.

– Du burde hate meg, Nuria. Det ville bringe deg lykke.

– Jeg er klar over det.

Vi tilbrakte dagen ute, langt borte fra det knugende mørket i leiligheten, som ennå luktet av varme lakener og hud. Julián ville se havet. Jeg fulgte ham til La Barceloneta, der vi gikk bortover den nesten folketomme stranden, en hildring av farge og sand som smeltet sammen med varmedisen. Vi satte oss i sanden, like ved bredden, slik barn og gamle gjør. Julián smilte stumt, mintes alene.

Utpå ettermiddagen tok vi en trikk ved akvariet og kjørte oppover Vía Layetana til Paseo de Gracia, deretter Plaza de Lesseps og siden Avenida de la República Argentina til endeholdeplassen. Julián stirret på gatene i taushet, som om han var redd han skulle miste byen etter hvert som han kjørte gjennom den. På halvveien tok han hånden min og kysset den uten et ord. Han beholdt den i sin til vi steg av. En gammel mann som var sammen med en hvitkledd pike, så smilende på oss og spurte om vi var kjærester. Det var belgmørkt da vi svingte inn i Román Macaya i retning av Aldayas hus i Avenida del Tibidabo. Det falt et lett duskregn som farget steinmurene sølvgrå. Vi klatret over muren på baksiden, like ved tennisbanene. Den staselige villaen raget frem fra regnværet. Jeg kjente den straks igjen. Jeg hadde lest om det husets særpreg i et utall av inkarnasjoner og vinkler på de sidene Julián hadde skrevet. I *Det røde hus* fremsto herskapsboligen som en forfallen bygning som var større innvendig enn utvendig, som langsomt skiftet form, vokste i utenkelige ganger, gallerier og loft, endeløse trapper som ikke førte noe sted og lyste opp mørke værelser som dukket frem og forsvant over natten og rev med seg de ubetenksomme som hadde dristet seg inn i dem, og ingen så noe mer til dem. Vi ble stående utenfor den store inngangsdøren, som var sikret med kjettinger og en hengelås så stor som en knyttneve. Vinduene i annen etasje var gjenspikret med planker og dekket av eføy. Det luktet dødt villnis og rå jord. Steinen, som var mørk og seig i regnværet, glinset som skjelettet til et stort krypdyr.

Jeg ville spørre hvordan han hadde tenkt å komme seg inn gjennom den eiketresdøren, som var som i en kirke eller et fengsel. Julián tok en flaske opp av lommen og skrudde av korken. En illeluktende damp ringlet seg opp, sakte og blåskimrende. Han tok tak i enden av hengelåsen og tømte syren inn i den.

Metallet freste som rødglødende jern, innhyllet i et slør av gullig røyk. Vi ventet noen sekunder, så tok han en stein opp av villniset og smadret hengelåsen med fem–seks slag. Julián sparket opp døren. Den gled langsomt opp, som til et gravkammer, og spyttet ut et tungt og klamt åndedrag. Innenfor dørstokken kunne jeg skjelne et fløyelsmykt mørke. Julián hadde en bensinlighter som han tente idet han tok et par skritt inn i gangen. Jeg fulgte etter ham og lukket døren halvt igjen etter oss. Julián gikk noen meter lenger inn og holdt flammen over hodet. Et teppe av støv strakte seg foran oss, uten andre spor enn våre. De nakne veggene lyste opp i det ravgule skjæret fra flammen. Det fantes ingen møbler, heller ikke speil eller lamper. Dørene hang fremdeles på hengslene, men bronseklinkene var fjernet. Det store huset lå der bare og blottet det nakne skjelettet. Vi stanset ved foten av trappen. Juliáns blikk fortapte seg i noe der oppe. Han snudde seg et øyeblikk og så på meg, og jeg ville smile til ham, men i halvmørket kunne vi knapt skjelne hverandres blikk. Jeg fulgte etter ham opp trappen, gikk de trinnene der Julián hadde sett Penélope for første gang. Jeg skjønte hvor vi var på vei, og det kom sigende en kulde inn over meg som ikke hadde noe å gjøre med den rå og bitende atmosfæren der inne.

Vi gikk helt opp i fjerde etasje, der en smal gang førte til sørfløyen. Det var mye lavere under taket der oppe, og dørene var mindre. Det var i den etasjen tjenerskapets værelser lå. Det siste, det visste jeg uten at Julián behøvde å si noe, hadde vært Jacinta Colorados. Julián nærmet seg sakte, fryktsomt. Dette var det siste stedet han hadde sett Penélope, der han hadde elsket med en pike som så vidt hadde fylt sytten år, og som noen måneder senere skulle blø i hjel i den samme cellen. Jeg ville holde ham tilbake, men Julián sto allerede på dørstokken og stirret inn, helt fjern. Jeg stilte meg ved siden av ham. Værelset var bare et kott blottet for enhver utsmykning. Sporene etter den gamle sengen var ennå synlige under tidevannsbølgen av støv på gulvplankene. Et virvar av svarte flekker buktet seg over midten av gulvet. Julián stirret på dette tomrommet i nesten et minutt, visste ikke hva han skulle tro. I blikket hans, som jeg knapt kunne skimte der inne, så jeg at alt sto for ham som et makabert og grusomt triks. Jeg tok ham i armen og trakk ham med tilbake til trappen.

– Her er det ingenting, Julián, hvisket jeg. – Familien solgte alt før de reiste til Argentina.

Julián nikket kraftløst. Vi gikk igjen ned i første etasje. Der satte Julián straks kurs for biblioteket. Reolene var tomme, peisen fylt av nedraste murbrokker. De likbleke veggene flakket i flammens pust. Fordringshavere og ågerkarler hadde greid å få med seg selv minnene, som nå måtte ligge bortkomne i en eller annen skrothandels labyrinter.

– Jeg er kommet tilbake for ingenting, hvisket Julián.

Enda godt, tenkte jeg. Jeg telte sekundene som skilte oss fra døren. Hvis jeg greide å få ham bort derfra, slik at han sto igjen med dette tomhetens dolkestøt, ville vi kanskje ennå ha en sjanse. Jeg lot Julián suge til seg stedets forfall, slik at erindringen kunne vaskes ren.

– Du måtte tilbake og se det igjen, sa jeg. – Nå ser du at her er det ingenting. Det er bare et gammelt og ubebodd hus, Julián. Nå går vi hjem.

Han så på meg og nikket blek. Jeg tok hånden hans, og vi svingte inn i den korridoren som førte til utgangen. Bresjen av lys utenfra lå bare fem–seks meter unna. Jeg kjente lukten av villnis og duskregn. Så merket jeg at jeg mistet Juliáns hånd. Jeg stanset og snudde meg, og der sto han urørlig, med blikket boret inn i mørket.

– Hva er det, Julián?

Han svarte ikke. Han stirret forhekset på åpningen til en smal gang som førte til kjøkkenet. Jeg gikk bort til ham og speidet inn i mørket, som den blå flammen fra veken klorte i. Døren i enden av gangen var gjenmurt med rød teglstein, klossete stablet opp i mørtel som blødde frem fra fugene. Jeg skjønte ikke helt hva det betydde, men jeg merket at kulden tok pusten fra meg. Julián gikk langsomt nærmere. Alle de andre dørene, i denne gangen – i hele huset – var åpne, uten låser eller klinker. Unntatt denne. En sperring av rød teglstein bortgjemt innerst i en skummel og avsides gang. Julián la hendene på disse steinene av skarlagenrød leire.

– Julián, kom nå da, er du snill …

Han slo knyttneven i murveggen, og det lød et dumpt og hult ekko fra den andre siden. Jeg fikk inntrykk av at han skalv på hendene da han stilte lighteren på gulvet og gjorde tegn til meg at jeg skulle trekke meg noen skritt tilbake.

– Julián …

Det første sparket rev løs et regn av rødlig støv. Julián gikk til

408

fornyet angrep. Jeg syntes jeg hørte det knake i knoklene hans. Julián fortrakk ikke en mine. Han gikk løs på muren gang på gang, med en fanges raseri når han sprenger seg vei til friheten. Han blødde på hendene og armene da den første mursteinen løsnet og falt inn på den andre siden. Med blodige fingrer begynte Julián å rive og slite for å utvide denne rammen i mørket. Han hev etter pusten, sliten og besatt av et raseri som jeg aldri ville ha trodd var mulig. Den ene mursteinen etter den andre ga etter, og muren gikk over ende. Julián stanset, badet i kaldsvette, og huden var flådd av hendene. Han tok lighteren og stilte den på kanten av en av mursteinene. En dør av utskåret tre med englemotiver viste seg på den andre siden. Julián strøk over relieffene, som om han leste en hieroglyf. Døren gikk opp under presset fra hendene hans.

Et blått, tykt og geléaktig mørke sivet ut fra den andre siden. Lenger inne kunne man fornemme omrisset av en trapp. Trinn av svart stein som førte nedover og ble borte i skyggene. Julián snudde seg et øyeblikk, og jeg møtte blikket hans. Jeg så frykt og fortvilelse i det, som om han hadde en fornemmelse av hva som skjulte seg i bekmørket. Jeg ristet stumt på hodet, tryglet ham om ikke å gå dit ned. Han snudde seg fra meg, fullstendig oppgitt, og styrtet ned i mørket. Jeg kikket inn i rammen av murstein og så ham ta seg ned trappen, nesten vaklende. Flammen skalv, var ikke lenger mer enn et gjennomskinnelig blått pust.

– Julián?

Bare stillhet nådde opp til meg. Jeg kunne se skyggen av Julián, urørlig nederst i trappen. Jeg skrittet over terskelen av murstein og gikk selv ned. Der var det et rektangulært rom med marmorvegger. Det strømmet en sterk og bitende kulde mot meg. De to steinplatene var dekket av et slør av spindelvev som løste seg opp som råtten silke i skjæret fra lighteren. Det hvite marmoret var furet av svarte tårer av fukt som så ut som om de blødde fra riftene etter meiselen. De lå ved siden av hverandre, som forbannelser i lenker.

PENÉLOPE ALDAYA   DAVID ALDAYA
1902–1919   1919

11

Jeg har mange ganger stanset opp og tenkt tilbake på det stumme
øyeblikket og prøvd å forestille meg hva Julián måtte føle da
han konstaterte at den kvinnen han hadde ventet på i sytten år,
var død, at barnet deres var gått bort med dem, at det livet han
hadde drømt om, hans eneste livsånde, aldri hadde eksistert. De
fleste av oss har den lykke eller ulykke å se hvordan livet smuldrer
bort litt etter litt, nesten uten at vi selv merker det. For Julián slo
denne vissheten ned i løpet av noen sekunder. Et øyeblikk trodde
jeg han skulle legge på sprang opp trappen, at han ville flykte fra
det forbannede stedet og aldri ville se det mer. Det ville kanskje
også ha vært det beste.

Jeg husker at flammen i lighteren sluknet langsomt, og at jeg
mistet silhuetten hans i mørket. Jeg lette i skyggene. Jeg fant ham
skjelvende, stum. Han kunne knapt holde seg oppreist og slepte
seg bort i en krok. Jeg slo armene rundt ham og kysset ham på
pannen. Han rørte seg ikke. Jeg lot fingrene gli over ansiktet hans,
men det var ingen tårer der. Jeg trodde at han kanskje, under-
bevisst, hadde visst det i alle disse årene, at dette møtet kanskje
var nødvendig for å stå ansikt til ansikt med vissheten og frigjøre
seg. Vi var kommet til veis ende. Julián ville nå forstå at det ikke
var noe som holdt ham igjen i Barcelona, og at vi kunne reise
langt bort. Jeg ville tro at vår skjebne kom til å forandre seg, og
at Penélope hadde tilgitt oss.

Jeg famlet etter lighteren på gulvet og tente den igjen. Julián
stirret ut i tomheten, uten å ense den blå flammen. Jeg tok ansiktet
hans mellom hendene og tvang ham til å se på meg. Jeg møtte to
livløse øyne, herjet av raseri og savn. Jeg følte hatets gift spre seg
langsomt gjennom årene, og jeg kunne lese tankene hans. Han
hatet meg for at jeg hadde ført ham bak lyset. Han hatet Miquel
for at han hadde villet skjenke ham et liv som knuget ham som
et åpent sår. Men især hatet han mannen som hadde forvoldt all

410

denne ulykken, dette spor av død og elendighet: seg selv. Han hatet de fordømte bøkene som han hadde brukt livet sitt på, og som ikke betydde noe for noen. Han hatet en tilværelse som hadde vært viet løgn og bedrag. Han hatet hvert stjålet sekund og hvert åndedrag.

Han så på meg uten å blunke, som om han så på en fremmed person eller en ukjent gjenstand. Jeg ristet sakte på hodet og famlet etter hendene hans. Han trakk seg bryskt unna og rettet seg opp. Jeg prøvde å ta tak i armen hans, men han skjøv meg opp mot muren. Jeg så ham gå taus opp trappen, en mann jeg ikke lenger kjente. Julián Carax var død. Da jeg kom ut i hagen, var han ingensteds å se. Jeg klatret opp på muren og hoppet ned på den andre siden. De ødslige gatene lå og blødde under regnværet. Jeg skrek navnet hans der jeg gikk midt i den folketomme avenyen. Ingen svarte på ropene mine. Da jeg kom hjem, var klokken nesten fire om morgenen. Leiligheten lå nedsenket i røyk og luktet svidd. Julián hadde vært der. Jeg skyndte meg å åpne vinduene. Jeg fant et etui på skrivebordet, og i den lå pennen jeg hadde kjøpt en gang for mange år siden i Paris, fyllepennen jeg hadde betalt en formue for fordi den angivelig skulle ha tilhørt Alexandre Dumas eller Victor Hugo. Røyken stammet fra fyrkjelen. Jeg åpnet luken og konstaterte at Julián hadde hevet inn alle eksemplarene av romanene sine som manglet i bokhyllen. Ennå kunne jeg så vidt lese titlene på skinnryggene. Resten var aske.

Mange timer senere, da jeg utpå formiddagen kom meg til forlaget, ba Álvaro Cabestany meg komme inn på kontoret sitt. Hans far var knapt innom på kontoret mer, og legene hadde sagt at hans dager var talte, i likhet med min stilling i firmaet. Cabestanys sønn opplyste at det tidlig den morgenen hadde dukket opp en herre ved navn Laín Coubert, som var interessert i å kjøpe samtlige eksemplarer av Julián Carax' romaner som vi ennå hadde på lager. Forleggersønnen sa at vi hadde en lagerbygning full av dem i Pueblo Nuevo, men etterspørselen var stor, og derfor hadde han forlangt en pris som var høyere enn det Coubert tilbød. Coubert hadde ikke bitt på og hadde strøket ergerlig på dør. Nå ville Cabestany junior at jeg skulle lokalisere denne Laín Coubert og si at vi godtok tilbudet. Jeg svarte den tosken at Laín Coubert ikke eksisterte, at han var en person i en av Carax' romaner. At han ikke hadde noen som helst interesse av å kjøpe bøkene, han ville bare vite hvor de var. Señor Cabestany hadde for vane å oppbevare et eksemplar av alle titlene firmaet hadde utgitt, i biblioteket han hadde på kontoret, og det gjaldt også verkene til Julián Carax. Jeg snek meg inn på kontoret hans og tok dem med meg.

Om ettermiddagen oppsøkte jeg far i De glemte bøkers kirkegård og gjemte dem et sted der ingen, og især ikke Julián, kunne finne dem. Det skumret allerede da jeg kom ut. Jeg ga meg bare til å vandre nedover Ramblas og kom helt til La Barceloneta, deretter ut på stranden hvor jeg lette etter stedet der jeg hadde vært sammen med Julián og skuet ut over havet. Flammene som sto til værs over lagerbygningen i Pueblo Nuevo, kunne skimtes i det fjerne, det ravgule sporet spredte seg utover havet, og spiraler av ild og røyk steg opp mot himmelen som lysslanger. Da brannmennene endelig fikk slukket ilden like før daggry, var det ingenting igjen, bare skjelettet av murstein og metall som holdt hvelvingen oppe. Der fant jeg Lluís Carbó, som hadde vært nattvakt der i ti år. Han stirret vantro på de rykende ruinene. Øyebrynene og hårene på armene var svidd, og huden skinte som vått kobber. Det var han som fortalte meg at brannen hadde oppstått litt over midnatt og slukt flere titalls tusen bøker helt til morgengryet hadde overgitt seg til en flod av aske. Lluís sto fremdeles med en håndfull bøker som han hadde klart å berge, noen av Verdaguers diktsamlinger og to bind av *Den franske revolusjons historie*. Det var alt som var igjen. Flere fagforeningsmedlemmer hadde strømmet til for å hjelpe brannmennene. En av dem fortalte at brannmennene hadde funnet en forbrent kropp i ruinene. De hadde regnet ham for død, men en av dem oppdaget at han pustet, og tok ham med seg til Hospital del Mar.

Jeg kjente ham igjen på øynene. Brannen hadde slukt huden, hendene og håret. Flammene hadde flerret av ham klærne, og hele kroppen var et åpent sår som væsket mellom bandasjene. De hadde lagt ham inn på et enerom innerst i en korridor med utsikt til stranden, sløvet ham ned med morfin og ventet på at han skulle dø. Jeg ville holde ham i hånden, men en av sykepleierskene advarte meg og sa at det knapt var kjøtt igjen under bandasjene. Ilden hadde meiet bort øyelokkene, og blikket stirret ut i et evig tomrom. Sykepleiersken som fant meg der jeg lå rett ut på gulvet og gråt, spurte om jeg visste hvem det var. Jeg svarte ja, det var min mann. Da en rovgrisk prest dukket opp for å ødsle sine siste velsignelser over ham, jaget jeg ham vekk med skingrende skrik. Tre dager senere var Julián fremdeles i live. Legene sa det var et mirakel, at ønsket om å leve holdt ham i live med krefter som medisinen ikke kunne måle seg med. De tok feil. Det var ikke et ønske om å leve. Det var hat. En uke senere, da man så at denne kroppen som var glassert av død, nektet å slukne, ble han offisielt innlagt under navnet Miquel Moliner. Der skulle han bli liggende i hele elleve måneder. Hele tiden taus, med brennende blikk, hvileløs.

Jeg møtte på sykehuset hver dag. Snart begynte sykepleierskene å si du til meg og spørre om jeg ville spise middag sammen med dem i matsalen deres. Alle var enslige, sterke kvinner som ventet på at mennene skulle komme hjem fra fronten. Noen gjorde det. De lærte meg å rense sårene til Julián, å skifte bandasjer, å legge på rene lakener og re opp sengen med en livløs kropp liggende der. De lærte meg også å oppgi håpet om å få se igjen mannen som en dag hadde vært holdt oppe av disse knoklene. Vi fjernet bandasjene i ansiktet etter tre måneder. Julián var et dødninghode. Han hadde ikke lepper, ikke kinn. Det var et ansikt uten trekk, nærmest en forkullet dukke. Øyehulene var blitt mye større og var nå det som dominerte uttrykket. Sykepleierskene ville ikke innrømme det, men de følte vemmelse, nesten redsel. Legene hadde sagt at det langsomt ville danne seg en fiolett, slangeaktig hud etter hvert som sårene grodde. Ingen våget å ytre seg om hans mentale tilstand. Alle tok det for gitt at Julián – Miquel – hadde mistet forstanden under brannen, at han vegeterte og overlevde fordi hans kone pleiet ham som besatt og holdt stand der så mange andre ville ha latt seg avskrekke. Jeg stirret inn i disse øynene og visste at Julián var der inne, i levende live, og ble langsomt tæret bort. Og så tiden an.

Han hadde ingen lepper mer, men legene trodde ikke at stemmebåndene hadde lidd uopprettelig skade, og at brannsårene på tungen og strupehodet hadde grodd for flere måneder siden. De antok at når Julián ikke sa noe, var det fordi bevisstheten hadde sluknet. En ettermiddag et halvt år etter brannen, mens han og jeg var alene i rommet, bøyde jeg meg og kysset ham på pannen.

– Jeg elsker deg, sa jeg.

En bitter, hes lyd presset seg frem fra den rovdyrgeipen som munnen var redusert til. Øynene hans var rødsprengte av tårer. Jeg ville stryke dem bort med et lommetørkle, men han gjentok den lyden.

– La meg være, hadde han sagt.

«La meg være.»

Cabestany forlag hadde gått konkurs to måneder etter brannen i lagerbygningen i Pueblo Nuevo. Gamle Cabestany, som døde det året, hadde forutsagt at sønnen ville kjøre bedriften over ende på et halvt år. Uforbederlig optimist til det siste. Jeg forsøkte å få meg arbeid i et annet forlag, men krigen fortærte alt. Alle mente at krigen snart ville være over, og at forholdene ville bedre seg da. Krigen hadde ennå to år på seg, og det som fulgte etter den, var nesten verre. Da det var gått et år etter brannen, sa legene at det som kunne gjøres på sykehuset, var gjort. Sitasjonen var vanskelig, og de hadde bruk for rommet. De anbefalte meg å få Julián innlagt på et sanatorium som Santa Lucía, men jeg ville ikke høre snakk om det. I oktober 1937 tok jeg ham med hjem. Han hadde ikke sagt ett eneste ord etter dette «La meg være.»

Jeg gjentok hver eneste dag at jeg elsket ham. Han hadde fått plass i en lenestol foran vinduet, med flere pledd over seg. Jeg matet ham med saft, ristet loff og, når det var å oppdrive, melk. Hver dag leste jeg for ham et par timer. Balzac, Zola, Dickens ... Kroppen hans begynte å legge seg ut igjen. Ikke lenge etter at han kom hjem, begynte han å bevege hendene og armene. Han skakket på hodet. Noen ganger når jeg kom hjem, lå pleddene på gulvet, og flere ting var revet over ende. En dag lå han på gulvet og kravlet omkring. Halvannet år etter brannen, en uværsnatt, våknet jeg midt på natten. Noen hadde satt seg på sengen min og strøk meg over håret. Jeg smilte til ham og skjulte tårene. Han hadde fått tak i et av speilene mine, enda så godt jeg hadde gjemt alle sammen. Med brusten stemme sa han at han var forvandlet til et av sine egne oppdiktede monstre, Laín Coubert. Jeg ville kysse ham for å vise at utseendet ikke bød meg imot, men han lot meg ikke gjøre det. Snart fikk jeg omtrent ikke røre ham. Han fikk nye krefter for hver dag som gikk. Han drev omkring i huset når jeg var ute og prøvde å skaffe noe å spise. Sparepengene etter Miquel hadde gjort det mulig for oss å holde det gående, men snart måtte jeg begynne å selge smykker og gamle eiendeler. Da det ikke lenger var noen vei utenom, tok jeg Victor Hugos penn, som jeg hadde kjøpt i Paris, og gikk ut for å selge den til høystbydende. Jeg fant en butikk bak Militærkommandoen der de kjøpte opp slike artikler. Bestyreren virket ikke imponert da jeg høytidelig sverget på at denne pennen hadde tilhørt Victor Hugo, men han måtte innrømme at det var et mesterlig skriveredskap og sa seg villig til å betale meg så mye han kunne, i betraktning av at det var nød og dyrtid.

Da jeg fortalte Julián at jeg hadde solgt den, var jeg redd han skulle bli rasende. Han nøyde seg med å si at det var helt riktig av meg, og at han aldri hadde fortjent den. En dag da jeg som så ofte før hadde vært ute for å se etter arbeid, kom jeg hjem og oppdaget at Julián ikke var der. Han kom ikke tilbake før utpå morgensiden. Da jeg spurte hvor han hadde vært, nøyde han seg med å tømme lommene i frakken (som hadde tilhørt Miquel) og legge en neve penger på bordet. Fra da av begynte han å gå ut så å si hver natt. I mørket, tildekket av hatt og skjerf, med hansker og gabardinfrakk, var han en skygge blant så mange andre. Han sa aldri hvor han gikk. Nesten alltid kom han hjem igjen med penger eller smykker. Han sov om morgenen, sittende i lenestolen, med åpne øyne. En gang fant jeg en kniv i lommene hans. Det var et tveegget våpen med automatisk fjær. Det var mørke flekker på bladet.

Det var da jeg begynte å høre forlydender om en person som knuste bokhandlervinduer om natten og brente bøker. Andre ganger var det en ukjent vandal som tok seg inn i et bibliotek eller i stuen til en samler. Alltid tok han med seg to–tre bøker som han brente. I februar 1938 oppsøkte jeg et antikvariat for å spørre om det var mulig å oppdrive en bok av Julián Carax på markedet. Bestyreren svarte at det var umulig: En eller annen hadde sørget for at de var forsvunnet. Han hadde selv hatt et par stykker og hadde solgt dem til en høyst besynderlig fyr som skjulte ansiktet og snakket med en stemme som omtrent ikke lot seg tyde.

– Helt til i det siste fantes det noen eksemplarer i private samlinger, her og i Frankrike, men mange samlere begynner å skille seg av med dem. De er redde, sa han, – og det sier jeg ikke noe på.

Noen ganger forsvant Julián flere dager i trekk. Snart kunne han holde seg borte i ukevis. Han gikk og kom alltid om natten. Han hadde alltid med seg penger hjem. Han ga aldri noen forklaringer, og hvis han gjorde det, nøyde han seg med meningsløse detaljer. Han sa han hadde vært i Frankrike. Paris, Lyon, Nice. Noen ganger kom det brev fra Frankrike, stilet til Laín Coubert. Alltid var de fra antikvarer, samlere. Noen hadde oppsporet et

415

bortkommet eksemplar av Julián Carax' verker. Da forsvant han i flere dager og vendte tilbake som en ulv, og det luktet svidd og forbitrelse av ham.

Det var en gang han var borte på denne måten at jeg møtte hattemaker Fortuny i klostergangen i katedralen, der han flakket omkring som en svermer. Han husket meg fremdeles fra den gangen Miquel og jeg hadde henvendt oss til ham og spurt etter hans sønn Julián for to år siden. Han trakk meg med bort i en krok og sa i all fortrolighet at han visste Julián var i live, et eller annet sted, og at han hadde en mistanke om at hans sønn ikke kunne ta kontakt med oss av grunner som han ikke kunne få øye på. «Noe som har å gjøre med den hjerterå Fumero.» Jeg sa at jeg mente det samme. Krigsårene hadde vært meget innbringende for Fumero. Hvem han sto i forbund med, skiftet fra måned til måned, fra anarkistene til kommunistene, og derfra til det som måtte komme etter. Han ble anklaget for å være spion, angiver, helt, drapsmann, konspirator, intrigemaker, redningsmann og demiurg. Det gikk ut omtrent på ett. Alle fryktet ham. Alle ville ha ham på sin side. Fumero var muligens så opptatt med intrigene i Barcelona i forbindelse med krigen at han hadde glemt Julián. Antagelig trodde han, som hattemakeren, at han for lengst hadde rømt og var utenfor hans rekkevidde.

Señor Fortuny spurte om jeg var en gammel venninne av hans sønn, og jeg sa ja. Han ba meg fortelle om Julián, om mannen han var blitt til, for han, tilsto han bedrøvet, kjente ham ikke. «Livet førte oss bort fra hverandre, skjønner De.» Han fortalte at han hadde vært innom alle bokhandler i Barcelona i jakten på Juliáns romaner, men det var uråd å få tak i dem. Noen hadde fortalt at en gal mann gjennomsøkte byen på kryss og tvers for å få tak i dem og brenne dem. Fortuny var overbevist om at den skyldige måtte være Fumero. Jeg motsa ham ikke. Jeg løy som best jeg kunne, av barmhjertighet eller av forakt, jeg vet ikke. Jeg sa jeg trodde at Julián hadde reist tilbake til Paris, at han hadde det bra, at han så vidt jeg visste, holdt meget av hattemaker Fortuny, og så snart omstendighetene gjorde det mulig, skulle han komme tilbake til ham. «Det er denne krigen,» klaget han, «som forderver alt.» Før vi skiltes, skulle han absolutt gi meg sin egen og sin ekskones, Sophies, adresse, for han hadde gjenopptatt forbindelsen med henne etter lange års «misforståelser». Sophie bodde nå i Caracas sammen med en velrenommert lege, sa han. Hun bestyrte sin egen musikkskole og skrev stadig og spurte etter Julián.

– Det er det eneste som forener oss, ikke sant? Minnene. Man begår mange feil her i livet, frøken, og det blir man først oppmerksom på når man er gammel. Si meg, er De troende?

Jeg sa farvel og lovte å gi beskjed til ham og Sophie når jeg hørte noe nytt om Julián.

– Intet ville gjøre hans mor lykkeligere enn å få høre fra ham igjen. Dere kvinner lytter mer til hjertet og mindre til tåpeligheter, fastslo hattemakeren trist. – Det er derfor dere lever lenger.

Til tross for at jeg hadde hørt så mange giftige historier om ham, kunne jeg ikke unngå å føle medlidenhet med den stakkars gamle mannen som knapt hadde noe mer å gjøre her i verden enn å vente på at sønnen skulle komme tilbake, og lot til å leve i håp om å ta igjen den tapte tiden takket være et mirakel utført av de helgenene han besøkte med så stor hengivenhet i katedralens kapeller. Jeg hadde forestilt meg ham som et uhyre, en sjofel og forgremmet person, men jeg syntes han var et godt menneske, forblindet kanskje, og forvillet som alle andre. Kanskje fordi han minnet meg om min egen far, som gjemte seg for alle og for seg selv på dette bøkenes og skyggenes tilfluktssted, kanskje fordi det var noe som forente oss, uten at han kunne ane det, nemlig lengselen etter å få Julián tilbake, jeg fattet iallfall godhet for ham og ble til hans eneste venninne. Uten at Julián visste det, besøkte jeg ham ofte i leiligheten i Ronda de San Antonio. Hattemakeren hadde da sluttet å arbeide.

– Jeg har verken hender eller syn eller kunder …, sa han.

Han ventet meg nesten hver torsdag og bød på kaffe, kjeks og konfekt som han selv knapt rørte. Han kunne sitte i time etter time og snakke om Juliáns barndom, om hvordan de arbeidet sammen i hattemakeriet, og viste meg fotografier. Han tok meg med inn på rommet til Julián, som han holdt i plettfri stand, som et museum, og viste meg de gamle skrivebøkene hans, ubetydelige gjenstander som han tilba som relikvier fra et liv som aldri hadde eksistert, uten å tenke over at han hadde vist meg dem før, at alle disse historiene var noe han hadde fortalt meg en annen dag. En av disse torsdagene møtte jeg en lege i trappen. Han hadde nettopp vært på besøk hos señor Fortuny. Jeg spurte hvordan det var med hattemakeren, og han sendte meg et skrått blikk.

– Er De en slektning?

Jeg sa at jeg var den som sto den stakkars mannen nærmest. Da fortalte legen at Fortuny var meget syk, og at det var et spørsmål om måneder.

– Hva feiler det ham?

– Jeg kunne si at det var hjertet, men det som tar livet av ham, er ensomheten. Minner kan være verre enn kuler.

Da hattemakeren fikk se meg, strålte han av glede og betrodde meg at den legen ikke var hans tillit verdig. Disse legene er de rene heksedoktorer, sa han. Hattemakeren hadde i hele sitt liv vært en mann med dype religiøse overbevisninger, og med alderdommen var de bare blitt sterkere. Han fortalte at han så djevelens hånd alle steder. Djevelen, betrodde han meg, formørker forstanden og fører menneskene i fortapelsen.

– Se på krigen, og se på meg. Som De ser meg nå, er jeg gammel og bløt, men som ung var jeg en usling og en feiging.

Det var djevelen som hadde fått Julián over på sin side, la han til.

– Gud gir oss livet, men den som forvalter verden, er djevelen …

Vi lot ettermiddagen gå med teologi og harske søtsaker.

En gang sa jeg til Julián at hvis han ville se sin far igjen i live, var det best han skyndte seg. Det viste seg da at Julián også hadde besøkt sin far, men uten at han visste det. På avstand, i skumringen, hadde han sittet på den andre kanten av et torg og sett hvordan han ble eldre og eldre. Julián svarte at han foretrakk at den gamle gikk bort med minnet om den sønnen han hadde diktet opp i disse årene, og ikke den han i virkeligheten var blitt til.

– Nei, den forbeholder du meg, sa jeg, men angret meg øyeblikkelig.

Han sa ingenting, men et øyeblikk var det som om han fikk klarsynet tilbake, og det gikk opp for ham hvilket helvete vi hadde sperret oss selv inne i. Det varte ikke lenge før legens prognoser ble virkelighet. Señor Fortuny fikk ikke oppleve slutten på krigen. De fant ham sittende i lenestolen, der han hadde stirret på de gamle fotografiene av Sophie og Julián. Bombardert av minner.

Krigens siste dager var forspillet til helvete. Byen hadde opplevd kampene på avstand, som et sår som ligger og pulserer i dvale. Det hadde vært flere måneders trefninger og stridigheter, bombing og sult. Drap, kamper og sammensvergelser var et spøkelse som i årevis hadde tæret på byens sjel, men likevel var det mange som gjerne ville tro at krigen var noe fjernt, et uvær som ville gå dem forbi. Ventetiden gjorde om mulig det uunngåelige enda verre. Da smerten våknet, var det ingen barmhjertighet å finne. Ingenting gir mer næring til glemselen enn en krig, Daniel. Alle tier vi og strever med å overbevise oss om at det vi har sett, det vi har gjort, det vi har lært om oss selv og andre, er en illusjon, et flyktig mareritt. Kriger har ingen hukommelse, og ingen våger å forstå dem før det ikke lenger finnes stemmer som kan fortelle hva som skjedde, før den stund kommer da man ikke kjenner dem igjen og de vender tilbake, med andre ansikter og andre navn, for å sluke det de ikke fikk med seg siste gang.

På dette tidspunkt hadde Julian omtrent ikke flere bøker igjen å brenne. Det var en geskjeft som nå var overlatt i større krefters hender. Farens død, som han aldri skulle snakke om, hadde forvandlet ham til en invalid hvor det ikke lenger ulmet noe av det hat eller raseri som hadde fortært ham den første tiden. Vi levde på rykter, avsondret fra verden. Vi fikk vite at Fumero hadde forrådt alle dem som hadde hjulpet ham frem under krigen, og at han nå var gått i seierherrenes tjeneste. Det het seg at han personlig henrettet sine fremste allierte og velyndere – ved å blåse hjernen ut på dem med et skudd i munnen – i fangehullene på Montjuïc-borgen. Glemselens kvern begynte å male samme dag som våpnene tiet. I den tiden fikk jeg erfare at intet inngir mer angst enn en helt som lever lenge nok til å fortelle om det, fortelle det som alle de som falt ved hans side, aldri kunne fortelle. Ukene som fulgte etter Barcelonas fall, var ubeskrivelige. Det fløt like mye eller mer blod i de dagene enn under kampene, bare at det skjedde i smug og i all hemmelighet. Da freden endelig kom, stinket den av den freden som forhekser fengslene og kirkegårdene, et likklede av taushet og skam som ligger og råtner over sjelen og aldri blir borte. Det fantes ingen uskyldige hender eller rene blikk. Vi som var der, alle uten unntagelse, vil ta hemmeligheten med oss i døden.

Roen ble gjenopprettet i mistro og hat, men Julián og jeg levde i den dypeste nød. Vi hadde brukt opp alle sparepengene og byttet etter Laín Couberts nattlige streiftog, og det fantes ikke mer å selge i huset. Jeg søkte desperat etter arbeid som oversetter, maskinskriver eller vaskekone, men min tidligere tilknytning til Cabestany hadde etter alt å dømme stemplet meg som en uønsket person og gjort meg til brennpunkt for unevnelige mistanker. En funksjonær i glinsende dress, med hårkrem og blyantsmal bart, en av de mange hundre som nærmest dukket frem under steinene i de månedene, ymtet noe om at en så tiltrekkende pike som jeg ikke skulle behøve å ty til den slags verdslige gjøremål. Naboene, som i god tro godtok den historien jeg serverte, at jeg pleiet min stakkars mann Miquel som var blitt ufør og vansiret under krigen, kunne komme til oss med noen nådesmuler i form av melk, ost eller brød, iblant til og med salt fisk eller pølsevarer som de fikk tilsendt fra slektninger på landet. Etter flere måneder i den ytterste armod, da jeg endelig hadde innsett at det ville gå lang tid før jeg fikk meg noe å gjøre, bestemte jeg meg for å ty til et knep som jeg hadde lånt fra en av Juliáns romaner.

Jeg skrev til Juliáns mor i Caracas i navnet til en oppdiktet advokat av den sorten som hadde skutt opp i den tiden, og som den avdøde señor Fortuny hadde rådført seg med da det led mot slutten, med tanke på å beskikke sitt hus. Jeg meddelte at hattemakeren hadde avgått ved døden uten å opprette noe testamente, og at arven, som innbefattet leiligheten i Ronda de San Antonio og butikken i samme gård, i teorien skulle tilfalle hans sønn Julián, som formodentlig levde i eksil i Frankrike. Ettersom arveretten dermed ikke var blitt klarlagt, og hun selv befant seg utenlands, anmodet advokaten, som jeg døpte José María Requejo til minne om gutten som ga meg mitt første kyss, om fullmakt til å ta de formelle skritt som krevdes for å sikre overføringen av eiendomsretten til hennes sønn Julián, som jeg aktet å ta kontakt med gjennom den spanske ambassade i Paris, idet jeg overførte dødsboet midlertidig og forbigående til meg selv, mot en viss økonomisk godtgjørelse. Likeledes henstilte jeg til henne å sette meg i forbindelse med eiendommens forvalter, slik at han kunne oversende alle papirer og det beløp som måtte til for å bestride utgiftene til vedlikehold, til advokat Requejo, i hvis navn jeg opprettet en postboks og utstyrte med en oppdiktet adresse, et gammelt, nedlagt verksted to kvartaler fra Aldayas forfalne hus. Jeg håpet at Sophie, blindet av muligheten for å hjelpe Julián og gjenopprette kontakten med ham, ikke ville bry seg om å grave i all denne juridiske galimatias, og gi oss en hjelpende hånd, nå som hun satt så godt i det i det fjerne Venezuela.

Et par måneder senere begynte forvalteren å motta en månedlig giro som skulle dekke utgiftene til leiligheten i Ronda de

San Antonio og salærene som skulle gå til José María Requejos advokatkontor, og dette beløpet overførte han så i form av en ihendehaversjekk til postboks 2321 i Barcelona, slik Sophie Carax hadde anvist i sin korrespondanse. Jeg merket meg at forvalteren beholdt en uhjemlet prosentandel hver måned, men jeg fant det best ikke å påpeke det. Dermed kunne han si seg tilfreds og ikke stille spørsmål vedrørende så lettjente penger. Resten gjorde det mulig for Julián og meg å holde oss i live. Slik gikk mange grusomme år, uten håp. Smått om senn hadde jeg sikret meg noen oppgaver som oversetter. Ingen husket lenger Cabestany, og man hadde slått inn på en politikk som bygde på tilgivelse, på å glemme snarest og slå en strek over gammelt fiendskap og nag. Jeg levde med den konstante trusselen om at Fumero skulle begynne å rote i fortiden og gjenoppta forfølgelsen av Julián. Noen ganger fikk jeg meg selv til å tro at nei, han regnet ham for død nå, eller han hadde glemt ham. Fumero var ikke lenger den rå og brutale mannen han hadde vært for mange år siden. Nå var han en viktig offentlig person, en mann som hadde gjort karriere i regimet, som ikke kunne beskjeftige seg med Julián Carax' gjenferd. Andre ganger våknet jeg midt på natten, med hamrende hjerte, badet i svette, og trodde at politiet banket på døren. Jeg fryktet at naboene skulle fatte mistanke til den syke ektemannen, som aldri gikk ut, som noen ganger gråt eller hamret i veggene som en gal, og melde oss til politiet. Jeg var redd for at Julián skulle rømme igjen, at han skulle dra ut på jakt etter bøkene sine for å brenne dem, for å brenne det lille som var igjen av seg selv og for alltid slette ut ethvert tegn på at han noensinne hadde eksistert. Slik som jeg gikk og engstet meg, glemte jeg at jeg selv ble eldre, at livet gikk fra meg, at jeg hadde ofret min ungdom på å elske en mann som var ødelagt, uten sjel, ikke mer enn et gjenferd.

Men årene gikk i fred. Tiden går desto fortere jo tommere den er. Liv som ikke har noen mening, farer forbi som tog som ikke stanser på din stasjon. Imens ble sårene etter krigen leget med vold og makt. På den tiden arbeidet jeg for et par forlag. Mesteparten av dagen var jeg borte. Jeg hadde navnløse elskere, desperate ansikter som møtte meg på en kino eller i metroen, som jeg utvekslet min ensomhet med. Etterpå var jeg absurd plaget av dårlig samvittighet, og når jeg så på Julián, følte jeg bare trang til å gråte og sverget på at jeg aldri mer skulle bedra ham, som om jeg skyldte ham noe. På bussene eller på gaten grep jeg meg selv i å se på andre kvinner, yngre enn meg, som leide på barn. De virket lykkelige, eller i fred med seg selv, som om disse små vesenene i all sin utilstrekkelighet fylte alle tomrom uten svar. Da kom jeg til å tenke på den tiden da jeg hadde gått rundt og fantasert, hadde forestilt meg at jeg var en av disse kvinnene, med en sønn i armene, en sønn jeg hadde fått med Julián. Så tenkte jeg på krigen og på at de som førte den, også hadde vært barn en gang.

Da jeg begynte å tro at verden hadde glemt oss, dukket det opp en fyr hjemme hos oss. Det var en ung mann, nesten skjeggløs, en læregutt som rødmet når han så meg inn i øynene. Han kom for å spørre etter señor Miquel Moliner, idet han angivelig utførte en rutinemessig ajourføring av et arkiv på journalistskolen. Han sa at señor Moliner kanskje kunne ha krav på en månedlig pensjon, men for å ordne med formalitetene var det nødvendig å ajourføre en rekke opplysninger. Jeg sa at señor Moliner ikke hadde bodd her siden krigen brøt ut, at han hadde flyttet utenlands. Han sa at han beklaget så meget, og gikk sin vei med det fettete smilet og en tysterlærlings kvisete oppsyn. Jeg skjønte at jeg måtte få Julián ut av huset allerede samme natt, det var ingen vei utenom. På dette tidspunkt var Julián skrumpet inn til nesten ingenting. Han var føyelig som et barn, og hele hans liv syntes å kretse rundt de stundene vi var sammen enkelte kvelder og lyttet til musikk på radioen, mens jeg lot ham holde meg i hånden og han kjærtegnet meg stumt.

Samme natt tok jeg nøklene til leiligheten i Ronda de San Antonio, som forvalteren hadde sendt til den ikke-eksisterende advokat Requejo, og fulgte Julián tilbake til huset der han var vokst opp. Jeg installerte ham i det gamle rommet og sa at jeg skulle komme tilbake dagen etter, og at vi måtte være veldig forsiktige.

– Fumero er ute etter deg igjen, sa jeg.

Han nikket vagt, som om han ikke husket det eller ikke lenger brydde seg om hvem Fumero var. Slik gikk det flere uker. Jeg kom opp i leiligheten om nettene, etter midnatt. Jeg spurte Julián hva han hadde gjort den dagen, og han så uforstående på meg. Vi tilbrakte natten sammen, tett omslynget, og jeg gikk igjen i grålysningen og lovte å komme tilbake så fort jeg kunne. Når jeg gikk, låste jeg leiligheten etter meg. Julián hadde ingen kopi av nøkkelen. Jeg ville heller ha ham som fange enn som død.

Ingen kom og spurte etter min mann mer, men jeg gikk rundt i kvartalet og satte ut ryktet om at min mann var i Frankrike. Jeg skrev et par brev til det spanske konsulat i Paris og sa jeg var kjent med at den spanske statsborger Julián Carax var i byen, og ba om hjelp til å oppspore ham. Jeg formodet at brevene før eller siden ville havne i de rette hender. Jeg tok alle forholdsregler, men jeg visste at det bare var et tidsspørsmål. Folk som Fumero slutter aldri å hate. Deres hat er blottet for mening og fornuft. De hater som de trekker været.

Husværet i Ronda de San Antonio var en loftsleilighet. Jeg oppdaget at det var en dør ut til takterrassen fra trappen. Takterrassene i hele kvartalet utgjorde et virvar av små patioer som lå vegg i vegg atskilt av murer på en snau meter, der beboerne hengte opp klesvasken. Det tok meg ikke lang tid å finne en bygning i den andre enden av kvartalet ut mot Calle Joaquín Costa der man kunne komme seg opp på takterrassen, og når man først var der, klatre over muren og komme seg til bygningen i Ronda de San Antonio uten at noen så meg komme eller gå. En gang fikk jeg et brev fra forvalteren som meddelte at noen naboer hadde hørt lyder i Fortunys leilighet. Jeg svarte i advokat Requejos navn at noen fra kontoret iblant hadde vært oppom for å se etter papirer eller dokumenter, og at det ikke var noen grunn til bekymring, selv om disse lydene oppsto om natten. Jeg benyttet meg av en bestemt vending for å la det skinne igjennom at mellom gentlemen, bokholdere og advokater var et hemmelig ungkarskrypinn helligere enn selveste palmesøndag. Forvalteren opptrådte med kollegial solidaritet og svarte at jeg overhodet ikke skulle bekymre meg, at han skulle ordne opp.

I disse årene hadde jeg ingen annen atspredelse enn å spille rollen som advokat Requejo. En gang i måneden besøkte jeg far i De glemte bøkers kirkegård. Han viste aldri noen interesse for å hilse på den usynlige ektemannen, og jeg tilbød meg aldri å presentere ham. Vi beveget oss rundt temaet i samtalene våre, som drevne sjøfarere som styrer klar av et undervannsskjær, og unngikk at blikkene våre møttes. Noen ganger så han stumt på meg og lurte på om jeg trengte hjelp, om det var noe han kunne gjøre. Enkelte lørdager, tidlig om morgenen, fulgte jeg Julián ut så han fikk se havet. Vi gikk opp på takterrassen og over nabogården til vi kom ut i Calle Joaquín Costa. Derfra gikk vi ned til havnen gjennom de trange smugene i Raval. Ingen kom bort til oss. De ble redde for Julián, selv på avstand. Noen ganger gikk vi så langt som til moloen. Julián likte å sette seg på de store steinene og se innover mot byen. Slik kunne vi sitte i timevis, nesten uten et ord. Noen ettermiddager snek vi oss inn på en kino etter at forestillingen hadde begynt. I mørket var det ingen som la merke til Julián. Vi levde i natten og stillheten. Etter hvert som månedene gikk, lærte jeg meg å forveksle rutine med normalitet, og med tiden gikk det så langt at jeg trodde planen min var fullkommen. Stakkars idiot.

12

1945, et askegrått år. Det var bare gått seks år siden krigens slutt, og selv om arrene etter den fremdeles kunne merkes for hvert skritt, var det nesten ingen som snakket åpent om den. Nå snakket man om en annen krig, verdenskrigen, som hadde forpestet verden med en stank av åtsler og nederdrektighet som den aldri mer skulle bli kvitt. Det var år med nød og dyrtid, forunderlig velsignet av den fred som ledsager de stumme og invalide, midtveis mellom medlidenhet og motbydelighet. Etter at jeg i årevis forgjeves hadde prøvd å få meg arbeid som oversetter, fikk jeg endelig jobb som korrekturleser i et forlag som var opprettet av en av den nye tidens gründere som het Pedro Sanmartí. Han hadde bygd opp foretagendet ved å investere formuen til sin svigerfar, som han hadde fått innlagt på et aldershjem ved Bañolas-sjøen i påvente av å motta dødsattesten per brev. Sanmartí, som likte å flørte med småjenter han selv var dobbelt så gammel som, brisket seg velbehagelig med det slagordet som var sånn på mote den gang, at han var en *selfmade man*. Han snakket et gebrokkent engelsk med aksent som Vilanova i la Geltrú, overbevist om at det var fremtidens språk, og avsluttet setningene med et etterhengt «okei».

Forlaget (som Sanmartí hadde gitt det besynderlige navnet Endymion, fordi det hadde en katedralaktig klang og måtte bidra til å forbedre årsregnskapet) utga katekismer, håndbøker i skikk og bruk og en oppbyggelig romanserie der små nonner opptrådte som i lystspill, eller det var heltemodig personell fra Røde Kors og lykkelige funksjonærer med sterk apostolisk ryggrad. Vi utga også tegneserier om amerikanske soldater under tittelen «Kommando Tapper» som gjorde furore hos ungdommen, som gjerne ville ha helter som så ut som om de spiste kjøtt syv dager i uken. Jeg hadde fått en god venninne blant Sanmartís kontordamer, en krigsenke som het Mercedes Pietro, som jeg snart følte den sterkeste samhørighet med, og vi forsto hverandre med bare et blikk eller smil. Mercedes og jeg hadde mye til felles: Vi var to kvinner i drift, omgitt av menn som var døde eller hadde gjemt seg for verden. Mercedes hadde en sønn på syv år som led av muskeldystrofi, og som hun oppdro som best hun kunne. Hun var bare toogtredve år, men man så på furene i huden at hun hadde hatt et tøft liv. I alle disse årene var Mercedes den eneste jeg følte meg fristet til å fortelle alt, legge mitt liv åpent frem for.

Det var hun som fortalte at Sanmartí var en god venn av den stadig mer dekorerte politiinspektør Francisco Javier Fumero. Begge hørte til en klikk av folk som hadde steget opp av asken etter krigen og som spredte seg som et spindelvev over byen, ubønnhørlig. Den nye sosieteten. En dag troppet Fumero opp i forlaget. Han skulle inn til sin venn Sanmartí, de hadde avtalt å spise middag sammen. Jeg fant på et påskudd og gjemte meg inne på arkivet til de to var gått. Da jeg kom tilbake til skrivebordet, sendte Mercedes meg et blikk som sa alt. Fra da av, hver gang Fumero kom opp på forlagskontoret, varslet hun meg, slik at jeg fikk gjemt meg.

Det gikk ikke en dag uten at Sanmartí prøvde å få meg med ut på middag en kveld, inviterte meg i teateret eller på kino, under et hvilket som helst påskudd. Jeg svarte alltid at min mann ventet hjemme, og at hans frue måtte begynne å bli urolig, så sent som det var blitt. Señora Sanmartí, som gjorde nytten som et inventar eller en utskiftbar gjenstand, taksert langt under den obligatoriske Bugattien på skalaen over hva som lå hennes manns hjerte nærmest, hadde øyensynlig allerede mistet sin rolle i dette ekteskapets lystspill straks svigerfarens formue var kommet på Sanmartís hender. Mercedes hadde allerede orientert meg om hvor landet lå. Sanmartí, som hadde begrenset evne til konsentrasjon i rom og tid, hadde lyst på friskt og uvant kjøtt, og konsentrerte derfor sine donjuanfakter om den som sist var kommet til, og det var i dette tilfellet meg. Sanmartí forsøkte med alle midler å komme i snakk med meg.

– *Jeg har latt meg fortelle at din mann, denne Moliner, er forfatter ... Han kunne kanskje være interessert i å skrive en bok om min venn Fumero, og jeg har allerede tittelen klar: Fumero, forbryternes svøpe eller gatens lov. Hva sier du til det, Nurieta?*

– *Jeg takker så meget, señor Sanmartí, men Miquel er faktisk opptatt med en ny roman, og jeg tror ikke han kan akkurat nå ...*

Sanmartí brølte av latter.

– *En roman! Herregud, Nurieta ... Romanen er da død og begravet. Det hørte jeg forleden dag av en venn av meg som nettopp har vært i New York. Amerikanerne har oppfunnet noe som kalles televisjon og skal være omtrent som kino, bare hjemme hos folk. Da vil man ikke lenger ha bruk for bøker eller messer eller noen verdens ting. Si til din mann at han skal kutte ut romanene. Hadde han i det minste hatt et navn, vært fotballspiller eller tyrefekter ... Du, skulle vi ta Bugattien og dra ut og spise en paella i Castelldefels og diskutere det der? Husk på at du må legge godviljen til ... Du vet godt at jeg gjerne skulle ha hjulpet deg. Og din kjære ektemann også. Du vet jo at i dette landet kommer ingen noen vei uten gode forbindelser.*

Jeg begynte å kle meg som en enke på Kristi legemsfest eller en av disse kvinnene som øyensynlig forveksler solens lys med en dødssynd. Jeg gikk på arbeidet med håret satt opp i en knute og uten sminke. Tross alle mine knep fortsatte Sanmartí å overøse meg med hentydninger, alltid ledsaget av det fettete smilet, befengt med forakt, som kjennetegner de arrogante evnukkene som henger som oppsvulmede blodpølser øverst på rangstigen i enhver bedrift. Jeg var i et par jobbintervjuer med tanke på andre stillinger, men før eller senere havnet jeg alltid overfor en annen utgave av Sanmartí. De skjøt opp som paddehatter som finner grobunn i den møkka som alle bedrifter sprer rundt seg. En av dem tok seg bryet med å ringe til Sanmartí for å fortelle at Nuria Monfort så seg om etter en jobb bak hans rygg. Sanmartí kalte meg inn på kontoret til seg, såret over slik utakknemlighet. Han klappet meg på kinnet med noe som holdt på å bli et kjærtegn. Fingrene luktet røyk og svette. Jeg ble gustenblek.

– *Hvis du ikke er fornøyd, må du bare si ifra, vet du. Hva kan jeg gjøre for å bedre arbeidsforholdene dine? Du vet godt at jeg setter pris på deg, og det er leit å få høre fra en tredje part at du ønsker å slutte. Skulle vi ikke gå ut og spise middag sammen et sted og slutte fred?*

Jeg skjøv hånden hans bort fra ansiktet mitt, og kunne ikke skjule avsmaken den fylte meg med.

– *Du skuffer meg, Nuria. Jeg må bekjenne at din lagånd ikke vitner om tro på denne bedriftens prosjekt.*

Mercedes hadde allerede advart meg om at noe slikt uvegerlig ville skje før eller siden. Noen dager senere begynte Sanmartín, som på grammatikkens område stilte likt med en orangutang, å returnere alle manuskriptene jeg leste korrektur på, og påsto at det vrimlet av feil. Nesten hver dag måtte jeg sitte på kontoret til både ti og elleve om kvelden og gjøre om igjen side på side med Sanmartís overstrykninger og kommentarer.

– *For mange verb i preteritum. Det lyder dødt, uten nerve …*
Infinitiv brukes ikke etter semikolon. Det er da noe alle vet …

Noen kvelder ble også Sanmartí på jobben til langt på kveld, satt innestengt på kontoret sitt. Mercedes prøvde å være der, men det hendte mer enn én gang at Sanmartí sendte henne hjem. Når vi ble alene i forlaget, kom Sanmartí ut fra kontoret sitt og gikk bort til bordet mitt.

– *Du arbeider så mye, Nurieta. Ikke alt her i livet er arbeid.*
Man må også more seg litt. Du er fremdeles ung. Men ungdommen går, og det er ikke alltid vi drar fordel av den.

Han satte seg på bordkanten og stirret ufravendt på meg. Noen ganger stilte han seg bak meg og sto der et par minutter, og jeg kunne kjenne den stinkende pusten hans i håret. Andre ganger la han hendene på skuldrene mine.

– *Du er så anspent. Slapp av, jente.*

Jeg skalv, ville skrike eller legge på sprang og aldri vende tilbake til dette kontoret, men jeg trengte jobben og den luselønnen jeg fikk for den. En kveld begynte Sanmartí med det som var blitt fast takst, han masserte meg og klådde begjærlig på meg.

– *En dag får du meg til å gå fra sans og samling,* jamret han.

Jeg kom meg løs fra klørne hans med et rykk og løp mot utgangen, rev bare med meg kåpen og vesken i farten. Sanmartí lo bak meg. I trappen støtte jeg på en mørk skikkelse som så ut som om den gled gjennom vestibylen uten å berøre gulvet.

– *Hvilken utsøkt glede å se Dem, señora Moliner …*

Inspektør Fumero sendte meg øglesmilet sitt.

– *De vil vel ikke si at De arbeider for min gode venn Sanmartí?*
Han er, i likhet med meg, den beste på sitt felt. Si meg, hvordan står det til med Deres mann?

Jeg skjønte at tiden var i ferd med å løpe ut. Dagen etter gikk ryktene på kontoret om at Nuria Monfort var «flatbanker», siden hun var aldeles upåvirkelig av don Pedro Sanmartís sjarm og hans hvitløkduftende ånde, og kom så godt ut av det med Mercedes Pietro. Mer enn én ungdom med en lovende fremtid i firmaet forsikret at han hadde sett de to «purkeskinnene» kline med hverandre i arkivet ved diverse anledninger. Da jeg skulle gå den dagen, spurte Mercedes om vi kunne slå av en prat. Hun klarte nesten ikke å se meg i øynene. Vi gikk inn på kafeen på hjørnet uten å veksle ett ord. Der fortalte Mercedes at Sanmartí hadde sagt at han ikke så med blide øyne på vennskapet vårt, at politiet hadde gitt ham visse opplysninger om meg, om min angivelige fortid som kommunistisk aktivist.

– *Nuria, jeg har ikke råd til å miste denne jobben. Jeg trenger den for å ta meg av sønnen min* ...

Hun slapp tårene løs, herjet av skam og ydmykelse, og ble eldre for hvert sekund som gikk.

– *Vær ikke bekymret, Mercedes. Jeg forstår det,* sa jeg.

– *Denne mannen, Fumero, er ute etter deg, Nuria. Jeg vet ikke hva han har på deg, men jeg kan se det på ham.*

– *Jeg vet det.*

Neste mandag, da jeg kom på kontoret, oppdaget jeg at det satt en mager og hårkremglinsende fyr ved mitt skrivebord. Han presenterte seg som Salvador Benades, den nye korrekturleseren.

– *Og hvem er De?*

Ikke en eneste én på kontoret våget å veksle blikk eller ord med meg mens jeg samlet sammen sakene mine. Da jeg var på vei ned trappen, kom Mercedes farende etter meg og rakte meg en konvolutt som inneholdt en bunke med sedler og mynter.

– *Nesten alle har bidradd med det de kunne. Ta imot, er du snill. Ikke for din skyld, men for vår.*

Den natten bega jeg meg til leiligheten i Ronda de San Antonio. Julián satt som alltid og ventet på meg i mørket. Han hadde skrevet et dikt til meg, sa han. Det var det første han hadde skrevet på ni år. Jeg ville lese det, men knakk sammen i armene hans. Jeg fortalte alt, for jeg holdt ikke ut mer. Og jeg fryktet at Fumero før eller siden ville finne ham. Julián hørte på meg i taushet, holdt rundt meg og strøk meg over håret. Det var første gang på mange år at jeg følte at jeg for en gangs skyld kunne finne støtte hos ham. Jeg ville kysse ham, syk av ensomhet, men Julián hadde verken lepper eller hud å by meg. Jeg sovnet i armene hans, sammenkrøpet i sengen på rommet hans, en guttekøye. Da jeg våknet, var ikke Julián der. Jeg hørte skrittene hans på takterrassen i grålysningen og lot som om jeg lå og sov. Senere samme formiddag hørte jeg nyheten i radioen uten å tenke over det. Man hadde funnet et lik på en benk i Paseo del Borne, med blikket vendt mot Santa María del Mar, med hendene foldet i fanget. En flokk duer som hakket øynene ut på det, hadde påkalt en av naboenes oppmerksomhet, og han hadde varslet politiet. Liket hadde brukket nakken. Señora Sanmartí identifiserte ham som sin mann, Pedro Sanmartí Monegal. Da avdødes svigerfar fikk høre nyheten på aldershjemmet i Bañolas, takket han sin skaper og sa at nå kunne han endelig dø i fred.

13

Julián skrev en gang at tilfeldighetene er skjebnens arr. Det finnes ingen tilfeldigheter, Daniel. Vi er vår egen underbevissthets sprellemenn. I mange år hadde jeg ønsket å tro at Julián fremdeles var den mannen jeg hadde forelsket meg i, eller asken etter ham. Jeg hadde villet tro at vi kunne kjempe oss igjennom i nød og håp. Jeg hadde villet tro at Laín Coubert var død og vendt tilbake til sidene i en bok. Vi mennesker er villige til å tro på hva som helst annet enn sannheten.

Drapet på Sanmartí åpnet øynene mine. Jeg skjønte at Laín Coubert levde i beste velgående. Mer enn noensinne. Han hadde tatt bolig i kroppen til den mannen som var blitt flammenes rov, som det ikke engang var stemmen igjen av, og hentet næring fra hans minner. Jeg oppdaget at han hadde funnet ut hvordan han skulle ta seg ut og inn av leiligheten i Ronda de San Antonio gjennom et vindu som førte til den sentrale lyssjakten, uten behov for å sprenge døren som jeg låste hver gang jeg gikk derfra. Jeg oppdaget at Laín Coubert, forkledd som Julián, hadde dradd gjennom hele byen og oppsøkt den gamle herskapsboligen til Aldaya. Jeg oppdaget at han i sin galskap hadde vendt tilbake til krypten og knust gravplatene, at han hadde hentet frem sarkofagene til Penélope og sin sønn. «Hva har du gjort, Julián?»

Politiet ventet på meg hjemme for å avhøre meg om forlegger Sanmartís død. De tok meg med til politistasjonen, og Fumero dukket opp etter at jeg hadde ventet i fem timer på et mørkt kontor. Han kom kledd i svart og bød på en sigarett.

– *De og jeg kunne bli gode venner, señora Moliner. Folkene mine sier at Deres mann ikke er hjemme.*

– *Min mann har gått fra meg. Jeg vet ikke hvor han er.*

Han veltet meg ut av stolen med en brutal ørefik. Jeg slepte meg bort i en krok, grepet av panikk. Jeg våget ikke å heve blikket. Fumero la seg på kne ved siden av meg og trev meg i håret.

– Bare så du vet det, ditt jævla ludder, jeg skal finne ham, og når jeg gjør det, dreper jeg dere begge. Deg først, for at han skal få se deg med tarmene hengende og slengende. Og så ham, så snart jeg har fortalt ham at den andre floksa han sendte i graven, var søsteren hans.

– Før det kommer han til å drepe deg, ditt svin.

Fumero spyttet meg i ansiktet og slapp meg. Jeg trodde han kom til å slå meg helseløs, men i stedet hørte jeg skrittene hans fjerne seg bortover gangen. Skjelvende satte jeg meg opp og tørket bort blodet i ansiktet. Jeg kjente lukten av hånden hans på huden, men denne gangen kjente jeg igjen stanken av angst.

De holdt meg i varetekt i dette rommet, i mørke og uten vann, i seks timer. Da de slapp meg, var det allerede mørkt. Det høljregnet, og dampen steg opp fra gatene. Da jeg kom hjem, ble jeg møtt av et hav av skrot. Fumeros menn hadde vært der. Blant veltede møbler, skuffer og hyller som var slått over ende, fant jeg klærne mine revet i filler og Miquels bøker ødelagt. På sengen var det hauger med avføring, og på veggen, skrevet med ekskrementer, sto det «Hore».

Jeg skyndte meg til leiligheten i Ronda de San Antonio, men tok tusen krokveier og forsikret meg om at ingen av Fumeros folk hadde fulgt etter meg til porten i Calle Joaquín Costa. Jeg tok meg frem over hustak som sto under vann etter regnværet, og konstaterte at døren til leiligheten fremdeles var låst. Jeg listet meg inn, men ekkoet av skrittene mine avslørte fraværet. Julián var ikke der. Jeg ble sittende og vente på ham i den mørke spisestuen og lytte til uværet helt til det grydde av dag. Da morgentåken slikket over skoddene til balkongen, gikk jeg opp på taket og skuet ut over byen som lå knuget under en blygrå himmel. Jeg visste at Julián aldri ville komme tilbake dit. Jeg hadde mistet ham for bestandig.

Jeg så ham igjen to måneder senere. Jeg hadde gått på kino alene en kveld, orket ikke å gå hjem til den tomme og kalde leiligheten. Midt under filmen, noe pjatt om elskov mellom en eventyrlysten rumensk prinsesse og en elegant nordamerikansk reporter som aldri ble bustete på håret, kom det noen og satte seg ved siden av meg. Det var ikke første gang. På den tidens kinoer vrimlet det av duster som stinket av ensomhet, urin og kølnervann, som kavet med svette og skjelvende hender som tunger av dødt kjøtt. Jeg skulle akkurat til å reise meg og varsle plassanviseren da jeg dro kjensel på den herjede profilen til Julián. Han knuget hånden min, og slik ble vi sittende lenge og stirre på lerretet uten å se det.

– Var det du som drepte Sanmartí? hvisket jeg.

– Er det noen som har savnet ham?

Vi snakket lavmælt, under årvåkne øyekast fra enslige menn som satt rundt omkring i parkett og gremmet seg i misunnelse over den dystre konkurrentens tilsynelatende suksess. Jeg spurte hvor han hadde gjemt seg, men han svarte ikke.

– Det finnes enda et eksemplar av *Vindens skygge*, hvisket han. – Her i Barcelona.

– Der tar du feil, Julián. Du har ødelagt alle sammen.

– Alle unntatt ett. Etter alt å dømme har en som er enda sluere enn meg, gjemt den på et sted der jeg aldri kan finne den. Du.

Slik var det jeg kom til å høre om deg for første gang. En brautende og sleivkjeftet bokhandler ved navn Gustavo Barceló hadde truffet noen samlere og skrytt av at han hadde oppsporet et eksemplar av *Vindens skygge*. De antikvariske bøkenes verden er et ekkorom. Etter bare et par måneder hadde Barceló mottatt tilbud fra samlere i Berlin, Paris og Roma, som ville sikre seg denne boken. Juliáns gåtefulle flukt fra Paris etter en blodig duell og forlydendet om hans død i den spanske borgerkrig hadde gitt hans verker en markedsverdi som de aldri hadde kunnet drømme om. Den svarte legenden om en fyr som gikk rundt til alle bokhandler, biblioteker og private samlinger for å brenne dem, bidro bare til å mangedoble interessen og prisanslaget. «Nå blir det blodig sirkus,» sa Barceló.

Julián, som fremdeles jaget etter skyggen av sine egne ord, fikk snart høre ryktet. Slik fikk han vite at Gustavo Barceló ikke selv hadde boken, men at eksemplaret øyensynlig var i en ung manns besittelse, en gutt som hadde oppdaget boken ved en tilfeldighet og var så fascinert av romanen og dens gåtefulle forfatter at han nektet å selge den og beholdt den som sitt dyreste eie. Den gutten var deg, Daniel.

– For Guds skyld, Julián, du får ikke gjøre en guttunge fortred ..., hvisket jeg, men følte meg ikke trygg.

Julián fortalte da at alle bøkene han hadde stjålet og ødelagt, var blitt revet ut av hendene på folk som ikke følte noe for dem, som nøyde seg med å handle med dem eller tok vare på dem som kuriositeter for samlere og møllspiste dilettanter. Du, som

433

nektet å selge boken uansett pris og forsøkte å redde Carax fra fortidens avkroker, inngjøt ham en underlig sympati, for ikke å si respekt. Uten at du visste om det, holdt Julián øye med deg og studerte deg inngående.

– Hvem vet, hvis han finner ut hvem jeg er og hva jeg er, bestemmer også han seg for å brenne boken.

Julián snakket med det faste og bestemte klarsyn som kjennetegner gale mennesker når de har frigjort seg fra det hykleriet det er å forholde seg til en virkelighet som ikke stemmer.

– Hvem er denne gutten?

– Han heter Daniel. Han er sønn av en bokhandler i Calle Santa Ana som Miquel var en hyppig gjest hos. Han bor sammen med sin far i en leilighet over butikken. Han mistet sin mor da han var ganske liten.

– Det lyder som om du snakker om deg selv.

– Kanskje det. Gutten minner meg faktisk om meg selv.

– La ham være, Julián. Han er bare et barn. Hans eneste forbrytelse har vært å beundre deg.

– Det er ingen forbrytelse, det er troskyldighet. Men det går over. Da lar han meg kanskje få tilbake boken. Når han holder opp å beundre meg og begynner å forstå meg.

Et minutt før slutten reiste Julián seg og forsvant i ly av skyggene. I flere måneder møttes vi alltid slik, i mørket, på kinoer og i trange midnattssmug. Det var alltid Julián som fant meg. Jeg fornemmet hans tause nærvær uten å se ham, alltid like årvåken. Noen ganger nevnte han deg, og da jeg hørte ham snakke om deg, var det som om jeg i stemmen hans oppdaget en sjelden ømhet som gjorde ham forvirret, og som jeg hadde trodd han hadde mistet for mange år siden. Jeg fant ut at han var vendt tilbake til Aldayas hus og bodde der, som noe midt mellom gjenferd og tigger, flakket om i ruinene av sitt liv og våket over levningene av Penélope og sønnen deres. Det var det eneste sted i verden han fremdeles følte som sitt. Det finnes verre fengsler enn ordene.

Jeg gikk selv dit en gang i måneden for å forsikre meg om at han hadde det bra, eller simpelthen om at han var i live. Jeg hoppet over hagemuren som var halvt sammenrast på baksiden, usynlig fra gaten. Noen ganger møtte jeg ham der, andre ganger var han forsvunnet. Jeg la igjen mat, penger, bøker … Jeg ventet på ham i timevis, til det mørknet. Enkelte ganger dristet jeg meg til å utforske huset. Det var slik jeg fant ut at han hadde ødelagt gravplatene og hentet frem sarkofagene. Jeg trodde ikke lenger at Julián var gal, jeg så heller ikke noe uhyrlig i denne skjendingen, bare noe tragisk følgeriktig. De gangene jeg møtte ham der, satt vi foran peisen og snakket sammen i timevis. Julián betrodde meg at han hadde prøvd å skrive igjen, men at han ikke klarte det. Han hadde en vag erindring om bøkene sine, som om han hadde lest dem, som om de var en annen persons verk. Arrene etter dette forsøket sprang i øynene. Jeg oppdaget at Julián tok de sidene han hadde skrevet febrilsk i løpet av den tiden vi ikke hadde sett hverandre, og kastet dem i ilden. En gang benyttet jeg sjansen da han var borte, og plukket en bunke med ark opp av asken. De handlet om deg. Julián hadde sagt en gang at en fortelling var et brev som forfatteren skriver til seg selv for å fortelle seg ting som han ellers ikke kunne ha brakt på det rene. Julián hadde i lengre tid spurt seg selv om han hadde mistet forstanden. Vet den gale om at han er gal? Eller er det de andre som er gale, de som har satt seg fore å overbevise ham om hans vettløshet, bare for å redde sin egen verden som de har bygd opp på tankespinn? Julián iakttok deg, så deg vokse og spurte seg selv hvem du var. Han spurte seg selv om din eksistens kanskje rett og slett var et mirakel, en nådegave han måtte gjøre seg fortjent til ved å lære deg ikke å begå de samme feil som ham. Mer enn én gang spurte jeg meg selv om Julián ikke hadde klart å overbevise seg selv om at du, i den forskrudde logikk som styrte hans univers, var blitt til den sønnen han hadde mistet, til et nytt blankt ark der han kunne begynne om igjen på den historien som han ikke kunne dikte opp mer, men som han kunne huske.

Årene gikk i den gamle herskapsboligen, og Julián ble nærmere og nærmere bundet til deg og de fremskritt du gjorde. Han snakket om vennene dine, om en kvinne som het Clara som du hadde forelsket deg i, om din far, en mann han beundret og verdsatte, om din venn Fermín og en pike som han ville se som en ny Penélope, din Bea. Han snakket om deg som en sønn. Dere søkte hverandre, Daniel. Han ville tro at din uskyld skulle frelse ham fra ham selv. Han hadde sluttet å jakte på bøkene sine, ønske å brenne og ødelegge alle spor etter seg i livet. Han lærte å minnes verden på nytt gjennom dine øyne, å vinne tilbake den gutten han hadde vært, i deg. Den dagen du kom hjem til meg for første gang, følte jeg at jeg allerede kjente deg. Jeg spilte mistroisk for å dekke over den redselen du innga meg. Jeg var redd for deg,

435

for hva du kunne finne ut. Jeg var redd for å lytte til Julián og begynne å tro som ham at vi alle i virkeligheten var forenet i en forunderlig kjede av skjebner og tilfeldigheter. Jeg var redd for å gjenkjenne den Julián jeg hadde mistet, i deg. Jeg visste at du og vennene dine forsket i vår fortid. Jeg visste at du før eller siden ville oppdage sannheten, men først i behørig tid, når du kunne fatte hva den innebar. Jeg visste at før eller siden ville du og Julián møtes. Det var min store feil. For det var en til som visste det, en som hadde en forutanelse om at du, med tid og stunder, ville føre ham til Julián: Fumero.

Jeg forsto hva som var i ferd med å skje da det ikke lenger var noen vei tilbake, men jeg oppga aldri håpet om at du skulle miste sporet, om at du skulle glemme oss eller at livet, ditt og ikke vårt, skulle føre deg langt bort, i sikkerhet. Tiden har lært meg ikke å oppgi håpet, men heller ikke å sette for stor lit til det. Det er grusomt og forfengelig, samvittighetsløst. Fumero har allerede i lengre tid fulgt i hælene på meg. Han vet at jeg vil snuble før eller senere. Han har det ikke travelt, derfor virker han så uforståelig. Han lever for å hevne seg. På alle og på seg selv. Uten hevnen, uten vreden, ville han løse seg opp og bli borte. Fumero vet at du og vennene dine vil føre ham til Julián. Han vet at etter nesten femten år er det slutt på mine krefter og ressurser. Han har sett meg dø i mange år og venter bare på å gi meg det siste støtet. Han har aldri tvilt på at jeg skal dø for hans hånd. Jeg vet at stunden er nær. Jeg skal overlate disse sidene til min far og pålegge ham å gi dem til deg om det skulle hende meg noe. Jeg ber til den Gud som jeg aldri har støtt på, at du aldri må få lese dem, men jeg har en fornemmelse av at min skjebne, tross min vilje og tross mine fåfengte forhåpninger, er å overlate denne historien til deg. Og din skjebne, tross din ungdom og uskyld, er å befri den.

Når du leser disse ord, dette minnenes fengsel, vil det si at jeg ikke lenger kan si farvel til deg som jeg skulle ha ønsket, at jeg ikke vil kunne be deg om å tilgi oss, især Julián, og om å ta hånd om ham når jeg ikke lenger er her og kan gjøre det. Jeg vet at jeg ikke kan be deg om noe, annet enn at du kommer deg i sikkerhet. Det kan være at alle disse sidene har overbevist meg om at hva som enn skjer, så vil jeg alltid ha en venn i deg, at du er mitt eneste og egentlige håp. Av alt det Julián har skrevet, er det jeg alltid har opplevd som nærmest, at så lenge noen husker oss, lever vi videre. Slik jeg selv så mange ganger opplevde det med Julián, i mange år før jeg møtte ham, føler jeg at jeg kjenner deg, og er det noen jeg kan stole på, så er det deg. Husk meg, Daniel, om det så blir i en krok og i dølgsmål. Ikke la meg gå.

Nuria Monfort

VINDENS SKYGGE
1955

1

Det begynte allerede å lysne da jeg var ferdig med å lese Nuria Monforts manuskript. Det var min historie. Vår historie. I Carax' tapte skritt gjenkjente jeg mine egne, som allerede nå var ugjenkallelige. Jeg reiste meg, martret av angst, og begynte å trave frem og tilbake i rommet som et dyr i bur. Alle mine innvendinger, mistanker og betenkeligheter smuldret til aske og betydde ingenting mer. Jeg ble overmannet av tretthet, anger og frykt, men følte at jeg ikke lenger kunne bli der jeg var, og snike meg unna sporene etter det jeg hadde gjort. Jeg slengte på meg frakken, brettet manuskriptet og puttet det i innerlommen og løp ned trappen. Det hadde begynt å snø da jeg kom ut av porten, og himmelen løste seg opp i dovne tårer av lys som festet seg til pusten og ble borte. Jeg sprang videre mot Plaza Cataluña, som lå øde. Midt ute på plassen, alene, ruvet silhuetten av en gammel mann, eller kanskje det var en frafallen engel, med hvit hårmanke og blikket vendt mot himmelen mens han forgjeves, lattermildt prøvde å fange snøfnugg med hanskene. Idet jeg skrådde over plassen bort til ham, så han på meg og smilte alvorlig, som om han kunne lese sjelen min ved å kaste et eneste blikk på meg. Han hadde gylne øyne, som forheksede mynter på bunnen av en dam.

– Lykke til, syntes jeg han sa.

Jeg prøvde å klamre meg til den lykkønskningen og satte opp farten, håpet bare inderlig at det ikke var for sent, og at Bea, min histories Bea, fremdeles ventet på meg.

Kulden brant i halsen på meg da jeg kom frem til bygningen der Aguilar bodde, andpusten etter springmarsjen. Snøen begynte å legge seg. Jeg var så heldig at don Saturno Molleda, portneren i bygningen og (etter hva Bea hadde fortalt) en surrealistisk dikter i det skjulte, hadde stilt seg i porten. Don Saturno var kommet ut for å se på snøen med en kost i neven, hadde tullet hele tre skjerf rundt halsen og tatt på seg skaftestøvler.

– Det er Guds flass, sa han forundret og kledde snøværet i hittil uhørte verselinjer.

– Jeg skal opp til Aguilar, opplyste jeg.

– Det er en kjent sak at Gud står den kjekke bi, men det du gjør nå, unge mann, er som å be ham om fribillett.

– Det er krise. De venter meg.

– Ego te absolvo, deklamerte han og ga meg sin velsignelse.

Jeg la på sprang oppover trappene. På vei opp vurderte jeg mine muligheter med visse forbehold. Hvis jeg hadde lykken med meg, ville en av hushjelpene lukke opp for meg, og om hun stilte seg i veien, aktet jeg å skyve henne til side uten dikkedarer. Gikk lykken meg imot, var det kanskje Beas far som åpnet døren, så tidlig som det var på dagen. Jeg ville gjerne tro at han i hjemmets lune skjød ikke gikk bevæpnet, iallfall ikke før frokost. Før jeg banket på, stanset jeg noen øyeblikk og hev etter pusten og prøvde å mane frem noen ord som ikke ville komme. Det fikk ikke hjelpe. Jeg slo tre ganger med dørhammeren. Femten sekunder senere gjentok jeg det, og så videre, og enset ikke kaldsvetten som piplet frem i pannen og hjertet som dunket. Da døren gikk opp, holdt jeg fremdeles dørhammeren i hånden.

– Hva er det du vil?

Øynene til min gamle venn Tomás boret seg inn i meg, uten spor av forskrekkelse. Kalde og osende av vrede.

– Jeg skulle treffe Bea. Du kan gi meg en på tygga hvis du vil, men jeg går ikke før jeg har snakket med henne.

Tomás betraktet meg uten å blunke. Jeg lurte på om han kom til å kverke meg på flekken, uten noe om og men. Jeg svelget tungt.

– Min søster er ikke hjemme.

– Tomás …

– Bea har reist.

Det var sorg og resignasjon i stemmen som knapt kunne dekke over raseriet.

– Har hun reist? Hvor?

– Jeg hadde håpet at du visste det.

– Jeg?

Jeg ignorerte de knyttede nevene og det truende oppsynet til Tomás og smatt inn i leiligheten.

– Bea? ropte jeg. – Bea, det er Daniel …

Jeg bråstoppet midt i gangen. Leiligheten spyttet fra seg ekkoet av stemmen min med det tomme roms umiskjennelige forakt. Verken señor Aguilar eller hans kone eller tjenerne dukket opp som svar på skrikene mine.

– Det er ingen her, har jeg sagt, sa Tomás bak meg. – Kom deg ut nå og ikke vis deg her mer. Far har sverget at han skal drepe deg, og jeg blir ikke den som hindrer ham.

– For Guds skyld, Tomás. Si meg hvor søsteren din er.

Han så på meg som om han ikke visste om han skulle spytte eller gå rett forbi.

– Bea har reist hjemmefra, Daniel. Mine foreldre har i to dager lett som besatt etter henne overalt, politiet også.

– Men ...

– Forleden kveld, da hun hadde vært og snakket med deg, ventet far på henne. Han fikte til henne så leppene silblødde, men vær trygg, hun nektet å si hvem du var. Du har ikke fortjent henne.

– Tomás ...

– Hold kjeft. Dagen etter tok mine foreldre henne med til legen.

– Hvorfor det? Er Bea syk?

– Syk av deg, din tosk. Søsteren min er gravid. Kom ikke og si at du ikke visste det.

Jeg merket at leppene skalv. En isnende kulde bredte seg gjennom kroppen, jeg mistet munn og mæle, blikket stivnet. Jeg slepte meg mot døren, men Tomás hugg tak i armen min og slengte meg mot veggen.

Øyelokkene hans knep seg sammen av utålmodighet. Det første slaget tok pusten fra meg. Jeg skled mot gulvet med ryggen støttet til veggen da knærne ga etter under meg. Et uhyggelig grep klemte til rundt strupen på meg og holdt meg oppreist, naglet til veggen.

– Hva har du gjort med henne, ditt svin?

Jeg prøvde å slite meg løs, men Tomás slo knyttneven rett i ansiktet på meg. Jeg falt ned i et uendelig mørke, med hodet omsluttet av smerteflammer. Jeg gikk over ende på flisene i gangen. Jeg prøvde å slepe meg bort, men Tomás trev meg i frakkekragen og lempet meg ut på avsatsen. Så kastet han meg utfor trappen som en haug med slakteavfall.

– Hvis det har hendt Bea noe, sverger jeg at jeg dreper deg, sa han fra døråpningen.

Jeg kom meg opp på kne, håpet inderlig på et sekund, en anledning til å få stemmens bruk igjen. Døren slo igjen og overlot meg til mørket. Jeg kjente et stikk i det venstre øret, tok meg til hodet og vred meg av smerte. Jeg fikk varmt blod på fingrene. Jeg stablet meg opp som best jeg kunne. Magemusklene, som hadde tatt imot det første slaget, brant i en dødskrampe som først nå satte inn. Jeg akte meg ned trappen, der don Saturno ristet på hodet da han så meg.

– Så, kom inn her og slapp av litt …

Jeg ristet på hodet og tok meg til magen. Den venstre siden av hodet dunket, som om knoklene prøvde å slite seg løs fra kroppen.

– Du blør, sa don Saturno bekymret.

– Det er ikke første gang.

– Holder du det gående sånn, får du ikke mange flere anledninger til å blø. Så, hør nå på meg, inn her, så ringer jeg etter lege.

Jeg kom meg ut i porten og rev meg løs fra portnerens velvilje. Nå lavet snøen ned og dekket fortauene med slør av hvit dis. Den iskalde vinden fant veien inn under klærne og slikket såret som blødde i ansiktet. Jeg vet ikke om jeg gråt av smerte, raseri eller redsel. Snøen strøk likegyldig av gårde med den feige gråten, og jeg fjernet meg sakte i morgenstøvet, en skygge blant andre som pløyde seg frem i Guds flass.

2

Da jeg nærmet meg krysset ved Calle Balmes, la jeg merke til
at det var en bil som fulgte etter meg, tett inntil fortauskanten.
Smerten i hodet hadde veket for en svimmelhet som fikk meg til
å rave bortover, støttet til husveggene. Bilen stanset, og to menn
steg ut. En skingrende fløytelyd hadde inntatt ørene, så jeg hørte
ikke motoren eller ropene fra de to svartkledde silhuettene som
grep fatt i meg, én på hver side, og slepte meg bort til bilen. Jeg
dumpet ned i baksetet, så kvalm at det gikk rundt for meg. Lyset
kom og gikk som en blendende tidevannsbølge. Jeg merket at bilen
satte seg i bevegelse. Noen hender tok meg på ansiktet, hodet og
ribbena. Da de kom over manuskriptet til Nuria Monfort, som
jeg hadde stukket innunder frakken, rev en av skikkelsene det fra
meg. Jeg prøvde å stoppe ham med hender av gelé. Den andre
silhuetten bøyde seg over meg. Jeg skjønte at den snakket til meg
da jeg kjente pusten i ansiktet. Jeg ventet å se ansiktet til Fumero
lyse opp og kjenne knivseggen hans mot strupen. Et blikk falt
på meg, og idet bevissthetens slør ble revet bort, kjente jeg igjen
det tannløse og saktmodige smilet til Fermín Romero de Torres.

Jeg våknet badet i en svette som sved på huden. To hender holdt
meg med et fast grep om skuldrene og la meg til rette på en briks
som jeg syntes var omgitt av vokslys, som på en likvake. Fermíns
ansikt dukket opp til høyre. Han smilte, men selv i min forvil-
lede tilstand merket jeg at han var bekymret. Ved siden av ham,
stående oppreist, skjelnet jeg don Federico Flaviá, urmakeren.

    – Det ser ut som han kommer til seg selv igjen nå, Fermín, sa don
Federico. – Synes du jeg skulle lage litt buljong for å live ham opp?

    – Det kunne ikke skade. Og når du først er i gang, kunne du
kanskje lage et lite rundstykke med det du har for hånden, for
nervene står på høykant, så jeg er sulten som en skrubb og vel
så det.

Federico trakk seg tilbake med stil og lot oss bli alene.

– Hvor er vi, Fermín?

– På et trygt sted. Teknisk sett befinner vi oss i en liten leilighet på den venstre siden av El Ensanche, det er noen venner av don Federico som eier den, og det er ham vi kan takke for at vi er i live og alt det der. Onde tunger ville kalle det et ungkarskrypinn, men for oss er det et fredhellig sted.

Jeg prøvde å sette meg opp. Smerten i øret gjorde seg straks bemerket som en brennende puls.

– Kommer jeg til å bli døv?

– Døv er ikke godt å si, men det er på et hengende hår at du ikke blir halvt mongo. Den der rabiate señor Aguilar holdt på å mose hjernen din til grøt.

– Det var ikke señor Aguilar som slo. Det var Tomás.

– Tomás? Din venn oppfinneren?

Jeg nikket.

– Noe må du ha gjort, da.

– Bea har dradd hjemmefra ..., begynte jeg.

Fermín rynket pannen.

– Fortsett.

– Hun er gravid.

Fermín så måpende på meg. For en gangs skyld var uttrykket hans strengt og uutgrunnelig.

– Ikke se sånn på meg, Fermín, for Guds skyld.

– Hva vil du at jeg skal gjøre? Dele ut sigarer?

Jeg prøvde å reise meg, men smerten og Fermíns hender holdt meg igjen.

– Jeg må finne henne, Fermín.

– Ligg pal! Du er ikke i en slik forfatning at du kan gå noen steder. Si bare hvor jenta er, så skal jeg hente henne.

– Jeg vet ikke hvor hun er.

– Jeg må be deg være noe mer spesifikk.

Don Federico dukket opp i døren med en kopp rykende buljong. Han smilte varmt til meg.

– Hvordan går det med deg, Daniel?

– Mye bedre, takk.

– Ta et par av disse pillene sammen med buljongen.

Jeg vekslet et fort blikk med Fermín, som nikket.

– De er mot smertene.

Jeg svelget pillene og slurpet i meg buljongen, som det smakte

446

sherry av. Don Federico, som var diskresjonen selv, forlot værelset og lukket døren etter seg. I det samme oppdaget jeg at Fermín hadde Nuria Monforts manuskript i fanget. Klokken som tikket på nattbordet, viste ett, jeg antok at det var om ettermiddagen.

– Snør det fremdeles?

– Snør er mildt sagt. Dette er syndfloden i støvs form.

– Har du lest det alt? spurte jeg.

Fermín nøyde seg med å nikke.

– Jeg må finne Bea før det er for sent. Jeg tror jeg vet hvor hun er.

Jeg satte meg på sengen og skjøv bort armene til Fermín. Jeg så meg omkring. Veggene bølget som sjøgress i en dam. Taket løftet seg i et pust. Det var med nød og neppe jeg kunne holde meg oppreist. Fermín behøvde ikke å anstrenge seg for å få meg over ende på briksen igjen.

– Du skal ingen steder, Daniel.

– Hva var det for slags piller?

– Morfei salve. Du kommer til å sove som en stein.

– Nei, nå kan jeg ikke …

Jeg fortsatte å stotre til øyelokkene, og verden, sank til bunns. Det var en svart og tom drøm, en tunneldrøm. De skyldiges søvn.

Skumringen kom snikende da denne dvalens gravstein fordunstet og jeg åpnet øynene i et mørkt værelse overvåket av trette lys som blafret på nattbordet. Fermín hadde gitt seg over i lenestolen i hjørnet og snorket med samme villskap som en tre ganger så stor mann. Ved føttene hans, utflytende som en grøt av ark, lå Nuria Monforts manuskript. Hodepinen hadde minket til en sakte og mild dunking. Jeg smøg meg stille bort til døren og gikk ut i en liten stue med en balkong og en dør som etter alt å dømme førte til trappen. Frakken og skoene mine lå på en stol. Et purpurrødt lys trengte inn av vinduet, spettet av fargeskimrende reflekser. Jeg gikk bort til balkongen og så at det fremdeles snødde. Hustakene i halve Barcelona skinte med hvite og skarlagenfargede flekker. I det fjerne kunne jeg se tårnene på yrkesskolen, nåler i en dis som fanget solens siste åndedrag. Vinduet var sløret av rim. Jeg la pekefingeren på ruten og skrev:

Jeg drar og henter Bea. Ikke følg etter. Er straks tilbake.

*

447

Vissheten hadde slått ned i meg da jeg våknet, som om en ukjent hadde hvisket sannheten til meg i drømme. Jeg gikk ut på avsatsen og ned trappen til jeg kom til porten. Calle Urgel var en elv av strålende sand, og opp av den stakk lykter og trær som master i tett tåke. Vinden spyttet snø i byger. Jeg gikk til metrostasjonen Hospital Clínico og dukket ned i tunneler av damp og annenhånds varme. Horder av barcelonesere, som pleide å forveksle snø og mirakler, fortsatte å kommentere det uvante uværet. Ettermiddagsavisene hadde nyheten på første side, med foto av et snødekt Ramblas og Canaletas-fontenen som blødde stalaktitter. «ÅRHUNDRETS SNØVÆR», lovte overskriftene. Jeg dumpet ned på en benk på perrongen og pustet inn lukten av tunneler og sot som følger med duren fra usynlige tog. På den andre siden av skinnene lovpriste en reklameplakat gledene i tivoliet på Tibidabo, den blå trikken dukket frem med festbelysning, og bak den kunne jeg ane silhuetten av Aldayas herskapelige hus. Jeg lurte på om Bea, da hun forvillet seg inn i dette Barcelona som tilhører dem som har falt utenfor verden, hadde sett det samme bildet og skjønt at hun ikke hadde noe annet sted å gå.

3

Mørket begynte å senke seg da jeg kom opp trappene fra metroen. Avenida del Tibidabo lå øde og tegnet en endeløs flukt av sypresser og paleer nedsenket i gravkammerlys. Jeg skjelnet silhuetten av den blå trikken på holdeplassen, og konduktørens bjelle skar seg gjennom vinden. Jeg satte opp farten og kom meg om bord nesten samtidig som den tok fatt på turen. Konduktøren, en gammel kjenning, mumlet for seg selv da han tok imot myntene. Jeg fant meg en sitteplass inne i kupeen, som ga litt ly for snøen og kulden. De mørke bygningene gled sakte forbi bak de gjenfrosne rutene. Konduktøren betraktet meg med den blandingen av mistro og freidighet som kulden tilsynelatende hadde frosset fast i ansiktet hans.

– Nummer toogtredve, unge mann.

Jeg snudde meg og så den spøkelsesaktige silhuetten av Aldayas herskapelige hus stige frem mot oss som baugen på et mørkt skip i tåken. Trikken stanset med et rykk. Jeg steg av og unnvek konduktørens blikk.

– Lykke til, mumlet han.

Jeg så etter trikken som forsvant oppover avenyen til jeg bare kunne fornemme ekkoet av bjellen. Et tett halvmørke senket seg rundt meg. Jeg skyndte meg rundt muren for å se etter stedet der den hadde rast sammen på baksiden. Idet jeg klatret over, syntes jeg at jeg hørte skritt i snøen på den andre siden, skritt som kom nærmere. Jeg stanset et øyeblikk, urørlig oppe på muren. Natten falt nå ubønnhørlig på. Lyden av skritt ble visket ut i vindens spor. Jeg hoppet ned på den andre siden og tok meg inn i hagen. Villniset hadde stivnet i krystallstilker. De veltede englestatuene lå under svetteduker av is. Fontenens overflate var frosset til et svart og skinnende speil der bare kloen til steinengelen skjøt opp som en sabel av obsidian. Det hang istårer på pekefingeren. Engelens anklagende hånd pekte rett mot ytterdøren, som sto på gløtt.

Jeg gikk opp trappen og håpet bare at det ikke var for sent. Jeg gjorde ikke noe forsøk på å dempe skrittenes ekko. Jeg skjøv opp den tunge døren og gikk inn i vestibylen. Et opptog av voks-lys førte innover i huset. Det var lysene til Bea, som var brent nesten helt ned til gulvet. Jeg fulgte sporene og stanset ved foten av trappen. Lysenes sti førte oppover trappen til annen etasje. Jeg våget meg videre oppover, fulgte etter min fordreide skygge på veggene. Da jeg kom opp på avsatsen, konstaterte jeg at det var to lys til som førte innover i gangen. Det tredje blafret foran det som hadde vært Penélopes værelse. Jeg gikk bort og banket lett på døren.

– Julián? lød en skjelvende stemme.

Jeg tok tak i klinken og skulle til å gå inn, uten lenger å vite hvem som ventet meg der inne. Langsomt åpnet jeg døren. Bea stirret på meg fra kroken sin, tullet inn i et pledd. Jeg stormet bort til henne og tok stumt omkring henne. Jeg merket at hun var oppløst i gråt.

– Jeg visste ikke hvor jeg skulle gjøre av meg, sa hun. – Jeg ringte hjem til deg mange ganger, men det var ingen der. Jeg ble så redd ...

Bea tørket tårene med nevene og boret blikket i meg. Jeg nikket, og det var ikke nødvendig å si noe mer.

– Hvorfor kalte du du meg Julián?

Bea kastet et blikk på den halvåpne døren.

– Han er her. I dette huset. Han kommer og går. Han over-rumplet meg forleden dag, da han prøvde å komme seg inn. Uten at jeg hadde sagt noe til ham, skjønte han hvem jeg var. Skjønte hva som foregikk. Han fikk installert meg i dette rommet og kom med et pledd, vann og mat. Sa at jeg fikk vente her. At alt kom til å ordne seg. Han sa at du skulle komme og hente meg. Om natten snakket vi sammen i timevis. Han snakket om Penélope, om Nuria ... men først og fremst snakket han om deg, om oss to. Han sa jeg måtte lære deg å glemme ham ...

– Hvor er han nå?

– Nedenunder. I biblioteket. Han sa han ventet på noen, at jeg skulle holde meg her.

– Ventet på hvem?

– Jeg vet ikke. Han sa det var noen som skulle komme sammen med deg, som du ville ha med deg ...

Da jeg stakk hodet ut i gangen, hørte jeg allerede skrittene nederst i trappen. Jeg gjenkjente skyggen på murveggene, tappet for alt blod, som et spindelvev, den svarte gabardinfrakken, hatten som var trukket ned i pannen som en hette, og revolveren i hånden, glinsende som en ljå. Fumero. Han hadde alltid minnet meg om noen, eller noe, men inntil dette øyeblikket hadde jeg ikke forstått hva.

4

Jeg slukket lysene med fingrene og gjorde et tegn til Bea at hun skulle være helt stille. Hun grep etter hånden min og så spørrende på meg. Fumeros langsomme steg hørtes rett under oss. Jeg trakk Bea med meg inn i rommet igjen og lot henne forstå at hun skulle bli der, i skjul bak døren.

– Ikke gå ut herfra, hva som enn skjer, hvisket jeg.

– Ikke gå fra meg nå, Daniel. Du må ikke.

– Jeg skal advare Carax.

Bea så bønnfallende på meg, men jeg trakk meg ut i gangen igjen før jeg ga meg over. Jeg snek meg bort til hovedtrappen. Det var ikke spor av Fumeros skygge, heller ikke av skrittene. Han hadde stanset et sted i mørket og sto urørlig. Tålmodig. Jeg trakk meg igjen tilbake til gangen og gikk rundt hele galleriet til værelsene der oppe, helt til jeg befant meg på forsiden av huset. Et stort vindu som var blitt duggete i kulden, slapp inn fire blå lysbunter, grumsete som stillestående vann. Jeg gikk bort til vinduet og kunne se en svart bil parkert foran hovedporten. Jeg kjente igjen bilen til løytnant Palacios. En sigarettglo i mørket røpet at han satt bak rattet. Jeg gikk sakte tilbake til trappen og ned, trinn for trinn, uendelig forsiktig med hvor jeg satte bena. Jeg stanset på halvveien og speidet inn i mørket som hadde oversvømt første etasje.

Fumero hadde latt hoveddøren stå åpen da han gikk inn. Vinden hadde slukket lysene og spyttet virvler av snø. Vissent, frosset løv danset under hvelvet, svevde i en tunnel av støvete lys som tegnet et vagt omriss av huset. Jeg gikk ned fire trinn til, støttet til veggen. Jeg kunne skimte glassdøren i biblioteket. Ennå hadde jeg ikke oppdaget hvor Fumero kunne være. Jeg lurte på om han var gått ned i kjelleren eller krypten. Snødrysset som feide inn i huset, visket ut sporene etter ham. Jeg listet meg ned til foten av trappen og kastet et blikk inn i korridoren som førte til inngangen.

Den iskalde vinden spyttet meg i ansiktet. Den sunkne engelens klo var så vidt synlig i mørket. Jeg kikket i den andre retningen. Inngangen til biblioteket lå cirka ti meter fra foten av trappen. Forværelset som førte dit bort, lå sløret i mørke. Jeg skjønte at Fumero kunne stå og holde øye med meg bare noen meter fra der jeg sto, uten at jeg kunne se ham. Jeg stirret inn i skyggen, like ugjennomtrengelig som vannet i en brønn. Jeg trakk pusten dypt og slepte nesten med meg bena da jeg gikk i blinde over gulvet som skilte meg fra biblioteket.

Det store, ovale rommet lå senket i et stusslig, dampende lys, gjennomhullet av skyggeprikker fra snøen som dalte geléaktig bak vinduene. Jeg lot blikket fare over de nakne veggene og speidet etter Fumero, som kanskje hadde stilt seg opp ved døren. En gjenstand dukket frem fra veggen bare noen meter til høyre for meg. Et øyeblikk syntes jeg den flyttet seg, men det var bare gjenskinnet av månen på eggen. En kniv, kanskje en tveegget en, sto stukket inn i veggen. Den spiddet et rektangulært stykke papp eller papir. Jeg gikk dit bort og kjente straks igjen bildet som var dolket fast til veggen. Det var en identisk kopi av det halvt oppbrente fotografiet som en fremmed hadde lagt igjen på disken i bokhandelen. På bildet smilte Julián og Penélope, to tenåringer bare, mot et liv som hadde glippet fra dem uten at de selv kunne ane det. Knivseggen skar seg gjennom brystet til Julián. Da skjønte jeg at det ikke hadde vært Laín Coubert, eller Julián Carax, som hadde lagt fra seg det fotografiet som en invitasjon. Det hadde vært Fumero. Fotografiet hadde vært en forgiftet åte. Jeg løftet hånden for å rive det løs fra kniven, men jeg stanset brått da jeg kjente Fumeros iskalde revolver i nakken.

– Et bilde sier mer enn tusen ord, Daniel. Hvis din far ikke hadde vært en sånn bedriten bokhandler, ville han ha lært deg det.

Jeg snudde meg sakte og sto overfor munningen på våpenet. Det stinket av ferskt krutt. Fumeros likansikt smilte i en geip som var fordreid av frykt.

– Hvor er Carax?

– Langt herfra. Han visste at De skulle komme. Han har reist.

Fumero så på meg uten å blunke.

– Jeg skal sprenge ansiktet ditt i filler, gutt.

– Det tjener ikke til stort. Carax er ikke her.

– Opp med munnen, kommanderte Fumero.

– Hvorfor det?

– Opp med munnen, eller skal jeg åpne den med et skudd?

Jeg skilte leppene. Fumero stakk revolveren i munnen på meg.
Jeg kjente at en brekning steg opp i halsen. Tommelfingeren til
Fumero spente hanen.

– Nå, ditt krek, tenk over om du har noen grunn til å leve
lenger. Hva mener du?

Jeg nikket sakte.

– Så si meg hvor Carax er.

Jeg forsøkte å stotre frem noe. Fumero trakk revolveren sakte
ut.

– Hvor er han?

– Nede. I krypten.

– Vis meg veien. Jeg vil at du skal være til stede når jeg fortel-
ler det svinet hvordan Nuria Monfort jamret da jeg stakk kniven
i ...

Silhuetten banet seg vei fra det tomme intet. Da jeg skimtet
ham over skulderen på Fumero, var det som å se hvordan mørket
beveget seg i gardiner av tåke, og en skikkelse uten ansikt, med
hvitglødende blikk, kom glidende mot oss i den dypeste stillhet,
som om han knapt rørte ved gulvet. Fumero øynet refleksen i
pupillene mine, selv om de var sløret av tårer, og ansiktsuttrykket
fortrakk seg langsomt.

Da han snudde seg og fyrte av et skudd mot den kappen av
svart mørke som omsluttet ham, hadde to klør av skinn, uten linjer
eller kanter, klemt til rundt strupen på ham. Det var hendene til
Julián Carax, som de var vokst frem av flammene. Carax skub-
bet meg til side og klistret Fumero opp mot veggen. Inspektøren
tviholdt på revolveren og prøvde å få den inn under haken på
Carax. Før han fikk trukket i avtrekkeren, hadde Carax grepet
ham om håndleddet og dundret det i veggen, om og om igjen,
uten at Fumero slapp revolveren. Atter et skudd smalt i mørket og
gikk rett i veggen, hvor det slo hull i panelet. Tårer av brennende
krutt og glødende splinter sprutet i ansiktet på inspektøren. En
stank av svidd kjøtt bølget gjennom rommet.

Med et kast prøvde Fumero å riste av seg hendene som klemte
rundt halsen så han ikke kunne røre seg, og presset hånden som
holdt revolveren, inntil veggen. Carax slapp ikke taket. Fumero
brølte av raseri og skakket på hodet til han greide å bite Carax i
neven. Han var besatt av et dyrisk raseri. Jeg hørte at det knaste

da tennene hans flenget opp det døde kjøttet, og jeg så at blodet piplet over leppene på Fumero. Carax enset ikke smerten, eller han var kanskje ute av stand til å føle den, og han grep så etter kniven. Med et rykk fikk han den løs fra veggen, og foran Fumeros skrekkslagne blikk spiddet han inspektørens høyre håndledd fast i veggen med et brutalt støt som førte knivbladet inn i panelet, nesten til skaftet. Fumero satte i et uhyggelig, forpint skrik. Hånden hans rettet seg ut i en krampetrekning, og revolveren falt ned ved føttene hans. Carax skysset den inn i skyggene med et spark.

Denne scenen hadde i all sin gru utfoldet seg foran øynene mine på bare noen sekunder. Jeg følte meg lammet, ute av stand til å foreta meg noe eller ytre en eneste tanke. Carax snudde seg mot meg og boret blikket i meg. Jeg stirret på ham og klarte til slutt å rekonstruere de trekkene han hadde mistet, de som jeg hadde forestilt meg så mange ganger, når jeg så på bilder og hørte på gamle historier.

– Få Beatriz med deg bort herfra, Daniel. Hun vet hva dere har å gjøre. Hold deg hos henne hele tiden. Ikke la noen eller noe skille dere. Ta godt vare på henne. Bedre enn ditt eget liv.

Jeg ville nikke, men blikket mitt gikk til Fumero, som bakset med kniven som hadde skåret seg gjennom håndleddet. Han fikk den ut med et rykk og sank på kne, og holdt i den skadde armen, der blodet silte ned i fanget på ham.

– Av sted med deg, mumlet Carax.

Fumero iakttok oss nede fra gulvet blindet av hat og holdt den blodige kniven i venstre hånd. Carax gikk mot ham. Jeg hørte raske skritt som nærmet seg og skjønte at Palacios kom sjefen til unnsetning, alarmert av skuddene. Før Carax fikk revet kniven fra Fumero, stormet Palacios inn i biblioteket med våpenet løftet.

– Tilbake, sa han advarende.

Han kastet et fort blikk på Fumero, som rettet seg møysommelig opp, og så betraktet han oss, først meg og deretter Carax. Jeg oppfattet redselen og tvilen i det blikket.

– Tilbake, har jeg sagt.

Carax stanset opp og rygget unna. Palacios betraktet oss kaldt og forsøkte å utrede hvordan han skulle løse denne floken. Blikket falt på meg.

– Du har deg vekk. Dette er ikke noe du har noe med. Marsj.

Jeg nølte et øyeblikk. Carax nikket.

– Herfra skal ingen gå, innskjøt Fumero. – Palacios, gi meg revolveren.

Palacios ble stående taus.

– Palacios, gjentok Fumero og rakte frem hånden, som nå var helt tilsølt av blod, og forlangte å få våpenet.

– Nei, mumlet Palacios og bet tennene sammen.

De sinnssyke øynene til Fumero ble fulle av hån og raseri. Han hugg tak i Palacios' våpen og skjøv ham brutalt til side. Jeg vekslet et blikk med Palacios og skjønte hva som skulle skje. Fumero løftet våpenet sakte. Han skalv på hånden, og revolveren skinte, blank av blod. Carax trakk seg unna skritt for skritt og søkte seg mot skyggene, men det var ingen utvei. Revolverløpet fulgte ham. Jeg kjente at alle muskler i kroppen min flammet av raseri. Dødsgrimasen til Fumero, som slikket seg om munnen i vanvidd og bitterhet, vekket meg som en ørefik. Palacios så på meg og ristet stumt på hodet. Jeg lot som jeg ikke så ham. Carax hadde gitt seg over alt, sto urørlig midt i rommet og ventet på kulen.

Fumero fikk aldri øye på meg. For ham eksisterte bare Carax og den blodige hånden som knuget rundt en revolver. Med et byks kastet jeg meg over ham. Jeg merket at føttene mine løftet seg fra bakken, men fikk aldri kontakt med den igjen. Verden hadde stivnet til i luften. Braket fra skuddet nådde meg langt bortefra, som ekkoet av et uvær som driver bort. Jeg kjente ingen smerte. Skuddet gikk inn mellom ribbena på meg. Den første flammen var blind, som om en metallstang hadde slått meg med ufattelig kraft og hevet meg et par meter gjennom løse luften, til jeg deiset i bakken. Jeg kjente ikke fallet, men det var som om veggene rykket innpå meg og taket senket seg i stor fart, som om det var oppsatt på å knuse meg.

En hånd grep tak i nakken på meg, og jeg så ansiktet til Julián Carax bøyd over meg. I dette synet var Carax nøyaktig som jeg hadde forestilt meg ham, som om flammene aldri hadde flerret av ham ansiktet. Jeg merket forferdelsen i blikket hans, men skjønte ikke hva det var. Jeg så at han la hånden på brystet mitt, og lurte på hva det var for en dampende væske som boblet frem mellom fingrene hans. I det samme kjente jeg den uhyggelige ilden, som en glohet pust som slukte hele mitt innvortes. Et skrik prøvde å slippe frem over leppene, men ble druknet i varmt blod. Jeg kjente igjen ansiktet til Palacios ved siden av meg, tilintetgjort av samvittighetskvaler. Jeg hevet blikket, og da så jeg henne. Bea kom sakte gående fra døren til biblioteket, med et ansikt som var innsmurt i redsel og med skjelvende hender foran munnen. Jeg ristet stumt på hodet. Jeg ville advare henne, men en bitende kulde ilte langs armer og ben, skar seg vei videre inn i kroppen.

Fumero lå på lur bak døren. Bea hadde ikke lagt merke til ham. Da Carax sprang opp og Bea snudde seg forskrekket, strøk inspektørens revolver allerede langs pannen hennes. Palacios kastet seg frem for å holde ham igjen. Han kom for sent. Carax var allerede over ham. Jeg hørte skriket hans, langt borte, og det førte med seg Beas navn. Rommet flammet opp i glansen fra skuddet. Kulen gikk gjennom den høyre hånden til Carax. Et øyeblikk senere stupte den ansiktsløse mannen over Fumero. Jeg bøyde meg for å se hvordan Bea kom løpende mot meg, uskadd. Jeg søkte Carax med et blikk som var i ferd med å slukne, men fant ham ikke. En annen skikkelse hadde inntatt hans plass. Det var Laín Coubert, slik jeg hadde lært å frykte ham mens jeg leste sidene i en bok for alle de årene siden. Denne gangen boret Couberts klør seg inn i øynene til Fumero som jernkroker og rev ham med seg. Jeg rakk så vidt å se at bena til inspektøren ble slept gjennom døren til biblioteket, så hvordan kroppen hans kavet og ristet, mens Coubert skånselløst slepte ham mot ytterdøren, jeg så hvordan knærne smalt mot marmortrinnene, og snøen spyttet ham i ansiktet, så hvordan den ansiktsløse mannen klemte til rundt halsen på ham, løftet ham som en nikkedukke og kastet ham i den frosne fontenen, så hvordan engelens hånd skar seg inn i brystet på ham og spiddet ham, og hvordan den forbannede sjelen drev bort i damp og svart pust og falt i frosne tårer over speilet, mens øyelokkene glippet til han døde, og det var som om øynene ble splintret av den krafsende rimfrosten.

Så sank jeg sammen, ute av stand til å feste blikket et sekund til. Mørket ble farget av hvitt lys, og Beas ansikt fjernet seg i en tunnel av tåke. Jeg lukket øynene og følte Beas hender i ansiktet og pusten av stemmen hennes som tryglet Gud om ikke å rive meg bort, hvisket at hun elsket meg og at jeg ikke måtte slippe taket, ikke slippe taket. Jeg husker bare at jeg rev meg løs i en hildring av lys og kulde, at en selsom fred omsluttet meg og tok bort smerten og den langsomme ilden i mitt indre. Jeg så meg selv gå på gatene i det forheksede Barcelona, hånd i hånd med Bea, og vi var blitt nesten gamle. Jeg så far og Nuria Monfort legge hvite roser på graven min. Jeg så Fermín gråte i Bernardas armer, og min gamle venn Tomás, som hadde forstummet for alltid. Jeg så dem slik man ser fremmede fra et tog som er på vei bort i altfor stor fart. Det var da jeg nesten uten selv å tenke over det, husket ansiktet til mor, det jeg hadde mistet for så mange år siden, som om et bortkommet utklipp hadde sneket seg inn mellom sidene i en bok. Dets lys var det eneste som fulgte meg på min ferd mot dypet.

27. NOVEMBER 1955
POST MORTEM

Rommet var hvitt, formet av murflater, og gardiner vevd av damp og strålende solskinn. Fra vinduet mitt kunne jeg se et uendelig blått hav. En dag skulle noen prøve å overbevise meg om at nei, fra Corachán-klinikken kan man ikke se havet, at værelsene der ikke er hvite eller eteriske, og at havet i november det året var en flåte av kaldt og fiendtlig bly, at det fortsatte å snø hver dag den uken til solen og hele Barcelona lå begravd under en meter snø, og at til og med Fermín, som ellers var den evige optimist, trodde at jeg skulle dø enda en gang.

Jeg hadde dødd før, i ambulansen, i armene til Bea og løytnant Palacios, som fikk tilgriset den offisielle dressen sin med blodet mitt. Kulen, sa legene, som snakket om meg i den tro at jeg ikke hørte dem, hadde smadret to ribben, streifet hjertet, kuttet en pulsåre og gått videre ut på siden, og hadde revet med seg alt som kom i dens vei. Hjertet mitt sluttet å slå i fireogseksti sekunder. De sa at da jeg vendte tilbake fra min avstikker til uendeligheten, slo jeg øynene opp og smilte før jeg svimte av.

Jeg kom ikke til bevissthet igjen før åtte dager senere. Imens hadde avisene allerede trykt nyheten om at den berømmelige politiinspektør Francisco Javier Fumero hadde mistet livet i et sammenstøt med en væpnet forbryterbande, og myndighetene hadde det fryktelig travelt med å finne en gate eller en passasje som de kunne omdøpe i hans navn. Liket hans var det eneste som ble funnet i Aldayas gamle herskapsvilla. Likene til Penélope og hennes sønn kom aldri til rette.

Jeg våknet ved daggry. Jeg husker lyset, som flytende gull som bredte seg ut over lakenene. Det hadde sluttet å snø, og noen hadde skiftet ut havet utenfor vinduet mitt med en hvit plass der det var et par husker, men ikke stort mer. Far, som satt sammensunket i en stol ved sengekanten, hevet blikket og betraktet meg taust. Jeg smilte, og han brast i gråt. Fermín, som sov som en stein *ute i korridoren, og Bea, som hadde hodet hans i fanget, hørte gråten hans, et klagerop som skar over i skrik, og kom farende inn. Jeg husker at Fermín var hvit og tynn som et fiskeben. De fortalte at blodet som fløt i årene mine, var hans, at jeg hadde mistet alt mitt, og at vennen min i flere dager hadde stappet i seg rundstykker med oksemørbrad i klinikkens kafeteria for å bygge opp røde blodlegemer i tilfelle jeg skulle trenge mer. Kanskje var det forklaringen på at jeg følte meg mer lærd og mindre som Daniel. Jeg husker at det var en skog av blomster, og at det den ettermiddagen, eller kanskje to minutter senere, det tør jeg ikke si, gikk et tog av mennesker gjennom rommet, fra Gustavo Barceló og hans niese Clara til Bernarda og min venn Tomás, som ikke torde se meg i øynene, og som da jeg slo armene rundt ham, gikk ut for å gråte. Jeg har en vag erindring om at don Federico var der sammen med Merceditas og gymnaslærer Anacleto. Især husker jeg Bea, som så stumt på meg mens alle andre var over-stadige av glede og jublet i vilden sky, og far, som hadde sovet syv netter i den stolen og bedt til en Gud han ikke trodde på.*

Da legene tvang hele opptoget til å forlate rommet og bevilge meg en hvile jeg ikke ønsket, gikk far et øyeblikk bort til meg og sa at han hadde tatt med seg pennen min, Victor Hugos fyllepenn, og en kladdebok, i tilfelle jeg ville skrive noe. Fermín stilte seg i døren og opplyste at han hadde rådført seg med legestaben på klinikken, og de hadde forsikret ham om at jeg ikke kunne inn-kalles til militærtjeneste. Bea kysset meg på pannen og tok med seg far for at han skulle få frisk luft, for han hadde ikke vært ute av rommet på over en uke. Jeg ble alene, knuget av utmat-telse, og overga meg til søvnen med blikket rettet mot pennen på nattbordet.

Jeg ble vekket av noen skritt i døren, og jeg syntes jeg så sil-huetten av far ved fotenden av sengen, eller kanskje det var doktor Mendoza, som ikke slapp meg ut av syne et øyeblikk, overbevist som han var om at jeg var et resultat av et mirakel. Den som var kommet på besøk, gikk rundt sengen og satte seg i fars stol. Jeg var tørr i munnen og kunne knapt få frem et ord. Julián Carax holdt et glass vann opp til leppene mine og støttet hodet mitt mens jeg fuktet dem. Det lå en avskjed i blikket, og da jeg så inn i øynene hans, forsto jeg at han aldri hadde fått rede på hvem Penélope egentlig var. Jeg husker ikke helt hva han sa, heller ikke klangen i stemmen. Derimot vet jeg at han tok hånden min, og at jeg følte at han ba meg leve for ham, at jeg aldri skulle få se ham igjen. Det jeg ikke har glemt, er hva jeg sa til ham. Jeg ba ham ta den pennen, som hele tiden hadde vært hans, og fortsette å skrive.

Da jeg våknet, avkjølte Bea pannen min med et klede fuktet i kølnervann. Forskrekket spurte jeg hvor Carax var. Hun så forvirret på meg og sa at Carax var forsvunnet i uværet for åtte dager siden og hadde etterlatt seg et blodspor i snøen, og alle regnet ham som død. Jeg sa at nei, han hadde vært der inne, hos meg, for bare noen sekunder siden. Bea smilte uten å si noe. Sykepleiersken som tok pulsen min, ristet sakte på hodet og sa at jeg hadde sovet i seks timer, at hun hadde sittet ved skrivebordet sitt utenfor døren til værelset mitt hele tiden, og ingen hadde vært inne på rommet mitt.

Den natten, mens jeg prøvde å få sove, vred jeg hodet på puten og konstaterte at etuiet var åpent og pennen forsvunnet.

1956

VANNET I MARS

Bea og jeg giftet oss i Santa Ana-kirken to måneder senere. Señor Aguilar, som fremdeles snakket til meg i enstavelsesord og skulle fortsette med det til tidenes ende, hadde bevilget meg sin datters hånd da han innså at han aldri ville få hodet mitt på et fat. Det at Bea forsvant, hadde slipt kantene av raseriet hans, og nå var det som om han levde i en tilstand av evig angst, og hadde avfunnet seg med at hans barnebarn snart skulle kalle meg pappa, og at livet hadde benyttet seg av et skamløst krapyl som var lappet sammen igjen etter en kule for å stjele fra ham den piken som han, tross de bifokale brillene, fremdeles så slik hun hadde vært i sin første kommunion, ikke en dag eldre. En uke før vielsen dukket Beas far opp i bokhandelen for å gi meg en slipsnål av gull som hadde tilhørt hans far, og for å trykke hånden min.

– Bea er det eneste gode jeg har utrettet i livet, sa han. – Ta godt vare på henne.

Far fulgte ham til døren og så etter ham da han gikk bortover Calle Santa Ana, med den melankolien som gir et formildende skjær til menn som blir gamle på samme tid, uten at noen har bedt dem om lov.

– Han er ikke noe dårlig menneske, Daniel, sa han. – Alle har sin egen måte å elske på.

Doktor Mendoza, som tvilte på min evne til å holde meg oppreist i mer enn en halvtime, hadde fremholdt at alt styret i forbindelse med et bryllup og forberedelsene til det ikke var den beste medisinen for en mann som hadde holdt på å legge igjen hjertet sitt på operasjonsbordet.

– Vær ikke bekymret, sa jeg beroligende. – De lar meg ikke gjøre noen ting.

Jeg løy ikke. Fermín Romero de Torres hadde oppkastet seg til eneveldig diktator og altmuligmann for seremonien, festmiddagen og ymse annet. Da sognepresten fikk vite at bruden ville komme gravid til alteret, hadde han stilt seg helt på bakbena og ville ikke forrette vielsen, og hadde sågar truet med å kalle inkvisisjonens gjenferd til unnsetning for at det ikke skulle bli noe av bryllupet. Fermín ble så rasende at han slepte ham ut av kirken og brølte så alle kunne høre det at han ikke var verdig verken prestekjolen eller menigheten, og sverget at om han våget å lee på så mye som et øyelokk, skulle han sørge for at det ble en sånn skandale i bispedømmet at han minst ville bli forvist til Gibraltar for å omvende apekattene der, som straff for sin ynkelighet og smålighet. Flere av dem som kom forbi, uttrykte sitt bifall, og blomsterhandleren på plassen ga Fermín en hvit nellik som han hadde stående i knapphullet helt til kronbladene fikk samme farge som snippen på skjorten hans.

Da alt var klappet og klart og bare presten manglet, gikk Fermín til San Gabriel med tanke på å sikre seg fader Fernando Ramos' bistand. Mannen hadde aldri i sitt liv forrettet i et bryllup, og hans spesialitet var latin, trigonometri og turn uten apparater, i den rekkefølgen.

– Deres høyærverdighet, brudgommen er meget svak, og jeg kan ikke nå volde ham enda flere fortredeligheter. Han ser på Dem som en reinkarnasjon av de store kirkefedrene, i det høye sammen med Sankt Thomas, Sankt Augustin og Jomfruen av Fátima. Tro det eller ei, den gutten er som meg, så from som noen kan få blitt. En mystiker. Hvis jeg nå kommer og sier at De svikter ham, blir vi nødt til å holde gravøl i stedet for bryllup.

– Når De fremstiller det slik ...

Etter hva man fortalte meg etterpå – for jeg husker det ikke, og bryllup er slikt som alle andre alltid sørger for å huske bedre – så passet Bernarda og don Gustavo Barceló før seremonien (i tråd med Fermíns detaljerte anvisninger) på å skjenke den stakkars presten muskatellvin for å løsne på tungebåndet. Da tiden var inne og fader Fernando skulle forrette, steg han inn med et salig smil, anla en rosenrød og meget innsmigrende tone, og valgte, i et anfall av protokollær frihet, å bytte ut lesingen av jeg vet ikke hvilket brev til korinterne med en kjærlighetssonett av en viss Pablo Neruda, en mann som ifølge noen av dem señor Aguilar hadde invitert, var en uforbederlig kommunist og bolsjevik, mens andre lette i messeboken etter disse versene som var av en så utsøkt hedensk skjønnhet, og undret seg på om man allerede nå begynte å se de første virkningene av det forestående konsilet.

Kvelden før bryllupet kom Fermín, tilstelningens arkitekt og seremonimester, og kunngjorde at han hadde organisert utdrikningslag som bare han og jeg var invitert til.

– Jeg vet ikke, Fermín. Jeg synes at slikt er ...

– Stol på meg.

Da den store kvelden opprant, fulgte jeg lydig med Fermín til en sjofel kneipe beliggende i Calle Escudillers, der stanken av mennesker blandet seg med middelhavskystens tarveligste stekeos. Et oppbud av damer med dyd til fals og meget lang fartstid tok imot oss med smil som ville ha vært en sann fryd for ethvert tannreguleringsfakultet.

– Vi skulle treffe La Rociíto, sa Fermín til en alfons med kinnskjegg som hadde forbløffende likhetstrekk med Kapp Finisterre.

– Fermín, mumlet jeg skrekkslagen. – I Herrens navn ...

– Ha tiltro til meg.

La Rociíto kom ilende i hele sin glans, som jeg antok måtte grense til nitti kilo, og da hadde jeg ikke regnet med sjalet fra Lagartera og kjolen av rød viskose, og foretok en grundig taksering av meg.

– Hei sann, gutten min. Jeg som trodde du var eldre.

– Dette er ikke angjeldende, opplyste Fermín.

Da forsto jeg hva det hele gikk ut på, og mine betenkeligheter var som blåst bort. Fermín glemte aldri et løfte, især ikke når det var jeg som hadde gitt det. Vi tre gikk for å se etter en taxi som kunne kjøre oss til aldershjemmet Santa Lucía. Underveis delte Fermín baksetet med La Rociíto, av hensyn til min helsetilstand, og som vordende brudgom, og der tok han hennes åpenbare attributter i øyesyn med påfallende fryd.

– Skal si du er en flott dame, Rociíto. Den skinka der er jo den rene apokalypsen av Botticelli.

– Men señor Fermín, etter atte du fikk deg kjæreste og greier, har du glømt meg og forsømt meg, din skurk.

– Rociíto, du er et kvinnfolk som krever det helt store, og jeg er blitt smittet av monogamiet.

– Så da, det der fikser La Rociío med noen strøk pensilin.

Det var over midnatt da vi kom til Calle Moncada, som eskorte for den himmelske kroppen til La Rociíto. Vi fikk henne inn på Santa Lucía bakveien, den som ble brukt for å bære de avdøde ut gjennom et smug som så ut og luktet som helvetes spiserør. Da vi vel var inne i *Tenebrariets* mørke, ga Fermín de siste instruksene til La Rociíto mens jeg oppsporet gamlingen som jeg hadde lovt en siste dans med Eros før Tanatos kom for å sette sluttstrek.

– Husk på, Rociíto, at gamlingen er litt på hørerøret, så du får snakke høyt, tydelig og grisete, sånn slibrig som bare du kan, men uten å gå over streken, for det er heller ingen grunn til å ekspedere ham til himmerik før tiden med hjertestopp.

– Bare helt rolig, skatten min, man er da profesjonell.

Jeg fant han som skulle nyte godt av slik elskov til låns, i en krok i annen etasje, en klok eremitt som hadde forskanset seg bak murer av ensomhet. Han hevet blikket og så forskrekket på meg.

– Er jeg død?

– Nei. De er i live. Husker De meg?

– Dem husker jeg like godt som mitt første par sko, unge mann, men da jeg så Dem så likblek og elendig, trodde jeg det var et syn fra det hinsidige. Men bry Dem ikke om det. Her mister man det som dere, i utenverdenen, kaller dømmekraften. Så De er altså ikke et syn?

– Nei. Synet har jeg tatt med, og det venter nedenunder, om De ville være så vennlig.

Jeg fulgte gamlingen til en skummel celle som Fermín og La Rociíto hadde pyntet til fest med levende lys og noen stenk av parfyme. Da den gamle mannens blikk falt på den frodige skjønnheten til vår Venus fra Jérez, strålte han opp i skjæret fra drømte paradis.

– Gud velsigne dere.

– Og måtte De få se ham, sa Fermín og lot sirenen fra Calle Escudillers forstå at hun kunne begynte å utfolde sine kunster.

Jeg så henne ta gamlingen med uendelig ømhet og kysse tårene som trillet nedover kinnene hans. Fermín og jeg forlot scenen for å gi dem den fornødne intimitet. På vår vandring gjennom dette desperasjonenes galleri støtte vi på søster Emilia, en av nonnene som bestyrte aldershjemmet. Hun sendte oss et svovlende blikk.

– Noen av de innlagte har fortalt at dere har sneket inn et ludder her, og nå vil de også ha seg et.

– Høyvelbårne søster, hva tar De oss for? Vår tilstedeværelse her er strengt økumenisk. Her kommer ynglingen, som i morgen skal bli mann i den hellige moderkirkes øyne, og jeg for å høre hvorledes det står til med Jacinta Coronado, som er innlagt her.

Søster Emilia hevet et øyebryn.

470

– Er dere i slekt?

– I ånden.

– Jacinta gikk bort for fjorten dager siden. En herre var og besøkte henne kvelden før. Var han en slektning av dere?

– Mener De fader Fernando?

– Det var ingen prest. Han sa han het Julián. Etternavnet husker jeg ikke.

Fermín så stumt på meg.

– Julián er en venn av meg, sa jeg.

Søster Emilia nikket.

– Han var hos henne i flere timer. Det var mange år siden sist jeg hadde hørt henne le. Da han gikk, sa hun at de hadde snakket om gamle dager, fra den gang de var unge. Hun sa at mannen hadde fortalt nytt om hennes datter Penélope. Jeg ante ikke at Jacinta hadde noen datter. Jeg husker det, for den morgenen smilte Jacinta til meg da jeg spurte hvorfor hun var så blid, og sa at hun skulle hjem, til Penélope. Hun døde ved daggry, mens hun sov.

La Rociíto avsluttet sitt elskovsritual like etter, og gamlingen ble liggende igjen helt utkjørt og i Morfei armer. Da vi kom ut, betalte Fermín henne dobbelt takst, men hun, som gråt av medlidenhet ved synet av alle disse håpløse tilfellene som var glemt av Gud og djevelen, ville absolutt gi vederlaget til søster Emilia, for at hun skulle servere varm sjokolade med sprutbakkels til alle sammen, for det var noe som alltid dulmet all livets smerte for henne, denne horenes dronning.

– Jeg er jo så sentimental av meg. De skjønner det, señor Fermín, den stakkars gamle kroken … han ville bare at jeg skulle ta omkring ham og kose litt med ham. Det skjærer meg i hjerterota …

Vi fikk La Rociíto inn i en taxi, ga henne raust med driks og svingte inn i Calle Princesa, som lå øde og svøpt i dampende slør.

– Best å gå og legge seg, på grunn av det i morgen, sa Fermín.

– Jeg tror ikke jeg klarer det.

Vi begynte å spasere i retning av Barceloneta, og nesten uten å tenke over det fortsatte vi utover til moloen, til hele byen lå strålende i all sin lydløshet foran våre føtter, som verdensaltets største hildring som tonet frem fra havnebassenget. Vi satte oss på bryggekanten for å nyte synet. Omtrent tyve meter fra oss begynte et stillestående opptog av biler med vinduene dekket av damp og avispapir.

– Denne byen er forhekset, ikke sant, Daniel? Den kryper inn under huden på en og margstjeler en uten at en merker det engang.

– Nå snakker du akkurat som La Rociíto, Fermín.

– Det er ikke noe å le av, for det er slike som henne som gjør denne hundeverdenen til et sted det er umaken verdt å oppholde seg i.

– Horene?

– Nei. Horer er vi alle, før eller siden. Jeg mener alle godhjertede mennesker. Og ikke se sånn på meg. Bryllup gjør meg helt mo i knærne.

Vi ble sittende i denne forunderlige stillheten og katalogisere refleksene i vannet. Etter en stund spredte daggryet sitt ravgule skjær over himmelen, og lyset foldet seg ut over Barcelona. Vi hørte de fjerne klokkene i Santa María del Mar, som trådte frem fra tåkedisen på den andre siden av havnen.

– Tror du at Carax fremdeles er der, et eller annet sted i byen?

– Spør meg om noe annet.

– Har du ringene?

Fermín smilte.

– Kom, så går vi. De venter på deg og meg, Daniel. Livet venter på oss.

Hun var kledd i elfenben og bar verden i sitt blikk. Jeg kan knapt huske hva presten sa, ei heller de forhåpningsfulle ansiktene til de innbudne som fylte kirken den marsmorgenen. Jeg minnes bare den lette berøringen av leppene hennes, og da jeg åpnet øynene, den hemmelige eden som preget seg inn i huden og som jeg skulle huske alle mine levedager.

Julián Carax avslutter *Vindens skygge* med noen kortfattede erindringer for å nøste opp hovedpersonenes skjebne mange år senere. Jeg har lest mange bøker siden den fjerne natten i 1945, men den siste romanen til Carax er og blir den jeg setter høyest. I dag, med tre tiår på baken, har jeg ikke lenger noe håp om å skifte mening.

Mens jeg skriver disse linjene på disken i bokhandelen, står min sønn Julián, som i morgen fyller ti år, og ser smilende på meg og forundrer seg over denne haugen med ark som bare vokser og vokser, kanskje overbevist om at også hans far har pådradd seg denne bøkenes og ordenes sykdom. Julián har sin mors øyne og intelligens, og jeg liker å tro at han kanskje eier min troskyldighet. Min far, som har problemer med å lese hva som står på bokryggene, selv om han ikke vil være ved det, er oppe i leiligheten. Mange ganger spør jeg meg selv om han er en lykkelig mann, om han har fred i sjelen, om vårt selskap hjelper ham, eller om han lever i sine minner og i den bedrøvelsen som alltid har fulgt ham. Det er Bea og jeg som driver bokhandelen nå. Jeg tar hånd om regnskapene og kalkylene. Bea gjør innkjøp og ekspederer kundene, som foretrekker henne fremfor meg. Det sier jeg ingenting på.

Tiden har gjort henne sterk og klok. Hun snakker nesten aldri om fortiden, selv om jeg ofte ser henne strande i stillheten, alene med seg selv. Julián forguder moren sin. Jeg ser de to og vet at et usynlig bånd knytter dem sammen, noe jeg knapt kan forstå det minste av. For meg er det nok å føle at jeg er en del av deres øy og vite hvor heldig jeg er. Bokhandelen kaster såpass av seg at vi kan leve sånn noenlunde av den, men jeg kan ikke tenke meg å holde på med noe annet. Det går nedover med salget for hvert år. Jeg er optimist og sier at det som stiger, må synke, og det som synker, må en dag stige. Bea sier at kunsten å lese er i ferd med å dø en langsom død, at den er et intimt ritual, at en bok er et speil, og at vi ikke kan finne annet i den enn det vi selv tar med oss inn; når vi leser, legger vi vårt sinn og vår sjel i det, og disse er goder det blir mer knapphet på for hver dag. Hver måned får vi tilbud fra folk som vil kjøpe bokhandelen og gjøre den om til en forretning der de selger fjernsynsapparater, belter eller sandaler. Skal de få oss ut herfra, må de bære oss ut med føttene først.

Fermín og Bernarda ble kirkelig viet i 1958 og har allerede kommet opp i fire små, alle gutter med sin fars nese og ører. Fermín og jeg sees ikke så ofte som før, men en gang iblant går vi igjen ut til moloen ved daggry og hamrer ut verden slik vi vil ha den. Fermín sluttet i bokhandelen for mange år siden og overtok ved Isaac Monforts død som bestyrer i De glemte bøkers kirkegård. Isaac ligger begravd ved siden av Nuria på Montjuïc. Jeg besøker dem ofte. Vi snakker sammen. Det er alltid friske blomster på Nurias grav.

Min gamle venn Tomás Aguilar flyttet til Tyskland, der han arbeider som ingeniør i maskinindustrien og finner opp underverker som jeg aldri har kunnet begripe. Noen ganger skriver han, og brevene er alltid stilet til hans søster Bea. Han giftet seg for et par år siden og har en datter vi aldri har sett. Han sender alltid hilsener til meg, men jeg vet at jeg mistet ham for mange år siden, uopprettelig. Jeg liker å tenke at livet bare tar fra oss barndomsvennene uten grunn, men det er ikke alltid jeg tror det.

Dette kvartalet er som det alltid har vært, men enkelte dager forekommer det meg at lyset blir stadig dristigere, at det vender tilbake til Barcelona, som om vi sammen hadde forvist det, men at det omsider har tilgitt oss. Don Anacleto har sluttet som lærer og vier seg nå helt og holdent den erotiske poesien og randbemerkningene, mer monumentale enn noensinne. Don Federico Flaviá og Merceditas flyttet sammen etter at urmakerens mor døde. De er et flott par, selv om det alltids er misunnelige personer som påstår at naturen aldri fornekter seg, og at don Federico en gang iblant drar på byen og slår seg løs utkledd som yppig matrone.

Don Gustavo Barceló har stengt bokhandelen og overdradd varebeholdningen til oss. Han sa at han hadde bransjen langt opp i halsen og ønsket seg nye utfordringer. Den første og siste av dem var opprettelsen av et forlag som skulle drive med opptrykk av Julián Carax' verker. Det første bindet, som inneholdt hans tre første romaner (rekonstruert etter en spaltekorrektur som hadde ligget og slengt i et møbelmagasin etter familien Cabestany), solgte tre hundre og toogførti eksemplarer, mange titalls tusen bak det årets salgssuksess, en illustrert hagiografi over El Cordobés. Don Gustavo reiser nå rundt i Europa sammen med fine fruer og sender prospektkort fra katedraler.

Hans niese Clara giftet seg med en steinrik bankier, men det holdt bare et år. Listen over hennes elskere er fremdeles vidløftig, men skrumper inn for hvert år, akkurat som hennes skjønnhet. Nå bor hun alene i leiligheten ved Plaza Real, og går stadig sjeldnere ut. En stund hendte det at jeg besøkte henne, mer fordi Bea minnet meg om hvor ensom hun var og hvilken vanskjebne hun hadde lidd, enn fordi jeg selv hadde lyst. Med årene har jeg merket at det spirer frem en bitterhet som hun prøver å forkle som ironi og nonchalanse. Noen ganger tror jeg hun fremdeles venter på at den femtenårige, forheksede Daniel skal komme tilbake og tilbe henne i skyggene. Beas eller en hvilken som helst annen kvinnes tilstedeværelse virker som gift på henne. Sist jeg så henne, lot hun hendene gli over ansiktet for å lete etter rynkene sine. Jeg har hørt at hun en gang iblant fremdeles treffer den gamle musikklæreren, Adrián Neri, som ennå ikke har fullført symfonien sin, og som øyensynlig har gjort karriere som gigolo blant damene som vanker i Liceo, der hans sengeakrobatikk har gitt ham tilnavnet *Tryllefløyten*.

Årene har ikke fart pent med inspektør Fumeros minne. Ikke engang de som hatet og fryktet ham, synes å huske ham lenger. For mange år siden traff jeg løytnant Palacios i Paseo de Gracias og fikk vite at han hadde sluttet i politiet og nå drev som gymnastikklærer ved en videregående skole i Bonanova. Han fortalte at det ennå finnes en minnetavle over Fumero i kjelleren på hovedpolitistasjonen i Vía Layetana, men at den nye brusautomaten dekker den helt til.

Hva herskapsboligen til Aldaya angår, så står den der fremdeles, stikk i strid med alle spådommer. Eiendomsmegleren til señor Aguilar fikk omsider solgt den. Den ble fullstendig restaurert, og statuene av englene ble malt til grus som dekker den parkeringsplassen som ligger der hvor den gamle hagen var. I dag er det et reklamebyrå som holder til der, et av disse som skaper og sprer denne forunderlige poesien som omhandler sokker, karamellpudding i pulverform og treningsstudioer for bedriftsledere. Jeg må tilstå at jeg en dag, med de mest usannsynlige begrunnelser, troppet opp der og spurte om jeg kunne få se meg om i huset. Det gamle biblioteket der jeg på et hengende hår hadde mistet livet, er nå et styrerom der det henger reklameplakater for deodoranter og vaskepulver med mirakuløse egenskaper. Rommet der Bea og jeg unnfanget Julián, er nå generaldirektørens toalett.

Da jeg den dagen kom tilbake til bokhandelen etter besøket i Aldayas gamle villa, fant jeg en pakke som var kommet med posten, stemplet i Paris. Den inneholdt en bok med tittelen *Tåkeengelen*, en roman av en viss Boris Laurent. Jeg bladde fort igjennom den og kjente den magiske, løfterike duften av nye bøker, og lot blikket dvele ved en vilkårlig setning. Jeg skjønte øyeblikkelig hvem som hadde skrevet den, og det forbauset meg ikke, da jeg gikk tilbake til den første siden, at jeg fant følgende dedikasjon, skrevet med blått blekk fra den pennen jeg hadde forgudet som liten:

Til min venn Daniel, som ga meg stemmen og pennen tilbake.
Og til Beatriz, som ga oss begge livet tilbake.